2009

CHINA POPULATION AND EMPLOYMENT STATISTICS YEARBOOK

国家统计局人口和就业统计司　编

COMPILED BY
Department of Population and Employment Statistics
National Bureau of Statistics of China

中国人口和就业统计年鉴

蒋正华题

中国统计出版社
China Statistics Press

（京）新登字 041 号

图书在版编目（CIP）数据

中国人口和就业统计年鉴.2009/国家统计局人口和就业统计司编.—北京：中国统计出版社，2009.10

ISBN 978-7-5037-5770-9

Ⅰ.中… Ⅱ.国… Ⅲ.①人口调查—统计资料—中国—2009—年鉴②就业—统计资料—中国—2009—年鉴 Ⅳ.C924.25-54 D669.2-54

中国版本图书馆 CIP 数据核字（2009）第 154419 号

中国人口和就业统计年鉴—2009

作　　者 / 国家统计局人口和就业统计司
责任编辑 / 徐涛　吴珊
封面设计 / 艺编广告
出版发行 / 中国统计出版社
通信地址 / 北京市西城区月坛南街 57 号　邮政编码/100826
办公地址 / 北京市丰台区西三环南路甲 6 号
电　　话 / 邮购（010）63376907　书店（010）68783172
印　　刷 / 河北天普润印刷厂
开　　本 / 890×1240mm　1/16
字　　数 / 824 千字
印　　张 / 25.75
版　　别 / 2009 年 10 月第 1 版
版　　次 / 2009 年 10 月第 1 次印刷
书　　号 / ISBN 978-7-5037-5770-9/D・239
定　　价 / 220.00 元

本书附同版本 CD-ROM 一张，光盘内容以书面文字为准。
中国统计版图书，如有印装错误，本社发行部负责调换。

《中国人口和就业统计年鉴—2009》
编委会和编辑工作人员

CHINA POPULATION AND EMPLOYMENT STATISTICS YEARBOOK-2009 EDITORIAL BOARD AND STAFF

编辑说明

一、《中国人口和就业统计年鉴—2009》是一部以全面反映我国人口和就业状况为主的资料性年刊，收集了全国和各省、自治区、直辖市人口就业统计的主要数据，同时附录了世界部分国家和地区的相关数据。

二、本年鉴由国家统计局人口和就业统计司负责编辑整理，并得到公安部治安管理局、国家人口和计划生育委员会发展规划司等单位的大力支持和协助。

三、本年鉴内容分为八部分：（一）综合数据；（二）2008 年全国人口变动情况抽样调查数据；（三）2008 年劳动力抽样调查主要数据；（四）2008 年城镇单位就业人员统计数据；（五）2008 年全国户籍统计人口数据；（六）2008 年全国计划生育统计人口数据；（七）世界部分国家及地区人口和就业统计数据；（八）2008 年人口变动和劳动力调查制度说明及主要统计指标解释。

四、2008 年全国人口变动和劳动力调查的调查时点为 2008 年 11 月 1 日零时。该调查以全国为总体，以各省、自治区、直辖市为次总体，采用分层、多阶段、整群概率比例抽样方法，在全国 31 个省、自治区、直辖市抽取了 1902 个县(市、区)、3466 个乡(镇、街道)、11840 个调查小区中的 118 万人。经加权后汇总，2008 年全国人口出生率为 12.14‰，死亡率为 7.06‰，自然增长率为 5.08‰。按此推算，2008 年末全国总人口为 132802 万人，出生人口为 1608 万人，死亡人口为 935 万人，净增人口为 673 万人。本年鉴第二部分各表中的绝对数为样本数（表 2-1、表 2-2 除外），全国抽样比为 0.887‰。

五、本年鉴中收集的 2008 年全国人口变动情况抽样调查数据（第二部分）和 2008 年全国户籍统计人口数据（第五部分），由于统计方法和口径的不同，可能不完全一致，请用户在使用时加以注意。

六、本年鉴涉及的全国性统计数据，均未包括香港、澳门特别行政区和台湾省数据。

七、符号使用说明：

年鉴各表中的“空格”表示该项统计指标数据不足本表最小单位数、数据不详或无该项数据。

八、本年鉴在资料的整理和编排方面难免存在不足和疏误，敬请用户指正。

PREFACE

I. *China Population and Employment Statistics Yearbook 2009* is an annual statistical publication, which contains data on basic condition of population and employment in 2008 as well as for the previous years for the whole nation and 31 provinces, autonomous regions and municipalities directly under the Central Government. It also includes the relevant data of some other countries and territories in the world.

II. The yearbook is compiled by the Department of Population and Employment Statistics of the National Bureau of Statistics of China, and assisted by the Public Order Bureau of the Ministry of Public Security and the Department of Development and Planning of the National Population and Family Planning Commission of China.

III. The yearbook contains the following eight chapters: 1.General Survey; 2.Data from 2008 National Sample Survey on Population Changes; 3.Main Data from 2008 Labor Force Survey; 4. Data from Statistics on Employment in Urban Units in 2008; 5.Data from Household Registration in 2008; 6.Data from Family Planning Statistics in 2008; 7.Population and Employment Data of Selected Countries and Territories of the World; 8.Explanatory Notes on Main Statistical Indicators.

IV. The reference time of 2008 National Sample Survey on Population Changes and Labor Force was at zero hour on November 1 in 2008. The sample survey adopted multi-stage systematic PPES cluster sampling scheme, taking the whole nation as the population and each province, autonomous region or municipality as sub-population. A total of 1.18 million people were selected from 11840 survey districts in 3466 townships (towns or street committees) in 1902 counties (cities or districts) of the 31 provinces, autonomous regions and municipalities. The weighted estimation procedure suggested that the birth rate was 12.14 per thousand, the death rate was 7.06 per thousand and the natural growth rate was 5.08 per thousand for China in 2008. Based on these rates, it was further estimated that China had a total population of 1328.02 million at the end of 2008, with 16.08 million births, 9.35 million deaths and a net increase of 6.73 million people during the year. The most of tabulations in Chapter Two were sample data (except table 2-1 and table 2-2). The sampling fraction for the nation was 0.887 per thousand.

V. The population data of Chapter Two in the yearbook are from 2008 National Sample Survey on Population Changes, and those of Chapter Five are from the household registration, which use different definitions and data collection methods. Users should notice that the data under the same or similar heading in these two chapters may be different.

VI. The national data in the yearbook do not include that of Hong Kong Special Administrative Region, Macao Special Administrative Region and Taiwan Province.

VII. Notations used in the yearbook:

(blank space) indicates that the figure is not large enough to be measured with the smallest unit in the table, or data are unknown or are not available.

VIII. We welcome comments and suggestions from users with regard to deficiencies and mistakes in data editing and compilation.

目　　录

CONTENTS

第一部分　综合数据

Chapter One:General Survey

第三部分 2008年劳动力抽样调查主要数据

Chapter Three:Main Data from 2008 Labor Force Survey

第四部分 2008 年城镇单位就业人员统计数据

Chapter Four:Data from Statistics on Employment in Urban Units in 2008

第五部分 2008 年全国户籍统计人口数据

Chapter Five:Data from Household Registration in 2008

第六部分 2008年全国计划生育统计人口数据

Chapter Six:Data from Family Planning Statistics in 2008

第七部分 世界部分国家及地区人口和就业统计数据

Chapter Seven:Population and Employment Data of Selected Countries and Territories of the World

一、世界部分国家人口和就业统计数据

I.Population and Employment Data of Selected Countries of the World

二、香港特别行政区人口和就业统计数据

II.Population and Employment Data of Hong Kong Special Administrative Region

三、澳门特别行政区人口和就业统计数据

III.Population and Employment Data of Macao Special Administrative Region

四、台湾省人口和就业统计数据

IV.Population and Employment Data of Taiwan Province

第一部分

Chapter One

综合数据

General Survey

1-1 各地区人口数

单位：万人

地 区	Region	1990	1991	1992	1993	1994	1995	1996	1997
全 国	**National Total**	**114333**	**115823**	**117171**	**118517**	**119850**	**121121**	**122389**	**123626**
北 京	Beijing	1086	1094	1102	1112	1125	1251	1259	1240
天 津	Tianjin	884	909	920	928	935	942	948	953
河 北	Hebei	6159	6220	6275	6334	6388	6437	6484	6525
山 西	Shanxi	2899	2942	2979	3012	3045	3077	3109	3141
内蒙古	Inner Mongolia	2163	2184	2207	2232	2260	2284	2307	2326
辽 宁	Liaoning	3967	3990	4016	4042	4067	4092	4116	4138
吉 林	Jilin	2483	2509	2532	2555	2574	2592	2610	2628
黑龙江	Heilongjiang	3543	3575	3608	3640	3672	3701	3728	3751
上 海	Shanghai	1337	1340	1345	1349	1356	1415	1419	1457
江 苏	Jiangsu	6767	6844	6911	6967	7021	7066	7110	7148
浙 江	Zhejiang	4168	4202	4236	4266	4294	4319	4343	4435
安 徽	Anhui	5675	5761	5834	5897	5955	6013	6070	6127
福 建	Fujian	3037	3079	3116	3150	3183	3237	3261	3282
江 西	Jiangxi	3810	3865	3913	3966	4015	4063	4105	4150
山 东	Shandong	8493	8570	8610	8642	8671	8705	8738	8785
河 南	Henan	8649	8763	8862	8946	9027	9100	9172	9243
湖 北	Hubei	5439	5512	5580	5653	5719	5772	5825	5873
湖 南	Hunan	6128	6209	6267	6311	6355	6392	6428	6465
广 东	Guangdong	6346	6439	6525	6607	6689	6868	6961	7051
广 西	Guangxi	4261	4324	4380	4438	4493	4543	4589	4633
海 南	Hainan	663	674	686	701	711	724	734	743
重 庆	Chongqing								3042
四 川	Sichuan	10804	10897	10998	11104	11214	11325	11430	8430
贵 州	Guizhou	3268	3315	3361	3409	3458	3508	3555	3606
云 南	Yunnan	3731	3782	3832	3885	3939	3990	4042	4094
西 藏	Tibet	222	226	228	232	236	240	244	248
陕 西	Shaanxi	3316	3363	3405	3443	3481	3514	3543	3570
甘 肃	Gansu	2255	2285	2314	2345	2378	2438	2467	2494
青 海	Qinghai	448	454	461	467	474	481	488	496
宁 夏	Ningxia	470	480	487	495	504	513	521	530
新 疆	Xinjiang	1529	1555	1581	1605	1632	1661	1689	1718

注：1.本表数据均为年末人口数。
2.全国人口数中未包括香港、澳门特别行政区和台湾省的人口。
3.全国人口数中包括中国人民解放军现役军人，分地区人口数中未包括。

Total Population by Region

(10000 persons)

1998	1999	2000	2001	2002	2003	2004	2005	2006	2007	2008
124761	**125786**	**126743**	**127627**	**128453**	**129227**	**129988**	**130756**	**131448**	**132129**	**132802**
1246	1257	1357	1383	1423	1456	1493	1538	1581	1633	1695
957	959	1001	1004	1007	1011	1024	1043	1075	1115	1176
6569	6614	6674	6699	6735	6769	6809	6851	6898	6943	6989
3172	3204	3248	3272	3294	3314	3335	3355	3375	3393	3411
2345	2362	2372	2377	2379	2380	2384	2386	2397	2405	2414
4157	4171	4184	4194	4203	4210	4217	4221	4271	4298	4315
2644	2658	2682	2691	2699	2704	2709	2716	2723	2730	2734
3773	3792	3807	3811	3813	3815	3817	3820	3823	3824	3825
1464	1474	1641	1614	1625	1711	1742	1778	1815	1858	1888
7182	7213	7327	7355	7381	7406	7433	7475	7550	7625	7677
4456	4475	4596	4613	4647	4680	4720	4898	4980	5060	5120
6184	6237	6286	6328	6338	6410	6461	6120	6110	6118	6135
3299	3316	3410	3440	3466	3488	3511	3535	3558	3581	3604
4191	4231	4149	4186	4222	4254	4284	4311	4339	4368	4400
8838	8883	8998	9041	9082	9125	9180	9248	9309	9367	9417
9315	9387	9488	9555	9613	9667	9717	9380	9392	9360	9429
5907	5938	5960	5975	5988	6002	6016	5710	5693	5699	5711
6502	6532	6562	6596	6629	6663	6698	6326	6342	6355	6380
7143	7270	7707	7783	7859	7954	8304	9194	9304	9449	9544
4675	4713	4750	4788	4822	4857	4889	4660	4719	4768	4816
753	762	789	796	803	811	818	828	836	845	854
3060	3075	3092	3097	3107	3130	3122	2798	2808	2816	2839
8493	8550	8602	8640	8673	8700	8725	8212	8169	8127	8138
3658	3710	3756	3799	3837	3870	3904	3730	3757	3762	3793
4144	4192	4241	4287	4333	4376	4415	4450	4483	4514	4543
252	256	258	263	267	270	274	277	281	284	287
3596	3618	3644	3659	3674	3690	3705	3720	3735	3748	3762
2519	2543	2557	2575	2593	2603	2619	2594	2606	2617	2628
503	510	517	523	529	534	539	543	548	552	554
538	543	554	563	572	580	588	596	604	610	618
1747	1774	1849	1876	1905	1934	1963	2010	2050	2095	2131

Note: a) Data in this table are the year-end population.

b) The national total population does not include the population of Hong kong SAR, Macao SAR and Taiwan Province.

c) The millitary personnel of Chinese People's Liberation Army are included in the national total population, but are not included in the population by region.

1-2 按性别分人口数
Population by Sex

单位: 万人 (10000 persons)

年 份 Year	总人口(年末) Total Population (year-end)	男 Male		女 Female	
		人口数 Population	比重(%) Proportion	人口数 Population	比重(%) Proportion
1952	57482	29833	51.90	27649	48.10
1957	64653	33469	51.77	31184	48.23
1962	67295	34517	51.29	32778	48.71
1965	72538	37128	51.18	35410	48.82
1970	82992	42686	51.43	40306	48.57
1971	85229	43819	51.41	41410	48.59
1972	87177	44813	51.40	42364	48.60
1973	89211	45876	51.42	43335	48.58
1974	90859	46727	51.43	44132	48.57
1975	92420	47564	51.47	44856	48.53
1976	93717	48257	51.49	45460	48.51
1977	94974	48908	51.50	46066	48.50
1978	96259	49567	51.49	46692	48.51
1979	97542	50192	51.46	47350	48.54
1980	98705	50785	51.45	47920	48.55
1981	100072	51519	51.48	48553	48.52
1982	101654	52352	51.50	49302	48.50
1983	103008	53152	51.60	49856	48.40
1984	104357	53848	51.60	50509	48.40
1985	105851	54725	51.70	51126	48.30
1986	107507	55581	51.70	51926	48.30
1987	109300	56290	51.50	53010	48.50
1988	111026	57201	51.52	53825	48.48
1989	112704	58099	51.55	54605	48.45
1990	114333	58904	51.52	55429	48.48
1991	115823	59466	51.34	56357	48.66
1992	117171	59811	51.05	57360	48.95
1993	118517	60472	51.02	58045	48.98
1994	119850	61246	51.10	58604	48.90
1995	121121	61808	51.03	59313	48.97
1996	122389	62200	50.82	60189	49.18
1997	123626	63131	51.07	60495	48.93
1998	124761	63940	51.25	60821	48.75
1999	125786	64692	51.43	61094	48.57
2000	126743	65437	51.63	61306	48.37
2001	127627	65672	51.46	61955	48.54
2002	128453	66115	51.47	62338	48.53
2003	129227	66556	51.50	62671	48.50
2004	129988	66976	51.52	63012	48.48
2005	130756	67375	51.53	63381	48.47
2006	131448	67728	51.52	63720	48.48
2007	132129	68048	51.50	64081	48.50
2008	132802	68357	51.47	64445	48.53

注：1.本表各年人口数中包括中国人民解放军现役军人，但未包括香港、澳门特别行政区和台湾省的人口。
2.1982年以前的数据为户籍统计数,其余年份的数据为当年人口抽样调查或人口普查结果的推算数。1982—1989年数据根据1990年人口普查结果有所调整,1990-2000年数据根据2000年人口普查结果有所调整(下表同)。

Note:a) Data in this table include the military personnel of Chinese People's Liberation Army, but do not include the population of Hong Kong SAR, Macao SAR and Taiwan Province.
b) Data before 1982 were taken from the statistics of household Registration, others were estimated on the annual national sample surveys on population or the national population censuses. Data in 1982-1989 were adjusted on the basis of the 1990 National Population Census. Data in 1990-2000 are adjusted on the basis of the 2000 National Population Censuses.The same applies to the table following.

1-3 人口年龄结构和抚养比

Age Composition and Dependency Ratio of Population

单位：万人 (10000 persons)

年份 Year	总人口(年末) Total Population (year-end)	0-14岁 Aged 0-14 人口数 Population	比重(%) Proportion	15-64岁 Aged 15-64 人口数 Population	比重(%) Proportion	65岁及以上 Aged 65 and Over 人口数 Population	比重(%) Proportion	总抚养比(%) Gross Dependency Ratio	少儿抚养比 Children Dependency Ratio	老年抚养比 Old Dependency Ratio
1953	58796	21331	36.3	34872	59.3	2593	4.4	68.6	61.2	7.4
1964	70499	28686	40.7	39303	55.8	2510	3.6	79.4	73.0	6.4
1982	101654	34146	33.6	62517	61.5	4991	4.9	62.6	54.6	8.0
1987	109300	31347	28.7	71985	65.9	5968	5.4	51.8	43.5	8.3
1990	114333	31659	27.7	76306	66.7	6368	5.6	49.8	41.5	8.3
1995	121121	32218	26.6	81393	67.2	7510	6.2	48.8	39.6	9.2
1996	122389	32311	26.4	82245	67.2	7833	6.4	48.8	39.3	9.5
1997	123626	32093	26.0	83448	67.5	8085	6.5	48.1	38.5	9.7
1998	124761	32064	25.7	84338	67.6	8359	6.7	47.9	38.0	9.9
1999	125786	31950	25.4	85157	67.7	8679	6.9	47.7	37.5	10.2
2000	126743	29012	22.9	88910	70.1	8821	7.0	42.6	32.6	9.9
2001	127627	28716	22.5	89849	70.4	9062	7.1	42.0	32.0	10.1
2002	128453	28774	22.4	90302	70.3	9377	7.3	42.2	31.9	10.4
2003	129227	28559	22.1	90976	70.4	9692	7.5	42.0	31.4	10.7
2004	129988	27947	21.5	92184	70.9	9857	7.6	41.0	30.3	10.7
2005	130756	26504	20.3	94197	72.0	10055	7.7	38.8	28.1	10.7
2006	131448	25961	19.8	95068	72.3	10419	7.9	38.3	27.3	11.0
2007	132129	25660	19.4	95833	72.5	10636	8.1	37.9	26.8	11.1
2008	132802	25166	19.0	96680	72.7	10956	8.3	37.4	26.0	11.3

注：本表数据为每年公报数，1982年和1987年数据根据1990年人口普查数据进行了调整；1990-2000年数据根据2000年人口普查数据进行了调整；2001-2004年、2006-2008年数据为人口变动情况抽样调查推算数；2005年数据根据全国1%人口抽样调查数据推算。

Note:Data in this table are communique data. Data in 1982 and 1987 were adjusted on the basis of the 1990 National Population Census. Data in 1990-2000 were adjusted on the basis of the 2000 National Population Census.Data in 2001-2004, 2006-2008 have been estimated on the basis of the annual national sample surveys on population changes. Data in 2005 are estimated on the National 1% Population Sample Survey.

1-4 按城乡分人口数

Population by Urban and Rural Residence

单位: 万人 (10000 persons)

年 份 Year	总人口(年末) Total Population (year-end)	城 镇 Urban		乡 村 Rural	
		人口数 Population	比重(%) Proportion	人口数 Population	比重(%) Proportion
1952	57482	7163	12.46	50319	87.54
1957	64653	9949	15.39	54704	84.61
1962	67295	11659	17.33	55636	82.67
1965	72538	13045	17.98	59493	82.02
1970	82992	14424	17.38	68568	82.62
1971	85229	14711	17.26	70518	82.74
1972	87177	14935	17.13	72242	82.87
1973	89211	15345	17.20	73866	82.80
1974	90859	15595	17.16	75264	82.84
1975	92420	16030	17.34	76390	82.66
1976	93717	16341	17.44	77376	82.56
1977	94974	16669	17.55	78305	82.45
1978	96259	17245	17.92	79014	82.08
1979	97542	18495	18.96	79047	81.04
1980	98705	19140	19.39	79565	80.61
1981	100072	20171	20.16	79901	79.84
1982	101654	21480	21.13	80174	78.87
1983	103008	22274	21.62	80734	78.38
1984	104357	24017	23.01	80340	76.99
1985	105851	25094	23.71	80757	76.29
1986	107507	26366	24.52	81141	75.48
1987	109300	27674	25.32	81626	74.68
1988	111026	28661	25.81	82365	74.19
1989	112704	29540	26.21	83164	73.79
1990	114333	30195	26.41	84138	73.59
1991	115823	31203	26.94	84620	73.06
1992	117171	32175	27.46	84996	72.54
1993	118517	33173	27.99	85344	72.01
1994	119850	34169	28.51	85681	71.49
1995	121121	35174	29.04	85947	70.96
1996	122389	37304	30.48	85085	69.52
1997	123626	39449	31.91	84177	68.09
1998	124761	41608	33.35	83153	66.65
1999	125786	43748	34.78	82038	65.22
2000	126743	45906	36.22	80837	63.78
2001	127627	48064	37.66	79563	62.34
2002	128453	50212	39.09	78241	60.91
2003	129227	52376	40.53	76851	59.47
2004	129988	54283	41.76	75705	58.24
2005	130756	56212	42.99	74544	57.01
2006	131448	57706	43.90	73742	56.10
2007	132129	59379	44.94	72750	55.06
2008	132802	60667	45.68	72135	54.32

注：按城乡分人口数中现役军人全部计入城镇人口。

Note: The military personnel of Chinese People's Liberation Army are classified as urban population in the item of population by residence.

1-5　人口出生率、死亡率和自然增长率

Birth Rate, Death Rate and Natural Growth Rate of Population

单位：‰　　(‰)

年　份 Year	出生率 Birth Rate	死亡率 Death Rate	自然增长率 Natural Growth Rate
1978	18.25	6.25	12.00
1979	17.82	6.21	11.61
1980	18.21	6.34	11.87
1981	20.91	6.36	14.55
1982	22.28	6.60	15.68
1983	20.19	6.90	13.29
1984	19.90	6.82	13.08
1985	21.04	6.78	14.26
1986	22.43	6.86	15.57
1987	23.33	6.72	16.61
1988	22.37	6.64	15.73
1989	21.58	6.54	15.04
1990	21.06	6.67	14.39
1991	19.68	6.70	12.98
1992	18.24	6.64	11.60
1993	18.09	6.64	11.45
1994	17.70	6.49	11.21
1995	17.12	6.57	10.55
1996	16.98	6.56	10.42
1997	16.57	6.51	10.06
1998	15.64	6.50	9.14
1999	14.64	6.46	8.18
2000	14.03	6.45	7.58
2001	13.38	6.43	6.95
2002	12.86	6.41	6.45
2003	12.41	6.40	6.01
2004	12.29	6.42	5.87
2005	12.40	6.51	5.89
2006	12.09	6.81	5.28
2007	12.10	6.93	5.17
2008	12.14	7.06	5.08

1-6 各地区人口出生率、死亡率和自然增长率

Birth Rate, Death Rate and Natural Growth Rate of Population by Region

单位：‰ (‰)

地区	Region	1990			1991			1992		
		出生率 Birth Rate	死亡率 Death Rate	自然增长率 Natural Growth Rate	出生率 Birth Rate	死亡率 Death Rate	自然增长率 Natural Growth Rate	出生率 Birth Rate	死亡率 Death Rate	自然增长率 Natural Growth Rate
全国	**National Total**	**21.06**	**6.67**	**14.39**	**19.68**	**6.70**	**12.98**	**18.24**	**6.64**	**11.60**
北京	Beijing	13.01	5.81	7.20	8.03	5.82	2.21	9.22	6.11	3.11
天津	Tianjin	15.61	5.78	9.83	11.94	5.78	6.16	12.50	6.00	6.50
河北	Hebei	20.46	6.82	13.64	16.59	6.75	9.84	15.33	6.43	8.90
山西	Shanxi	22.54	6.56	15.98	21.56	6.87	14.69	19.59	6.94	12.65
内蒙古	Inner Mongolia	21.19	7.21	13.98	16.77	6.97	9.80	17.07	6.73	10.34
辽宁	Liaoning	16.30	6.59	9.71	12.10	6.64	5.46	12.57	6.11	6.46
吉林	Jilin	19.49	6.56	12.93	17.09	6.84	10.25	15.74	6.57	9.17
黑龙江	Heilongjiang	18.11	6.35	11.76	15.89	5.70	10.19	16.25	6.12	10.13
上海	Shanghai	10.31	6.64	3.67	7.68	7.01	0.67	7.28	6.74	0.54
江苏	Jiangsu	20.54	6.53	14.01	17.05	6.50	10.55	15.71	6.76	8.95
浙江	Zhejiang	15.33	6.31	9.02	14.48	6.39	8.09	14.72	6.57	8.15
安徽	Anhui	24.47	6.25	18.22	21.19	6.06	15.13	18.76	6.14	12.62
福建	Fujian	24.44	6.71	17.73	20.03	6.26	13.77	18.18	6.02	12.16
江西	Jiangxi	24.59	7.54	17.05	21.20	7.13	14.07	19.53	7.07	12.46
山东	Shandong	18.21	6.96	11.25	15.40	6.54	8.86	11.43	6.88	4.55
河南	Henan	24.92	6.52	18.40	19.78	6.63	13.15	18.13	6.99	11.14
湖北	Hubei	21.60	7.30	14.30	20.70	7.36	13.34	19.05	6.87	12.18
湖南	Hunan	23.93	7.23	16.70	20.50	7.30	13.20	16.70	7.30	9.40
广东	Guangdong	22.26	5.76	16.50	20.54	5.95	14.59	19.31	6.17	13.14
广西	Guangxi	20.20	6.60	13.60	21.89	7.24	14.65	20.19	7.28	12.91
海南	Hainan	24.86	6.26	18.60	22.97	5.97	17.00	21.31	6.07	15.24
重庆	Chongqing									
四川	Sichuan	19.11	7.66	11.45	15.82	7.29	8.53	16.27	7.03	9.24
贵州	Guizhou	23.09	7.90	15.19	22.42	8.11	14.31	22.40	8.52	13.88
云南	Yunnan	23.60	7.92	15.68	21.80	8.10	13.70	21.00	8.00	13.00
西藏	Tibet	23.98	7.55	16.43	23.53	7.40	16.13	23.63	8.09	15.54
陕西	Shaanxi	23.48	6.52	16.96	19.82	6.51	13.31	18.85	6.57	12.28
甘肃	Gansu	20.68	6.20	14.48	19.38	6.05	13.33	19.37	6.64	12.73
青海	Qinghai	24.34	7.47	16.87	23.37	8.35	15.02	22.54	8.14	14.40
宁夏	Ningxia	24.34	5.52	18.82	21.96	5.13	16.83	20.11	5.36	14.75
新疆	Xinjiang	26.44	7.82	18.62	24.45	7.86	16.59	22.80	7.84	14.96

1-6 续表 1 continued

单位：‰ (‰)

地区	Region	1993			1994			1995		
		出生率 Birth Rate	死亡率 Death Rate	自然增长率 Natural Growth Rate	出生率 Birth Rate	死亡率 Death Rate	自然增长率 Natural Growth Rate	出生率 Birth Rate	死亡率 Death Rate	自然增长率 Natural Growth Rate
全国	**National Total**	**18.09**	**6.64**	**11.45**	**17.70**	**6.49**	**11.21**	**17.12**	**6.57**	**10.55**
北京	Beijing	9.35	6.16	3.19	8.96	5.76	3.20	7.92	5.12	2.80
天津	Tianjin	10.71	6.20	4.51	10.98	6.19	4.79	10.23	6.23	4.00
河北	Hebei	15.43	6.11	9.32	14.93	6.50	8.43	13.93	6.32	7.61
山西	Shanxi	17.48	6.36	11.12	17.46	6.70	10.76	16.60	6.12	10.48
内蒙古	Inner Mongolia	18.48	6.83	11.65	18.98	6.50	12.48	17.23	6.70	10.53
辽宁	Liaoning	12.43	6.11	6.32	12.26	6.03	6.23	12.17	6.15	6.02
吉林	Jilin	15.28	6.31	8.97	14.11	6.35	7.76	12.90	6.09	6.81
黑龙江	Heilongjiang	15.90	5.52	10.38	15.15	5.47	9.68	13.23	5.33	7.90
上海	Shanghai	6.50	7.30	-0.80	5.80	7.00	-1.20	5.75	7.05	-1.30
江苏	Jiangsu	13.97	6.61	7.36	13.78	6.86	6.92	12.32	6.56	5.76
浙江	Zhejiang	13.61	6.58	7.03	13.24	6.60	6.64	12.66	6.75	5.91
安徽	Anhui	17.18	6.51	10.67	16.70	6.86	9.84	16.07	6.41	9.66
福建	Fujian	16.72	5.62	11.10	16.24	5.95	10.29	15.20	5.90	9.30
江西	Jiangxi	20.33	6.89	13.44	19.38	7.00	12.38	18.94	7.28	11.66
山东	Shandong	10.47	6.76	3.71	9.69	6.67	3.02	9.82	6.47	3.35
河南	Henan	15.87	6.11	9.76	15.36	6.34	9.02	14.41	6.28	8.13
湖北	Hubei	20.04	6.93	13.11	18.17	6.68	11.49	16.18	6.91	9.27
湖南	Hunan	14.08	7.13	6.95	13.88	7.03	6.85	13.02	7.15	5.87
广东	Guangdong	18.34	5.84	12.50	18.20	5.78	12.42	18.10	5.70	12.40
广西	Guangxi	19.58	6.35	13.23	18.84	6.60	12.24	17.54	6.53	11.01
海南	Hainan	20.81	5.26	15.55	20.77	6.29	14.48	20.12	5.61	14.51
重庆	Chongqing									
四川	Sichuan	16.77	7.21	9.56	16.93	6.99	9.94	17.08	7.21	9.87
贵州	Guizhou	22.60	8.50	14.10	22.92	8.14	14.78	21.86	7.60	14.26
云南	Yunnan	22.00	8.10	13.90	21.80	8.00	13.80	20.75	8.03	12.72
西藏	Tibet	26.68	7.60	19.08	25.64	8.71	16.93	24.90	8.80	16.10
陕西	Shaanxi	17.63	6.55	11.08	17.59	6.60	10.99	15.93	6.57	9.36
甘肃	Gansu	20.16	6.84	13.32	20.82	6.84	13.98	20.65	6.49	14.16
青海	Qinghai	20.50	8.26	12.24	22.06	6.82	15.24	22.01	6.89	15.12
宁夏	Ningxia	19.43	5.36	14.07	19.67	6.02	13.65	19.28	5.49	13.79
新疆	Xinjiang	21.53	7.68	13.85	20.82	7.43	13.39	18.90	6.45	12.45

1-6 续表 2 continued

单位：‰ (‰)

地 区	Region	1996 出生率 Birth Rate	1996 死亡率 Death Rate	1996 自然增长率 Natural Growth Rate	1997 出生率 Birth Rate	1997 死亡率 Death Rate	1997 自然增长率 Natural Growth Rate	1998 出生率 Birth Rate	1998 死亡率 Death Rate	1998 自然增长率 Natural Growth Rate
全 国	**National Total**	**16.98**	**6.56**	**10.42**	**16.57**	**6.51**	**10.06**	**15.64**	**6.50**	**9.14**
北 京	Beijing	8.02	5.34	2.68	7.91	6.02	1.89	6.00	5.30	0.70
天 津	Tianjin	10.09	6.53	3.56	9.98	6.95	3.03	9.89	6.49	3.40
河 北	Hebei	13.85	6.55	7.30	13.11	6.82	6.29	13.01	6.18	6.83
山 西	Shanxi	16.59	6.25	10.34	16.18	6.06	10.12	16.09	6.17	9.92
内蒙古	Inner Mongolia	16.09	6.43	9.66	15.21	6.96	8.25	14.40	6.17	8.23
辽 宁	Liaoning	12.15	6.19	5.96	11.78	6.38	5.40	11.39	6.81	4.58
吉 林	Jilin	12.53	5.60	6.93	12.22	5.42	6.80	11.81	5.76	6.05
黑龙江	Heilongjiang	12.40	5.05	7.35	12.02	5.17	6.85	11.68	5.32	6.36
上 海	Shanghai	5.60	7.00	-1.40	5.50	6.80	-1.30	5.20	7.00	-1.80
江 苏	Jiangsu	12.11	6.58	5.53	11.43	6.84	4.59	10.97	6.84	4.13
浙 江	Zhejiang	12.09	6.58	5.51	11.41	6.48	4.93	11.15	6.33	4.82
安 徽	Anhui	16.00	6.50	9.50	15.80	6.50	9.30	15.74	6.54	9.20
福 建	Fujian	13.22	5.94	7.28	12.41	6.09	6.32	11.53	6.20	5.33
江 西	Jiangxi	17.53	7.02	10.51	17.43	6.56	10.87	16.85	7.05	9.80
山 东	Shandong	10.60	6.76	3.84	11.28	6.65	4.63	11.58	6.12	5.46
河 南	Henan	14.28	6.44	7.84	13.97	6.30	7.67	14.17	6.37	7.80
湖 北	Hubei	16.08	6.93	9.15	14.81	6.69	8.12	12.58	6.70	5.88
湖 南	Hunan	12.81	7.20	5.61	12.59	6.99	5.60	12.31	7.10	5.21
广 东	Guangdong	18.05	6.09	11.96	16.90	5.40	11.50	16.51	5.61	10.90
广 西	Guangxi	16.83	6.82	10.01	15.93	6.40	9.53	15.87	6.86	9.01
海 南	Hainan	20.08	5.88	14.20	19.18	5.62	13.56	18.48	5.56	12.92
重 庆	Chongqing				13.60	7.36	6.24	13.19	7.68	5.51
四 川	Sichuan	16.68	7.35	9.33	15.75	7.00	8.75	14.62	7.14	7.48
贵 州	Guizhou	22.05	7.69	14.36	22.15	7.67	14.48	22.02	7.76	14.26
云 南	Yunnan	20.87	7.94	12.93	20.82	7.91	12.91	20.01	7.91	12.10
西 藏	Tibet	24.70	8.50	16.20	23.90	7.90	16.00	23.70	7.80	15.90
陕 西	Shaanxi	14.99	6.51	8.48	13.91	6.29	7.62	13.56	6.43	7.13
甘 肃	Gansu	18.43	6.64	11.79	17.22	6.20	11.02	16.45	6.41	10.04
青 海	Qinghai	21.89	7.20	14.69	21.80	6.95	14.85	21.26	6.78	14.48
宁 夏	Ningxia	19.03	5.25	13.78	18.90	5.43	13.47	18.19	5.11	13.08
新 疆	Xinjiang	19.45	6.60	12.85	19.66	6.55	13.11	19.74	6.93	12.81

1-6 续表 3 continued

单位：‰ (‰)

地区	Region	1999 出生率 Birth Rate	1999 死亡率 Death Rate	1999 自然增长率 Natural Growth Rate	2001 出生率 Birth Rate	2001 死亡率 Death Rate	2001 自然增长率 Natural Growth Rate	2002 出生率 Birth Rate	2002 死亡率 Death Rate	2002 自然增长率 Natural Growth Rate
全 国	**National Total**	**14.64**	**6.46**	**8.18**	**13.38**	**6.43**	**6.95**	**12.86**	**6.41**	**6.45**
北 京	Beijing	6.50	5.60	0.90	6.10	5.30	0.80	6.60	5.70	0.90
天 津	Tianjin	9.68	6.73	2.95	7.58	5.94	1.64	7.49	6.04	1.45
河 北	Hebei	12.99	6.26	6.73	11.16	6.18	4.98	11.53	6.25	5.28
山 西	Shanxi	15.93	6.07	9.86	13.06	5.90	7.16	12.86	6.14	6.72
内蒙古	Inner Mongolia	13.32	6.08	7.24	10.77	5.79	4.98	9.60	5.92	3.68
辽 宁	Liaoning	10.38	7.05	3.33	7.74	6.10	1.64	7.38	6.04	1.34
吉 林	Jilin	10.68	5.45	5.23	8.76	5.38	3.38	8.30	5.11	3.19
黑龙江	Heilongjiang	10.55	5.49	5.06	8.48	5.49	2.99	7.98	5.44	2.54
上 海	Shanghai	5.40	6.50	-1.10	5.02	5.97	-0.95	5.41	5.95	-0.54
江 苏	Jiangsu	10.50	6.94	3.56	9.03	6.62	2.41	9.17	6.99	2.18
浙 江	Zhejiang	10.64	6.35	4.29	10.02	6.25	3.77	9.98	6.19	3.79
安 徽	Anhui	15.10	6.50	8.60	12.46	5.85	6.61	11.20	5.17	6.03
福 建	Fujian	11.06	5.85	5.21	11.56	5.52	6.04	11.35	5.57	5.78
江 西	Jiangxi	16.51	7.02	9.49	15.44	6.06	9.38	14.74	6.02	8.72
山 东	Shandong	11.08	6.27	4.81	11.12	6.24	4.88	11.17	6.62	4.55
河 南	Henan	14.07	6.35	7.72	13.20	6.26	6.94	12.41	6.38	6.03
湖 北	Hubei	11.57	6.37	5.20	8.51	6.07	2.44	8.38	6.17	2.21
湖 南	Hunan	11.72	7.12	4.60	11.80	6.72	5.08	11.56	6.70	4.86
广 东	Guangdong	15.32	5.40	9.92	13.95	5.12	8.83	13.29	5.08	8.21
广 西	Guangxi	14.96	6.93	8.03	13.80	6.07	7.73	13.30	6.30	7.00
海 南	Hainan	17.26	5.23	12.03	15.23	5.76	9.47	15.20	5.72	9.48
重 庆	Chongqing	11.90	6.94	4.96	9.70	6.90	2.80	9.36	6.08	3.28
四 川	Sichuan	13.80	7.02	6.78	11.16	6.79	4.37	10.44	6.55	3.89
贵 州	Guizhou	21.92	7.68	14.24	18.56	7.23	11.33	17.96	7.21	10.75
云 南	Yunnan	19.48	7.82	11.66	18.51	7.57	10.94	17.90	7.30	10.60
西 藏	Tibet	23.20	7.40	15.80	18.60	6.50	12.10	18.83	6.07	12.76
陕 西	Shaanxi	12.51	6.38	6.13	10.50	6.34	4.16	10.48	6.36	4.12
甘 肃	Gansu	15.61	6.44	9.17	13.58	6.43	7.15	13.16	6.45	6.71
青 海	Qinghai	20.68	6.78	13.90	19.06	6.44	12.62	18.05	6.35	11.70
宁 夏	Ningxia	17.97	5.65	12.32	16.55	4.84	11.71	16.42	4.86	11.56
新 疆	Xinjiang	18.76	6.96	11.80	16.82	5.69	11.13	16.30	5.43	10.87

1-6 续表 4 continued

单位：‰ (‰)

地区	Region	2003			2004			2005		
		出生率 Birth Rate	死亡率 Death Rate	自然增长率 Natural Growth Rate	出生率 Birth Rate	死亡率 Death Rate	自然增长率 Natural Growth Rate	出生率 Birth Rate	死亡率 Death Rate	自然增长率 Natural Growth Rate
全 国	**National Total**	**12.41**	**6.40**	**6.01**	**12.29**	**6.42**	**5.87**	**12.40**	**6.51**	**5.89**
北 京	Beijing	5.10	5.20	-0.10	6.10	5.40	0.70	6.29	5.20	1.09
天 津	Tianjin	7.14	6.04	1.10	7.31	5.97	1.34	7.44	6.01	1.43
河 北	Hebei	11.43	6.27	5.16	11.98	6.19	5.79	12.84	6.75	6.09
山 西	Shanxi	12.26	6.04	6.22	12.36	6.11	6.25	12.02	6.00	6.02
内蒙古	Inner Mongolia	9.24	6.17	3.07	9.53	5.98	3.55	10.08	5.46	4.62
辽 宁	Liaoning	6.90	5.83	1.07	6.51	5.60	0.91	7.01	6.04	0.97
吉 林	Jilin	7.25	5.64	1.61	7.39	5.63	1.76	7.89	5.32	2.57
黑龙江	Heilongjiang	7.48	5.45	2.03	7.27	5.45	1.82	7.87	5.20	2.67
上 海	Shanghai	4.85	6.20	-1.35	6.00	6.00		7.04	6.08	0.96
江 苏	Jiangsu	9.04	7.03	2.01	9.45	7.20	2.25	9.24	7.03	2.21
浙 江	Zhejiang	9.66	6.38	3.28	10.71	5.76	4.95	11.10	6.08	5.02
安 徽	Anhui	11.15	5.20	5.95	11.62	5.50	6.12	12.43	6.23	6.20
福 建	Fujian	11.43	5.58	5.85	11.58	5.62	5.96	11.60	5.62	5.98
江 西	Jiangxi	14.07	5.98	8.09	13.61	5.99	7.62	13.79	5.96	7.83
山 东	Shandong	11.42	6.64	4.78	12.50	6.49	6.01	12.14	6.31	5.83
河 南	Henan	12.10	6.46	5.64	11.67	6.47	5.20	11.55	6.30	5.25
湖 北	Hubei	8.26	5.94	2.32	8.43	6.03	2.40	8.74	5.69	3.05
湖 南	Hunan	11.82	6.87	4.95	11.89	6.80	5.09	11.90	6.75	5.15
广 东	Guangdong	13.66	5.31	8.35	13.13	5.12	8.01	11.70	4.68	7.02
广 西	Guangxi	13.86	6.57	7.29	13.32	6.12	7.20	14.26	6.09	8.16
海 南	Hainan	14.68	5.52	9.16	14.77	5.79	8.98	14.65	5.72	8.93
重 庆	Chongqing	9.89	7.20	2.69	9.45	6.60	2.85	9.40	6.40	3.00
四 川	Sichuan	9.18	6.06	3.12	9.05	6.27	2.78	9.70	6.80	2.90
贵 州	Guizhou	15.91	6.87	9.04	15.08	6.35	8.73	14.59	7.21	7.38
云 南	Yunnan	17.00	7.20	9.80	15.60	6.60	9.00	14.72	6.75	7.97
西 藏	Tibet	17.40	6.30	11.10	17.40	6.20	11.20	17.94	7.15	10.79
陕 西	Shaanxi	10.67	6.38	4.29	10.59	6.33	4.26	10.02	6.01	4.01
甘 肃	Gansu	12.58	6.46	6.12	12.43	6.52	5.91	12.59	6.57	6.02
青 海	Qinghai	16.94	6.09	10.85	16.32	6.45	9.87	15.70	6.21	9.49
宁 夏	Ningxia	15.68	4.73	10.95	15.97	4.79	11.18	15.93	4.95	10.98
新 疆	Xinjiang	16.01	5.23	10.78	16.00	5.09	10.91	16.42	5.04	11.38

1-6 续表 5 continued

单位：‰ (‰)

地 区	Region	2006 出生率 Birth Rate	2006 死亡率 Death Rate	2006 自然增长率 Natural Growth Rate	2007 出生率 Birth Rate	2007 死亡率 Death Rate	2007 自然增长率 Natural Growth Rate	2008 出生率 Birth Rate	2008 死亡率 Death Rate	2008 自然增长率 Natural Growth Rate
全 国	**National Total**	**12.09**	**6.81**	**5.28**	**12.10**	**6.93**	**5.17**	**12.14**	**7.06**	**5.08**
北 京	Beijing	6.26	4.97	1.29	8.32	4.92	3.40	8.17	4.75	3.42
天 津	Tianjin	7.67	6.07	1.60	7.91	5.86	2.05	8.13	5.94	2.19
河 北	Hebei	12.82	6.59	6.23	13.33	6.78	6.55	13.04	6.49	6.55
山 西	Shanxi	11.48	5.73	5.75	11.30	5.97	5.33	11.31	6.01	5.30
内蒙古	Inner Mongolia	9.87	5.91	3.96	10.21	5.73	4.48	9.81	5.54	4.27
辽 宁	Liaoning	6.40	5.30	1.10	6.89	5.36	1.53	6.32	5.22	1.10
吉 林	Jilin	7.67	5.00	2.67	7.55	5.05	2.50	6.65	5.04	1.61
黑龙江	Heilongjiang	7.57	5.18	2.39	7.88	5.39	2.49	7.91	5.68	2.23
上 海	Shanghai	7.47	5.89	1.58	9.07	6.03	3.04	8.89	6.17	2.72
江 苏	Jiangsu	9.36	7.08	2.28	9.37	7.07	2.30	9.34	7.04	2.30
浙 江	Zhejiang	10.29	5.42	4.87	10.38	5.57	4.81	10.20	5.62	4.58
安 徽	Anhui	12.60	6.30	6.30	12.75	6.40	6.35	13.05	6.60	6.45
福 建	Fujian	12.00	5.75	6.25	11.90	5.90	6.00	12.20	5.90	6.30
江 西	Jiangxi	13.80	6.01	7.79	13.86	5.99	7.87	13.92	6.01	7.91
山 东	Shandong	11.60	6.10	5.50	11.11	6.11	5.00	11.25	6.16	5.09
河 南	Henan	11.59	6.27	5.32	11.26	6.32	4.94	11.42	6.45	4.97
湖 北	Hubei	9.08	5.95	3.13	9.19	5.96	3.23	9.21	6.50	2.71
湖 南	Hunan	11.92	6.73	5.19	11.96	6.71	5.25	12.68	7.28	5.40
广 东	Guangdong	11.78	4.49	7.29	11.96	4.66	7.30	11.80	4.55	7.25
广 西	Guangxi	14.44	6.10	8.34	14.19	5.99	8.20	14.40	5.70	8.70
海 南	Hainan	14.59	5.73	8.86	14.62	5.71	8.91	14.71	5.72	8.99
重 庆	Chongqing	9.90	6.50	3.40	10.10	6.30	3.80	10.10	6.30	3.80
四 川	Sichuan	9.14	6.28	2.86	9.21	6.29	2.92	9.54	7.15	2.39
贵 州	Guizhou	13.97	6.71	7.26	13.28	6.60	6.68	13.49	6.77	6.72
云 南	Yunnan	13.20	6.30	6.90	13.08	6.22	6.86	12.63	6.31	6.32
西 藏	Tibet	17.40	5.70	11.70	16.40	5.10	11.30	15.50	5.20	10.30
陕 西	Shaanxi	10.19	6.15	4.04	10.21	6.16	4.05	10.29	6.21	4.08
甘 肃	Gansu	12.86	6.62	6.24	13.14	6.65	6.49	13.22	6.68	6.54
青 海	Qinghai	15.24	6.27	8.97	14.93	6.13	8.80	14.49	6.14	8.35
宁 夏	Ningxia	15.53	4.84	10.69	14.80	5.04	9.76	14.31	4.62	9.69
新 疆	Xinjiang	15.79	5.03	10.76	16.79	5.01	11.78	16.05	4.88	11.17

1-7 五次全国人口普查人口基本情况

Basic Statistics on National Population Census in 1953, 1964, 1982, 1990 and 2000

指　　标	Item	1953	1964	1982	1990	2000
总人口（万人）	**Total Population (10000 persons)**	**59435**	**69458**	**100818**	**113368**	**126583**
男	Male	30799	35652	51944	58495	65355
女	Female	28636	33806	48874	54873	61228
性别比（以女性为100）	Sex Ratio (female=100)	107.56	105.46	106.30	106.60	106.74
家庭户规模（人/户）	**Average Family Household Size (person/household)**	**4.33**	**4.43**	**4.41**	**3.96**	**3.44**
各年龄组人口（%）	**Population by Age Group (%)**					
0-14岁	0-14	36.28	40.69	33.59	27.69	22.89
15-64岁	15-64	59.31	55.75	61.50	66.74	70.15
65岁及以上	65 and Over	4.41	3.56	4.91	5.57	6.96
民族人口	**Population by Ethnicity**					
汉族（万人）	Han (10000 persons)	54728	65456	94088	104248	115940
占总人口比重（%）	Percentage to Total Population (%)	93.94	94.24	93.32	91.96	91.59
少数民族（万人）	Ethnic Minorities (10000 persons)	3532	4002	6730	9120	10643
占总人口比重（%）	Percentage to Total Population (%)	6.06	5.76	6.68	8.04	8.41
每十万人拥有的各种受教育程度人口（人）	**Population with Various Education Attainments Per 100 000 Persons (person)**					
大专及以上	Junior College and Above		416	615	1422	3611
高中和中专	Senior Secondary School and Technical Secondary School		1319	6779	8039	11146
初中	Junior Secondary School		4680	17892	23344	33961
小学	Primary School		28330	35237	37057	35701
文盲人口及文盲率	**Illiterate Population and Illiterate Rate**					
文盲人口（万人）	Illiterate Population (10000 persons)		23327	22996	18003	8507
文盲率（%）	Illiterate Rate (%)		33.58	22.81	15.88	6.72
城乡人口（万人）	**Population by Residence (10000 persons)**					
城镇人口	Urban Population	7726	12710	21082	29971	45844
乡村人口	Rural Population	50534	56748	79736	83397	80739
平均预期寿命（岁）	**Life Expectancy (year old)**			**67.77***	**68.55**	**71.40**
男	Male			66.28*	66.84	69.63
女	Female			69.27*	70.47	73.33

注：1.本表未包括香港、澳门特别行政区及台湾省数据。
2.历次普查总人口数据包括中国人民解放军现役军人。在城乡人口中，中国人民解放军现役军人列为城镇人口统计。
3.1953年总人口数据中包括了间接调查人口，而民族人口、城乡人口中未包括。
4.1964年文盲人口为13岁及以上不识字人口，1982、1990、2000年文盲人口为15岁及以上不识字或识字很少的人。
5.表中“*”号表示为1981年数据。

Note:a) Data in this table do not include the population of Hong Kong SAR, Macao SAR and Taiwan Province.
b) Total population from the five national population censuses includes the military personnel. Military personnel is listed as urban population in population by residence.
c) Total population of 1953 National Population Census includes the population from indirect survey, but this is not included in the ethnic minority population and the urban/rural population.
d) Illiterate population of 1964 National Population Census referred to the population aged 13 and over who are unable to read. Illiterate population of 1982, 1990 and 2000 National Population Censuses referred to the population aged 15 and over who are unable or have difficulty to read.
e) Data with '*' in this table are of 1981.

1-8 各地区人口平均预期寿命

Population Life Expectancy by Region

单位：岁 (year old)

地 区	Region	1990年预期寿命 Life Expectancy in 1990	男 Male	女 Female	2000年预期寿命 Life Expectancy in 2000	男 Male	女 Female
全 国	**National Total**	**68.55**	**66.84**	**70.47**	**71.40**	**69.63**	**73.33**
北 京	Beijing	72.86	71.07	74.93	76.10	74.33	78.01
天 津	Tianjin	72.32	71.03	73.73	74.91	73.31	76.63
河 北	Hebei	70.35	68.47	72.53	72.54	70.68	74.57
山 西	Shanxi	68.97	67.33	70.93	71.65	69.96	73.57
内蒙古	Inner Mongolia	65.68	64.47	67.22	69.87	68.29	71.79
辽 宁	Liaoning	70.22	68.72	71.94	73.34	71.51	75.36
吉 林	Jilin	67.95	66.65	69.49	73.10	71.38	75.04
黑龙江	Heilongjiang	66.97	65.50	68.73	72.37	70.39	74.66
上 海	Shanghai	74.90	72.77	77.02	78.14	76.22	80.04
江 苏	Jiangsu	71.37	69.26	73.57	73.91	71.69	76.23
浙 江	Zhejiang	71.78	69.66	74.24	74.70	72.50	77.21
安 徽	Anhui	69.48	67.75	71.36	71.85	70.18	73.59
福 建	Fujian	68.57	66.49	70.93	72.55	70.30	75.07
江 西	Jiangxi	66.11	64.87	67.49	68.95	68.37	69.32
山 东	Shandong	70.57	68.64	72.67	73.92	71.70	76.26
河 南	Henan	70.15	67.96	72.55	71.54	69.67	73.41
湖 北	Hubei	67.25	65.51	69.23	71.08	69.31	73.02
湖 南	Hunan	66.93	65.41	68.70	70.66	69.05	72.47
广 东	Guangdong	72.52	69.71	75.43	73.27	70.79	75.93
广 西	Guangxi	68.72	67.17	70.34	71.29	69.07	73.75
海 南	Hainan	70.01	66.93	73.28	72.92	70.66	75.26
重 庆	Chongqing				71.73	69.84	73.89
四 川	Sichuan	66.33	65.06	67.70	71.20	69.25	73.39
贵 州	Guizhou	64.29	63.04	65.63	65.96	64.54	67.57
云 南	Yunnan	63.49	62.08	64.98	65.49	64.24	66.89
西 藏	Tibet	59.64	57.64	61.57	64.37	62.52	66.15
陕 西	Shaanxi	67.40	66.23	68.79	70.07	68.92	71.30
甘 肃	Gansu	67.24	66.35	68.25	67.47	66.77	68.26
青 海	Qinghai	60.57	59.29	61.96	66.03	64.55	67.70
宁 夏	Ningxia	66.94	65.95	68.05	70.17	68.71	71.84
新 疆	Xinjiang	62.59	61.95	63.26	67.41	65.98	69.14

注：2000年各省人口平均预期寿命是根据各省1990年以来人口变动调查公布的死亡率对2000年人口普查死亡数据修正后计算的。

Note: Life expectancy in 2000 by region is calculated form the death data of 2000 National Popualation Census, further adjusted by the mortality rates from the annual national sample surveys on population changes since 1990.

1-9 全国历年人口密度
Population Density

单位：万人 (10000 persons)

年 份 Year	总人口 Population	人口密度 (人/平方公里) Population Density (person/sq.km)	年 份 Year	总人口 Population	人口密度 (人/平方公里) Population Density (person/sq.km)
1949	54167	56	1979	97542	102
1950	55196	57	1980	98705	103
1951	56300	59	1981	100072	104
1952	57482	60	1982	101654	106
1953	58796	61	1983	103008	107
1954	60266	63	1984	104357	109
1955	61465	64	1985	105851	110
1956	62828	65	1986	107507	112
1957	64653	67	1987	109300	114
1958	65994	69	1988	111026	116
1959	67207	70	1989	112704	117
1960	66207	69	1990	114333	119
1961	65859	69	1991	115823	121
1962	67295	70	1992	117171	122
1963	69172	72	1993	118517	123
1964	70499	73	1994	119850	125
1965	72538	76	1995	121121	126
1966	74542	78	1996	122389	127
1967	76368	80	1997	123626	129
1968	78534	82	1998	124761	130
1969	80671	84	1999	125786	131
1970	82992	86	2000	126743	132
1971	85229	89	2001	127627	133
1972	87177	91	2002	128453	134
1973	89211	93	2003	129227	135
1974	90859	95	2004	129988	135
1975	92420	96	2005	130756	136
1976	93717	98	2006	131448	137
1977	94974	99	2007	132129	138
1978	96259	100	2008	132802	138

1-10 全国劳动统计主要指标

Main Indicators of National Labor Statistics

指　标	Item	2007	2008	2008年比上年增长% Increase Rate (2007=100)
总人口(万人)	**Total Population (10000 persons)**	**132129**	**132802**	**0.5**
16岁以上人口(万人)	**Population Aged 16 and Over (10000 persons)**	**104585**	**105789**	**1.2**
经济活动人口(万人)	**Economically Active Population (10000 persons)**	**78645**	**79243**	**0.8**
全国就业人员年末人数(万人)	**Number of Employed Persons at Year-end (10000 persons)**	**76990**	**77480**	**0.6**
城镇就业人员(万人)	**Urban Employed Persons (10000 persons)**	**29350**	**30210**	**2.9**
单位就业人员(万人)	**Unit Employed Persons (10000 persons)**	**12024.0**	**12192.5**	**1.4**
国有单位	State-owned Units	6424.0	6447.0	0.4
集体单位	Collective-owned Units	718.0	661.8	-7.8
其他单位	Units of Other Types of Ownership	4882.0	5083.7	4.1
在岗职工(万人)	**Number of Staff and Workers (10000 persons)**	**11427.0**	**11515.4**	**0.8**
国有单位	State-owned Units	6148.0	6126.1	-0.4
集体单位	Collective-owned Units	684.0	623.4	-8.9
其他单位	Units of Other Types of Ownership	4595.0	4765.9	3.7
城镇私营和个体就业人员(万人)	**Employed Persons in Urban Private Enterprises and Self-employed Individuals (10000 persons)**	**7891.0**	**8733.1**	**10.7**
乡村就业人员(万人)	**Rural Employed persons (10000 persons)**	**47640**	**47270**	**-0.8**
城镇单位就业人员劳动报酬(亿元)	**Earning of Employed Persons in Urban Units (100 million yuan)**	**29471.5**	**35289.5**	**19.7**
国有单位	State-owned Units	16689.1	19487.9	16.8
集体单位	Collective-owned Units	1108.1	1203.2	8.6
其他单位	Units of Other Types of Ownership	11674.3	14598.4	25.0
职工工资总额(亿元)	**Total Wages Bill of Staff and Workers (100 million yuan)**	**28244.0**	**33713.8**	**19.4**
国有单位	State-owned Units	16291.4	18957.0	16.4
集体单位	Collective-owned Units	1064.6	1148.1	7.8
其他单位	Units of Other Types of Ownership	10888.0	13608.8	25.0
城镇单位就业人员平均劳动报酬(元)	**Average Earning of Employed Persons in Urban Units (yuan)**	**24721**	**28898**	**16.9**
国有单位	State-owned Units	26100	30287	16.0
集体单位	Collective-owned Units	15444	18103	17.2
其他单位	Units of Other Types of Ownership	24271	28552	17.6
职工平均工资(元)	**Average Wage of Staff and Workers (yuan)**	**24932**	**29229**	**17.2**
国有单位	State-owned Units	26620	31005	16.5
集体单位	Collective-owned Units	15595	18338	17.6
其他单位	Units of Other Types of Ownership	24058	28387	18.0
城镇登记失业人员年末人数(万人)	**Number of Registered Unemployed Persons in Urban Areas (10000 persons)**	**830**	**886**	**6.7**
非经济活动人口(万人)	**Noneconomically Active Population (10000 persons)**	**25940**	**26546**	**2.3**

注:职工及职工工资总额为在岗职工相关资料(下表同)。

Note: Staff and workers and their total wages are on-post staff and workers figures. The same applies to the tables following.

1-11 分城乡就业人员年末人数

Number of Employed Persons at Year-end in Urban and Rural Areas

单位: 万人 (10000 persons)

年 份 Year	就业人员 Total Number of Employed Persons	城 镇 Urban 就业人员 Employed Persons	比重 (%) Proportion	乡 村 Rural 就业人员 Employed Persons	比重 (%) Proportion
1952	20729	2486	12.0	18243	88.0
1953	21364	2754	12.9	18610	87.1
1954	21832	2744	12.6	19088	87.4
1955	22328	2802	12.5	19526	87.5
1956	23018	2993	13.0	20025	87.0
1957	23771	3205	13.5	20566	86.5
1958	26600	5300	19.9	21300	80.1
1959	26173	5389	20.6	20784	79.4
1960	25880	6119	23.6	19761	76.4
1961	25590	5336	20.9	20254	79.1
1962	25910	4537	17.5	21373	82.5
1963	26640	4603	17.3	22037	82.7
1964	27736	4828	17.4	22908	82.6
1965	28670	5136	17.9	23534	82.1
1966	29805	5354	18.0	24451	82.0
1967	30814	5446	17.7	25368	82.3
1968	31915	5630	17.6	26285	82.4
1969	33225	5825	17.5	27400	82.5
1970	34432	6312	18.3	28120	81.7
1971	35620	6868	19.3	28752	80.7
1972	35854	7200	20.1	28654	79.9
1973	36652	7388	20.2	29264	79.8
1974	37369	7687	20.6	29682	79.4
1975	38168	8222	21.5	29946	78.5
1976	38834	8692	22.4	30142	77.6
1977	39377	9127	23.2	30250	76.8
1978	40152	9514	23.7	30638	76.3
1979	41024	9999	24.4	31025	75.6
1980	42361	10525	24.8	31836	75.2

注：1990年至2000年,就业人员总计、城镇和乡村就业人员小计资料根据第五次全国人口普查资料重新调整,2001年及以后资料根据人口变动抽样调查资料推算(下表同)。

Note: From 1990 to 2000, the total employed persons and the sub-total of employed persons in urban and rural areas have been adjusted in accordance with the data obtained from 2000 Population Census. Figures after 2001 are calculated according to the National Sample Survey on Population Changes. The same applies to the table following.

1-11 续表 continued

单位: 万人 (10000 persons)

年 份 Year	就业人员 Total Number of Employed Persons	城 镇 Urban 就业人员 Employed Persons	城 镇 Urban 比重 (%) Proportion	乡 村 Rural 就业人员 Employed Persons	乡 村 Rural 比重 (%) Proportion
1981	43725	11053	25.3	32672	74.7
1982	45295	11428	25.2	33867	74.8
1983	46436	11746	25.3	34690	74.7
1984	48197	12229	25.4	35968	74.6
1985	49873	12808	25.7	37065	74.3
1986	51282	13292	25.9	37990	74.1
1987	52783	13783	26.1	39000	73.9
1988	54334	14267	26.3	40067	73.7
1989	55329	14390	26.0	40939	74.0
1990	64749	17041	26.3	47708	73.7
1991	65491	17465	26.7	48026	73.3
1992	66152	17861	27.0	48291	73.0
1993	66808	18262	27.3	48546	72.7
1994	67455	18653	27.7	48802	72.3
1995	68065	19040	28.0	49025	72.0
1996	68950	19922	28.9	49028	71.1
1997	69820	20781	29.8	49039	70.2
1998	70637	21616	30.6	49021	69.4
1999	71394	22412	31.4	48982	68.6
2000	72085	23151	32.1	48934	67.9
2001	73025	23940	32.8	49085	67.2
2002	73740	24780	33.6	48960	66.4
2003	74432	25639	34.4	48793	65.6
2004	75200	26476	35.2	48724	64.8
2005	75825	27331	36.0	48494	64.0
2006	76400	28310	37.1	48090	62.9
2007	76990	29350	38.1	47640	61.9
2008	77480	30210	39.0	47270	61.0

1-12 分产业就业人员年末人数

Number of Employed Persons at Year-end by Three Strata Industries

单位: 万人 (10000 persons)

年 份 Year	就业人员合计 Total Number of Employed Persons	第一产业 Primary Industry 就业人员 Employed Persons	比重 (%) Proportion	第二产业 Secondary Industry 就业人员 Employed Persons	比重 (%) Proportion	第三产业 Tertiary Industry 就业人员 Employed Persons	比重 (%) Proportion
1952	20729	17317	83.5	1531	7.4	1881	9.1
1953	21364	17747	83.1	1715	8.0	1902	8.9
1954	21832	18151	83.1	1882	8.6	1799	8.3
1955	22328	18592	83.3	1913	8.6	1823	8.1
1956	23018	18544	80.6	2468	10.7	2006	8.7
1957	23771	19309	81.2	2142	9.0	2320	9.8
1958	26600	15490	58.2	7076	26.6	4034	15.2
1959	26173	16271	62.2	5402	20.6	4500	17.2
1960	25880	17016	65.7	4112	15.9	4752	18.4
1961	25590	19747	77.2	2856	11.2	2987	11.6
1962	25910	21276	82.1	2059	8.0	2575	9.9
1963	26640	21966	82.5	2038	7.6	2636	9.9
1964	27736	22801	82.2	2183	7.9	2752	9.9
1965	28670	23396	81.6	2408	8.4	2866	10.0
1966	29805	24297	81.5	2600	8.7	2908	9.8
1967	30814	25165	81.7	2661	8.6	2988	9.7
1968	31915	26063	81.7	2743	8.6	3109	9.7
1969	33225	27117	81.6	3030	9.1	3078	9.3
1970	34432	27811	80.8	3518	10.2	3103	9.0
1971	35620	28397	79.7	3990	11.2	3233	9.1
1972	35854	28283	78.9	4276	11.9	3295	9.2
1973	36652	28857	78.7	4492	12.3	3303	9.0
1974	37369	29218	78.2	4712	12.6	3439	9.2
1975	38168	29456	77.2	5152	13.5	3560	9.3
1976	38834	29443	75.8	5611	14.5	3780	9.7
1977	39377	29340	74.5	5831	14.8	4206	10.7
1978	40152	28318	70.5	6945	17.3	4890	12.2
1979	41024	28634	69.8	7214	17.6	5177	12.6
1980	42361	29122	68.7	7707	18.2	5532	13.1

1-12 续表 continued

单位：万人 (10000 persons)

年份 Year	就业人员合计 Total Number of Employed Persons	第一产业 Primary Industry		第二产业 Secondary Industry		第三产业 Tertiary Industry	
		就业人员 Employed Persons	比重（%） Proportion	就业人员 Employed Persons	比重（%） Proportion	就业人员 Employed Persons	比重（%） Proportion
1981	43725	29777	68.1	8003	18.3	5945	13.6
1982	45295	30859	68.1	8346	18.4	6090	13.5
1983	46436	31151	67.1	8679	18.7	6606	14.2
1984	48197	30868	64.0	9590	19.9	7739	16.1
1985	49873	31130	62.4	10384	20.8	8359	16.8
1986	51282	31254	60.9	11216	21.9	8811	17.2
1987	52783	31663	60.0	11726	22.2	9395	17.8
1988	54334	32249	59.3	12152	22.4	9933	18.3
1989	55329	33225	60.1	11976	21.6	10129	18.3
1990	64749	38914	60.1	13856	21.4	11979	18.5
1991	65491	39098	59.7	14015	21.4	12378	18.9
1992	66152	38699	58.5	14355	21.7	13098	19.8
1993	66808	37680	56.4	14965	22.4	14163	21.2
1994	67455	36628	54.3	15312	22.7	15515	23.0
1995	68065	35530	52.2	15655	23.0	16880	24.8
1996	68950	34820	50.5	16203	23.5	17927	26.0
1997	69820	34840	49.9	16547	23.7	18432	26.4
1998	70637	35177	49.8	16600	23.5	18860	26.7
1999	71394	35768	50.1	16421	23.0	19205	26.9
2000	72085	36043	50.0	16219	22.5	19823	27.5
2001	73025	36513	50.0	16284	22.3	20228	27.7
2002	73740	36870	50.0	15780	21.4	21090	28.6
2003	74432	36546	49.1	16077	21.6	21809	29.3
2004	75200	35269	46.9	16920	22.5	23011	30.6
2005	75825	33970	44.8	18084	23.8	23771	31.4
2006	76400	32561	42.6	19225	25.2	24614	32.2
2007	76990	31444	40.8	20629	26.8	24917	32.4
2008	77480	30654	39.6	21109	27.2	25717	33.2

1-13 城镇登记失业人数及失业率(年末登记数)

Registered Unemployed Persons and Registered Unemployment Rate in Urban Areas (year-end)

年 份 Year	城镇登记失业人数 (万人) Registered Unemployed Persons in Urban Areas (10000 persons)	比上年增长 (%) Increase over Preceeding year (%)	城镇登记失业率 (%) Registered Unemployment Rate in Urban Areas (%)
1978	530.0		5.3
1979	567.6	7.1	5.4
1980	541.5	-4.6	4.9
1981	439.5	-18.8	3.8
1982	379.4	-13.7	3.2
1983	271.4	-28.5	2.3
1984	235.7	-13.2	1.9
1985	238.5	1.2	1.8
1986	264.4	10.9	2.0
1987	276.6	4.6	2.0
1988	296.2	7.1	2.0
1989	377.9	27.6	2.6
1990	383.2	1.4	2.5
1991	352.2	-8.1	2.3
1992	363.9	3.3	2.3
1993	420.1	15.4	2.6
1994	476.4	13.4	2.8
1995	519.6	9.1	2.9
1996	552.8	6.3	3.0
1997	576.8	4.3	3.1
1998	571.0	-1.0	3.1
1999	575.0	0.7	3.1
2000	595.0	3.5	3.1
2001	681.0	14.4	3.6
2002	770.0	13.1	4.0
2003	800.0	3.9	4.3
2004	827.0	3.4	4.2
2005	839.0	1.5	4.2
2006	847.0	1.0	4.1
2007	830.0	-2.0	4.0
2008	886.0	6.7	4.2

1-14 分地区城镇登记失业人员数(年末登记数)

Registered Unemployed Persons in Urban Areas by Region (year-end)

单位：万人 (10000 persons)

地 区	Region	2000	2001	2002	2003	2004	2005	2006	2007	2008
北 京	Beijing	3.3	5.2	6.0	7.0	6.5	10.6	10.4	10.6	10.3
天 津	Tianjin	10.5	11.4	12.9	12.0	11.8	11.7	11.7	15.0	13.0
河 北	Hebei	17.4	19.5	22.2	25.7	28.0	27.8	28.7	29.3	32.2
山 西	Shanxi	9.7	12.2	14.5	13.1	13.7	14.3	15.6	16.1	17.5
内蒙古	Inner Mongolia	12.6	14.5	16.3	17.6	18.5	17.7	18.0	18.5	19.9
辽 宁	Liaoning	41.2	55.5	75.6	72.0	70.1	60.4	54.1	44.5	41.7
吉 林	Jilin	23.0	20.2	23.8	28.4	28.2	27.6	26.3	23.9	24.3
黑龙江	Heilongjiang	25.3	35.5	41.6	35.0	32.9	31.3	31.2	31.5	32.1
上 海	Shanghai	20.1	25.7	28.8	30.1	27.4	27.5	27.8	26.7	26.6
江 苏	Jiangsu	30.4	36.1	42.2	41.8	42.9	41.6	40.4	39.3	41.1
浙 江	Zhejiang	21.8	24.0	27.7	28.3	30.1	29.0	29.1	28.6	30.7
安 徽	Anhui	16.5	19.9	22.6	25.1	26.1	27.8	28.2	27.2	29.3
福 建	Fujian	9.1	13.2	15.0	14.6	14.5	14.9	15.1	14.9	15.0
江 西	Jiangxi	16.7	17.3	17.8	21.6	22.4	22.8	25.3	24.3	26.0
山 东	Shandong	37.5	35.4	39.7	41.3	42.3	42.9	43.7	43.5	60.7
河 南	Henan	21.4	23.1	25.4	26.3	31.2	33.0	35.4	33.1	36.5
湖 北	Hubei	36.6	42.2	44.7	49.3	49.4	52.6	52.6	54.1	55.1
湖 南	Hunan	27.6	30.3	30.4	37.1	43.0	41.9	43.3	44.4	47.0
广 东	Guangdong	30.2	34.5	36.5	35.5	35.9	34.5	36.2	36.2	38.1
广 西	Guangxi	11.3	14.2	14.7	14.9	17.8	18.5	20.0	18.5	18.8
海 南	Hainan	3.7	3.8	4.0	3.6	4.7	5.1	5.2	5.4	5.6
重 庆	Chongqing	10.1	13.7	16.2	16.2	16.8	16.9	15.4	14.1	13.0
四 川	Sichuan	30.8	31.9	33.8	33.1	33.3	34.3	36.1	34.5	37.9
贵 州	Guizhou	10.2	11.1	11.1	11.2	11.6	12.1	12.1	12.1	12.5
云 南	Yunnan	6.8	8.0	9.8	12.1	11.9	13.0	13.8	14.0	14.8
西 藏	Tibet	1.0		1.3		1.2				
陕 西	Shaanxi	11.4	14.0	13.5	13.9	18.5	21.5	21.5	21.0	20.8
甘 肃	Gansu	7.4	7.4	8.7	9.3	9.5	9.3	9.7	9.5	9.4
青 海	Qinghai	1.8	2.4	2.9	3.1	3.5	3.6	3.7	3.7	3.9
宁 夏	Ningxia	3.8	3.7	3.5	3.8	4.1	4.4	4.2	4.4	4.8
新 疆	Xinjiang	11.0	9.7	9.9	9.9	13.3	11.1	11.6	11.7	11.8

1-15 分地区城镇登记失业率(年末登记数)
Registered Unemployment Rate in Urban Areas by Region (year-end)

单位：% (%)

地 区	Region	2000	2001	2002	2003	2004	2005	2006	2007	2008
北 京	Beijing	0.8	1.2	1.4	1.4	1.3	2.1	2.0	1.8	1.8
天 津	Tianjin	3.2	3.6	3.9	3.8	3.8	3.7	3.6	3.6	3.6
河 北	Hebei	2.8	3.2	3.6	3.9	4.0	3.9	3.8	3.8	4.0
山 西	Shanxi	2.2	2.6	3.4	3.0	3.1	3.0	3.2	3.2	3.3
内蒙古	Inner Mongolia	3.3	3.7	4.1	4.5	4.6	4.3	4.1	4.0	4.1
辽 宁	Liaoning	3.7	3.2	6.5	6.5	6.5	5.6	5.1	4.3	3.9
吉 林	Jilin	3.7	3.1	3.6	4.3	4.2	4.2	4.2	3.9	4.0
黑龙江	Heilongjiang	3.3	4.7	4.9	4.2	4.5	4.4	4.3	4.3	4.2
上 海	Shanghai	3.5		4.8	4.9	4.5		4.4	4.2	4.2
江 苏	Jiangsu	3.2	3.6	4.2	4.1	3.8	3.6	3.4	3.2	3.3
浙 江	Zhejiang	3.5	3.7	4.2	4.2	4.1	3.7	3.5	3.3	3.5
安 徽	Anhui	3.3	3.7	4.0	4.1	4.2	4.4	4.2	4.1	3.9
福 建	Fujian	2.6	3.8	4.2	4.1	4.0	4.0	3.9	3.9	3.9
江 西	Jiangxi	2.9	3.3	3.4	3.6	3.6	3.5	3.6	3.4	3.4
山 东	Shandong	3.2	3.3	3.6	3.6	3.4	3.3	3.3	3.2	3.7
河 南	Henan	2.6	2.8	2.9	3.1	3.4	3.5	3.5	3.4	3.4
湖 北	Hubei	3.5	4.0	4.3	4.3	4.2	4.3	4.2	4.2	4.2
湖 南	Hunan	3.7	4.0	4.0	4.5	4.4	4.3	4.3	4.3	4.2
广 东	Guangdong	2.5	2.9	3.1	2.9	2.7	2.6	2.6	2.5	2.6
广 西	Guangxi	3.2	3.5	3.7	3.6	4.1	4.2	4.1	3.8	3.8
海 南	Hainan	3.2	3.4	3.1	3.4	3.4	3.6	3.6	3.5	3.7
重 庆	Chongqing	3.5	3.9	4.1	4.1	4.1	4.1	4.0	4.0	4.0
四 川	Sichuan	4.0	4.3	4.5	4.4	4.4	4.6	4.5	4.2	4.6
贵 州	Guizhou	3.8	4.0	4.1	4.0	4.1	4.2	4.1	4.0	4.0
云 南	Yunnan	2.6	3.3	4.0	4.1	4.3	4.2	4.3	4.2	4.2
西 藏	Tibet	4.1		4.9		4.0				
陕 西	Shaanxi	2.7	3.2	3.3	3.5	3.8	4.2	4.0	4.0	3.9
甘 肃	Gansu	2.7	2.8	3.2	3.4	3.4	3.3	3.6	3.3	3.2
青 海	Qinghai	2.4	3.5	3.6	3.8	3.9	3.9	3.9	3.8	3.8
宁 夏	Ningxia	4.6	4.4	4.4	4.4	4.5	4.5	4.3	4.3	4.4
新 疆	Xinjiang	3.8	3.7	3.7	3.5	3.5	3.9	3.9	3.9	3.7

1-16 分行业城镇单位就业人员年末人数

Employed Persons at Year-end in Urban Units by Sector

单位:万人 (10000 persons)

行　业	Sector	2003	2004	2005	2006	2007	2008
合　计	**Total**	**10969.7**	**11098.9**	**11404.0**	**11713.2**	**12024.4**	**12192.5**
农、林、牧、渔业	Agriculture,Forestry,Animal Husbandry and Fishery	484.5	466.1	446.3	435.2	426.3	410.1
采矿业	Mining	488.3	500.7	509.2	529.7	535.0	540.4
制造业	Manufacturing	2980.5	3050.8	3210.9	3351.6	3465.4	3434.3
电力、燃气及水的生产和供应业	Production and Distribution of Electricity,Gas and Water	297.6	300.6	299.9	302.5	303.4	306.5
建筑业	Construction	833.7	841.0	926.6	988.7	1050.8	1072.6
交通运输、仓储和邮政业	Transport,Storage and Post	636.5	631.8	613.9	612.7	623.1	627.3
信息传输、计算机服务和软件业	Information Transmission, Computer Service and Software	116.8	123.7	130.1	138.2	150.2	159.5
批发和零售业	Wholesale and Retail Trades	628.1	586.7	544.0	515.7	506.9	514.4
住宿和餐饮业	Hotels and Catering Services	172.1	177.1	181.2	183.9	185.8	193.2
金融业	Financial Intermediation	353.3	356.0	359.3	367.4	389.7	417.6
房地产业	Real Estate	120.2	133.4	146.5	153.9	166.5	172.7
租赁和商务服务业	Leasing and Business Services	183.5	194.4	218.5	236.7	247.2	274.7
科学研究、技术服务和地质勘查业	Scientific Research,Technical Services and Geological Prospecting	221.9	222.1	227.7	235.5	243.4	257.0
水利、环境和公共设施管理业	Management of Water Conservancy, Environment and Public Facilities	172.5	176.1	180.4	187.0	193.5	197.3
居民服务和其他服务业	Services to Households and Other Services	52.8	54.2	53.9	56.6	57.4	56.5
教　育	Education	1442.8	1466.8	1483.2	1504.4	1520.9	1534.0
卫生、社会保障和社会福利业	Health,Social Securities and Social Welfare	485.8	494.7	508.9	525.4	542.8	563.6
文化、体育和娱乐业	Culture, Sports and Entertainment	127.8	123.4	122.5	122.4	125.0	126.0
公共管理和社会组织	Public Management and Social Organization	1171.0	1199.0	1240.8	1265.6	1291.2	1335.0

1-17 分登记注册类型城镇单位就业人员年末人数

Employed Persons at Year-end in Urban Units by Registration Status

单位:万人 (10000 persons)

年　份 Year	合　计 Total	国有单位 State-owned Units	城镇集体单位 Urban Collective-owned Units	其他单位 Units of Other Types of Ownership
1994	15258.5	11213.9	3285.4	759.2
1995	15300.8	11260.5	3146.7	893.6
1996	15221.1	11243.6	3015.8	961.7
1997	15036.2	11044.2	2882.7	1109.4
1998	12695.7	9058.1	1963.2	1674.5
1999	12130.2	8572.1	1711.8	1846.3
2000	11612.5	8101.9	1499.3	2011.3
2001	11165.8	7639.9	1291.0	2234.9
2002	10985.2	7162.9	1122.0	2700.3
2003	10969.7	6875.6	999.9	3094.3
2004	11098.9	6709.9	897.2	3491.8
2005	11404.0	6488.2	809.9	4105.9
2006	11713.2	6430.5	763.6	4519.1
2007	12024.4	6423.5	718.4	4882.4
2008	12192.5	6447.0	661.8	5083.7

1-18 分行业城镇单位女性就业人员年末人数

Female Employed Persons at Year-end in Urban Units by Sector

单位:万人 (10000 persons)

行业	Sector	2003	2004	2005	2006	2007	2008
合 计	**Total**	**4156.1**	**4227.3**	**4324.6**	**4445.7**	**4540.3**	**4579.6**
农、林、牧、渔业	Agriculture,Forestry,Animal Husbandry and Fishery	176.1	172.3	165.7	163.5	157.3	148.9
采矿业	Mining	119.7	117.1	113.0	115.0	109.7	105.1
制造业	Manufacturing	1292.7	1329.8	1397.5	1464.0	1495.0	1444.3
电力、燃气及水的生产和供应业	Production and Distribution of Electricity,Gas and Water	92.7	93.1	91.3	91.3	90.7	90.1
建筑业	Construction	128.4	129.3	134.2	138.1	142.4	149.3
交通运输、仓储和邮政业	Transport,Storage and Post	182.5	177.6	171.0	164.7	169.3	171.5
信息传输、计算机服务和软件业	Information Transmission, Computer Service and Software	42.1	45.2	48.7	52.4	58.5	61.9
批发和零售业	Wholesale and Retail Trades	280.3	260.2	242.3	230.3	228.8	237.2
住宿和餐饮业	Hotels and Catering Services	95.0	97.8	98.9	99.5	100.8	105.2
金融业	Financial Intermediation	164.5	170.5	172.0	178.6	192.9	209.1
房地产业	Real Estate	40.4	44.9	48.3	50.8	56.0	58.5
租赁和商务服务业	Leasing and Business Services	62.7	65.6	74.0	78.0	82.1	93.8
科学研究、技术服务和地质勘查业	Scientific Research,Technical Services and Geological Prospecting	70.7	70.3	71.6	74.9	75.6	80.0
水利、环境和公共设施管理业	Management of Water Conservancy, Environment and Public Facilities	68.8	70.7	73.5	76.6	79.2	80.9
居民服务和其他服务业	Services to Households and Other Services	22.2	24.1	21.6	21.9	22.1	24.7
教 育	Education	672.8	696.7	713.2	733.8	747.7	759.4
卫生、社会保障和社会福利业	Health,Social Securities and Social Welfare	284.5	292.2	300.9	312.9	324.1	336.8
文化、体育和娱乐业	Culture, Sports and Entertainment	51.9	50.3	50.1	50.7	52.1	52.5
公共管理和社会组织	Public Management and Social Organization	308.1	319.6	336.9	348.6	356.0	370.2

1-19 分登记注册类型城镇单位女性就业人员年末人数

Female Employed Persons at Year-end in Urban Units by Registration Status

单位:万人 (10000 persons)

年 份 Year	合 计 Total	国有单位 State-owned Units	城镇集体单位 Urban Collective-owned Units	其他单位 Units of Other Types of Ownership
1994	5799.1	3982.5	1451.1	364.5
1995	5889.0	4059.0	1399.0	431.0
1996	5883.3	4088.3	1337.8	457.3
1997	5824.8	4030.2	1271.0	523.6
1999	4613.4	3128.0	702.8	782.7
2000	4411.3	2952.5	605.8	853.0
2001	4225.7	2788.2	509.9	927.5
2002	4156.2	2627.7	436.9	1091.5
2003	4156.1	2529.6	383.9	1242.6
2004	4227.3	2480.7	336.7	1410.0
2005	4324.6	2399.3	299.1	1626.2
2006	4445.7	2386.9	277.7	1781.1
2007	4540.3	2383.0	254.5	1902.8
2008	4579.6	2401.7	234.2	1943.7

1-20 分登记注册类型职工平均工资及指数

Average Wage of Staff and Workers and Related Indices by Status of Registration

年 份 Year	平均工资(元) Average Wage (yuan)	国有单位 State-owned Units	城镇集体单位 Urban Collective-owned Units	其他单位 Units of Other Types of Ownership	指数(以上年为100) Indices (preceding year=100)	国有单位 State-owned Units	城镇集体单位 Urban Collective-owned Units	其他单位 Units of Other Types of Ownership
1952	445	446	348					
1957	624	637	571		103.8	104.4	104.4	
1962	551	592	405		108.0	110.2	106.6	
1965	590	652	398		100.7	98.6	111.2	
1970	561	609	405		97.6	98.5	92.3	
1971	560	597	429		99.8	98.0	105.9	
1972	588	622	465		105.0	104.2	108.4	
1973	587	614	489		99.8	98.7	105.2	
1974	584	622	441		99.5	101.3	90.2	
1975	580	613	453		99.3	98.6	102.7	
1976	575	605	464		99.1	98.7	102.4	
1977	576	602	478		100.2	99.5	103.0	
1978	615	644	506		106.8	107.0	105.9	
1979	668	705	542		108.6	109.5	107.1	
1980	762	803	623		114.1	113.9	114.9	
1981	772	812	642		101.3	101.1	103.0	
1982	798	836	671		103.4	103.0	104.5	
1983	826	865	698		103.5	103.5	104.0	
1984	974	1034	811	1048	117.9	119.5	116.2	
1985	1148	1213	967	1436	117.9	117.3	119.2	137.0
1986	1329	1414	1092	1629	115.8	116.6	112.9	113.4
1987	1459	1546	1207	1879	109.8	109.3	110.5	115.3
1988	1747	1853	1426	2382	119.7	119.9	118.1	126.8
1989	1935	2055	1557	2707	110.8	110.9	109.2	113.6
1990	2140	2284	1681	2987	110.6	111.1	108.0	110.3
1991	2340	2477	1866	3468	109.3	108.5	111.0	116.1
1992	2711	2878	2109	3966	115.9	116.2	113.0	114.4
1993	3371	3532	2592	4966	124.3	122.7	122.9	125.2
1994	4538	4797	3245	6302	134.6	135.8	125.2	126.9
1995	5500	5625	3931	7463	121.2	117.3	121.1	118.4
1996	6210	6280	4302	8261	112.9	111.6	109.4	110.7
1997	6470	6747	4512	8789	104.2	107.4	104.9	106.4
1998	7479	7668	5331	8972	106.6	106.1	102.5	97.7
1999	8346	8543	5774	9829	111.6	111.4	108.3	109.6
2000	9371	9552	6262	10984	112.3	111.8	108.5	111.8
2001	10870	11178	6867	12140	116.0	117.0	109.7	110.5
2002	12422	12869	7667	13212	114.3	115.1	111.6	108.8
2003	14040	14577	8678	14574	113.0	113.3	113.2	110.3
2004	16024	16729	9814	16259	114.1	114.8	113.1	111.6
2005	18364	19313	11283	18244	114.6	115.4	115.0	112.2
2006	21001	22112	13014	20755	114.4	114.5	115.3	113.8
2007	24932	26620	15595	24058	118.7	120.4	119.8	115.9
2008	29229	31005	18338	28387	117.2	116.5	117.6	118.0

1-21 分登记注册类型职工平均实际工资指数

Average Real Wage Indices of Staff and Workers by Status of Registration

年 份 Year	平均实际工资指数(1978年=100) Average Real Wage Indices (year of 1978=100)	国有单位 State-owned Units	城镇集体单位 Urban Collective-owned Units	其他单位 Units of Other Types of Ownership	平均实际工资指数(上年=100) Average Real Wage Indices (preceding year=100)	国有单位 State-owned Units	城镇集体单位 Urban Collective-owned Units	其他单位 Units of Other Types of Ownership
1978	100.0	100.0	100.0		106.0	106.2	105.1	
1979	106.6	107.5	105.1		106.6	107.4	105.1	
1980	113.2	113.9	112.4		106.1	106.0	106.9	
1981	111.9	112.4	113.1		98.8	98.7	100.5	
1982	113.4	113.5	115.9		101.3	100.9	102.5	
1983	115.1	115.1	118.2		101.5	101.4	102.0	
1984	132.1	133.9	133.7	100.0	114.8	116.4	113.1	
1985	139.0	140.4	142.4	122.5	105.3	104.8	106.6	122.5
1986	150.4	152.9	150.3	129.8	108.2	108.9	105.5	106.0
1987	151.9	153.7	152.7	137.6	100.9	100.5	101.6	106.0
1988	150.7	152.6	149.5	144.6	99.2	99.3	97.9	105.0
1989	143.5	145.6	140.4	141.3	95.2	95.4	93.9	97.7
1990	156.7	159.8	149.6	153.9	109.2	109.7	106.6	108.9
1991	162.9	164.6	157.9	170.0	104.0	103.2	105.6	110.5
1992	173.8	176.2	164.3	179.0	106.7	107.0	104.1	105.3
1993	186.1	186.2	173.9	193.0	107.1	105.7	105.9	107.9
1994	200.4	202.3	174.3	196.0	107.7	108.7	100.2	101.5
1995	208.0	203.1	180.8	198.7	103.8	100.4	103.7	101.4
1996	215.9	208.4	181.8	202.1	103.8	102.6	100.6	101.7
1997	218.3	217.1	185.0	208.6	101.1	104.2	101.7	103.2
1998	234.0	231.6	190.7	205.1	107.2	106.7	103.1	98.3
1999	264.6	261.4	209.2	227.8	113.1	112.9	109.7	111.0
2000	294.7	289.9	225.2	252.6	111.4	110.9	107.6	110.9
2001	339.5	336.8	245.3	277.2	115.2	116.2	108.9	109.7
2002	391.9	391.6	276.6	304.6	115.5	116.3	112.7	109.9
2003	438.9	439.7	310.3	333.0	112.0	112.3	112.2	109.3
2004	484.8	488.7	339.7	359.8	110.5	111.1	109.5	108.0
2005	546.9	555.3	384.4	397.3	112.8	113.6	113.2	110.4
2006	616.2	626.4	436.8	445.3	112.7	112.8	113.6	112.1
2007	699.9	721.7	500.6	493.9	113.6	115.2	114.6	110.9
2008	777.0	796.0	557.4	551.9	111.0	110.3	111.4	111.7

1-22 分行业职工平均工资

Average Wage of Staff and Workers by Sector

单位:元 (yuan)

行 业	Sector	2003	2004	2005	2006	2007	2008
合 计	**Total**	**14040**	**16024**	**18364**	**21001**	**24932**	**29229**
农、林、牧、渔业	Agriculture, Forestry, Animal Husbandry and Fishery	6969	7611	8309	9430	11086	12958
采矿业	Mining	13682	16874	20626	24335	28377	34405
制造业	Manufacturing	12496	14033	15757	17966	20884	24192
电力、燃气及水的生产和供应业	Production and Distribution of Electricity, Gas and Water	18752	21805	25073	28765	33809	39204
建筑业	Construction	11478	12770	14338	16406	18758	21527
交通运输、仓储和邮政业	Transport, Storage and Post	15973	18381	21352	24623	28434	32796
信息传输、计算机服务和软件业	Information Transmission, Computer Service and Software	32244	34988	40558	44763	49225	56642
批发和零售业	Wholesale and Retail Trades	10939	12923	15241	17736	20888	25538
住宿和餐饮业	Hotels and Catering Services	11083	12535	13857	15206	17041	19481
金融业	Financial Intermediation	22457	26982	32228	39280	49435	61841
房地产业	Real Estate	17182	18712	20581	22578	26425	30327
租赁和商务服务业	Leasing and Business Services	16501	18131	20992	23648	26965	31735
科学研究、技术服务和地质勘查业	Scientific Research, Technical Service and Geological Prospecting	20636	23593	27434	31909	38879	46003
水利、环境和公共设施管理业	Management of Water Conservancy, Environment and Public Facilities	12095	13336	14753	16140	19064	22182
居民服务和其他服务业	Services to Households and Other Services	12900	14152	16642	18935	21550	23801
教 育	Education	14399	16277	18470	21134	26162	30185
卫生、社会保障和社会福利业	Health, Social Securities and Social Welfare	16352	18617	21048	23898	28258	32714
文化、体育和娱乐业	Culture, Sports and Entertainment	17268	20730	22885	26126	30662	34494
公共管理和社会组织	Public Management and Social Organization	15533	17609	20505	22883	28171	32955

1-23 分地区职工平均工资

Average Wage of Staff and Workers by Region

单位：元 (yuan)

地 区	Region	2000	2001	2002	2003	2004	2005	2006	2007	2008
全 国	**National Total**	**9371**	**10870**	**12422**	**14040**	**16024**	**18364**	**21101**	**24932**	**29229**
北 京	Beijing	16350	19155	21852	25312	29674	34191	40117	46507	56328
天 津	Tianjin	12480	14308	16258	18648	21754	25271	28682	34938	41748
河 北	Hebei	7781	8730	10032	11189	12925	14707	16590	19911	24756
山 西	Shanxi	6918	8122	9357	10729	12943	15645	18300	21525	25828
内蒙古	Inner Mongolia	6974	8250	9683	11279	13324	15985	18469	21884	26114
辽 宁	Liaoning	8811	10145	11659	13008	14921	17331	19624	23202	27729
吉 林	Jilin	7924	8771	9990	11081	12431	14409	16583	20513	23486
黑龙江	Heilongjiang	7835	8910	9926	11038	12557	14458	16505	19386	23046
上 海	Shanghai	18531	21781	23959	27304	30085	34345	41188	49310	56565
江 苏	Jiangsu	10299	11842	13509	15712	18202	20957	23782	27374	31667
浙 江	Zhejiang	13076	16385	18785	21367	23506	25896	27820	31086	34146
安 徽	Anhui	6989	7908	9296	10581	12928	15334	17949	22180	26363
福 建	Fujian	10584	12013	13306	14310	15603	17146	19318	22283	25702
江 西	Jiangxi	7014	8026	9262	10521	11860	13688	15590	18400	21000
山 东	Shandong	8772	10008	11374	12567	14332	16614	19228	22844	26404
河 南	Henan	6930	7916	9174	10749	12114	14282	16981	20935	24816
湖 北	Hubei	7565	8619	9611	10692	11855	14419	16048	19818	22739
湖 南	Hunan	8128	9623	10967	12221	13928	15659	17850	21534	24870
广 东	Guangdong	13823	15682	17814	19986	22116	23959	26186	29443	33110
广 西	Guangxi	7651	9075	10774	11953	13579	15461	18064	21898	25660
海 南	Hainan	7408	8321	9480	10397	12652	14417	15890	19357	21864
重 庆	Chongqing	8020	9523	10960	12425	14357	16630	19215	23098	26985
四 川	Sichuan	8323	9934	11183	12441	14063	15826	17852	21312	25038
贵 州	Guizhou	7468	8991	9810	11037	12431	14344	16815	20668	24602
云 南	Yunnan	9231	10537	11987	12870	14581	16140	18711	20481	24030
西 藏	Tibet	14976	19144	24766	26931	30873	28950	31518	46098	47280
陕 西	Shaanxi	7804	9120	10351	11461	13024	14796	16918	21296	25942
甘 肃	Gansu	8560	9949	11147	12307	13623	14939	17246	20987	24017
青 海	Qinghai	10050	12906	14472	15356	17229	19084	22679	26166	30983
宁 夏	Ningxia	8590	10442	11640	12981	14620	17211	21239	26210	30719
新 疆	Xinjiang	8717	10278	11605	13255	14484	15558	17819	21434	24687

1-24 国内生产总值及构成

Gross Domestic Product and Its Composition

单位：亿元 (100 million yuan)

年 份 Year	国内生产总值 Gross Domestic Product	第一产业 Primary Industry 绝对数 Value	比重（%）Proportion	第二产业 Secondary Industry 绝对数 Value	比重（%）Proportion	第三产业 Tertiary Industry 绝对数 Value	比重（%）Proportion	人均国内生产总值（元/人） Per Capita GDP (yuan/person)
1978	3645.2	1027.5	28.2	1745.2	47.9	872.5	23.9	381
1979	4062.6	1270.2	31.3	1913.5	47.1	878.9	21.6	419
1980	4545.6	1371.6	30.2	2192.0	48.2	982.0	21.6	463
1981	4891.6	1559.5	31.9	2255.5	46.1	1076.6	22.0	492
1982	5323.4	1777.4	33.4	2383.0	44.8	1163.0	21.8	528
1983	5962.7	1978.4	33.2	2646.2	44.4	1338.1	22.4	583
1984	7208.1	2316.1	32.1	3105.7	43.1	1786.3	24.8	695
1985	9016.0	2564.4	28.4	3866.6	42.9	2585.0	28.7	858
1986	10275.2	2788.7	27.2	4492.7	43.7	2993.8	29.1	963
1987	12058.6	3233.0	26.8	5251.6	43.6	3574.0	29.6	1112
1988	15042.8	3865.4	25.7	6587.2	43.8	4590.3	30.5	1366
1989	16992.3	4265.9	25.1	7278.0	42.8	5448.4	32.1	1519
1990	18667.8	5062.0	27.1	7717.4	41.3	5888.4	31.6	1644
1991	21781.5	5342.2	24.5	9102.2	41.8	7337.1	33.7	1893
1992	26923.5	5866.6	21.8	11699.5	43.4	9357.4	34.8	2311
1993	35333.9	6963.8	19.7	16454.4	46.6	11915.7	33.7	2998
1994	48197.9	9572.7	19.8	22445.4	46.6	16179.8	33.6	4044
1995	60793.7	12135.8	19.9	28679.5	47.2	19978.5	32.9	5046
1996	71176.6	14015.4	19.7	33835.0	47.5	23326.2	32.8	5846
1997	78973.0	14441.9	18.3	37543.0	47.5	26988.1	34.2	6420
1998	84402.3	14817.6	17.6	39004.2	46.2	30580.5	36.2	6796
1999	89677.1	14770.0	16.5	41033.6	45.8	33873.4	37.7	7159
2000	99214.6	14944.7	15.1	45555.9	45.9	38714.0	39.0	7858
2001	109655.2	15781.3	14.4	49512.3	45.1	44361.6	40.5	8622
2002	120332.7	16537.0	13.7	53896.8	44.8	49898.9	41.5	9398
2003	135822.8	17381.7	12.8	62436.3	46.0	56004.7	41.2	10542
2004	159878.3	21412.7	13.4	73904.3	46.2	64561.3	40.4	12336
2005	183217.5	22420.0	12.2	87364.6	47.7	73432.9	40.1	14053
2006	211923.5	24040.0	11.3	103162.0	48.7	84721.4	40.0	16165
2007	257305.6	28627.0	11.1	124799.0	48.5	103879.6	40.4	19524
2008	300670.0	34000.0	11.3	146183.4	48.6	120486.6	40.1	22698

注：本表按当年价格计算。

Note: Data in this table are calculated at current prices.

1–25 国内生产总值指数

Indices of Gross Domestic Product

(上年=100) (Preceding Year=100)

年 份 Year	国内生产总值 Gross Domestic Product	第一产业 Primary Industry	第二产业 Secondary Industry	第三产业 Tertiary Industry	人均国内生产总值 Per Capita GDP
1978	111.7	104.1	115.0	113.8	110.2
1979	107.6	106.1	108.2	107.9	106.1
1980	107.8	98.5	113.6	106.0	106.5
1981	105.2	107.0	101.9	110.4	103.9
1982	109.1	111.5	105.6	113.0	107.5
1983	110.9	108.3	110.4	115.2	109.3
1984	115.2	112.9	114.5	119.3	113.7
1985	113.5	101.8	118.6	118.2	111.9
1986	108.8	103.3	110.2	112.0	107.2
1987	111.6	104.7	113.7	114.4	109.8
1988	111.3	102.5	114.5	113.2	109.5
1989	104.1	103.1	103.8	105.4	102.5
1990	103.8	107.3	103.2	102.3	102.3
1991	109.2	102.4	113.9	108.9	107.7
1992	114.2	104.7	121.2	112.4	112.8
1993	114.0	104.7	119.9	112.2	112.7
1994	113.1	104.0	118.4	111.1	111.8
1995	110.9	105.0	113.9	109.8	109.7
1996	110.0	105.1	112.1	109.4	108.9
1997	109.3	103.5	110.5	110.7	108.2
1998	107.8	103.5	108.9	108.4	106.8
1999	107.6	102.8	108.1	109.3	106.7
2000	108.4	102.4	109.4	109.7	107.6
2001	108.3	102.8	108.4	110.3	107.5
2002	109.1	102.9	109.8	110.4	108.4
2003	110.0	102.5	112.7	109.5	109.3
2004	110.1	106.3	111.1	110.1	109.4
2005	110.4	105.2	111.7	110.5	109.8
2006	111.6	105.0	113.0	112.1	111.0
2007	113.0	103.7	114.7	113.8	112.5
2008	109.0	105.5	109.3	109.5	108.4

注：本表按可比价格计算。
Note: Data in this table are calculated at constant prices.

第二部分

Chapter Two

2008 年全国人口变动情况抽样调查数据

Data from 2008 National Sample Survey on Population Changes

2-1 各地区人口数及人口自然变动情况

Total Population and Natural Changes by Region

地区	Region	出生率 Birth Rate (‰)	死亡率 Death Rate (‰)	自然增长率 Natural Growth Rate (‰)	总人口(年末)(万人) Total Population (year-end) (10000 persons)
全 国	**National Total**	**12.14**	**7.06**	**5.08**	**132802**
北 京	Beijing	8.17	4.75	3.42	1695
天 津	Tianjin	8.13	5.94	2.19	1176
河 北	Hebei	13.04	6.49	6.55	6989
山 西	Shanxi	11.32	6.01	5.31	3411
内蒙古	Inner Mongolia	9.81	5.54	4.27	2414
辽 宁	Liaoning	6.32	5.22	1.10	4315
吉 林	Jilin	6.65	5.04	1.61	2734
黑龙江	Heilongjiang	7.91	5.68	2.23	3825
上 海	Shanghai	8.89	6.17	2.72	1888
江 苏	Jiangsu	9.34	7.04	2.30	7677
浙 江	Zhejiang	10.20	5.62	4.58	5120
安 徽	Anhui	13.05	6.60	6.45	6135
福 建	Fujian	12.20	5.90	6.30	3604
江 西	Jiangxi	13.92	6.01	7.91	4400
山 东	Shandong	11.25	6.16	5.09	9417
河 南	Henan	11.42	6.45	4.97	9429
湖 北	Hubei	9.21	6.50	2.71	5711
湖 南	Hunan	12.68	7.28	5.40	6380
广 东	Guangdong	11.80	4.55	7.25	9544
广 西	Guangxi	14.40	5.70	8.70	4816
海 南	Hainan	14.71	5.72	8.99	854
重 庆	Chongqing	10.10	6.30	3.80	2839
四 川	Sichuan	9.54	7.15	2.39	8138
贵 州	Guizhou	13.49	6.77	6.72	3793
云 南	Yunnan	12.63	6.31	6.32	4543
西 藏	Tibet	15.50	5.20	10.30	287
陕 西	Shaanxi	10.29	6.21	4.08	3762
甘 肃	Gansu	13.22	6.68	6.54	2628
青 海	Qinghai	14.49	6.14	8.35	554
宁 夏	Ningxia	14.31	4.62	9.69	618
新 疆	Xinjiang	16.05	4.88	11.17	2131

注：1.本表数据根据2008年人口变动情况抽样调查数据推算。
2.全国总人口包括现役军人数，分地区数字中未包括；全国总人口未包括香港、澳门特别行政区和台湾省的人口数据。
3.全国总人口根据2008年人口变动情况抽样误差和调查误差进行了修正，分地区人口未做修正。

Note:a) Data in this table are estimates from the 2008 National Sample Survey on Population Changes.
b) The military personnel were included in the national total population, but were not included in the population by region. The national total population does not include the population of Hong Kong SAR, Macao SAR and Taiwan Province.
c) The national total population were adjusted on the basis of sampling errors and survey errors from the 2008 National Sample Survey on Population Changes. Similar adjustments were not made to regional figures.

2-2 各地区人口的城乡构成

Population by Urban and Rural Residence and Region

单位：万人 (10000 persons)

地 区	Region	总人口（年末） Total Population (year-end)	城镇人口 Urban Population		乡村人口 Rural Population	
			人口数 Population	比重（%） Proportion	人口数 Population	比重（%） Proportion
全 国	**National Total**	**132802**	**60667**	**45.68**	**72135**	**54.32**
北 京	Beijing	1695	1439	84.90	256	15.10
天 津	Tianjin	1176	908	77.23	268	22.77
河 北	Hebei	6989	2928	41.90	4061	58.10
山 西	Shanxi	3411	1539	45.11	1872	54.89
内蒙古	Inner Mongolia	2414	1248	51.71	1166	48.29
辽 宁	Liaoning	4315	2591	60.05	1724	39.95
吉 林	Jilin	2734	1455	53.21	1279	46.79
黑龙江	Heilongjiang	3825	2119	55.40	1706	44.60
上 海	Shanghai	1888	1673	88.60	215	11.40
江 苏	Jiangsu	7677	4169	54.30	3509	45.70
浙 江	Zhejiang	5120	2949	57.60	2171	42.40
安 徽	Anhui	6135	2485	40.50	3650	59.50
福 建	Fujian	3604	1798	49.90	1806	50.10
江 西	Jiangxi	4400	1820	41.36	2580	58.64
山 东	Shandong	9417	4483	47.60	4935	52.40
河 南	Henan	9429	3397	36.03	6032	63.97
湖 北	Hubei	5711	2581	45.20	3130	54.80
湖 南	Hunan	6380	2689	42.15	3691	57.85
广 东	Guangdong	9544	6048	63.37	3496	36.63
广 西	Guangxi	4816	1838	38.16	2978	61.84
海 南	Hainan	854	410	48.00	444	52.00
重 庆	Chongqing	2839	1419	49.99	1420	50.01
四 川	Sichuan	8138	3044	37.40	5094	62.60
贵 州	Guizhou	3793	1104	29.11	2689	70.89
云 南	Yunnan	4543	1499	33.00	3044	67.00
西 藏	Tibet	287	65	22.61	222	77.39
陕 西	Shaanxi	3762	1584	42.10	2178	57.90
甘 肃	Gansu	2628	845	32.15	1783	67.85
青 海	Qinghai	554	227	40.86	327	59.14
宁 夏	Ningxia	618	278	44.98	340	55.02
新 疆	Xinjiang	2131	845	39.64	1286	60.36

注：本表数据根据2008年人口变动情况抽样调查数据推算。

a) Data in the table are estimates from the 2008 National Sample Survey on Population Changes.

2-3 全国分年龄、性别的人口数

Population by Age and Sex

单位：人、% (person,%)

年 龄 Age	人口数 Population			占总人口比重 Percentage to Total Population			性别比（女=100） Sex Ratio (Famale=100)
	合计 Total	男 Male	女 Female	合计 Total	男 Male	女 Female	
总计 Total	**1178521**	**598339**	**580182**	**100.00**	**50.77**	**49.23**	**103.13**
0-4	**60409**	**33352**	**27057**	**5.13**	**2.83**	**2.30**	**123.26**
0	12552	6982	5570	1.07	0.59	0.47	125.36
1	11122	6089	5033	0.94	0.52	0.43	120.98
2	12035	6616	5419	1.02	0.56	0.46	122.08
3	12148	6792	5355	1.03	0.58	0.45	126.83
4	12553	6873	5680	1.07	0.58	0.48	121.00
5-9	**64402**	**35314**	**29088**	**5.46**	**3.00**	**2.47**	**121.40**
5	11647	6394	5253	0.99	0.54	0.45	121.72
6	12515	6843	5672	1.06	0.58	0.48	120.66
7	13205	7256	5949	1.12	0.62	0.50	121.98
8	13709	7491	6218	1.16	0.64	0.53	120.47
9	13326	7330	5996	1.13	0.62	0.51	122.23
10-14	**79278**	**42560**	**36717**	**6.73**	**3.61**	**3.12**	**115.91**
10	14997	8189	6808	1.27	0.69	0.58	120.28
11	14615	7888	6727	1.24	0.67	0.57	117.25
12	15899	8575	7324	1.35	0.73	0.62	117.09
13	16995	9018	7976	1.44	0.77	0.68	113.06
14	16771	8890	7882	1.42	0.75	0.67	112.79
15-19	**92767**	**49438**	**43329**	**7.87**	**4.19**	**3.68**	**114.10**
15	17282	9315	7966	1.47	0.79	0.68	116.93
16	17636	9644	7992	1.50	0.82	0.68	120.66
17	17473	9234	8239	1.48	0.78	0.70	112.07
18	21369	11331	10038	1.81	0.96	0.85	112.88
19	19007	9914	9093	1.61	0.84	0.77	109.03
20-24	**80885**	**40003**	**40883**	**6.86**	**3.39**	**3.47**	**97.85**
20	17472	8924	8548	1.48	0.76	0.73	104.40
21	18013	8885	9128	1.53	0.75	0.77	97.34
22	16228	7910	8317	1.38	0.67	0.71	95.10
23	14519	7086	7433	1.23	0.60	0.63	95.34
24	14654	7197	7457	1.24	0.61	0.63	96.52
25-29	**76417**	**37497**	**38920**	**6.48**	**3.18**	**3.30**	**96.34**
25	14806	7243	7563	1.26	0.61	0.64	95.77
26	16837	8261	8576	1.43	0.70	0.73	96.33
27	14689	7235	7454	1.25	0.61	0.63	97.07
28	14861	7243	7618	1.26	0.61	0.65	95.07
29	15225	7516	7709	1.29	0.64	0.65	97.49

注：由于各地区数据采用加权汇总的方法，全国人口变动情况抽样调查样本数据合计与各分项相加略有误差(以下表同)。

Note: Because data by region are calculated by the method of weighted sum, total data of the national sample survey on population changes is not equal to the sum of each item. The same applies to the tables following.

2-3 续表 1 continued

单位：人、%　　　　(person,%)

年 龄 Age	人口数 Population			占总人口比重 Percentage to Total Population			性别比 (女=100)
	合计 Total	男 Male	女 Female	合计 Total	男 Male	女 Female	Sex Ratio (Famale=100)
30-34	**82027**	**40627**	**41400**	**6.96**	**3.45**	**3.51**	**98.13**
30	15612	7589	8024	1.32	0.64	0.68	94.58
31	14473	7280	7193	1.23	0.62	0.61	101.21
32	16600	8189	8412	1.41	0.69	0.71	97.35
33	16824	8366	8458	1.43	0.71	0.72	98.91
34	18518	9204	9314	1.57	0.78	0.79	98.82
35-39	**109297**	**54028**	**55269**	**9.27**	**4.58**	**4.69**	**97.75**
35	20153	9924	10228	1.71	0.84	0.87	97.02
36	21032	10473	10559	1.78	0.89	0.90	99.19
37	21536	10888	10648	1.83	0.92	0.90	102.26
38	24152	11784	12368	2.05	1.00	1.05	95.28
39	22424	10958	11466	1.90	0.93	0.97	95.57
40-44	**113708**	**56636**	**57072**	**9.65**	**4.81**	**4.84**	**99.23**
40	24763	12387	12376	2.10	1.05	1.05	100.09
41	20280	10092	10189	1.72	0.86	0.86	99.05
42	23008	11355	11653	1.95	0.96	0.99	97.44
43	23226	11646	11580	1.97	0.99	0.98	100.57
44	22431	11157	11274	1.90	0.95	0.96	98.96
45-49	**84701**	**42061**	**42640**	**7.19**	**3.57**	**3.62**	**98.64**
45	26324	13091	13233	2.23	1.11	1.12	98.93
46	19659	9681	9977	1.67	0.82	0.85	97.03
47	14316	7138	7178	1.21	0.61	0.61	99.45
48	11240	5587	5653	0.95	0.47	0.48	98.82
49	13162	6563	6599	1.12	0.56	0.56	99.46
50-54	**91958**	**46290**	**45668**	**7.80**	**3.93**	**3.87**	**101.36**
50	17363	8727	8636	1.47	0.74	0.73	101.05
51	19290	9770	9520	1.64	0.83	0.81	102.62
52	17747	8905	8842	1.51	0.76	0.75	100.71
53	18613	9337	9276	1.58	0.79	0.79	100.65
54	18944	9551	9393	1.61	0.81	0.80	101.69
55-59	**77554**	**39294**	**38260**	**6.58**	**3.33**	**3.25**	**102.70**
55	17465	8793	8671	1.48	0.75	0.74	101.41
56	17338	8849	8489	1.47	0.75	0.72	104.25
57	14565	7260	7305	1.24	0.62	0.62	99.39
58	14485	7344	7141	1.23	0.62	0.61	102.83
59	13702	7048	6654	1.16	0.60	0.56	105.92
60-64	**52706**	**26778**	**25929**	**4.47**	**2.27**	**2.20**	**103.27**
60	12296	6297	5999	1.04	0.53	0.51	104.97
61	11200	5734	5465	0.95	0.49	0.46	104.92
62	10409	5239	5169	0.88	0.44	0.44	101.35
63	9758	4859	4899	0.83	0.41	0.42	99.18
64	9044	4648	4396	0.77	0.39	0.37	105.75

2-3 续表 2 continued

单位：人、% (person,%)

年 龄 Age	人口数 Population			占总人口比重 Percentage to Total Population			性别比 (女=100) Sex Ratio (Famale=100)
	合计 Total	男 Male	女 Female	合计 Total	男 Male	女 Female	
65-69	**39183**	**19823**	**19361**	**3.32**	**1.68**	**1.64**	**102.39**
65	8461	4325	4135	0.72	0.37	0.35	104.59
66	8146	4052	4094	0.69	0.34	0.35	98.98
67	8249	4199	4050	0.70	0.36	0.34	103.67
68	7795	3975	3820	0.66	0.34	0.32	104.06
69	6533	3272	3261	0.55	0.28	0.28	100.32
70-74	**33302**	**16556**	**16746**	**2.83**	**1.40**	**1.42**	**98.87**
70	7879	3981	3898	0.67	0.34	0.33	102.14
71	6831	3359	3472	0.58	0.29	0.29	96.75
72	6765	3404	3361	0.57	0.29	0.29	101.29
73	6195	3074	3121	0.53	0.26	0.26	98.50
74	5631	2738	2894	0.48	0.23	0.25	94.60
75-79	**21991**	**10545**	**11445**	**1.87**	**0.89**	**0.97**	**92.14**
75	5608	2702	2906	0.48	0.23	0.25	92.98
76	4765	2274	2492	0.40	0.19	0.21	91.25
77	4179	2066	2113	0.35	0.18	0.18	97.77
78	4290	2051	2239	0.36	0.17	0.19	91.56
79	3148	1453	1695	0.27	0.12	0.14	85.72
80-84	**11686**	**5197**	**6490**	**0.99**	**0.44**	**0.55**	**80.08**
80	3277	1567	1710	0.28	0.13	0.15	91.68
81	2584	1102	1482	0.22	0.09	0.13	74.37
82	2153	969	1184	0.18	0.08	0.10	81.88
83	1998	843	1155	0.17	0.07	0.10	72.99
84	1675	716	960	0.14	0.06	0.08	74.54
85-89	**4777**	**1888**	**2889**	**0.41**	**0.16**	**0.25**	**65.34**
85	1440	607	833	0.12	0.05	0.07	72.91
86	1174	466	708	0.10	0.04	0.06	65.89
87	906	325	581	0.08	0.03	0.05	55.89
88	823	337	486	0.07	0.03	0.04	69.26
89	433	152	281	0.04	0.01	0.02	54.28
90-94	**1205**	**375**	**830**	**0.10**	**0.03**	**0.07**	**45.17**
90	413	147	266	0.04	0.01	0.02	55.45
91	273	83	190	0.02	0.01	0.02	43.61
92	229	71	157	0.02	0.01	0.01	45.43
93	173	49	125	0.01		0.01	39.28
94	117	24	92	0.01		0.01	26.24
95+	**269**	**78**	**190**	**0.02**	**0.01**	**0.02**	**41.17**

2-4 全国城市分年龄、性别的人口数

City Population by Age and Sex

单位：人、%　　(person,%)

年 龄 Age	人口数 Population			占总人口比重 Percentage to Total Population			性别比 (女=100) Sex Ratio (Famale=100)
	合计 Total	男 Male	女 Female	合计 Total	男 Male	女 Female	
总计 Total	**289367**	**144511**	**144856**	**100.00**	**49.94**	**50.06**	**99.76**
0-4	**11242**	**5997**	**5245**	**3.89**	**2.07**	**1.81**	**114.32**
0	2246	1196	1050	0.78	0.41	0.36	113.94
1	2244	1177	1068	0.78	0.41	0.37	110.20
2	2269	1181	1087	0.78	0.41	0.38	108.68
3	2227	1242	986	0.77	0.43	0.34	125.93
4	2256	1201	1055	0.78	0.42	0.36	113.82
5-9	**11882**	**6400**	**5482**	**4.11**	**2.21**	**1.89**	**116.74**
5	2032	1077	955	0.70	0.37	0.33	112.82
6	2362	1303	1059	0.82	0.45	0.37	123.01
7	2439	1317	1123	0.84	0.46	0.39	117.29
8	2568	1346	1222	0.89	0.46	0.42	110.08
9	2481	1357	1123	0.86	0.47	0.39	120.85
10-14	**14158**	**7519**	**6639**	**4.89**	**2.60**	**2.29**	**113.26**
10	2631	1466	1165	0.91	0.51	0.40	125.87
11	2614	1399	1215	0.90	0.48	0.42	115.15
12	2848	1496	1352	0.98	0.52	0.47	110.71
13	3041	1584	1457	1.05	0.55	0.50	108.71
14	3024	1574	1450	1.05	0.54	0.50	108.49
15-19	**19886**	**10263**	**9623**	**6.87**	**3.55**	**3.33**	**106.64**
15	2980	1649	1332	1.03	0.57	0.46	123.78
16	3350	1799	1551	1.16	0.62	0.54	115.96
17	3775	1902	1873	1.30	0.66	0.65	101.58
18	4837	2408	2430	1.67	0.83	0.84	99.09
19	4943	2505	2438	1.71	0.87	0.84	102.77
20-24	**23363**	**11541**	**11822**	**8.07**	**3.99**	**4.09**	**97.62**
20	4767	2412	2354	1.65	0.83	0.81	102.45
21	5194	2574	2620	1.79	0.89	0.91	98.26
22	4807	2339	2469	1.66	0.81	0.85	94.74
23	4200	2016	2184	1.45	0.70	0.75	92.30
24	4395	2200	2195	1.52	0.76	0.76	100.22
25-29	**24126**	**11511**	**12616**	**8.34**	**3.98**	**4.36**	**91.24**
25	4680	2229	2451	1.62	0.77	0.85	90.97
26	5409	2625	2784	1.87	0.91	0.96	94.27
27	4631	2152	2479	1.60	0.74	0.86	86.79
28	4499	2125	2373	1.55	0.73	0.82	89.55
29	4907	2379	2528	1.70	0.82	0.87	94.11

2-4 续表 1 continued

单位：人、%　　　　(person,%)

年 龄 Age	人口数 Population			占总人口比重 Percentage to Total Population			性别比 (女=100)
	合计 Total	男 Male	女 Female	合计 Total	男 Male	女 Female	Sex Ratio (Famale=100)
30-34	**24607**	**12184**	**12424**	**8.50**	**4.21**	**4.29**	**98.07**
30	4905	2356	2549	1.70	0.81	0.88	92.43
31	4503	2279	2224	1.56	0.79	0.77	102.48
32	4893	2352	2541	1.69	0.81	0.88	92.57
33	5023	2538	2485	1.74	0.88	0.86	102.13
34	5284	2659	2625	1.83	0.92	0.91	101.28
35-39	**29481**	**14617**	**14864**	**10.19**	**5.05**	**5.14**	**98.34**
35	5745	2831	2914	1.99	0.98	1.01	97.15
36	5868	2942	2926	2.03	1.02	1.01	100.57
37	5803	2882	2921	2.01	1.00	1.01	98.66
38	6384	3162	3221	2.21	1.09	1.11	98.17
39	5680	2799	2882	1.96	0.97	1.00	97.13
40-44	**27221**	**13678**	**13543**	**9.41**	**4.73**	**4.68**	**100.99**
40	6182	3143	3039	2.14	1.09	1.05	103.44
41	4622	2256	2366	1.60	0.78	0.82	95.35
42	5176	2586	2591	1.79	0.89	0.90	99.82
43	5482	2812	2670	1.89	0.97	0.92	105.30
44	5758	2881	2878	1.99	1.00	0.99	100.11
45-49	**22771**	**11498**	**11273**	**7.87**	**3.97**	**3.90**	**102.00**
45	7115	3631	3484	2.46	1.25	1.20	104.23
46	4883	2445	2439	1.69	0.84	0.84	100.24
47	4085	2083	2002	1.41	0.72	0.69	104.04
48	2994	1483	1512	1.03	0.51	0.52	98.09
49	3694	1857	1837	1.28	0.64	0.63	101.08
50-54	**22853**	**11421**	**11431**	**7.90**	**3.95**	**3.95**	**99.91**
50	4683	2333	2350	1.62	0.81	0.81	99.31
51	4843	2478	2365	1.67	0.86	0.82	104.79
52	4424	2244	2180	1.53	0.78	0.75	102.96
53	4429	2176	2253	1.53	0.75	0.78	96.58
54	4474	2190	2284	1.55	0.76	0.79	95.85
55-59	**17900**	**8765**	**9135**	**6.19**	**3.03**	**3.16**	**95.95**
55	4175	2051	2124	1.44	0.71	0.73	96.53
56	3801	1843	1957	1.31	0.64	0.68	94.18
57	3398	1684	1715	1.17	0.58	0.59	98.18
58	3380	1655	1725	1.17	0.57	0.60	95.92
59	3146	1533	1614	1.09	0.53	0.56	95.00
60-64	**11927**	**5860**	**6067**	**4.12**	**2.03**	**2.10**	**96.60**
60	2783	1368	1415	0.96	0.47	0.49	96.64
61	2439	1245	1194	0.84	0.43	0.41	104.24
62	2419	1180	1240	0.84	0.41	0.43	95.15
63	2281	1081	1200	0.79	0.37	0.41	90.09
64	2005	987	1018	0.69	0.34	0.35	97.03

2-4 续表 2 continued

单位：人、% (person,%)

年 龄 Age	人口数 Population			占总人口比重 Percentage to Total Population			性别比 (女=100) Sex Ratio (Famale=100)
	合计 Total	男 Male	女 Female	合计 Total	男 Male	女 Female	
65-69	**9502**	**4477**	**5025**	**3.28**	**1.55**	**1.74**	**89.09**
65	1973	944	1030	0.68	0.33	0.36	91.65
66	1927	868	1059	0.67	0.30	0.37	81.95
67	1936	936	1001	0.67	0.32	0.35	93.50
68	1989	943	1046	0.69	0.33	0.36	90.14
69	1676	786	889	0.58	0.27	0.31	88.41
70-74	**8522**	**4072**	**4450**	**2.95**	**1.41**	**1.54**	**91.51**
70	1948	884	1064	0.67	0.31	0.37	83.12
71	1785	852	933	0.62	0.29	0.32	91.41
72	1721	847	875	0.59	0.29	0.30	96.80
73	1638	803	835	0.57	0.28	0.29	96.10
74	1430	686	744	0.49	0.24	0.26	92.28
75-79	**5648**	**2810**	**2838**	**1.95**	**0.97**	**0.98**	**99.02**
75	1385	669	716	0.48	0.23	0.25	93.39
76	1286	640	646	0.44	0.22	0.22	99.02
77	1112	564	548	0.38	0.19	0.19	102.80
78	1067	545	522	0.37	0.19	0.18	104.28
79	799	394	405	0.28	0.14	0.14	97.11
80-84	**2810**	**1311**	**1499**	**0.97**	**0.45**	**0.52**	**87.49**
80	763	371	392	0.26	0.13	0.14	94.50
81	677	303	374	0.23	0.10	0.13	80.99
82	534	255	279	0.18	0.09	0.10	91.55
83	478	217	261	0.17	0.08	0.09	83.18
84	357	165	192	0.12	0.06	0.07	85.82
85-89	**1108**	**462**	**647**	**0.38**	**0.16**	**0.22**	**71.42**
85	327	150	177	0.11	0.05	0.06	84.44
86	291	123	168	0.10	0.04	0.06	73.36
87	217	81	136	0.07	0.03	0.05	59.22
88	182	68	114	0.06	0.02	0.04	59.39
89	92	41	52	0.03	0.01	0.02	79.22
90-94	**287**	**99**	**187**	**0.10**	**0.03**	**0.06**	**53.06**
90	84	23	61	0.03	0.01	0.02	37.81
91	76	31	45	0.03	0.01	0.02	68.40
92	53	27	27	0.02	0.01	0.01	99.23
93	45	13	32	0.02		0.01	39.33
94	29	6	23	0.01		0.01	28.44
95+	**73**	**27**	**46**	**0.03**	**0.01**	**0.02**	**58.54**

2-5 全国镇分年龄、性别的人口数

Town Population by Age and Sex

单位：人、% (person,%)

年龄 Age	人口数 Population			占总人口比重 Percentage to Total Population			性别比 (女=100) Sex Ratio (Famale=100)
	合计 Total	男 Male	女 Female	合计 Total	男 Male	女 Female	
总计 Total	**250330**	**126831**	**123499**	**100.00**	**50.67**	**49.33**	**102.70**
0-4	**12455**	**6829**	**5626**	**4.98**	**2.73**	**2.25**	**121.38**
0	2613	1456	1156	1.04	0.58	0.46	125.99
1	2296	1252	1044	0.92	0.50	0.42	119.90
2	2487	1370	1118	0.99	0.55	0.45	122.58
3	2471	1375	1096	0.99	0.55	0.44	125.43
4	2588	1376	1212	1.03	0.55	0.48	113.48
5-9	**13492**	**7427**	**6065**	**5.39**	**2.97**	**2.42**	**122.46**
5	2486	1389	1097	0.99	0.56	0.44	126.66
6	2601	1395	1206	1.04	0.56	0.48	115.66
7	2750	1548	1203	1.10	0.62	0.48	128.69
8	2888	1586	1302	1.15	0.63	0.52	121.74
9	2766	1509	1257	1.11	0.60	0.50	120.09
10-14	**16925**	**9114**	**7812**	**6.76**	**3.64**	**3.12**	**116.66**
10	3192	1743	1450	1.28	0.70	0.58	120.21
11	3010	1617	1393	1.20	0.65	0.56	116.02
12	3338	1803	1536	1.33	0.72	0.61	117.41
13	3590	1901	1689	1.43	0.76	0.67	112.56
14	3795	2051	1745	1.52	0.82	0.70	117.54
15-19	**20148**	**10941**	**9207**	**8.05**	**4.37**	**3.68**	**118.84**
15	3827	2099	1727	1.53	0.84	0.69	121.53
16	3904	2163	1741	1.56	0.86	0.70	124.21
17	3616	1936	1681	1.44	0.77	0.67	115.18
18	4579	2465	2114	1.83	0.98	0.84	116.60
19	4222	2278	1944	1.69	0.91	0.78	117.22
20-24	**16923**	**8362**	**8561**	**6.76**	**3.34**	**3.42**	**97.67**
20	3680	1880	1800	1.47	0.75	0.72	104.43
21	3731	1840	1891	1.49	0.74	0.76	97.35
22	3239	1579	1660	1.29	0.63	0.66	95.11
23	3093	1542	1551	1.24	0.62	0.62	99.41
24	3179	1520	1659	1.27	0.61	0.66	91.65
25-29	**16629**	**8156**	**8473**	**6.64**	**3.26**	**3.38**	**96.26**
25	3211	1607	1604	1.28	0.64	0.64	100.13
26	3607	1722	1884	1.44	0.69	0.75	91.41
27	3219	1623	1596	1.29	0.65	0.64	101.67
28	3185	1550	1635	1.27	0.62	0.65	94.79
29	3408	1655	1753	1.36	0.66	0.70	94.38

2-5 续表 1 continued

单位：人、% (person,%)

年 龄 Age	人口数 Population			占总人口比重 Percentage to Total Population			性别比 (女=100)
	合计 Total	男 Male	女 Female	合计 Total	男 Male	女 Female	Sex Ratio (Famale=100)
30-34	**18222**	**8960**	**9261**	**7.28**	**3.58**	**3.70**	**96.75**
30	3399	1641	1757	1.36	0.66	0.70	93.40
31	3196	1573	1623	1.28	0.63	0.65	96.89
32	3756	1905	1851	1.50	0.76	0.74	102.90
33	3689	1789	1900	1.47	0.71	0.76	94.18
34	4182	2052	2130	1.67	0.82	0.85	96.36
35-39	**24539**	**12137**	**12402**	**9.80**	**4.85**	**4.95**	**97.86**
35	4363	2109	2255	1.74	0.84	0.90	93.51
36	4709	2389	2320	1.88	0.95	0.93	102.97
37	4994	2493	2501	2.00	1.00	1.00	99.66
38	5514	2725	2789	2.20	1.09	1.11	97.68
39	4958	2422	2536	1.98	0.97	1.01	95.49
40-44	**25442**	**12622**	**12820**	**10.16**	**5.04**	**5.12**	**98.45**
40	5526	2756	2770	2.21	1.10	1.11	99.50
41	4529	2296	2232	1.81	0.92	0.89	102.87
42	5264	2545	2719	2.10	1.02	1.09	93.62
43	5256	2580	2677	2.10	1.03	1.07	96.38
44	4867	2444	2422	1.94	0.98	0.97	100.92
45-49	**17849**	**8772**	**9077**	**7.13**	**3.50**	**3.63**	**96.64**
45	5786	2851	2936	2.31	1.14	1.17	97.10
46	4155	2053	2102	1.66	0.82	0.84	97.65
47	2914	1440	1474	1.16	0.58	0.59	97.70
48	2338	1168	1170	0.93	0.47	0.47	99.90
49	2655	1260	1395	1.06	0.50	0.56	90.32
50-54	**19173**	**9594**	**9579**	**7.66**	**3.83**	**3.83**	**100.16**
50	3565	1816	1749	1.42	0.73	0.70	103.86
51	4062	2033	2029	1.62	0.81	0.81	100.16
52	3658	1833	1825	1.46	0.73	0.73	100.43
53	3955	1927	2028	1.58	0.77	0.81	95.01
54	3932	1985	1947	1.57	0.79	0.78	101.93
55-59	**15873**	**8091**	**7783**	**6.34**	**3.23**	**3.11**	**103.96**
55	3478	1767	1711	1.39	0.71	0.68	103.26
56	3618	1883	1736	1.45	0.75	0.69	108.47
57	2956	1484	1472	1.18	0.59	0.59	100.88
58	2977	1500	1477	1.19	0.60	0.59	101.56
59	2844	1456	1387	1.14	0.58	0.55	104.99
60-64	**10729**	**5338**	**5391**	**4.29**	**2.13**	**2.15**	**99.00**
60	2462	1215	1247	0.98	0.49	0.50	97.44
61	2296	1157	1139	0.92	0.46	0.45	101.56
62	2093	1019	1074	0.84	0.41	0.43	94.83
63	2096	1017	1079	0.84	0.41	0.43	94.19
64	1782	931	852	0.71	0.37	0.34	109.24

2-5 续表 2 continued

单位：人、%　　　　(person,%)

年 龄 Age	人口数 Population			占总人口比重 Percentage to Total Population			性别比 (女=100) Sex Ratio (Famale=100)
	合计 Total	男 Male	女 Female	合计 Total	男 Male	女 Female	
65-69	**7722**	**3891**	**3831**	**3.08**	**1.55**	**1.53**	**101.58**
65	1653	844	809	0.66	0.34	0.32	104.41
66	1675	820	855	0.67	0.33	0.34	95.95
67	1599	821	778	0.64	0.33	0.31	105.54
68	1552	777	775	0.62	0.31	0.31	100.18
69	1243	629	614	0.50	0.25	0.25	102.43
70-74	**6401**	**3162**	**3239**	**2.56**	**1.26**	**1.29**	**97.63**
70	1582	808	773	0.63	0.32	0.31	104.49
71	1325	633	692	0.53	0.25	0.28	91.54
72	1338	688	650	0.53	0.27	0.26	105.91
73	1130	543	587	0.45	0.22	0.23	92.59
74	1027	490	538	0.41	0.20	0.21	91.06
75-79	**4214**	**1959**	**2254**	**1.68**	**0.78**	**0.90**	**86.91**
75	1138	513	625	0.45	0.21	0.25	82.19
76	871	407	465	0.35	0.16	0.19	87.47
77	796	386	410	0.32	0.15	0.16	94.09
78	816	375	440	0.33	0.15	0.18	85.31
79	593	278	315	0.24	0.11	0.13	88.35
80-84	**2363**	**1023**	**1341**	**0.94**	**0.41**	**0.54**	**76.27**
80	687	307	381	0.27	0.12	0.15	80.53
81	518	238	281	0.21	0.09	0.11	84.63
82	456	180	276	0.18	0.07	0.11	65.46
83	368	159	209	0.15	0.06	0.08	75.82
84	333	139	194	0.13	0.06	0.08	71.67
85-89	**903**	**357**	**546**	**0.36**	**0.14**	**0.22**	**65.41**
85	282	118	163	0.11	0.05	0.07	72.47
86	213	79	135	0.09	0.03	0.05	58.32
87	157	45	111	0.06	0.02	0.04	40.75
88	156	80	76	0.06	0.03	0.03	105.42
89	95	34	60	0.04	0.01	0.02	57.11
90-94	**275**	**83**	**192**	**0.11**	**0.03**	**0.08**	**42.93**
90	84	25	59	0.03	0.01	0.02	42.29
91	58	18	39	0.02	0.01	0.02	46.85
92	59	17	42	0.02	0.01	0.02	41.51
93	53	16	36	0.02	0.01	0.01	45.30
94	21	5	16	0.01		0.01	33.84
95+	**54**	**14**	**39**	**0.02**	**0.01**	**0.02**	**36.22**

2-6 全国乡村分年龄、性别的人口数

Rural Population by Age and Sex

单位：人、% (person,%)

年龄 Age	人口数 Population			占总人口比重 Percentage to Total Population			性别比 (女=100) Sex Ratio (Famale=100)
	合计 Total	男 Male	女 Female	合计 Total	男 Male	女 Female	
总计 Total	**638824**	**326997**	**311827**	**100.00**	**51.19**	**48.81**	**104.87**
0-4	**36712**	**20526**	**16186**	**5.75**	**3.21**	**2.53**	**126.82**
0	7693	4329	3364	1.20	0.68	0.53	128.70
1	6582	3661	2921	1.03	0.57	0.46	125.30
2	7279	4065	3214	1.14	0.64	0.50	126.45
3	7449	4176	3273	1.17	0.65	0.51	127.56
4	7709	4296	3413	1.21	0.67	0.53	125.89
5-9	**39028**	**21487**	**17541**	**6.11**	**3.36**	**2.75**	**122.50**
5	7128	3927	3201	1.12	0.61	0.50	122.68
6	7552	4145	3406	1.18	0.65	0.53	121.69
7	8015	4392	3624	1.25	0.69	0.57	121.20
8	8253	4560	3693	1.29	0.71	0.58	123.46
9	8079	4463	3616	1.26	0.70	0.57	123.41
10-14	**48195**	**25928**	**22267**	**7.54**	**4.06**	**3.49**	**116.44**
10	9174	4980	4194	1.44	0.78	0.66	118.75
11	8992	4873	4119	1.41	0.76	0.64	118.29
12	9713	5276	4437	1.52	0.83	0.69	118.92
13	10364	5533	4830	1.62	0.87	0.76	114.55
14	9952	5266	4687	1.56	0.82	0.73	112.35
15-19	**52733**	**28234**	**24499**	**8.25**	**4.42**	**3.84**	**115.25**
15	10474	5567	4907	1.64	0.87	0.77	113.46
16	10383	5683	4700	1.63	0.89	0.74	120.90
17	10082	5396	4686	1.58	0.84	0.73	115.14
18	11953	6458	5494	1.87	1.01	0.86	117.54
19	9842	5130	4711	1.54	0.80	0.74	108.89
20-24	**40599**	**20100**	**20499**	**6.36**	**3.15**	**3.21**	**98.05**
20	9025	4632	4393	1.41	0.73	0.69	105.43
21	9088	4470	4618	1.42	0.70	0.72	96.81
22	8181	3992	4189	1.28	0.62	0.66	95.32
23	7225	3528	3697	1.13	0.55	0.58	95.43
24	7079	3477	3603	1.11	0.54	0.56	96.51
25-29	**35662**	**17831**	**17832**	**5.58**	**2.79**	**2.79**	**99.99**
25	6915	3407	3508	1.08	0.53	0.55	97.13
26	7821	3914	3907	1.22	0.61	0.61	100.17
27	6839	3461	3379	1.07	0.54	0.53	102.43
28	7177	3567	3610	1.12	0.56	0.57	98.82
29	6910	3482	3428	1.08	0.55	0.54	101.56

2-6 续表 1 continued

单位：人、%　　(person,%)

年 龄 Age	人口数 Population 合计 Total	男 Male	女 Female	占总人口比重 Percentage to Total Population 合计 Total	男 Male	女 Female	性别比（女=100） Sex Ratio (Famale=100)
30-34	**39198**	**19483**	**19715**	**6.14**	**3.05**	**3.09**	**98.82**
30	7309	3591	3717	1.14	0.56	0.58	96.61
31	6774	3428	3346	1.06	0.54	0.52	102.45
32	7951	3932	4020	1.24	0.62	0.63	97.82
33	8112	4039	4073	1.27	0.63	0.64	99.15
34	9051	4493	4559	1.42	0.70	0.71	98.56
35-39	**55277**	**27274**	**28003**	**8.65**	**4.27**	**4.38**	**97.40**
35	10044	4984	5059	1.57	0.78	0.79	98.51
36	10455	5142	5313	1.64	0.80	0.83	96.78
37	10739	5514	5225	1.68	0.86	0.82	105.52
38	12254	5897	6357	1.92	0.92	1.00	92.76
39	11786	5738	6048	1.85	0.90	0.95	94.87
40-44	**61045**	**30336**	**30709**	**9.56**	**4.75**	**4.81**	**98.78**
40	13054	6487	6567	2.04	1.02	1.03	98.79
41	11130	5539	5590	1.74	0.87	0.88	99.09
42	12568	6223	6344	1.97	0.97	0.99	98.10
43	12487	6254	6233	1.95	0.98	0.98	100.34
44	11806	5832	5975	1.85	0.91	0.94	97.61
45-49	**44081**	**21791**	**22290**	**6.90**	**3.41**	**3.49**	**97.76**
45	13423	6610	6813	2.10	1.03	1.07	97.02
46	10620	5184	5436	1.66	0.81	0.85	95.36
47	7318	3616	3702	1.15	0.57	0.58	97.66
48	5908	2936	2972	0.92	0.46	0.47	98.77
49	6812	3446	3366	1.07	0.54	0.53	102.36
50-54	**49932**	**25275**	**24657**	**7.82**	**3.96**	**3.86**	**102.51**
50	9115	4577	4538	1.43	0.72	0.71	100.87
51	10385	5259	5126	1.63	0.82	0.80	102.60
52	9666	4828	4837	1.51	0.76	0.76	99.81
53	10229	5234	4995	1.60	0.82	0.78	104.78
54	10538	5377	5161	1.65	0.84	0.81	104.18
55-59	**43781**	**22439**	**21342**	**6.85**	**3.51**	**3.34**	**105.14**
55	9811	4976	4836	1.54	0.78	0.76	102.90
56	9919	5123	4796	1.55	0.80	0.75	106.83
57	8211	4092	4119	1.29	0.64	0.64	99.36
58	8128	4189	3939	1.27	0.66	0.62	106.34
59	7712	4059	3653	1.21	0.64	0.57	111.10
60-64	**30050**	**15579**	**14471**	**4.70**	**2.44**	**2.27**	**107.66**
60	7051	3714	3337	1.10	0.58	0.52	111.31
61	6465	3333	3132	1.01	0.52	0.49	106.39
62	5897	3041	2855	0.92	0.48	0.45	106.50
63	5381	2761	2620	0.84	0.43	0.41	105.39
64	5257	2730	2526	0.82	0.43	0.40	108.08

2-6 续表 2 continued

单位：人、% (person,%)

年 龄 Age	人口数 Population			占总人口比重 Percentage to Total Population			性别比 (女=100) Sex Ratio (Famale=100)
	合计 Total	男 Male	女 Female	合计 Total	男 Male	女 Female	
65-69	**21960**	**11455**	**10505**	**3.44**	**1.79**	**1.64**	**109.04**
65	4834	2537	2297	0.76	0.40	0.36	110.46
66	4543	2364	2180	0.71	0.37	0.34	108.43
67	4714	2442	2272	0.74	0.38	0.36	107.50
68	4255	2256	1999	0.67	0.35	0.31	112.86
69	3614	1856	1758	0.57	0.29	0.28	105.61
70-74	**18378**	**9322**	**9057**	**2.88**	**1.46**	**1.42**	**102.93**
70	4349	2289	2061	0.68	0.36	0.32	111.07
71	3721	1873	1848	0.58	0.29	0.29	101.39
72	3706	1869	1836	0.58	0.29	0.29	101.79
73	3428	1728	1699	0.54	0.27	0.27	101.72
74	3174	1562	1613	0.50	0.24	0.25	96.84
75-79	**12129**	**5776**	**6353**	**1.90**	**0.90**	**0.99**	**90.91**
75	3086	1520	1566	0.48	0.24	0.25	97.10
76	2608	1227	1381	0.41	0.19	0.22	88.89
77	2272	1117	1155	0.36	0.17	0.18	96.69
78	2408	1131	1277	0.38	0.18	0.20	88.52
79	1755	781	974	0.27	0.12	0.15	80.14
80-84	**6513**	**2863**	**3650**	**1.02**	**0.45**	**0.57**	**78.43**
80	1826	890	936	0.29	0.14	0.15	95.03
81	1388	561	827	0.22	0.09	0.13	67.89
82	1162	533	629	0.18	0.08	0.10	84.79
83	1152	467	685	0.18	0.07	0.11	68.24
84	985	411	573	0.15	0.06	0.09	71.73
85-89	**2766**	**1069**	**1697**	**0.43**	**0.17**	**0.27**	**63.00**
85	832	339	492	0.13	0.05	0.08	68.90
86	671	265	406	0.10	0.04	0.06	65.31
87	533	199	334	0.08	0.03	0.05	59.59
88	485	189	296	0.08	0.03	0.05	63.77
89	246	77	169	0.04	0.01	0.03	45.66
90-94	**643**	**193**	**450**	**0.10**	**0.03**	**0.07**	**42.84**
90	246	100	146	0.04	0.02	0.02	68.11
91	139	34	105	0.02	0.01	0.02	31.81
92	116	27	89	0.02		0.01	31.02
93	76	20	56	0.01		0.01	35.38
94	66	12	54	0.01		0.01	23.08
95+	**142**	**37**	**105**	**0.02**	**0.01**	**0.02**	**35.35**

2-7 各地区人口年龄构成和抚养比

Age Composition and Dependency Ratio of Population by Region

地 区	Region	人口数(人) Population (person)	0-14岁 Aged 0-14	15-64岁 Aged 15-64	65岁及以上 Aged 65 and Over	总抚养比(%) Gross Dependency Ratio (%)	少儿抚养比 Children Dependency Ratio	老年抚养比 Old Dependency Ratio
全 国	**National Total**	**1178521**	**204088**	**862020**	**112413**	**36.72**	**23.68**	**13.04**
北 京	Beijing	14813	1438	11852	1524	24.99	12.13	12.86
天 津	Tianjin	10114	1087	7785	1242	29.92	13.96	15.96
河 北	Hebei	62981	10115	47362	5504	32.98	21.36	11.62
山 西	Shanxi	30779	5602	22752	2424	35.28	24.62	10.66
内蒙古	Inner Mongolia	21816	3251	16795	1769	29.89	19.36	10.53
辽 宁	Liaoning	38988	4729	29840	4419	30.66	15.85	14.81
吉 林	Jilin	24764	3029	19475	2260	27.16	15.55	11.61
黑龙江	Heilongjiang	34688	4408	27116	3163	27.92	16.26	11.67
上 海	Shanghai	16854	1332	13324	2198	26.49	10.00	16.50
江 苏	Jiangsu	69168	9515	51535	8118	34.22	18.46	15.75
浙 江	Zhejiang	45900	6435	34576	4889	32.75	18.61	14.14
安 徽	Anhui	55498	11163	38372	5963	44.63	29.09	15.54
福 建	Fujian	32484	5764	23473	3247	38.39	24.55	13.83
江 西	Jiangxi	39623	8995	27306	3322	45.11	32.94	12.17
山 东	Shandong	84970	13245	63440	8285	33.94	20.88	13.06
河 南	Henan	84906	16848	61415	6643	38.25	27.43	10.82
湖 北	Hubei	51697	7591	38869	5237	33.00	19.53	13.47
湖 南	Hunan	57648	9611	41978	6059	37.33	22.89	14.43
广 东	Guangdong	85714	15835	63402	6477	35.19	24.98	10.22
广 西	Guangxi	43252	9453	29753	4045	45.37	31.77	13.60
海 南	Hainan	7665	1650	5329	686	43.85	30.97	12.88
重 庆	Chongqing	25545	4857	17633	3055	44.87	27.55	17.33
四 川	Sichuan	73722	12794	52488	8440	40.45	24.37	16.08
贵 州	Guizhou	34126	8888	22460	2778	51.94	39.57	12.37
云 南	Yunnan	40947	9063	28659	3225	42.88	31.62	11.25
西 藏	Tibet	2576	566	1839	172	40.09	30.75	9.34
陕 西	Shaanxi	33999	5592	25147	3260	35.20	22.24	12.97
甘 肃	Gansu	23739	4899	16902	1939	40.46	28.99	11.47
青 海	Qinghai	5007	1088	3576	343	40.03	30.44	9.59
宁 夏	Ningxia	5533	1266	3909	358	41.55	32.39	9.16
新 疆	Xinjiang	19004	3978	13660	1366	39.12	29.12	10.00

2-8 各地区城市人口年龄构成和抚养比

Age Composition and Dependency Ratio of City Population by Region

地 区	Region	人口数（人）Population (person)	0-14岁 Aged 0-14	15-64岁 Aged 15-64	65岁及以上 Aged 65 and Over	总抚养比（%）Gross Dependency Ratio (%)	少儿抚养比 Children Dependency Ratio	老年抚养比 Old Dependency Ratio
全 国	**National Total**	**289367**	**37282**	**224135**	**27950**	**29.10**	**16.63**	**12.47**
北 京	Beijing	11830	1116	9475	1239	24.85	11.78	13.07
天 津	Tianjin	6460	493	4978	989	29.77	9.91	19.86
河 北	Hebei	9730	1329	7260	1141	34.02	18.31	15.71
山 西	Shanxi	7188	1079	5509	599	30.47	19.59	10.88
内蒙古	Inner Mongolia	5969	818	4597	554	29.84	17.78	12.06
辽 宁	Liaoning	16707	1635	12943	2129	29.08	12.63	16.45
吉 林	Jilin	8817	943	6975	900	26.42	13.51	12.90
黑龙江	Heilongjiang	11840	1268	9218	1353	28.44	13.76	14.68
上 海	Shanghai	13625	1051	10816	1757	25.96	9.72	16.25
江 苏	Jiangsu	20873	2499	16386	1988	27.38	15.25	12.13
浙 江	Zhejiang	12723	1543	9928	1253	28.16	15.55	12.62
安 徽	Anhui	8178	1308	6091	778	34.26	21.48	12.78
福 建	Fujian	6792	955	5266	571	28.98	18.13	10.84
江 西	Jiangxi	6565	971	5019	574	30.79	19.35	11.44
山 东	Shandong	19131	2747	14469	1916	32.22	18.98	13.24
河 南	Henan	15329	2488	11667	1175	31.39	21.32	10.07
湖 北	Hubei	13121	1541	10199	1381	28.65	15.11	13.54
湖 南	Hunan	10918	1369	8483	1067	28.71	16.14	12.57
广 东	Guangdong	34637	4966	27681	1990	25.13	17.94	7.19
广 西	Guangxi	5369	809	4216	344	27.36	19.20	8.16
海 南	Hainan	1369	240	1035	93	32.24	23.22	9.02
重 庆	Chongqing	4261	565	3225	471	32.13	17.53	14.60
四 川	Sichuan	9313	1162	7252	899	28.42	16.03	12.40
贵 州	Guizhou	3281	583	2401	298	36.69	24.28	12.41
云 南	Yunnan	4826	710	3737	379	29.15	19.00	10.15
西 藏	Tibet	394	67	301	26	31.11	22.30	8.81
陕 西	Shaanxi	7764	1041	5927	797	31.00	17.56	13.44
甘 肃	Gansu	4335	703	3129	503	38.53	22.46	16.07
青 海	Qinghai	970	147	721	102	34.57	20.38	14.20
宁 夏	Ningxia	1305	225	961	120	35.83	23.37	12.46
新 疆	Xinjiang	5747	912	4272	564	34.54	21.34	13.20

2-9 各地区镇人口年龄构成和抚养比

Age Composition and Dependency Ratio of Town Population by Region

地 区	Region	人口数（人）Population (person)	0-14岁 Aged 0-14	15-64岁 Aged 15-64	65岁及以上 Aged 65 and Over	总抚养比（%）Gross Dependency Ratio (%)	少儿抚养比 Children Dependency Ratio	老年抚养比 Old Dependency Ratio
全 国	**National Total**	**250330**	**42872**	**185527**	**21931**	**34.93**	**23.11**	**11.82**
北 京	Beijing	687	67	572	48	20.16	11.78	8.38
天 津	Tianjin	1258	206	971	80	29.52	21.24	8.28
河 北	Hebei	15624	2529	11924	1172	31.03	21.21	9.83
山 西	Shanxi	6364	1276	4674	413	36.14	27.30	8.84
内蒙古	Inner Mongolia	4972	804	3845	323	29.31	20.92	8.39
辽 宁	Liaoning	6374	808	4865	702	31.02	16.60	14.42
吉 林	Jilin	4347	495	3414	439	27.34	14.49	12.85
黑龙江	Heilongjiang	6857	809	5408	640	26.79	14.96	11.83
上 海	Shanghai	1325	110	1056	159	25.54	10.46	15.08
江 苏	Jiangsu	15925	2230	11838	1857	34.52	18.83	15.68
浙 江	Zhejiang	13532	1968	10382	1182	30.34	18.95	11.38
安 徽	Anhui	13300	2574	9432	1293	41.01	27.29	13.71
福 建	Fujian	9027	1666	6581	780	37.16	25.31	11.85
江 西	Jiangxi	9205	1982	6516	708	41.27	30.41	10.86
山 东	Shandong	20592	3349	15507	1737	32.79	21.59	11.20
河 南	Henan	13828	2719	10124	985	36.59	26.86	9.73
湖 北	Hubei	9780	1361	7550	870	29.55	18.03	11.52
湖 南	Hunan	12400	2033	9240	1128	34.21	22.00	12.21
广 东	Guangdong	19483	3622	14373	1488	35.55	25.20	10.35
广 西	Guangxi	10306	2235	7126	944	44.62	31.37	13.25
海 南	Hainan	2249	479	1558	212	44.35	30.71	13.64
重 庆	Chongqing	8087	1518	5723	847	41.32	26.52	14.80
四 川	Sichuan	16932	2445	12734	1753	32.97	19.20	13.77
贵 州	Guizhou	6356	1475	4398	483	44.53	33.54	10.98
云 南	Yunnan	8113	1653	5816	645	39.50	28.42	11.08
西 藏	Tibet	335	55	257	24	30.44	21.29	9.15
陕 西	Shaanxi	6046	989	4534	524	33.35	21.80	11.55
甘 肃	Gansu	3165	623	2306	236	37.26	27.04	10.22
青 海	Qinghai	1036	221	755	61	37.30	29.23	8.06
宁 夏	Ningxia	1131	251	817	63	38.44	30.76	7.67
新 疆	Xinjiang	1693	322	1232	139	37.36	26.10	11.26

2-10 各地区乡村人口年龄构成和抚养比

Age Composition and Dependency Ratio of Rural Population by Region

地 区	Region	人口数(人) Population (person)	0-14岁 Aged 0-14	15-64岁 Aged 15-64	65岁及以上 Aged 65 and Over	总抚养比(%) Gross Dependency Ratio (%)	少儿抚养比 Children Dependency Ratio	老年抚养比 Old Dependency Ratio
全 国	**National Total**	**638824**	**123935**	**452358**	**62531**	**41.22**	**27.40**	**13.82**
北 京	Beijing	2296	254	1805	237	27.22	14.09	13.13
天 津	Tianjin	2396	387	1836	173	30.53	21.08	9.45
河 北	Hebei	37627	6257	28178	3192	33.54	22.21	11.33
山 西	Shanxi	17227	3247	12568	1412	37.06	25.83	11.23
内蒙古	Inner Mongolia	10875	1630	8353	893	30.19	19.51	10.69
辽 宁	Liaoning	15907	2287	12032	1588	32.20	19.01	13.20
吉 林	Jilin	11600	1592	9086	921	27.66	17.52	10.14
黑龙江	Heilongjiang	15991	2331	12490	1170	28.03	18.66	9.37
上 海	Shanghai	1905	171	1452	282	31.14	11.75	19.39
江 苏	Jiangsu	32371	4787	23311	4273	38.87	20.53	18.33
浙 江	Zhejiang	19645	2924	14266	2455	37.71	20.50	17.21
安 徽	Anhui	34020	7280	22849	3891	48.89	31.86	17.03
福 建	Fujian	16664	3143	11626	1896	43.34	27.03	16.31
江 西	Jiangxi	23853	6042	15771	2040	51.25	38.31	12.94
山 东	Shandong	45247	7150	33464	4632	35.21	21.37	13.84
河 南	Henan	55750	11641	39624	4484	40.70	29.38	11.32
湖 北	Hubei	28795	4689	21120	2986	36.34	22.20	14.14
湖 南	Hunan	34329	6209	24255	3864	41.53	25.60	15.93
广 东	Guangdong	31594	7247	21348	2999	48.00	33.95	14.05
广 西	Guangxi	27577	6409	18412	2757	49.78	34.81	14.97
海 南	Hainan	4047	932	2735	380	47.96	34.06	13.90
重 庆	Chongqing	13196	2774	8685	1737	51.95	31.94	20.00
四 川	Sichuan	47477	9187	32502	5788	46.07	28.26	17.81
贵 州	Guizhou	24489	6830	15661	1997	56.36	43.61	12.75
云 南	Yunnan	28008	6700	19107	2202	46.59	35.07	11.52
西 藏	Tibet	1847	444	1282	122	44.13	34.63	9.50
陕 西	Shaanxi	20189	3562	14686	1940	37.47	24.26	13.21
甘 肃	Gansu	16240	3573	11467	1200	41.63	31.16	10.47
青 海	Qinghai	3001	721	2100	180	42.89	34.33	8.56
宁 夏	Ningxia	3098	790	2132	176	45.32	37.08	8.24
新 疆	Xinjiang	11564	2745	8156	663	41.78	33.65	8.13

2-11 各地区户数、人口数、性别比和平均家庭户规模

Households, Population, Sex Ratio and Household Size by Region

地区	Region	户数(户) Number of Households (households)	家庭户 Family Household	集体户 Collective Household	人口数(人) Population (person)	男 Male	女 Female	性别比(女=100) Sex Ratio (Female=100)
全国	**National Total**	**371370**	**365130**	**6240**	**1178521**	**598339**	**580182**	**103.13**
北京	Beijing	5659	5308	351	14813	7530	7284	103.38
天津	Tianjin	3347	3339	8	10114	4986	5129	97.21
河北	Hebei	18935	18824	111	62981	32103	30879	103.96
山西	Shanxi	9239	9193	46	30779	15611	15167	102.93
内蒙古	Inner Mongolia	7344	7324	20	21816	11185	10631	105.21
辽宁	Liaoning	13728	13659	69	38988	19583	19405	100.92
吉林	Jilin	8170	8158	12	24764	12527	12237	102.37
黑龙江	Heilongjiang	12202	12174	28	34688	17540	17149	102.28
上海	Shanghai	6416	6171	245	16854	8435	8420	100.18
江苏	Jiangsu	22728	22173	555	69168	33709	35459	95.07
浙江	Zhejiang	16168	15659	509	45900	23358	22543	103.62
安徽	Anhui	18178	18139	39	55498	28469	27029	105.33
福建	Fujian	10592	10251	341	32484	16342	16142	101.24
江西	Jiangxi	11233	11191	42	39623	20253	19370	104.56
山东	Shandong	28672	28561	111	84970	42513	42457	100.13
河南	Henan	25046	25041	5	84906	42929	41978	102.27
湖北	Hubei	16672	16458	214	51697	26215	25482	102.88
湖南	Hunan	17829	17658	171	57648	29812	27835	107.10
广东	Guangdong	25045	22362	2683	85714	43920	41794	105.09
广西	Guangxi	12184	12107	77	43252	22578	20674	109.21
海南	Hainan	2038	2002	36	7665	4012	3653	109.81
重庆	Chongqing	8852	8798	54	25545	12878	12667	101.67
四川	Sichuan	24279	24055	224	73722	37341	36381	102.64
贵州	Guizhou	9465	9451	14	34126	17736	16390	108.21
云南	Yunnan	11277	11121	156	40947	21290	19658	108.30
西藏	Tibet	560	560		2576	1253	1323	94.65
陕西	Shaanxi	10616	10540	76	33999	17233	16766	102.79
甘肃	Gansu	6594	6587	7	23739	12010	11730	102.39
青海	Qinghai	1365	1353	12	5007	2524	2484	101.61
宁夏	Ningxia	1549	1545	4	5533	2817	2716	103.71
新疆	Xinjiang	5387	5368	19	19004	9649	9355	103.14

2-11 续表 continued

地 区	Region	家庭户人口数（人）Family Household Population (person)	男 Male	女 Female	性别比（女=100）Sex Ratio (Female=100)	集体户人口数（人）Collective Household Population (person)	男 Male	女 Female	平均家庭户规模（人/户）Average Family Size (person/household)
全 国	**National Total**	**1155531**	**585091**	**570440**	**102.57**	**22990**	**13249**	**9742**	**3.16**
北 京	Beijing	13709	6852	6857	99.94	1104	677	427	2.58
天 津	Tianjin	10081	4968	5113	97.15	33	18	15	3.02
河 北	Hebei	62585	31801	30784	103.31	397	302	95	3.32
山 西	Shanxi	30489	15535	14954	103.88	289	76	213	3.32
内蒙古	Inner Mongolia	21749	11142	10608	105.04	67	43	24	2.97
辽 宁	Liaoning	38745	19515	19230	101.48	243	68	174	2.84
吉 林	Jilin	24720	12509	12211	102.44	44	18	26	3.03
黑龙江	Heilongjiang	34593	17458	17135	101.88	96	82	14	2.84
上 海	Shanghai	16128	8021	8107	98.94	727	414	313	2.61
江 苏	Jiangsu	66853	32679	34174	95.63	2315	1030	1285	3.02
浙 江	Zhejiang	44035	22208	21827	101.75	1865	1149	716	2.81
安 徽	Anhui	55097	28083	27014	103.96	401	386	15	3.04
福 建	Fujian	31215	15461	15755	98.14	1269	881	387	3.05
江 西	Jiangxi	39527	20182	19345	104.33	96	70	25	3.53
山 东	Shandong	84654	42329	42325	100.01	316	184	132	2.96
河 南	Henan	84877	42916	41961	102.28	29	13	16	3.39
湖 北	Hubei	50651	25703	24948	103.03	1046	512	534	3.08
湖 南	Hunan	57044	29253	27791	105.26	603	559	44	3.23
广 东	Guangdong	76348	38877	37471	103.75	9366	5043	4323	3.41
广 西	Guangxi	42930	22321	20609	108.31	322	257	65	3.55
海 南	Hainan	7508	3908	3599	108.59	158	103	54	3.75
重 庆	Chongqing	25376	12821	12554	102.13	169	56	112	2.88
四 川	Sichuan	72861	36883	35977	102.52	861	458	403	3.03
贵 州	Guizhou	34065	17694	16370	108.09	61	42	19	3.60
云 南	Yunnan	40325	20752	19573	106.03	623	538	85	3.63
西 藏	Tibet	2576	1253	1323	94.65				4.60
陕 西	Shaanxi	33636	17041	16595	102.69	362	192	171	3.19
甘 肃	Gansu	23717	11997	11720	102.36	22	13	9	3.60
青 海	Qinghai	4963	2497	2465	101.30	45	26	18	3.67
宁 夏	Ningxia	5520	2811	2710	103.72	13	6	7	3.57
新 疆	Xinjiang	18955	9619	9335	103.04	50	30	20	3.53

2-12 各地区城市户数、人口数、性别比和平均家庭户规模

Households, Population, Sex Ratio and Household Size of Cities by Region

地 区	Region	户数 (户) Number of Households (households)	家庭户 Family Household	集体户 Collective Household	人口数 (人) Population (person)	男 Male	女 Female	性别比 (女=100) Sex Ratio (Female=100)
全 国	**National Total**	**105348**	**101796**	**3552**	**289367**	**144511**	**144856**	**99.76**
北 京	Beijing	9239	8586	653	11830	6006	5824	103.12
天 津	Tianjin	6356	6337	19	6460	3145	3315	94.89
河 北	Hebei	2007	1985	22	9730	4767	4962	96.06
山 西	Shanxi	2787	2739	48	7188	3514	3674	95.63
内蒙古	Inner Mongolia	3861	3833	28	5969	3022	2946	102.58
辽 宁	Liaoning	6582	6511	71	16707	8211	8496	96.65
吉 林	Jilin	5088	5071	17	8817	4371	4446	98.32
黑龙江	Heilongjiang	5455	5446	9	11840	5904	5936	99.47
上 海	Shanghai	8857	8478	379	13625	6812	6813	99.99
江 苏	Jiangsu	3996	3779	217	20873	10166	10707	94.94
浙 江	Zhejiang	4177	3953	224	12723	6477	6246	103.70
安 徽	Anhui	1882	1860	22	8178	4113	4065	101.19
福 建	Fujian	2448	2277	171	6792	3420	3373	101.40
江 西	Jiangxi	1891	1880	11	6565	3308	3257	101.56
山 东	Shandong	3505	3452	53	19131	9429	9702	97.18
河 南	Henan	2570	2569	1	15329	7634	7695	99.22
湖 北	Hubei	3383	3250	133	13121	6466	6655	97.15
湖 南	Hunan	2241	2135	106	10918	5645	5273	107.04
广 东	Guangdong	4468	3685	783	34637	17573	17064	102.98
广 西	Guangxi	1331	1274	57	5369	2810	2559	109.81
海 南	Hainan	1864	1761	103	1369	700	669	104.70
重 庆	Chongqing	1709	1663	46	4261	2036	2225	91.47
四 川	Sichuan	1823	1748	75	9313	4572	4741	96.42
贵 州	Guizhou	1343	1335	8	3281	1629	1652	98.62
云 南	Yunnan	1235	1126	109	4826	2584	2242	115.22
西 藏	Tibet	514	514		394	172	222	77.39
陕 西	Shaanxi	2316	2254	62	7764	3846	3917	98.19
甘 肃	Gansu	2546	2536	10	4335	2172	2163	100.42
青 海	Qinghai	2814	2752	62	970	484	486	99.48
宁 夏	Ningxia	3354	3332	22	1305	651	654	99.62
新 疆	Xinjiang	3706	3675	31	5747	2872	2875	99.89

2-12 续表 continued

地 区	Region	家庭户人口数（人）Family Household Population (person)	男 Male	女 Female	性别比（女=100）Sex Ratio (Female=100)	集体户人口数（人）Collective Household Population (person)	男 Male	女 Female	平均家庭户规模（人/户）Average Family Size (person/household)
全 国	**National Total**	**273649**	**135921**	**137728**	**98.69**	**15719**	**8590**	**7128**	**2.69**
北 京	Beijing	10810	5389	5422	99.39	1020	617	403	1.26
天 津	Tianjin	6440	3133	3307	94.73	20	13	8	1.02
河 北	Hebei	9626	4736	4890	96.85	103	31	72	4.85
山 西	Shanxi	6914	3446	3468	99.38	274	67	206	2.52
内蒙古	Inner Mongolia	5922	2995	2927	102.32	47	28	20	1.54
辽 宁	Liaoning	16476	8155	8322	98.00	230	56	174	2.53
吉 林	Jilin	8775	4355	4419	98.55	43	16	26	1.73
黑龙江	Heilongjiang	11816	5892	5924	99.46	24	13	12	2.17
上 海	Shanghai	12981	6441	6540	98.48	644	371	273	1.53
江 苏	Jiangsu	19360	9597	9764	98.29	1513	569	944	5.12
浙 江	Zhejiang	11764	5808	5955	97.53	960	669	291	2.98
安 徽	Anhui	8121	4071	4050	100.52	57	42	15	4.37
福 建	Fujian	6238	3086	3152	97.90	554	334	220	2.74
江 西	Jiangxi	6527	3286	3242	101.36	37	22	15	3.47
山 东	Shandong	18844	9257	9587	96.55	287	172	115	5.46
河 南	Henan	15327	7634	7693	99.24	2		2	5.97
湖 北	Hubei	12297	6135	6162	99.56	824	331	493	3.78
湖 南	Hunan	10339	5110	5229	97.71	579	535	44	4.84
广 东	Guangdong	28095	14168	13927	101.73	6542	3405	3137	7.62
广 西	Guangxi	5060	2560	2500	102.40	308	250	59	3.97
海 南	Hainan	1266	639	627	101.98	102	61	42	0.72
重 庆	Chongqing	4134	2006	2128	94.24	127	30	97	2.49
四 川	Sichuan	8860	4323	4537	95.28	453	249	204	5.07
贵 州	Guizhou	3255	1614	1642	98.32	26	15	11	2.44
云 南	Yunnan	4273	2097	2176	96.39	553	486	67	3.79
西 藏	Tibet	394	172	222	77.39				0.77
陕 西	Shaanxi	7473	3690	3783	97.54	291	156	134	3.32
甘 肃	Gansu	4315	2161	2154	100.31	19	11	8	1.70
青 海	Qinghai	944	471	473	99.55	27	13	14	0.34
宁 夏	Ningxia	1297	649	648	100.06	8	2	5	0.39
新 疆	Xinjiang	5703	2846	2857	99.60	45	26	18	1.55

2-13 各地区镇的户数、人口数、性别比和平均家庭户规模
Households, Population, Sex Ratio and Household Size of Towns by Region

地 区	Region	户 数 (户) Number of Households (households)	家庭户 Family Household	集体户 Collective Household	人口数 (人) Population (person)	男 Male	女 Female	性别比 (女=100) Sex Ratio (Female=100)
全 国	**National Total**	**71896**	**71006**	**890**	**250330**	**126831**	**123499**	**102.70**
北 京	Beijing	512	474	38	687	355	332	107.07
天 津	Tianjin	1051	1049	2	1258	620	638	97.25
河 北	Hebei	2729	2689	40	15624	8136	7488	108.66
山 西	Shanxi	2367	2360	7	6364	3243	3121	103.89
内蒙古	Inner Mongolia	2962	2958	4	4972	2536	2436	104.11
辽 宁	Liaoning	2401	2400	1	6374	3194	3180	100.47
吉 林	Jilin	2324	2323	1	4347	2175	2173	100.09
黑龙江	Heilongjiang	3024	3002	22	6857	3487	3370	103.45
上 海	Shanghai	877	865	12	1325	668	657	101.79
江 苏	Jiangsu	3020	2969	51	15925	7696	8229	93.52
浙 江	Zhejiang	4150	3943	207	13532	6848	6684	102.45
安 徽	Anhui	2833	2832	1	13300	6817	6483	105.16
福 建	Fujian	3027	2914	113	9027	4532	4496	100.80
江 西	Jiangxi	2325	2300	25	9205	4728	4477	105.61
山 东	Shandong	3647	3644	3	20592	10352	10240	101.09
河 南	Henan	2232	2232		13828	6914	6914	100.00
湖 北	Hubei	2605	2574	31	9780	4924	4857	101.38
湖 南	Hunan	2340	2339	1	12400	6361	6040	105.31
广 东	Guangdong	2356	2217	139	19483	10213	9270	110.17
广 西	Guangxi	2254	2252	2	10306	5286	5020	105.31
海 南	Hainan	2870	2804	66	2249	1164	1085	107.31
重 庆	Chongqing	3395	3379	16	8087	4056	4031	100.62
四 川	Sichuan	3382	3321	61	16932	8375	8557	97.86
贵 州	Guizhou	2172	2168	4	6356	3297	3059	107.78
云 南	Yunnan	1844	1838	6	8113	4128	3985	103.58
西 藏	Tibet	319	319		335	162	173	93.71
陕 西	Shaanxi	1653	1648	5	6046	3052	2994	101.93
甘 肃	Gansu	1406	1405	1	3165	1574	1590	99.01
青 海	Qinghai	2508	2485	23	1036	517	519	99.73
宁 夏	Ningxia	2382	2375	7	1131	575	556	103.48
新 疆	Xinjiang	929	928	1	1693	847	846	100.06

2-13 续表 continued

地 区	Region	家庭户人口数 (人) Family Household Population (person)	男 Male	女 Female	性别比 (女=100) Sex Ratio (Female=100)	集体户人口数 (人) Collective Household Population (person)	男 Male	女 Female	平均家庭户规模 (人/户) Average Family Size (person/ household)
全 国	**National Total**	**246563**	**124430**	**122133**	**101.88**	**3767**	**2401**	**1366**	**3.47**
北 京	Beijing	639	320	318	100.63	48	35	13	1.35
天 津	Tianjin	1249	619	630	98.13	9	2	8	1.19
河 北	Hebei	15368	7887	7481	105.42	256	249	7	5.72
山 西	Shanxi	6348	3234	3115	103.82	16	9	7	2.69
内蒙古	Inner Mongolia	4958	2526	2432	103.88	14	10	4	1.68
辽 宁	Liaoning	6372	3193	3180	100.41	2	2		2.66
吉 林	Jilin	4347	2174	2173	100.06	1	1		1.87
黑龙江	Heilongjiang	6789	3419	3369	101.48	68	67	1	2.26
上 海	Shanghai	1306	660	646	102.27	19	8	11	1.51
江 苏	Jiangsu	15579	7530	8048	93.57	346	165	181	5.25
浙 江	Zhejiang	12795	6473	6322	102.38	736	375	362	3.25
安 徽	Anhui	13298	6815	6483	105.13	2	2		4.70
福 建	Fujian	8681	4285	4396	97.46	346	247	99	2.98
江 西	Jiangxi	9154	4685	4468	104.86	52	43	9	3.98
山 东	Shandong	20575	10346	10229	101.14	17	6	11	5.65
河 南	Henan	13828	6914	6914	100.00				6.20
湖 北	Hubei	9631	4781	4849	98.60	150	142	7	3.74
湖 南	Hunan	12395	6356	6040	105.24	5	5		5.30
广 东	Guangdong	18443	9538	8905	107.11	1040	675	365	8.32
广 西	Guangxi	10299	5282	5017	105.28	6	4	3	4.57
海 南	Hainan	2195	1122	1073	104.54	54	42	12	0.78
重 庆	Chongqing	8052	4031	4020	100.27	36	25	11	2.38
四 川	Sichuan	16524	8166	8358	97.70	408	209	199	4.98
贵 州	Guizhou	6333	3283	3050	107.64	23	14	9	2.92
云 南	Yunnan	8074	4097	3978	102.99	39	31	8	4.39
西 藏	Tibet	335	162	173	93.71				1.05
陕 西	Shaanxi	5987	3028	2959	102.32	60	24	36	3.63
甘 肃	Gansu	3164	1574	1590	98.97	1	1		2.25
青 海	Qinghai	1026	511	515	99.22	10	6	4	0.41
宁 夏	Ningxia	1127	573	555	103.26	3	2	1	0.47
新 疆	Xinjiang	1692	846	846	100.06	1	1	1	1.82

2-14 各地区乡村户数、人口数、性别比和平均家庭户规模

Households, Population, Sex Ratio and Household Size of Rural Areas by Region

地 区	Region	户 数 (户) Number of Households (households)	家庭户 Family Household	集体户 Collective Household	人口数 (人) Population (person)	男 Male	女 Female	性别比 (女=100) Sex Ratio (Female=100)
全 国	**National Total**	**189478**	**188990**	**488**	**638824**	**326997**	**311827**	**104.87**
北 京	Beijing	1546	1534	12	2296	1169	1127	103.65
天 津	Tianjin	2348	2346	2	2396	1220	1176	103.72
河 北	Hebei	6876	6870	6	37627	19199	18428	104.19
山 西	Shanxi	7470	7470		17227	8855	8372	105.77
内蒙古	Inner Mongolia	5845	5842	3	10875	5627	5249	107.20
辽 宁	Liaoning	4680	4679	1	15907	8178	7729	105.80
吉 林	Jilin	5945	5944	1	11600	5981	5619	106.45
黑龙江	Heilongjiang	5193	5191	2	15991	8149	7843	103.90
上 海	Shanghai	1725	1688	37	1905	954	950	100.43
江 苏	Jiangsu	5498	5448	50	32371	15848	16522	95.92
浙 江	Zhejiang	6457	6427	30	19645	10033	9612	104.37
安 徽	Anhui	7480	7477	3	34020	17539	16481	106.42
福 建	Fujian	7144	7048	96	16664	8391	8273	101.42
江 西	Jiangxi	7295	7292	3	23853	12217	11636	104.99
山 东	Shandong	9007	9004	3	45247	22733	22514	100.97
河 南	Henan	8889	8887	2	55750	28381	27369	103.70
湖 北	Hubei	6875	6867	8	28795	14826	13969	106.13
湖 南	Hunan	7551	7549	2	34329	17807	16522	107.77
广 东	Guangdong	3584	3398	186	31594	16134	15460	104.36
广 西	Guangxi	7688	7686	2	27577	14482	13095	110.59
海 南	Hainan	5086	5083	3	4047	2148	1900	113.05
重 庆	Chongqing	5210	5207	3	13196	6786	6410	105.87
四 川	Sichuan	7673	7673		47477	24395	23082	105.69
贵 州	Guizhou	7997	7992	5	24489	12810	11679	109.68
云 南	Yunnan	8393	8386	7	28008	14578	13430	108.55
西 藏	Tibet	1798	1798		1847	919	928	98.96
陕 西	Shaanxi	7326	7324	2	20189	10335	9854	104.88
甘 肃	Gansu	7435	7434	1	16240	8264	7977	103.60
青 海	Qinghai	5429	5418	11	3001	1522	1479	102.96
宁 夏	Ningxia	6600	6597	3	3098	1591	1507	105.56
新 疆	Xinjiang	7435	7431	4	11564	5930	5634	105.26

2-14 续表 continued

地 区	Region	家庭户人口数 (人) Family Household Population (person)	男 Male	女 Female	性别比 (女=100) Sex Ratio (Female=100)	集体户人口数 (人) Collective Household Population (person)	男 Male	女 Female	平均家庭户规模 (人/户) Average Family Size (person/ household)
全 国	**National Total**	**635320**	**324740**	**310580**	**104.56**	**3504**	**2257**	**1247**	**3.36**
北 京	Beijing	2260	1143	1117	102.39	36	25	11	1.47
天 津	Tianjin	2393	1216	1176	103.41	4	4		1.02
河 北	Hebei	37590	19178	18412	104.16	37	21	16	5.47
山 西	Shanxi	17227	8855	8372	105.77				2.31
内蒙古	Inner Mongolia	10870	5621	5249	107.09	6	6		1.86
辽 宁	Liaoning	15897	8168	7729	105.67	10	10		3.40
吉 林	Jilin	11598	5980	5619	106.43	1	1		1.95
黑龙江	Heilongjiang	15988	8147	7842	103.89	3	2	1	3.08
上 海	Shanghai	1841	920	921	99.87	64	34	29	1.09
江 苏	Jiangsu	31914	15552	16362	95.05	457	296	161	5.86
浙 江	Zhejiang	19476	9927	9549	103.96	169	106	64	3.03
安 徽	Anhui	33678	17197	16481	104.34	342	342		4.50
福 建	Fujian	16296	8090	8206	98.59	368	301	67	2.31
江 西	Jiangxi	23847	12211	11635	104.95	6	5	1	3.27
山 东	Shandong	45235	22726	22509	100.97	12	7	5	5.02
河 南	Henan	55722	28368	27354	103.70	27	13	15	6.27
湖 北	Hubei	28722	14787	13936	106.11	73	39	34	4.18
湖 南	Hunan	34309	17787	16522	107.65	20	20		4.54
广 东	Guangdong	29810	15171	14639	103.63	1784	964	820	8.77
广 西	Guangxi	27570	14479	13091	110.60	7	3	4	3.59
海 南	Hainan	4046	2147	1899	113.07	1	1	1	0.80
重 庆	Chongqing	13190	6784	6406	105.91	6	2	4	2.53
四 川	Sichuan	47477	24395	23082	105.69				6.19
贵 州	Guizhou	24476	12797	11679	109.58	12	12		3.06
云 南	Yunnan	27978	14558	13419	108.49	30	20	10	3.34
西 藏	Tibet	1847	919	928	98.96				1.03
陕 西	Shaanxi	20177	10324	9853	104.78	12	11	1	2.75
甘 肃	Gansu	16238	8262	7976	103.58	2	2	1	2.18
青 海	Qinghai	2993	1515	1477	102.58	8	7	1	0.55
宁 夏	Ningxia	3096	1589	1507	105.47	2	2		0.47
新 疆	Xinjiang	11560	5928	5633	105.24	4	3	1	1.56

2-15 各地区按家庭户规模分的户数

Family Households by Size and Region

单位：户 (household)

地区	Region	家庭户户数 Number of Family Households	一人户 One Person	二人户 Two Persons	三人户 Three Persons	四人户 Four Persons	五人户 Five Persons	六人户 Six Persons	七人户 Seven Persons	八人户 Eight Persons	九人户 Nine Persons	十人及以上户 Ten Persons and Over
全 国	**National Total**	**365130**	**32610**	**89733**	**110819**	**76675**	**36361**	**13423**	**3495**	**1227**	**468**	**319**
北 京	Beijing	5308	876	1734	1847	535	240	60	11	5	1	1
天 津	Tianjin	3339	257	803	1360	542	310	51	11	2	1	
河 北	Hebei	18824	1293	4349	5169	4701	2037	975	210	57	23	11
山 西	Shanxi	9193	637	1957	2755	2299	970	453	85	27	8	3
内蒙古	Inner Mongolia	7324	521	2020	2805	1317	493	141	19	6	1	
辽 宁	Liaoning	13659	1221	4160	5268	1910	879	190	19	11	1	
吉 林	Jilin	8158	525	2180	3168	1376	695	168	35	9	2	1
黑龙江	Heilongjiang	12174	965	3937	4631	1613	808	184	27	7	3	
上 海	Shanghai	6171	967	1931	2317	555	314	64	16	7	1	
江 苏	Jiangsu	22173	2419	6245	6564	3686	2383	632	178	55	7	5
浙 江	Zhejiang	15659	2142	4586	4948	2495	1130	293	47	10	4	3
安 徽	Anhui	18139	1890	4654	5471	4009	1451	514	107	30	4	7
福 建	Fujian	10251	1382	2643	2795	1850	1000	410	109	35	13	13
江 西	Jiangxi	11191	557	2005	3189	3190	1382	564	173	80	35	17
山 东	Shandong	28561	2487	7944	9996	5286	2122	592	99	29	4	3
河 南	Henan	25041	1601	5059	6828	7169	2781	1261	247	62	27	5
湖 北	Hubei	16458	1274	4308	5560	3335	1378	467	80	35	11	9
湖 南	Hunan	17658	1358	4004	5333	4448	1657	613	126	64	33	22
广 东	Guangdong	22362	2765	4659	4966	4525	3162	1318	531	241	110	84
广 西	Guangxi	12107	696	2237	3173	3360	1637	675	193	71	32	32
海 南	Hainan	2002	137	334	445	514	309	157	62	25	11	9
重 庆	Chongqing	8798	1151	2591	2480	1609	729	174	44	14	7	
四 川	Sichuan	24055	2369	6532	7268	5003	2005	639	182	47	7	2
贵 州	Guizhou	9451	596	1688	2364	2483	1355	631	227	72	19	16
云 南	Yunnan	11121	694	1837	2678	3082	1797	762	177	71	16	9
西 藏	Tibet	560	32	58	98	110	109	56	40	22	15	20
陕 西	Shaanxi	10540	832	2529	3268	2291	1111	385	93	22	7	2
甘 肃	Gansu	6587	417	1182	1781	1584	888	493	149	51	26	16
青 海	Qinghai	1353	101	245	347	296	195	95	38	14	11	10
宁 夏	Ningxia	1545	76	301	443	343	221	109	36	11	3	2
新 疆	Xinjiang	5368	371	1020	1506	1160	815	297	124	37	24	13

2-16 各地区城市按家庭户规模分的户数

Family Households of Cities by Size and Region

单位：户 (household)

地 区	Region	家庭户户数 Number of Family Households	一人户 One Person	二人户 Two Persons	三人户 Three Persons	四人户 Four Persons	五人户 Five Persons	六人户 Six Persons	七人户 Seven Persons	八人户 Eight Persons	九人户 Nine Persons	十人及以上户 Ten Persons and Over
全 国	**National Total**	**94228**	**9799**	**24978**	**36871**	**13481**	**6589**	**1691**	**516**	**182**	**66**	**54**
北 京	Beijing	4284	726	1435	1540	381	157	33	7	3		1
天 津	Tianjin	2266	211	599	1009	271	150	19	6	1	1	
河 北	Hebei	3257	231	978	1250	432	259	87	16	2	2	
山 西	Shanxi	2277	145	506	1038	378	158	40	7	4	2	1
内蒙古	Inner Mongolia	2204	232	632	1028	235	65	10	1	1	1	
辽 宁	Liaoning	6100	633	1914	2601	616	280	44	7	3	1	
吉 林	Jilin	3124	258	904	1385	375	169	25	7	2		
黑龙江	Heilongjiang	4590	517	1659	1867	379	147	18	3			
上 海	Shanghai	4980	784	1500	1959	456	217	45	12	6	1	
江 苏	Jiangsu	6437	671	1610	2420	830	676	145	56	22	2	5
浙 江	Zhejiang	4370	603	1330	1621	527	229	51	7	2		1
安 徽	Anhui	2800	265	673	1221	414	187	30	8	3		
福 建	Fujian	2153	317	547	693	349	171	48	18	6	2	2
江 西	Jiangxi	2072	149	432	813	425	179	55	9	6	3	1
山 东	Shandong	6516	553	1706	2847	878	413	85	23	9	2	
河 南	Henan	4685	250	890	1796	1085	469	155	31	7		2
湖 北	Hubei	4026	246	923	1813	633	289	85	19	11	5	1
湖 南	Hunan	3359	272	757	1306	659	256	71	19	13	3	3
广 东	Guangdong	8975	1318	2000	2455	1620	991	356	139	44	29	24
广 西	Guangxi	1624	121	368	632	303	141	40	8	4	3	4
海 南	Hainan	371	25	66	128	86	40	14	5	5	1	1
重 庆	Chongqing	1378	147	365	459	229	133	29	11	3	2	
四 川	Sichuan	2878	151	731	1171	550	191	40	33	10		2
贵 州	Guizhou	1084	102	268	429	160	85	21	14	1	1	2
云 南	Yunnan	1472	212	354	522	212	119	37	12	4	1	
西 藏	Tibet	127	17	29	36	25	16	3	1			
陕 西	Shaanxi	2501	197	596	1111	346	176	48	20	4	1	1
甘 肃	Gansu	1536	171	410	641	211	76	18	7	1	1	1
青 海	Qinghai	345	46	108	123	43	17	5	2	1	1	
宁 夏	Ningxia	460	38	131	207	57	20	6	1	1		
新 疆	Xinjiang	1977	192	558	751	317	111	30	10	4	4	1

2-17 各地区镇按家庭户规模分的户数

Family Households of Towns by Size and Region

单位：户 (household)

地 区	Region	家庭户户数 Number of Family Households	一人户 One Person	二人户 Two Persons	三人户 Three Persons	四人户 Four Persons	五人户 Five Persons	六人户 Six Persons	七人户 Seven Persons	八人户 Eight Persons	九人户 Nine Persons	十人及以上户 Ten Persons and Over
全 国	**National Total**	**77381**	**6379**	**18882**	**23787**	**16608**	**7696**	**2867**	**679**	**305**	**104**	**74**
北 京	Beijing	236	34	69	86	30	13	3				
天 津	Tianjin	375	16	75	137	80	53	11	2	1		
河 北	Hebei	4413	245	911	1168	1162	553	294	44	21	8	7
山 西	Shanxi	1962	115	433	647	530	146	73	11	6	1	1
内蒙古	Inner Mongolia	1701	99	476	740	269	96	15	5		1	
辽 宁	Liaoning	2248	192	662	912	317	141	22	1	1		
吉 林	Jilin	1431	79	388	569	235	124	31	2	2		1
黑龙江	Heilongjiang	2530	221	891	1046	244	108	16	3	2	1	
上 海	Shanghai	508	80	183	168	36	33	5	1	1		
江 苏	Jiangsu	5057	499	1473	1354	920	566	175	49	19	2	
浙 江	Zhejiang	4359	525	1216	1340	773	359	108	28	6	2	2
安 徽	Anhui	4264	397	1010	1322	1006	334	158	26	8		3
福 建	Fujian	2755	321	658	789	519	283	141	26	10	4	4
江 西	Jiangxi	2535	101	409	737	756	322	136	37	24	7	6
山 东	Shandong	6879	578	1850	2388	1397	487	153	19	6	2	
河 南	Henan	4071	243	826	1136	1153	460	193	33	20	7	
湖 北	Hubei	3188	193	938	1147	569	244	72	17	5	2	1
湖 南	Hunan	3680	197	739	1189	925	431	142	28	17	5	6
广 东	Guangdong	5400	731	1179	1033	1079	777	370	122	66	22	22
广 西	Guangxi	2870	133	533	779	790	389	158	47	18	13	11
海 南	Hainan	591	42	111	125	148	85	48	19	8	4	3
重 庆	Chongqing	2800	367	832	787	519	220	51	17	5	2	
四 川	Sichuan	5467	444	1457	1849	1149	438	92	26	8	3	
贵 州	Guizhou	1760	107	280	469	509	236	101	33	17	6	2
云 南	Yunnan	2403	161	482	720	615	288	99	17	14	5	1
西 藏	Tibet	79	3	8	18	19	15	8	5	1	1	1
陕 西	Shaanxi	1828	118	426	566	414	206	69	22	6	2	
甘 肃	Gansu	851	51	128	234	202	131	65	20	12	4	3
青 海	Qinghai	312	32	66	93	57	40	15	5	2	1	
宁 夏	Ningxia	328	17	66	103	76	42	17	5	1	1	
新 疆	Xinjiang	499	37	105	135	112	79	24	6		1	

2-18 各地区乡村按家庭户规模分的户数

Family Households of Rural Areas by Size and Region

单位：户 (household)

地 区	Region	家庭户户数 Number of Family Households	一人户 One Person	二人户 Two Persons	三人户 Three Persons	四人户 Four Persons	五人户 Five Persons	六人户 Six Persons	七人户 Seven Persons	八人户 Eight Persons	九人户 Nine Persons	十人及以上户 Ten Persons and Over
全 国	**National Total**	**193522**	**16433**	**45872**	**50161**	**46586**	**22076**	**8864**	**2301**	**739**	**298**	**191**
北 京	Beijing	788	116	229	221	124	70	24	3	2	1	
天 津	Tianjin	698	30	129	214	191	107	21	4	1		
河 北	Hebei	11154	817	2460	2750	3108	1224	594	149	34	13	5
山 西	Shanxi	4953	377	1019	1070	1390	666	340	68	17	6	1
内蒙古	Inner Mongolia	3419	191	913	1037	812	332	116	13	5		
辽 宁	Liaoning	5311	396	1583	1755	977	459	124	10	7		
吉 林	Jilin	3603	188	888	1214	767	402	112	26	5	2	1
黑龙江	Heilongjiang	5054	228	1386	1718	990	553	150	21	5	2	
上 海	Shanghai	683	103	247	190	62	64	14	2			
江 苏	Jiangsu	10679	1249	3162	2789	1937	1141	312	73	14	4	
浙 江	Zhejiang	6930	1015	2040	1987	1195	542	134	13	2	2	
安 徽	Anhui	11075	1228	2971	2928	2589	930	326	74	19	4	4
福 建	Fujian	5343	744	1437	1314	982	547	221	64	19	8	8
江 西	Jiangxi	6584	307	1164	1638	2008	882	373	126	51	25	10
山 东	Shandong	15166	1356	4388	4762	3012	1221	354	57	13		3
河 南	Henan	16285	1109	3342	3896	4931	1853	913	183	35	20	4
湖 北	Hubei	9244	835	2447	2600	2134	845	310	44	19	4	7
湖 南	Hunan	10620	889	2508	2837	2864	969	401	79	34	25	13
广 东	Guangdong	7987	717	1481	1479	1826	1394	592	270	132	59	38
广 西	Guangxi	7613	443	1336	1762	2266	1106	477	139	50	17	17
海 南	Hainan	1040	70	158	191	281	184	94	38	13	6	5
重 庆	Chongqing	4620	637	1395	1233	861	376	93	16	5	3	
四 川	Sichuan	15710	1773	4345	4248	3304	1376	508	123	29	4	
贵 州	Guizhou	6607	387	1140	1465	1814	1033	509	180	54	12	12
云 南	Yunnan	7246	321	1000	1436	2255	1390	626	148	53	10	8
西 藏	Tibet	354	11	22	45	67	78	45	34	20	14	19
陕 西	Shaanxi	6211	516	1507	1592	1532	728	269	51	12	3	1
甘 肃	Gansu	4199	194	644	905	1170	680	410	122	38	22	12
青 海	Qinghai	696	24	70	130	196	139	75	31	11	10	10
宁 夏	Ningxia	757	21	104	133	210	159	86	29	9	3	1
新 疆	Xinjiang	2892	142	357	620	730	625	243	108	33	19	13

2-19 各地区家庭户类别

Family Households by Type and Region

单位：户 (household)

地 区	Region	家庭户户数 Number of Family Households	一代户 One Generation	二代户 Two Generations	三代户 Three Generations	四代及以上户 Four Generations and Over
全 国	National Total	**365130**	**105412**	**193301**	**64206**	**2211**
北 京	Beijing	5308	2401	2364	532	12
天 津	Tianjin	3339	916	1844	571	8
河 北	Hebei	18824	5083	10231	3352	158
山 西	Shanxi	9193	2293	5420	1423	57
内蒙古	Inner Mongolia	7324	2336	4148	826	15
辽 宁	Liaoning	13659	4748	7055	1814	41
吉 林	Jilin	8158	2384	4456	1294	24
黑龙江	Heilongjiang	12174	4359	6223	1553	39
上 海	Shanghai	6171	2569	2852	726	24
江 苏	Jiangsu	22173	7234	9913	4773	253
浙 江	Zhejiang	15659	6072	7326	2188	73
安 徽	Anhui	18139	5556	9747	2749	86
福 建	Fujian	10251	3505	4778	1874	93
江 西	Jiangxi	11191	2093	6375	2620	104
山 东	Shandong	28561	9354	15555	3560	93
河 南	Henan	25041	5573	14526	4737	205
湖 北	Hubei	16458	4655	8661	3044	99
湖 南	Hunan	17658	4536	9537	3484	102
广 东	Guangdong	22362	6837	11130	4249	146
广 西	Guangxi	12107	2444	7052	2535	76
海 南	Hainan	2002	412	1168	411	11
重 庆	Chongqing	8798	3099	4167	1506	27
四 川	Sichuan	24055	6960	12254	4724	117
贵 州	Guizhou	9451	1926	5691	1786	49
云 南	Yunnan	11121	2100	6273	2619	128
西 藏	Tibet	560	70	307	176	7
陕 西	Shaanxi	10540	2778	5542	2133	88
甘 肃	Gansu	6587	1299	3549	1681	58
青 海	Qinghai	1353	291	719	333	10
宁 夏	Ningxia	1545	337	941	261	6
新 疆	Xinjiang	5368	1192	3497	673	4

2-20 各地区城市家庭户类别

Family Households of Cities by Type and Region

单位：户 (household)

地 区	Region	家庭户户数 Number of Family Households	一代户 One Generation	二代户 Two Generations	三代户 Three Generations	四代及以上户 Four Generations and Over
全 国	**National Total**	**94228**	**30871**	**50416**	**12684**	**256**
北 京	Beijing	4284	1974	1929	376	4
天 津	Tianjin	2266	691	1231	340	5
河 北	Hebei	3257	1108	1654	479	16
山 西	Shanxi	2277	574	1460	239	5
内蒙古	Inner Mongolia	2204	796	1280	127	1
辽 宁	Liaoning	6100	2212	3199	677	11
吉 林	Jilin	3124	1001	1770	352	1
黑龙江	Heilongjiang	4590	1898	2325	363	3
上 海	Shanghai	4980	2002	2404	563	10
江 苏	Jiangsu	6437	2032	3080	1278	48
浙 江	Zhejiang	4370	1766	2137	461	7
安 徽	Anhui	2800	811	1670	316	3
福 建	Fujian	2153	787	1035	318	13
江 西	Jiangxi	2072	516	1195	356	6
山 东	Shandong	6516	2018	3732	755	11
河 南	Henan	4685	970	2898	793	24
湖 北	Hubei	4026	970	2356	689	11
湖 南	Hunan	3359	878	1915	558	8
广 东	Guangdong	8975	3191	4348	1400	37
广 西	Guangxi	1624	429	974	218	3
海 南	Hainan	371	82	222	66	1
重 庆	Chongqing	1378	447	644	283	4
四 川	Sichuan	2878	772	1577	525	3
贵 州	Guizhou	1084	304	649	130	1
云 南	Yunnan	1472	501	730	234	8
西 藏	Tibet	127	32	74	21	
陕 西	Shaanxi	2501	689	1430	372	10
甘 肃	Gansu	1536	486	884	165	1
青 海	Qinghai	345	135	172	37	
宁 夏	Ningxia	460	149	278	33	
新 疆	Xinjiang	1977	651	1166	159	1

2-21 各地区镇家庭户类别

Family Households of Towns by Type and Region

单位：户 (household)

地 区	Region	家庭户户数 Number of Family Households	一代户 One Generation	二代户 Two Generations	三代户 Three Generations	四代及以上户 Four Generations and Over
全 国	**National Total**	**77381**	**21956**	**41478**	**13477**	**471**
北 京	Beijing	236	100	110	25	1
天 津	Tianjin	375	85	207	82	1
河 北	Hebei	4413	1027	2517	824	44
山 西	Shanxi	1962	483	1240	230	9
内蒙古	Inner Mongolia	1701	528	1023	148	1
辽 宁	Liaoning	2248	763	1212	270	3
吉 林	Jilin	1431	412	785	231	2
黑龙江	Heilongjiang	2530	1001	1306	220	3
上 海	Shanghai	508	243	203	59	4
江 苏	Jiangsu	5057	1656	2184	1151	66
浙 江	Zhejiang	4359	1583	2116	627	33
安 徽	Anhui	4264	1212	2349	682	21
福 建	Fujian	2755	867	1338	526	25
江 西	Jiangxi	2535	414	1498	600	23
山 东	Shandong	6879	2244	3817	798	19
河 南	Henan	4071	926	2396	728	20
湖 北	Hubei	3188	988	1605	565	30
湖 南	Hunan	3680	790	2080	788	22
广 东	Guangdong	5400	1776	2516	1072	37
广 西	Guangxi	2870	561	1655	637	17
海 南	Hainan	591	133	327	127	4
重 庆	Chongqing	2800	992	1365	435	8
四 川	Sichuan	5467	1452	2916	1070	30
贵 州	Guizhou	1760	315	1076	359	10
云 南	Yunnan	2403	533	1389	463	18
西 藏	Tibet	79	10	46	22	1
陕 西	Shaanxi	1828	439	1021	355	13
甘 肃	Gansu	851	148	463	236	5
青 海	Qinghai	312	83	171	57	2
宁 夏	Ningxia	328	74	207	47	1
新 疆	Xinjiang	499	115	339	45	

2-22 各地区乡村家庭户类别

Family Households of Rural Areas by Type and Region

单位：户 (household)

地 区	Region	家庭户户数 Number of Family Households	一代户 One Generation	二代户 Two Generations	三代户 Three Generations	四代及以上户 Four Generations and Over
全 国	**National Total**	**193522**	**52585**	**101407**	**38045**	**1484**
北 京	Beijing	788	326	325	131	7
天 津	Tianjin	698	140	406	149	3
河 北	Hebei	11154	2948	6059	2049	97
山 西	Shanxi	4953	1236	2720	954	43
内蒙古	Inner Mongolia	3419	1011	1844	550	13
辽 宁	Liaoning	5311	1773	2643	867	27
吉 林	Jilin	3603	971	1901	712	20
黑龙江	Heilongjiang	5054	1460	2592	970	33
上 海	Shanghai	683	324	245	104	10
江 苏	Jiangsu	10679	3546	4650	2344	139
浙 江	Zhejiang	6930	2724	3073	1100	33
安 徽	Anhui	11075	3533	5729	1751	62
福 建	Fujian	5343	1851	2405	1031	55
江 西	Jiangxi	6584	1163	3682	1664	75
山 东	Shandong	15166	5092	8006	2006	62
河 南	Henan	16285	3676	9232	3216	161
湖 北	Hubei	9244	2696	4700	1790	58
湖 南	Hunan	10620	2868	5543	2137	72
广 东	Guangdong	7987	1871	4266	1777	73
广 西	Guangxi	7613	1454	4423	1680	56
海 南	Hainan	1040	196	619	218	6
重 庆	Chongqing	4620	1660	2158	788	14
四 川	Sichuan	15710	4736	7762	3128	84
贵 州	Guizhou	6607	1306	3966	1297	38
云 南	Yunnan	7246	1066	4154	1923	102
西 藏	Tibet	354	28	187	134	5
陕 西	Shaanxi	6211	1649	3091	1406	64
甘 肃	Gansu	4199	665	2202	1280	52
青 海	Qinghai	696	73	375	239	8
宁 夏	Ningxia	757	114	456	182	5
新 疆	Xinjiang	2892	426	1992	469	4

2-23 全国家庭户人数和户主的年龄、性别构成

Population of Family Households, Age and Sex Composition of the Household Head

年龄 Age	家庭户人口数 Population of Family Household (person)	男 Male	女 Female	户主数 Number of Household Head (person)	男 Male	女 Female	户主率 Household Head Rate (%)	男 Male	女 Female
总计 Total	**1155531**	**585091**	**570440**	**365130**	**303200**	**61930**	**31.60**	**51.82**	**10.86**
14岁以下	**203786**	**111048**	**92738**	**1991**	**1134**	**857**	**0.98**	**1.02**	**0.92**
15-19	**87970**	**46944**	**41026**	**2091**	**1243**	**848**	**2.38**	**2.65**	**2.07**
15	17074	9131	7943	325	173	152	1.90	1.89	1.92
16	17249	9385	7864	394	236	158	2.28	2.52	2.00
17	16758	8883	7876	418	249	169	2.49	2.80	2.15
18	19785	10573	9212	510	306	205	2.58	2.89	2.22
19	17103	8972	8131	444	280	164	2.59	3.12	2.02
20-24	**73096**	**35867**	**37229**	**4812**	**3515**	**1297**	**6.58**	**9.80**	**3.48**
20	15641	7950	7690	526	334	192	3.36	4.20	2.50
21	16050	7869	8181	710	470	240	4.42	5.98	2.93
22	14685	7117	7568	1001	707	294	6.82	9.93	3.89
23	13232	6404	6828	1090	837	253	8.23	13.07	3.70
24	13488	6527	6961	1484	1167	317	11.00	17.88	4.56
25-29	**72604**	**35159**	**37445**	**14080**	**11472**	**2608**	**19.39**	**32.63**	**6.96**
25	13767	6644	7123	1800	1436	365	13.08	21.61	5.12
26	15872	7652	8219	2586	2070	516	16.29	27.05	6.27
27	13997	6836	7161	2743	2192	550	19.59	32.07	7.68
28	14259	6862	7397	3197	2666	531	22.42	38.86	7.17
29	14709	7165	7544	3754	3108	646	25.52	43.38	8.57
30-34	**80016**	**39352**	**40664**	**27014**	**22516**	**4498**	**33.76**	**57.22**	**11.06**
30	15129	7287	7842	4244	3443	801	28.05	47.26	10.21
31	14099	7059	7040	4392	3682	710	31.15	52.16	10.08
32	16200	7941	8259	5421	4522	899	33.46	56.95	10.88
33	16415	8095	8319	5876	4919	957	35.80	60.77	11.50
34	18173	8970	9203	7080	5949	1132	38.96	66.32	12.30
35-39	**107568**	**52937**	**54632**	**47206**	**39898**	**7308**	**43.88**	**75.37**	**13.38**
35	19768	9682	10086	8058	6754	1304	40.76	69.75	12.93
36	20695	10238	10457	8737	7393	1344	42.22	72.21	12.85
37	21185	10670	10515	9402	8034	1367	44.38	75.30	13.00
38	23794	11567	12227	10700	8998	1701	44.97	77.79	13.92
39	22127	10780	11347	10310	8719	1591	46.60	80.88	14.02

2-23 续表 continued

年 龄 Age	家庭户人口数 Population of Family Household (person)	男 Male	女 Female	户主数 Number of Household Head (person)	男 Male	女 Female	户主率 Household Head Rate (%)	男 Male	女 Female
40-44	**112389**	**55808**	**56580**	**55584**	**47847**	**7736**	**49.46**	**85.74**	**13.67**
40	24404	12173	12231	11772	10102	1670	48.24	82.99	13.65
41	20032	9919	10113	9904	8443	1461	49.44	85.13	14.44
42	22739	11196	11543	11185	9686	1499	49.19	86.51	12.98
43	22996	11483	11513	11479	9920	1559	49.92	86.39	13.54
44	22217	11038	11180	11245	9696	1548	50.61	87.85	13.85
45-49	**84118**	**41663**	**42455**	**42605**	**36823**	**5782**	**50.65**	**88.38**	**13.62**
45	26122	12966	13155	13081	11314	1767	50.08	87.26	13.43
46	19498	9561	9937	9877	8476	1401	50.66	88.66	14.10
47	14228	7080	7148	7231	6272	959	50.83	88.59	13.42
48	11157	5527	5630	5647	4886	761	50.61	88.40	13.52
49	13114	6529	6585	6769	5874	894	51.61	89.97	13.58
50-54	**91664**	**46058**	**45606**	**48027**	**41716**	**6311**	**52.39**	**90.57**	**13.84**
50	17295	8675	8619	8981	7756	1225	51.93	89.40	14.21
51	19218	9714	9505	10121	8842	1279	52.66	91.03	13.45
52	17704	8869	8835	9199	7987	1212	51.96	90.06	13.72
53	18564	9300	9264	9786	8512	1274	52.72	91.53	13.75
54	18883	9500	9383	9940	8619	1321	52.64	90.72	14.08
55-59	**77416**	**39182**	**38234**	**40817**	**34886**	**5931**	**52.72**	**89.04**	**15.51**
55	17436	8772	8663	9183	7898	1285	52.67	90.04	14.83
56	17302	8817	8485	9210	7914	1295	53.23	89.76	15.27
57	14541	7241	7300	7587	6493	1095	52.18	89.67	14.99
58	14464	7325	7138	7526	6411	1116	52.03	87.51	15.63
59	13674	7026	6647	7311	6171	1141	53.47	87.82	17.16
60-64	**52625**	**26717**	**25908**	**27360**	**22731**	**4629**	**51.99**	**85.08**	**17.87**
60	12270	6277	5992	6477	5477	1000	52.79	87.25	16.69
61	11177	5715	5462	5817	4892	925	52.05	85.60	16.94
62	10399	5231	5168	5385	4435	950	51.79	84.80	18.38
63	9747	4854	4893	4980	4055	925	51.09	83.54	18.91
64	9033	4640	4393	4700	3871	829	52.03	83.43	18.87
65+	**112280**	**54356**	**57924**	**53543**	**39418**	**14125**	**47.69**	**72.52**	**24.38**

2-24 各地区分性别、受教育程度的人口

Population by Sex, Educational Attainment and Region

单位：人 (person)

地区	Region	6岁及以上人口 Population Aged 6 and Over	男 Male	女 Female	未上过学 No Schooling	男 Male	女 Female	小学 Primary School	男 Male	女 Female
全国	**National Total**	**1106434**	**558582**	**547852**	**82987**	**22947**	**60039**	**344870**	**164139**	**180731**
北京	Beijing	14174	7197	6977	472	95	377	1898	891	1006
天津	Tianjin	9710	4778	4932	424	120	304	1794	828	966
河北	Hebei	58608	29736	28872	2939	796	2143	17335	8070	9266
山西	Shanxi	29058	14675	14383	1193	350	843	7429	3427	4002
内蒙古	Inner Mongolia	20742	10616	10126	1631	496	1135	5945	2820	3125
辽宁	Liaoning	37511	18801	18711	1481	404	1077	9538	4477	5061
吉林	Jilin	23694	11942	11752	1094	340	754	5988	2812	3176
黑龙江	Heilongjiang	33148	16751	16397	1433	408	1025	8835	4094	4741
上海	Shanghai	16358	8165	8193	675	133	542	2299	1010	1289
江苏	jiangsu	65610	31692	33918	5081	1105	3976	18053	8041	10012
浙江	Zhejiang	43524	22093	21431	3928	1029	2899	14405	7072	7333
安徽	Anhui	51447	25994	25453	6726	1937	4789	16690	8062	8628
福建	Fujian	30264	15140	15124	2990	555	2435	11161	5193	5968
江西	Jiangxi	36120	18194	17926	2226	562	1664	13056	5998	7059
山东	Shandong	79888	39721	40167	6200	1573	4627	22367	9899	12468
河南	Henan	78498	39220	39279	5552	1690	3862	19928	9268	10661
湖北	Hubei	49099	24812	24287	3727	1068	2658	14376	6779	7597
湖南	Hunan	54063	27830	26234	3140	877	2264	17181	8322	8859
广东	Guangdong	80550	41035	39515	3268	696	2571	23203	10639	12564
广西	Guangxi	39706	20684	19022	2206	584	1623	14055	6759	7296
海南	Hainan	7049	3666	3383	550	130	420	1867	897	969
重庆	Chongqing	24010	12061	11948	1740	543	1198	9424	4628	4796
四川	Sichuan	69797	35253	34544	6792	2005	4788	28278	14259	14019
贵州	Guizhou	31612	16325	15287	4014	1108	2906	13495	6916	6579
云南	Yunnan	38031	19739	18292	4632	1452	3179	18386	9373	9014
西藏	Tibet	2385	1159	1226	818	302	516	1131	614	517
陕西	Shaanxi	32268	16286	15981	2513	774	1739	9264	4321	4943
甘肃	Gansu	22262	11200	11062	3530	1116	2414	7901	3946	3955
青海	Qinghai	4643	2335	2308	704	213	491	1877	942	935
宁夏	Ningxia	5095	2585	2510	458	137	322	1673	798	875
新疆	Xinjiang	17510	8897	8612	849	350	499	6039	2985	3054

2-24 续表 continued

单位：人 (person)

地 区	Region	初 中 Junior Secondary School	男 Male	女 Female	高 中 Senior Secondary School	男 Male	女 Female	大专及以上 College and Higher Level	男 Male	女 Female
全 国	**National Total**	**452929**	**244026**	**208903**	**151474**	**85912**	**65562**	**74175**	**41558**	**32619**
北 京	Beijing	4499	2428	2070	3319	1720	1600	3986	2062	1923
天 津	Tianjin	3587	1855	1731	2404	1196	1208	1501	779	722
河 北	Hebei	28487	15319	13168	7030	4004	3026	2818	1548	1270
山 西	Shanxi	14052	7444	6608	4292	2416	1876	2092	1037	1055
内蒙古	Inner Mongolia	8741	4854	3887	2886	1599	1287	1539	847	692
辽 宁	Liaoning	17035	8958	8078	5329	2805	2524	4128	2157	1970
吉 林	Jilin	10600	5604	4996	4219	2215	2004	1793	971	821
黑龙江	Heilongjiang	15695	8309	7387	5206	2872	2335	1980	1070	910
上 海	Shanghai	5576	2842	2735	4101	2145	1956	3707	2036	1670
江 苏	jiangsu	27524	14066	13458	10331	5817	4514	4621	2664	1959
浙 江	Zhejiang	15581	8530	7052	5461	3100	2361	4148	2362	1786
安 徽	Anhui	20657	11575	9082	5310	3151	2159	2063	1270	795
福 建	Fujian	10414	5971	4443	3925	2353	1572	1774	1067	706
江 西	Jiangxi	13147	7150	5997	5382	3132	2250	2309	1353	957
山 东	Shandong	35484	18932	16552	11468	6786	4682	4369	2532	1837
河 南	Henan	38750	20225	18525	10565	6049	4515	3703	1988	1715
湖 北	Hubei	19150	10377	8773	7882	4454	3427	3965	2134	1832
湖 南	Hunan	22059	11818	10240	8165	4615	3550	3519	2198	1320
广 东	Guangdong	34729	18368	16361	13684	8108	5576	5667	3224	2442
广 西	Guangxi	17974	10046	7928	4163	2540	1623	1308	756	552
海 南	Hainan	3196	1719	1477	1029	646	383	407	273	134
重 庆	Chongqing	9261	4931	4330	2564	1437	1126	1019	522	498
四 川	Sichuan	24676	13347	11329	7012	3938	3074	3038	1704	1335
贵 州	Guizhou	10642	6246	4396	2354	1393	960	1108	661	446
云 南	Yunnan	11108	6574	4534	2571	1428	1143	1334	912	422
西 藏	Tibet	315	186	129	80	38	42	41	19	22
陕 西	Shaanxi	12665	6848	5818	5023	2796	2227	2802	1547	1254
甘 肃	Gansu	7283	4061	3221	2550	1502	1048	999	575	424
青 海	Qinghai	1231	724	507	483	261	222	347	195	152
宁 夏	Ningxia	1918	1069	849	656	363	293	390	218	171
新 疆	Xinjiang	6894	3652	3242	2029	1032	997	1699	878	821

2-25 各地区城市分性别、受教育程度的人口

City Population by Sex, Educational Attainment and Region

单位：人 (person)

地 区	Region	6岁及以上人口 Population Aged 6 and Over	男 Male	女 Female	未上过学 No Schooling	男 Male	女 Female	小 学 Primary School	男 Male	女 Female
全 国	**National Total**	**276093**	**137437**	**138656**	**8842**	**2015**	**6826**	**47670**	**21691**	**25979**
北 京	Beijing	11320	5744	5576	290	46	244	1319	616	703
天 津	Tianjin	6283	3057	3226	242	63	179	788	359	429
河 北	Hebei	9203	4495	4708	266	64	202	1616	742	875
山 西	Shanxi	6886	3345	3541	150	32	119	1063	478	585
内蒙古	Inner Mongolia	5718	2890	2828	222	67	155	1020	458	562
辽 宁	Liaoning	16192	7932	8260	366	95	272	2186	975	1211
吉 林	Jilin	8512	4198	4313	185	55	129	992	434	558
黑龙江	Heilongjiang	11435	5701	5734	326	83	243	1937	863	1074
上 海	Shanghai	13239	6602	6637	397	69	328	1469	606	863
江 苏	Jiangsu	19979	9682	10297	889	153	736	3672	1708	1964
浙 江	Zhejiang	12130	6154	5975	641	168	473	2712	1261	1450
安 徽	Anhui	7695	3841	3854	286	68	218	1564	705	860
福 建	Fujian	6425	3226	3199	279	47	232	1453	625	828
江 西	Jiangxi	6263	3140	3122	160	41	119	1024	467	557
山 东	Shandong	18178	8927	9251	693	138	555	3084	1344	1740
河 南	Henan	14419	7111	7308	460	119	341	2302	1034	1268
湖 北	Hubei	12646	6206	6440	442	97	346	1956	930	1026
湖 南	Hunan	10434	5398	5036	203	46	157	1674	772	901
广 东	Guangdong	32698	16521	16177	662	127	536	6269	2872	3398
广 西	Guangxi	5046	2632	2415	80	14	66	886	417	469
海 南	Hainan	1282	650	632	33	9	24	194	85	109
重 庆	Chongqing	4054	1941	2113	130	30	100	982	451	531
四 川	Sichuan	8913	4384	4529	257	63	194	1869	830	1039
贵 州	Guizhou	3069	1519	1551	122	31	91	688	329	360
云 南	Yunnan	4558	2454	2104	187	48	139	1251	575	676
西 藏	Tibet	378	164	214	134	39	95	131	68	63
陕 西	Shaanxi	7433	3678	3755	185	42	143	1126	513	614
甘 肃	Gansu	4129	2071	2059	235	56	179	906	439	467
青 海	Qinghai	920	457	463	41	8	32	172	80	92
宁 夏	Ningxia	1229	615	615	44	10	34	225	103	121
新 疆	Xinjiang	5428	2705	2722	233	89	144	1139	552	587

2-25 续表 continued

单位：人 (person) (person)

地 区	Region	初 中 Junior Secondary School	男 Male	女 Female	高 中 Senior Secondary School	男 Male	女 Female	大专及以上 College and Higher Level	男 Male	女 Female
全 国	**National Total**	**98004**	**48707**	**49297**	**68906**	**35948**	**32958**	**52671**	**29075**	**23596**
北 京	Beijing	3177	1706	1471	2750	1401	1348	3785	1975	1810
天 津	Tianjin	1903	961	942	1966	955	1011	1384	719	666
河 北	Hebei	3256	1598	1657	2201	1109	1091	1864	981	883
山 西	Shanxi	2514	1240	1275	1673	889	784	1484	707	778
内蒙古	Inner Mongolia	2212	1168	1044	1300	677	623	964	520	445
辽 宁	Liaoning	6302	3078	3224	3782	1949	1833	3554	1835	1720
吉 林	Jilin	3030	1475	1555	2797	1423	1374	1508	811	696
黑龙江	Heilongjiang	4869	2491	2377	2866	1499	1367	1437	764	673
上 海	Shanghai	4179	2088	2091	3686	1910	1776	3508	1928	1579
江 苏	Jiangsu	6921	3354	3567	4895	2427	2468	3602	2039	1562
浙 江	Zhejiang	4153	2120	2033	2270	1191	1079	2354	1414	940
安 徽	Anhui	2910	1396	1515	1767	985	783	1167	689	479
福 建	Fujian	2075	1073	1002	1522	836	686	1096	644	449
江 西	Jiangxi	1949	919	1029	1855	973	882	1275	739	536
山 东	Shandong	6871	3332	3539	4740	2520	2220	2790	1593	1196
河 南	Henan	5796	2871	2925	3611	1895	1716	2251	1193	1057
湖 北	Hubei	3631	1753	1878	3740	1976	1764	2877	1451	1428
湖 南	Hunan	3282	1572	1710	2865	1460	1405	2410	1549	862
广 东	Guangdong	13817	6822	6995	7543	4211	3332	4406	2489	1916
广 西	Guangxi	1816	937	879	1469	813	656	795	451	344
海 南	Hainan	453	208	245	359	191	168	243	157	87
重 庆	Chongqing	1427	716	711	921	459	462	595	285	309
四 川	Sichuan	3416	1724	1692	1954	971	983	1418	797	621
贵 州	Guizhou	1061	523	538	658	340	317	541	296	244
云 南	Yunnan	1459	779	680	864	454	411	796	598	199
西 藏	Tibet	65	34	31	28	14	14	21	9	12
陕 西	Shaanxi	2112	1053	1060	2044	1006	1037	1966	1064	902
甘 肃	Gansu	1217	618	599	1032	537	494	740	421	319
青 海	Qinghai	298	159	140	215	106	109	194	104	90
宁 夏	Ningxia	427	215	212	292	152	140	241	134	107
新 疆	Xinjiang	1406	725	680	1242	619	623	1408	721	687

2-26 各地区镇分性别、受教育程度的人口

Town Population by Sex, Educational Attainment and Region

单位：人 (person)

地区	Region	6岁及以上人口 Population Aged 6 and Over	男 Male	女 Female	未上过学 No Schooling	男 Male	女 Female	小学 Primary School	男 Male	女 Female
全国	**National Total**	**235367**	**118606**	**116762**	**15330**	**3869**	**11461**	**68681**	**32306**	**36375**
北京	Beijing	658	339	319	21	5	15	94	41	52
天津	Tianjin	1168	572	596	58	18	40	286	135	151
河北	Hebei	14559	7547	7012	827	256	571	4347	2038	2309
山西	Shanxi	5955	3019	2936	210	63	146	1446	653	793
内蒙古	Inner Mongolia	4695	2388	2307	266	76	190	1050	486	565
辽宁	Liaoning	6155	3085	3070	201	49	153	1578	743	835
吉林	Jilin	4186	2085	2101	206	57	150	935	437	497
黑龙江	Heilongjiang	6628	3374	3254	211	54	157	1407	657	750
上海	Shanghai	1281	644	637	91	22	69	287	136	150
江苏	Jiangsu	15102	7219	7883	1226	252	974	4418	2022	2397
浙江	Zhejiang	12805	6473	6332	1021	226	796	4057	2016	2041
安徽	Anhui	12342	6204	6138	1460	369	1091	3469	1673	1796
福建	Fujian	8412	4207	4205	675	128	547	3016	1382	1634
江西	Jiangxi	8493	4298	4195	441	120	321	2629	1184	1445
山东	Shandong	19248	9608	9640	1261	279	982	5312	2405	2907
河南	Henan	12869	6389	6480	835	221	615	2927	1402	1525
湖北	Hubei	9356	4723	4633	561	141	420	2267	1034	1232
湖南	Hunan	11651	5942	5709	598	170	428	3261	1553	1709
广东	Guangdong	18328	9548	8780	760	153	606	5522	2514	3008
广西	Guangxi	9494	4879	4614	392	93	299	3042	1435	1607
海南	Hainan	2069	1064	1006	143	29	114	492	229	264
重庆	Chongqing	7588	3789	3798	440	125	315	2712	1313	1399
四川	Sichuan	16221	7998	8223	1159	323	836	5199	2484	2715
贵州	Guizhou	5936	3065	2871	489	119	370	2138	1063	1075
云南	Yunnan	7581	3855	3726	660	196	464	3111	1540	1570
西藏	Tibet	314	151	162	114	44	71	150	77	72
陕西	Shaanxi	5735	2873	2861	368	90	278	1447	642	804
甘肃	Gansu	2965	1472	1493	360	105	254	884	433	452
青海	Qinghai	968	483	485	144	43	102	303	148	156
宁夏	Ningxia	1047	531	516	57	16	41	304	142	162
新疆	Xinjiang	1559	780	779	74	29	45	593	289	304

2-26 续表 continued

单位：人 (person)

地　区	Region	初　中 Junior Secondary School	男 Male	女 Female	高　中 Senior Secondary School	男 Male	女 Female	大专及以上 College and Higher Level	男 Male	女 Female
全　国	**National Total**	**102677**	**54316**	**48361**	**34201**	**19810**	**14391**	**14478**	**8305**	**6173**
北　京	Beijing	306	167	140	151	85	66	85	40	44
天　津	Tianjin	563	290	274	182	89	93	79	41	37
河　北	Hebei	7224	3917	3307	1712	1052	660	450	284	166
山　西	Shanxi	2887	1517	1370	997	564	433	416	223	193
内蒙古	Inner Mongolia	2154	1152	1002	817	448	369	409	226	183
辽　宁	Liaoning	3316	1732	1584	691	358	334	369	203	165
吉　林	Jilin	2117	1089	1028	736	400	336	193	103	90
黑龙江	Heilongjiang	3108	1595	1514	1465	818	646	437	250	187
上　海	Shanghai	564	302	263	226	121	105	113	63	49
江　苏	Jiangsu	7072	3551	3521	1886	1128	758	499	266	233
浙　江	Zhejiang	4703	2542	2161	1624	964	660	1400	725	675
安　徽	Anhui	5257	2866	2391	1552	897	655	605	399	205
福　建	Fujian	3080	1704	1377	1176	706	470	464	288	176
江　西	Jiangxi	3190	1673	1517	1428	838	591	806	484	321
山　东	Shandong	9015	4766	4249	2622	1542	1080	1039	616	423
河　南	Henan	6157	3137	3020	2048	1136	912	901	492	409
湖　北	Hubei	4016	2152	1864	1723	910	813	789	485	303
湖　南	Hunan	4997	2605	2391	2105	1205	900	691	410	282
广　东	Guangdong	8230	4494	3736	2928	1868	1059	889	519	370
广　西	Guangxi	4512	2425	2087	1199	720	479	348	207	141
海　南	Hainan	921	472	448	374	236	138	140	99	42
重　庆	Chongqing	3158	1600	1558	933	559	374	345	192	153
四　川	Sichuan	6318	3190	3128	2315	1327	988	1229	673	557
贵　州	Guizhou	2327	1301	1026	608	357	251	375	226	149
云　南	Yunnan	2682	1498	1183	761	412	349	367	208	159
西　藏	Tibet	32	23	10	11	5	6	6	3	3
陕　西	Shaanxi	2290	1236	1054	1076	596	480	554	310	244
甘　肃	Gansu	1194	642	552	397	224	174	130	69	61
青　海	Qinghai	250	138	112	136	75	61	134	79	55
宁　夏	Ningxia	415	221	194	154	86	68	117	65	51
新　疆	Xinjiang	620	319	301	168	83	85	106	60	46

2–27 各地区乡村分性别、受教育程度的人口

Rural Population by Sex, Educational Attainment and Region

单位：人 (person)

地 区	Region	6岁及以上人口 Population Aged 6 and Over	男 Male	女 Female	未上过学 No Schooling	男 Male	女 Female	小 学 Primary School	男 Male	女 Female
全 国	**National Total**	**594974**	**302539**	**292435**	**58815**	**17063**	**41752**	**228519**	**110142**	**118377**
北 京	Beijing	2197	1114	1083	161	43	118	485	234	251
天 津	Tianjin	2259	1149	1110	124	39	85	719	334	385
河 北	Hebei	34846	17694	17152	1846	476	1370	11372	5290	6082
山 西	Shanxi	16217	8311	7906	833	255	578	4920	2296	2623
内蒙古	Inner Mongolia	10329	5338	4991	1144	353	791	3874	1877	1998
辽 宁	Liaoning	15165	7784	7381	914	261	653	5774	2759	3015
吉 林	Jilin	10996	5658	5338	703	228	475	4062	1941	2121
黑龙江	Heilongjiang	15086	7677	7409	896	271	625	5490	2573	2917
上 海	Shanghai	1838	919	919	186	42	144	543	267	276
江 苏	Jiangsu	30530	14792	15738	2966	700	2266	9962	4310	5651
浙 江	Zhejiang	18589	9466	9123	2265	635	1630	7636	3794	3842
安 徽	Anhui	31410	15949	15461	4980	1500	3479	11657	5685	5972
福 建	Fujian	15427	7706	7721	2036	381	1656	6692	3186	3506
江 西	Jiangxi	21364	10755	10609	1625	401	1224	9403	4346	5057
山 东	Shandong	42462	21186	21276	4246	1156	3091	13970	6150	7821
河 南	Henan	51211	25720	25491	4257	1350	2906	14700	6831	7868
湖 北	Hubei	27098	13883	13214	2723	831	1893	10153	4814	5339
湖 南	Hunan	31978	16490	15488	2339	661	1678	12246	5997	6249
广 东	Guangdong	29523	14966	14557	1845	416	1429	11412	5254	6159
广 西	Guangxi	25166	13173	11993	1733	476	1257	10127	4907	5220
海 南	Hainan	3697	1952	1745	374	93	281	1180	583	597
重 庆	Chongqing	12368	6331	6037	1170	388	783	5730	2865	2866
四 川	Sichuan	44664	22871	21792	5376	1619	3757	21211	10945	10266
贵 州	Guizhou	22606	11741	10865	3404	959	2445	10669	5524	5144
云 南	Yunnan	25892	13430	12462	3785	1208	2577	14024	7257	6767
西 藏	Tibet	1694	844	850	570	220	350	850	468	382
陕 西	Shaanxi	19100	9735	9365	1960	642	1318	6692	3166	3525
甘 肃	Gansu	15167	7657	7510	2935	955	1980	6111	3075	3036
青 海	Qinghai	2756	1395	1360	519	162	357	1402	714	688
宁 夏	Ningxia	2819	1439	1380	357	110	247	1145	553	592
新 疆	Xinjiang	10522	5412	5110	542	232	310	4307	2144	2163

2-27 续表 continued

单位：人 (person)

地 区	Region	初 中 Junior Secondary School	男 Male	女 Female	高 中 Senior Secondary School	男 Male	女 Female	大专及以上 College and Higher Level	男 Male	女 Female
全 国	**National Total**	**252248**	**141003**	**111245**	**48366**	**30153**	**18213**	**7027**	**4177**	**2849**
北 京	Beijing	1015	556	460	419	233	186	116	49	69
天 津	Tianjin	1120	604	516	256	152	104	39	20	20
河 北	Hebei	18008	9803	8204	3117	1843	1275	503	283	220
山 西	Shanxi	8651	4688	3963	1623	963	659	190	107	84
内蒙古	Inner Mongolia	4375	2533	1841	769	473	296	167	102	65
辽 宁	Liaoning	7417	4147	3270	856	498	358	205	118	87
吉 林	Jilin	5452	3040	2413	686	392	294	93	57	35
黑龙江	Heilongjiang	7718	4223	3495	875	554	321	106	57	50
上 海	Shanghai	833	451	381	190	114	75	85	43	42
江 苏	Jiangsu	13531	7161	6371	3550	2262	1288	521	359	163
浙 江	Zhejiang	6725	3868	2857	1568	946	622	394	222	171
安 徽	Anhui	12489	7313	5177	1991	1269	721	294	183	111
福 建	Fujian	5258	3194	2064	1227	811	415	214	135	80
江 西	Jiangxi	8009	4558	3451	2098	1321	777	228	129	99
山 东	Shandong	19598	10834	8764	4107	2724	1383	540	323	218
河 南	Henan	26797	14218	12580	4905	3018	1887	551	302	248
湖 北	Hubei	11503	6473	5031	2419	1568	851	299	198	101
湖 南	Hunan	13781	7642	6139	3195	1950	1245	417	241	178
广 东	Guangdong	12681	7052	5630	3213	2029	1185	371	216	155
广 西	Guangxi	11646	6684	4962	1495	1007	487	165	98	66
海 南	Hainan	1823	1039	784	296	219	77	24	18	7
重 庆	Chongqing	4676	2615	2061	710	419	291	81	45	36
四 川	Sichuan	14942	8433	6509	2743	1640	1104	391	233	158
贵 州	Guizhou	7253	4422	2832	1088	696	392	193	140	53
云 南	Yunnan	6967	4296	2671	946	562	384	170	106	64
西 藏	Tibet	218	130	88	41	20	22	15	7	8
陕 西	Shaanxi	8263	4559	3704	1903	1194	709	283	174	108
甘 肃	Gansu	4871	2802	2070	1121	741	380	129	85	45
青 海	Qinghai	683	427	256	131	79	52	20	13	8
宁 夏	Ningxia	1075	632	443	210	125	85	32	19	13
新 疆	Xinjiang	4868	2608	2260	619	330	289	185	97	89

2-28 各地区分性别的15岁及以上文盲人口

Illiterate Population Aged 15 and Over by Sex and Region

地 区	Region	15岁及以上人口(人) Population Aged 15 and Over (person)	男 Male	女 Female	文盲人口(人) Illiterate Population (person)	男 Male	女 Female	文盲人口占15岁及以上人口的比重(%) % to Total Aged 15 and Over (%)	男 Male	女 Female
全 国	**National Total**	**974433**	**487113**	**487319**	**75731**	**19596**	**56135**	**7.77**	**4.02**	**11.52**
北 京	Beijing	13375	6767	6608	416	79	337	3.11	1.16	5.10
天 津	Tianjin	9028	4418	4610	318	72	246	3.52	1.63	5.33
河 北	Hebei	52866	26656	26210	2556	646	1910	4.83	2.42	7.29
山 西	Shanxi	25177	12662	12515	1068	299	769	4.24	2.36	6.14
内蒙古	Inner Mongolia	18565	9484	9081	1512	440	1072	8.14	4.64	11.80
辽 宁	Liaoning	34259	17052	17207	1193	278	915	3.48	1.63	5.32
吉 林	Jilin	21735	10946	10790	964	286	678	4.44	2.62	6.28
黑龙江	Heilongjiang	30280	15236	15044	1259	332	927	4.16	2.18	6.16
上 海	Shanghai	15522	7705	7817	616	116	500	3.97	1.50	6.40
江 苏	Jiangsu	59653	28266	31387	4802	987	3815	8.05	3.49	12.15
浙 江	Zhejiang	39465	19964	19501	3703	918	2784	9.38	4.60	14.28
安 徽	Anhui	44335	22090	22244	6424	1762	4663	14.49	7.97	20.96
福 建	Fujian	26720	13250	13470	2773	464	2309	10.38	3.50	17.14
江 西	Jiangxi	30628	15114	15515	1987	438	1548	6.49	2.90	9.98
山 东	Shandong	71724	35377	36347	5707	1349	4358	7.96	3.81	11.99
河 南	Henan	68058	33399	34659	5008	1435	3573	7.36	4.30	10.31
湖 北	Hubei	44106	22058	22047	3391	924	2467	7.69	4.19	11.19
湖 南	Hunan	48037	24496	23541	2819	726	2093	5.87	2.96	8.89
广 东	Guangdong	69879	35265	34614	2812	490	2322	4.02	1.39	6.71
广 西	Guangxi	33798	17402	16396	1896	438	1458	5.61	2.52	8.89
海 南	Hainan	6015	3092	2922	520	113	407	8.65	3.66	13.94
重 庆	Chongqing	20687	10272	10416	1614	468	1146	7.80	4.55	11.00
四 川	Sichuan	60928	30601	30327	6239	1778	4462	10.24	5.81	14.71
贵 州	Guizhou	25238	12865	12373	3680	925	2755	14.58	7.19	22.27
云 南	Yunnan	31885	16450	15435	4239	1262	2977	13.29	7.67	19.29
西 藏	Tibet	2011	963	1048	759	269	491	37.77	27.94	46.80
陕 西	Shaanxi	28407	14153	14254	2326	690	1637	8.19	4.87	11.48
甘 肃	Gansu	18840	9368	9472	3349	1022	2327	17.77	10.91	24.56
青 海	Qinghai	3919	1963	1956	654	191	463	16.68	9.71	23.67
宁 夏	Ningxia	4267	2154	2113	430	123	308	10.09	5.69	14.56
新 疆	Xinjiang	15026	7626	7400	698	277	421	4.64	3.63	5.69

2-29 各地区城市分性别的15岁及以上文盲人口

City Illiterate Population Aged 15 and Over by Sex and Region

地 区	Region	15岁及以上人口(人) Population Aged 15 and Over (person)	男 Male	女 Female	文盲人口(人) Illiterate Population (person)	男 Male	女 Female	文盲人口占15岁及以上人口的比重(%) % to Total Aged 15 and Over (%)	男 Male	女 Female
全 国	**National Total**	**252085**	**124596**	**127490**	**7410**	**1434**	**5976**	**2.94**	**1.15**	**4.69**
北 京	Beijing	10714	5416	5298	244	34	210	2.28	0.63	3.96
天 津	Tianjin	5967	2897	3070	179	34	145	3.01	1.18	4.73
河 北	Hebei	8400	4060	4341	203	33	171	2.42	0.81	3.93
山 西	Shanxi	6109	2953	3155	122	21	101	2.00	0.70	3.21
内蒙古	Inner Mongolia	5151	2599	2553	187	50	137	3.63	1.92	5.36
辽 宁	Liaoning	15072	7354	7718	237	43	194	1.57	0.59	2.51
吉 林	Jilin	7875	3877	3997	157	41	116	1.99	1.06	2.90
黑龙江	Heilongjiang	10572	5235	5336	254	52	201	2.40	1.00	3.77
上 海	Shanghai	12574	6230	6344	348	56	292	2.77	0.90	4.60
江 苏	Jiangsu	18374	8747	9627	816	119	697	4.44	1.36	7.24
浙 江	Zhejiang	11180	5669	5511	589	149	440	5.27	2.63	7.98
安 徽	Anhui	6870	3402	3467	259	57	202	3.77	1.68	5.82
福 建	Fujian	5837	2909	2928	251	34	217	4.29	1.17	7.39
江 西	Jiangxi	5594	2765	2828	107	23	84	1.91	0.84	2.96
山 东	Shandong	16385	7968	8417	585	94	491	3.57	1.18	5.83
河 南	Henan	12841	6281	6560	345	75	270	2.68	1.19	4.11
湖 北	Hubei	11580	5622	5958	385	78	307	3.33	1.39	5.16
湖 南	Hunan	9550	4924	4625	165	31	134	1.73	0.64	2.89
广 东	Guangdong	29671	14865	14806	487	63	424	1.64	0.43	2.86
广 西	Guangxi	4560	2359	2201	70	11	59	1.54	0.49	2.66
海 南	Hainan	1128	567	561	25	5	20	2.24	0.85	3.64
重 庆	Chongqing	3696	1758	1938	118	22	96	3.18	1.23	4.96
四 川	Sichuan	8151	4000	4150	235	58	178	2.89	1.44	4.28
贵 州	Guizhou	2698	1322	1376	111	22	89	4.12	1.66	6.49
云 南	Yunnan	4116	2241	1875	163	34	129	3.97	1.52	6.90
西 藏	Tibet	327	139	189	131	37	95	40.17	26.61	50.13
陕 西	Shaanxi	6723	3281	3443	164	36	129	2.44	1.08	3.74
甘 肃	Gansu	3632	1808	1824	208	42	166	5.74	2.35	9.10
青 海	Qinghai	823	404	419	35	6	29	4.27	1.58	6.85
宁 夏	Ningxia	1080	537	544	38	7	31	3.48	1.26	5.66
新 疆	Xinjiang	4835	2406	2429	189	66	124	3.92	2.73	5.09

2-30 各地区镇分性别的15岁及以上文盲人口

Town Illiterate Population Aged 15 and Over by Sex and Region

地 区	Region	15岁及以上人口(人) Population Aged 15 and Over (person)	男 Male	女 Female	文盲人口(人) Illiterate Population (person)	男 Male	女 Female	文盲人口占15岁及以上人口的比重(%) % to Total Aged 15 and Over (%)	男 Male	女 Female
全 国	**National Total**	**207458**	**103462**	**103996**	**13962**	**3251**	**10711**	**6.73**	**3.14**	**10.30**
北 京	Beijing	620	317	302	18	3	15	2.98	1.10	4.95
天 津	Tianjin	1052	509	543	33	9	24	3.16	1.76	4.48
河 北	Hebei	13095	6755	6341	742	231	510	5.66	3.43	8.05
山 西	Shanxi	5088	2571	2517	189	56	133	3.71	2.17	5.29
内蒙古	Inner Mongolia	4168	2115	2053	238	64	174	5.71	3.02	8.49
辽 宁	Liaoning	5566	2761	2806	170	34	137	3.06	1.22	4.87
吉 林	Jilin	3853	1917	1936	173	49	124	4.49	2.57	6.40
黑龙江	Heilongjiang	6048	3057	2991	178	40	137	2.94	1.32	4.59
上 海	Shanghai	1215	613	602	83	19	64	6.82	3.07	10.63
江 苏	Jiangsu	13695	6437	7258	1151	223	928	8.41	3.47	12.79
浙 江	Zhejiang	11564	5801	5763	935	189	746	8.09	3.26	12.95
安 徽	Anhui	10725	5308	5417	1426	345	1081	13.29	6.49	19.96
福 建	Fujian	7361	3653	3708	603	90	513	8.19	2.46	13.84
江 西	Jiangxi	7224	3598	3626	384	89	294	5.31	2.48	8.12
山 东	Shandong	17244	8551	8693	1151	234	917	6.68	2.74	10.55
河 南	Henan	11109	5426	5683	782	195	587	7.04	3.60	10.33
湖 北	Hubei	8419	4183	4236	500	119	382	5.94	2.84	9.01
湖 南	Hunan	10368	5220	5148	574	156	418	5.54	2.98	8.13
广 东	Guangdong	15861	8193	7667	675	97	577	4.25	1.19	7.53
广 西	Guangxi	8070	4089	3981	326	60	266	4.04	1.46	6.69
海 南	Hainan	1771	894	877	138	26	113	7.80	2.85	12.84
重 庆	Chongqing	6570	3229	3341	399	102	298	6.08	3.16	8.91
四 川	Sichuan	14487	7104	7384	1047	285	762	7.23	4.01	10.32
贵 州	Guizhou	4881	2478	2403	447	98	348	9.15	3.96	14.49
云 南	Yunnan	6461	3244	3217	547	143	404	8.46	4.39	12.56
西 藏	Tibet	280	136	144	108	40	68	38.48	29.04	47.42
陕 西	Shaanxi	5058	2514	2544	339	77	263	6.71	3.05	10.34
甘 肃	Gansu	2541	1255	1286	356	103	253	13.99	8.20	19.64
青 海	Qinghai	815	407	408	135	39	97	16.59	9.46	23.69
宁 夏	Ningxia	880	444	436	54	14	40	6.09	3.05	9.19
新 疆	Xinjiang	1371	684	687	60	24	36	4.35	3.54	5.16

2–31 各地区乡村分性别的15岁及以上文盲人口

Rural Illiterate Population Aged 15 and Over by Sex and Region

地 区	Region	15岁及以上人口(人) Population Aged 15 and Over (person)	男 Male	女 Female	文盲人口(人) Illiterate Population (person)	男 Male	女 Female	文盲人口占15岁及以上人口的比重(%) % to Total Aged 15 and Over (%)	男 Male	女 Female
全 国	**National Total**	**514890**	**259056**	**255834**	**54359**	**14911**	**39448**	**10.56**	**5.76**	**15.42**
北 京	Beijing	2042	1034	1007	153	41	112	7.50	3.97	11.12
天 津	Tianjin	2009	1012	997	105	29	76	5.23	2.85	7.63
河 北	Hebei	31370	15842	15528	1611	382	1229	5.13	2.41	7.92
山 西	Shanxi	13980	7138	6843	757	223	534	5.42	3.12	7.81
内蒙古	Inner Mongolia	9246	4770	4475	1087	326	761	11.76	6.83	17.00
辽 宁	Liaoning	13620	6937	6683	785	201	585	5.77	2.90	8.75
吉 林	Jilin	10008	5151	4857	634	196	438	6.34	3.80	9.03
黑龙江	Heilongjiang	13660	6944	6716	828	240	588	6.06	3.45	8.76
上 海	Shanghai	1734	863	871	185	41	144	10.69	4.78	16.54
江 苏	Jiangsu	27584	13082	14501	2834	645	2190	10.28	4.93	15.10
浙 江	Zhejiang	16721	8494	8227	2178	580	1598	13.03	6.83	19.42
安 徽	Anhui	26740	13380	13360	4740	1360	3380	17.73	10.16	25.30
福 建	Fujian	13521	6688	6834	1919	340	1579	14.20	5.09	23.11
江 西	Jiangxi	17811	8751	9060	1496	326	1170	8.40	3.72	12.91
山 东	Shandong	38096	18859	19238	3970	1021	2949	10.42	5.41	15.33
河 南	Henan	44108	21692	22416	3881	1165	2716	8.80	5.37	12.11
湖 北	Hubei	24106	12253	11853	2505	727	1778	10.39	5.93	15.00
湖 南	Hunan	28120	14352	13768	2079	539	1540	7.39	3.75	11.19
广 东	Guangdong	24347	12207	12141	1650	329	1321	6.78	2.70	10.88
广 西	Guangxi	21168	10954	10215	1500	367	1133	7.08	3.35	11.09
海 南	Hainan	3116	1631	1485	357	83	274	11.46	5.08	18.47
重 庆	Chongqing	10422	5285	5137	1097	344	752	10.52	6.51	14.65
四 川	Sichuan	38290	19497	18793	4957	1435	3521	12.95	7.36	18.74
贵 州	Guizhou	17659	9065	8594	3123	805	2317	17.68	8.88	26.96
云 南	Yunnan	21308	10965	10343	3529	1085	2444	16.56	9.90	23.62
西 藏	Tibet	1403	688	716	520	192	328	37.07	27.99	45.80
陕 西	Shaanxi	16626	8359	8267	1822	577	1245	10.96	6.91	15.06
甘 肃	Gansu	12667	6305	6362	2785	877	1908	21.98	13.90	29.99
青 海	Qinghai	2280	1151	1129	483	146	338	21.20	12.66	29.91
宁 夏	Ningxia	2307	1173	1134	339	102	237	14.70	8.72	20.89
新 疆	Xinjiang	8819	4536	4283	449	187	261	5.09	4.13	6.11

2-32 全国15岁及以上人口分年龄、性别的婚姻状况

Population Aged 15 and Over by Age, Sex and Marital Status

单位：人 (person)

年龄 Age	15岁及以上人口 Population Aged 15 and Over	男 Male	女 Female	未婚 Never Married	男 Male	女 Female	初婚有配偶 First Married	男 Male	女 Female
总计 Total	**974433**	**487113**	**487319**	**184613**	**107637**	**76976**	**704076**	**346680**	**357396**
15-19	**92767**	**49438**	**43329**	**90942**	**48646**	**42296**	**1672**	**678**	**994**
15	17282	9315	7966	17163	9223	7941	85	65	20
16	17636	9644	7992	17493	9543	7950	118	78	40
17	17473	9234	8239	17272	9143	8130	177	74	103
18	21369	11331	10038	20915	11138	9777	414	163	252
19	19007	9914	9093	18098	9600	8499	878	299	579
20-24	**80885**	**40003**	**40883**	**57440**	**32018**	**25423**	**23033**	**7801**	**15232**
20	17472	8924	8548	15653	8397	7256	1770	504	1265
21	18013	8885	9128	14686	8010	6676	3268	847	2421
22	16228	7910	8317	11353	6379	4973	4795	1497	3298
23	14519	7086	7433	8584	4973	3611	5833	2074	3759
24	14654	7197	7457	7165	4259	2906	7368	2879	4489
25-29	**76417**	**37497**	**38920**	**19500**	**12719**	**6782**	**55575**	**24089**	**31486**
25	14806	7243	7563	5985	3694	2291	8648	3458	5190
26	16837	8261	8576	5236	3395	1841	11345	4734	6611
27	14689	7235	7454	3557	2328	1229	10885	4780	6105
28	14861	7243	7618	2786	1904	883	11789	5193	6596
29	15225	7516	7709	1936	1398	538	12908	5924	6984
30-34	**82027**	**40627**	**41400**	**5650**	**4376**	**1274**	**73518**	**34843**	**38675**
30	15612	7589	8024	1600	1140	460	13547	6220	7328
31	14473	7280	7193	1162	893	269	12893	6162	6731
32	16600	8189	8412	1094	868	225	14918	7028	7889
33	16824	8366	8458	940	766	175	15242	7289	7953
34	18518	9204	9314	854	709	145	16918	8145	8773
35-39	**109297**	**54028**	**55269**	**3343**	**2827**	**515**	**101055**	**48814**	**52242**
35	20153	9924	10228	797	676	121	18541	8852	9689
36	21032	10473	10559	732	622	111	19391	9389	10002
37	21536	10888	10648	680	579	101	19920	9870	10050
38	24152	11784	12368	634	520	114	22363	10693	11670
39	22424	10958	11466	499	431	68	20841	10010	10831

2-32 续表 1 continued

单位：人 (person)

年 龄 Age	15岁及以上人口 Population Aged 15 and Over	男 Male	女 Female	未 婚 Never Married	男 Male	女 Female	初婚有配偶 First Married	男 Male	女 Female
40-44	**113708**	**56636**	**57072**	**2090**	**1823**	**267**	**105485**	**51882**	**53603**
40	24763	12387	12376	530	449	81	22900	11297	11603
41	20280	10092	10189	385	338	47	18814	9221	9592
42	23008	11355	11653	403	357	46	21340	10394	10945
43	23226	11646	11580	412	369	44	21624	10718	10906
44	22431	11157	11274	360	310	50	20807	10251	10556
45-49	**84701**	**42061**	**42640**	**1191**	**1065**	**126**	**77876**	**38375**	**39502**
45	26324	13091	13233	413	370	43	24211	11900	12311
46	19659	9681	9977	236	212	24	18203	8929	9274
47	14316	7138	7178	205	179	26	13067	6486	6581
48	11240	5587	5653	171	153	18	10334	5079	5255
49	13162	6563	6599	166	151	15	12062	5981	6080
50-54	**91958**	**46290**	**45668**	**1290**	**1194**	**96**	**83416**	**41973**	**41443**
50	17363	8727	8636	230	210	20	15805	7911	7894
51	19290	9770	9520	268	249	19	17621	8896	8726
52	17747	8905	8842	252	236	16	16074	8047	8027
53	18613	9337	9276	280	256	24	16870	8478	8392
54	18944	9551	9393	260	242	18	17045	8641	8404
55-59	**77554**	**39294**	**38260**	**1140**	**1068**	**71**	**68551**	**35111**	**33441**
55	17465	8793	8671	250	233	17	15671	7944	7727
56	17338	8849	8489	288	272	17	15397	7907	7489
57	14565	7260	7305	179	166	13	12947	6537	6409
58	14485	7344	7141	215	202	13	12694	6531	6163
59	13702	7048	6654	207	196	12	11843	6191	5652
60-64	**52706**	**26778**	**25929**	**798**	**755**	**43**	**43948**	**23124**	**20824**
60	12296	6297	5999	208	195	13	10395	5454	4941
61	11200	5734	5465	162	154	8	9478	4991	4487
62	10409	5239	5169	130	123	6	8743	4560	4183
63	9758	4859	4899	142	134	8	8015	4182	3833
64	9044	4648	4396	157	149	8	7317	3937	3380
65+	**112413**	**54462**	**57951**	**1229**	**1146**	**83**	**69947**	**39990**	**29957**

2-32 续表 2 continued

单位：人 (person)

年龄 Age	再婚有配偶 Re-married	男 Male	女 Female	离婚 Divorced	男 Male	女 Female	丧偶 Widowed	男 Male	女 Female
总计 Total	**17043**	**8048**	**8995**	**11164**	**6702**	**4463**	**57536**	**18047**	**39489**
15-19	**71**	**63**	**8**	**66**	**39**	**27**	**16**	**12**	**4**
15	18	16	2	9	7	2	5	4	1
16	16	16		8	6	2	1	1	
17	8	5	3	14	12	3	2	1	1
18	18	18		18	9	9	4	4	
19	12	9	3	17	5	11	3	2	1
20-24	**139**	**54**	**85**	**242**	**120**	**122**	**31**	**9**	**22**
20	18	7	11	27	14	14	4	2	2
21	16	6	10	39	20	19	3	1	1
22	22	7	14	50	24	26	9	3	6
23	41	13	28	59	24	35	2	2	
24	42	20	22	67	38	29	12	1	12
25-29	**531**	**226**	**305**	**713**	**419**	**294**	**99**	**46**	**53**
25	69	35	35	92	52	40	11	4	8
26	84	33	51	150	91	58	22	8	14
27	95	46	49	131	71	61	21	11	10
28	119	46	73	153	96	58	13	5	8
29	163	66	96	187	109	78	32	18	13
30-34	**1211**	**502**	**708**	**1332**	**788**	**544**	**316**	**117**	**199**
30	215	90	125	218	127	92	31	13	18
31	161	73	88	204	130	74	53	22	31
32	244	106	138	269	159	110	76	27	49
33	272	113	159	304	176	128	66	23	43
34	319	122	198	337	197	140	91	32	58
35-39	**2216**	**919**	**1298**	**2016**	**1201**	**815**	**667**	**267**	**399**
35	354	144	210	358	210	147	103	42	61
36	397	178	219	419	248	171	92	36	56
37	442	177	264	391	225	166	103	37	66
38	515	206	309	449	277	173	191	89	102
39	509	214	295	398	240	158	178	64	114

2-32 续表 3 continued

单位：人 (person)

年 龄 Age	再婚有配偶 Re-married	男 Male	女 Female	离 婚 Divorced	男 Male	女 Female	丧 偶 Widowed	男 Male	女 Female
40-44	**2663**	**1147**	**1515**	**2053**	**1272**	**781**	**1417**	**511**	**906**
40	610	256	354	462	291	172	260	94	166
41	462	211	251	376	230	145	244	91	153
42	553	239	314	409	256	153	303	107	195
43	494	206	288	405	246	159	291	107	183
44	544	236	308	401	249	152	319	111	208
45-49	**2195**	**1052**	**1144**	**1666**	**970**	**696**	**1772**	**600**	**1173**
45	687	322	366	537	320	216	476	180	296
46	467	214	252	361	204	157	392	121	270
47	415	197	217	288	165	123	342	111	231
48	289	144	145	243	141	103	202	70	132
49	338	174	164	236	140	96	360	117	243
50-54	**2279**	**1064**	**1215**	**1330**	**816**	**515**	**3643**	**1243**	**2400**
50	458	217	241	313	209	104	558	180	378
51	457	218	238	281	166	115	663	241	422
52	458	217	242	282	170	112	681	235	446
53	430	191	239	233	136	97	800	275	524
54	476	221	255	222	135	87	941	312	630
55-59	**1975**	**949**	**1026**	**753**	**464**	**289**	**5134**	**1702**	**3432**
55	438	202	237	180	104	77	925	311	614
56	475	232	243	169	118	51	1010	321	689
57	357	174	183	146	91	55	936	291	645
58	368	162	205	139	84	55	1069	364	705
59	337	179	158	119	67	52	1195	415	780
60-64	**1303**	**634**	**669**	**384**	**260**	**124**	**6274**	**2004**	**4269**
60	364	179	184	111	75	36	1219	394	826
61	250	122	128	72	50	22	1238	418	820
62	237	118	118	62	41	21	1237	396	841
63	256	110	145	66	44	22	1279	388	891
64	197	104	93	72	48	24	1301	409	892
65+	**2461**	**1438**	**1023**	**610**	**353**	**256**	**38166**	**11534**	**26631**

2-33 全国城市15岁及以上人口分年龄、性别的婚姻状况

City Population Aged 15 and Over by Age, Sex and Marital Status

单位：人 (person)

年龄 Age	15岁及以上人口 Population Aged 15 and Over	男 Male	女 Female	未婚 Never Married	男 Male	女 Female	初婚有配偶 First Married	男 Male	女 Female
总计 Total	**252085**	**124596**	**127490**	**51608**	**28254**	**23354**	**179776**	**89144**	**90633**
15-19	**19886**	**10263**	**9623**	**19621**	**10136**	**9485**	**245**	**112**	**133**
15	2980	1649	1332	2970	1638	1331	9	9	1
16	3350	1799	1551	3326	1778	1548	18	15	3
17	3775	1902	1873	3742	1889	1853	29	10	19
18	4837	2408	2430	4771	2388	2384	63	19	44
19	4943	2505	2438	4813	2444	2369	127	61	66
20-24	**23363**	**11541**	**11822**	**19395**	**10265**	**9131**	**3910**	**1250**	**2659**
20	4767	2412	2354	4546	2351	2194	210	58	152
21	5194	2574	2620	4678	2454	2225	511	118	393
22	4807	2339	2469	4070	2133	1936	726	200	526
23	4200	2016	2184	3203	1701	1502	987	310	677
24	4395	2200	2195	2898	1625	1273	1475	564	912
25-29	**24126**	**11511**	**12616**	**8512**	**5067**	**3445**	**15320**	**6309**	**9010**
25	4680	2229	2451	2628	1487	1141	2017	729	1288
26	5409	2625	2784	2382	1450	932	2972	1149	1822
27	4631	2152	2479	1539	870	669	3035	1254	1782
28	4499	2125	2373	1140	712	428	3303	1391	1912
29	4907	2379	2528	823	548	275	3993	1786	2207
30-34	**24607**	**12184**	**12424**	**2113**	**1430**	**683**	**21647**	**10406**	**11241**
30	4905	2356	2549	683	418	265	4097	1883	2214
31	4503	2279	2224	465	318	147	3910	1910	2000
32	4893	2352	2541	382	273	110	4333	2009	2325
33	5023	2538	2485	318	221	97	4507	2235	2273
34	5284	2659	2625	266	200	66	4799	2370	2429
35-39	**29481**	**14617**	**14864**	**887**	**613**	**275**	**27017**	**13353**	**13664**
35	5745	2831	2914	231	166	65	5282	2582	2700
36	5868	2942	2926	203	147	56	5365	2662	2703
37	5803	2882	2921	171	114	58	5322	2647	2675
38	6384	3162	3221	163	105	58	5835	2886	2949
39	5680	2799	2882	119	81	38	5213	2576	2637

2-33 续表 1 continued

单位：人 (person)

年龄 Age	15岁及以上人口 Population Aged 15 and Over	男 Male	女 Female	未婚 Never Married	男 Male	女 Female	初婚有配偶 First Married	男 Male	女 Female
40-44	**27221**	**13678**	**13543**	**386**	**257**	**129**	**25007**	**12636**	**12371**
40	6182	3143	3039	122	82	40	5668	2894	2774
41	4622	2256	2366	74	56	18	4234	2070	2164
42	5176	2586	2591	62	36	26	4738	2373	2365
43	5482	2812	2670	60	41	18	5056	2616	2441
44	5758	2881	2878	69	41	28	5311	2684	2627
45-49	**22771**	**11498**	**11273**	**258**	**179**	**79**	**20606**	**10477**	**10129**
45	7115	3631	3484	87	63	25	6449	3325	3124
46	4883	2445	2439	37	26	12	4469	2252	2218
47	4085	2083	2002	51	31	19	3656	1872	1784
48	2994	1483	1512	53	43	10	2669	1324	1345
49	3694	1857	1837	29	17	13	3362	1704	1657
50-54	**22853**	**11421**	**11431**	**183**	**131**	**52**	**20754**	**10512**	**10243**
50	4683	2333	2350	42	27	14	4260	2134	2125
51	4843	2478	2365	41	31	10	4422	2298	2124
52	4424	2244	2180	35	26	9	3989	2046	1943
53	4429	2176	2253	30	20	10	4030	2015	2015
54	4474	2190	2284	35	28	7	4053	2018	2035
55-59	**17900**	**8765**	**9135**	**102**	**74**	**28**	**16042**	**8104**	**7938**
55	4175	2051	2124	19	11	8	3758	1910	1848
56	3801	1843	1957	20	14	7	3444	1696	1748
57	3398	1684	1715	24	19	5	3058	1562	1497
58	3380	1655	1725	14	10	4	3031	1547	1484
59	3146	1533	1614	25	21	4	2750	1389	1361
60-64	**11927**	**5860**	**6067**	**63**	**43**	**20**	**10243**	**5294**	**4949**
60	2783	1368	1415	17	8	9	2406	1237	1169
61	2439	1245	1194	12	11	1	2149	1129	1020
62	2419	1180	1240	12	10	2	2095	1063	1031
63	2281	1081	1200	11	8	3	1934	980	953
64	2005	987	1018	10	6	4	1659	883	776
65+	**27950**	**13259**	**14692**	**85**	**59**	**26**	**18987**	**10691**	**8296**

2-33 续表 2 continued

单位：人 (person)

年 龄 Age	再婚有配偶 Re-married	男 Male	女 Female	离 婚 Divorced	男 Male	女 Female	丧 偶 Widowed	男 Male	女 Female
总计 Total	**4325**	**2223**	**2103**	**4803**	**2209**	**2595**	**11573**	**2767**	**8806**
15-19	**12**	**11**	**1**	**7**	**3**	**4**	**1**	**1**	
15	2	2							
16	6	6							
17	2	2		3	3				
18	1	1		3	1	2			
19	1	1	1	2		2	1	1	
20-24	**26**	**12**	**14**	**29**	**12**	**17**	**2**	**1**	**1**
20	7	2	5	3		3	1	1	
21	3	1	2	2	1	1			
22	5	2	4	6	3	2	1		1
23	5	4	2	5	1	4			
24	6	5	2	15	7	8	1		1
25-29	**118**	**53**	**64**	**162**	**78**	**85**	**14**	**3**	**11**
25	15	5	11	19	8	11	1	1	
26	18	10	8	30	15	15	7		7
27	19	9	10	34	17	17	3	2	1
28	27	9	18	29	14	15	1		1
29	39	21	18	50	24	26	2		2
30-34	**316**	**148**	**168**	**464**	**187**	**277**	**67**	**13**	**55**
30	56	23	33	63	30	34	5	2	3
31	42	20	22	73	29	45	13	3	11
32	61	27	34	98	41	57	18	3	15
33	73	34	38	110	45	65	15	3	12
34	85	44	41	119	43	76	16	2	13
35-39	**575**	**241**	**333**	**879**	**379**	**500**	**123**	**31**	**92**
35	75	27	48	135	48	88	22	9	13
36	104	52	52	175	72	103	21	9	11
37	124	50	75	166	70	96	19	1	18
38	142	64	78	212	103	109	32	4	27
39	129	49	81	190	86	104	30	8	22

2-33 续表 3 continued

单位：人 (person)

年龄 Age	再婚有配偶 Re-married	男 Male	女 Female	离婚 Divorced	男 Male	女 Female	丧偶 Widowed	男 Male	女 Female
40-44	**682**	**317**	**364**	**930**	**428**	**502**	**216**	**39**	**176**
40	146	61	84	204	97	107	42	8	34
41	114	56	58	165	67	97	36	7	29
42	154	81	72	178	86	91	45	9	36
43	128	52	76	198	96	102	40	7	33
44	140	67	74	186	81	105	52	7	45
45-49	**640**	**347**	**293**	**916**	**433**	**482**	**351**	**61**	**290**
45	198	101	97	285	129	156	95	14	81
46	116	62	54	197	90	107	63	15	48
47	129	73	55	173	90	83	76	16	60
48	92	46	47	138	62	75	41	7	34
49	104	64	40	122	62	60	76	9	66
50-54	**546**	**301**	**245**	**707**	**336**	**371**	**662**	**141**	**522**
50	119	65	55	167	92	75	95	15	80
51	102	48	54	154	73	80	125	29	96
52	121	74	47	155	69	86	124	30	94
53	96	54	42	123	54	69	150	33	117
54	107	61	46	109	48	61	169	34	135
55-59	**441**	**217**	**224**	**359**	**170**	**188**	**956**	**200**	**756**
55	98	42	56	102	41	62	197	47	150
56	102	57	45	74	41	33	161	36	125
57	83	43	39	68	32	36	165	28	138
58	73	29	44	59	29	30	203	39	163
59	86	46	40	56	28	29	229	50	180
60-64	**300**	**146**	**154**	**151**	**89**	**62**	**1171**	**290**	**882**
60	86	48	38	38	26	12	236	48	187
61	46	23	23	34	20	14	198	61	136
62	59	31	28	23	12	11	231	63	168
63	68	25	42	24	11	13	244	56	188
64	41	19	23	31	18	13	263	61	202
65+	**671**	**429**	**242**	**199**	**93**	**106**	**8008**	**1987**	**6020**

2-34 全国镇15岁及以上人口分年龄、性别的婚姻状况

Town Population Aged 15 and Over by Age, Sex and Marital Status

单位：人 (person)

年龄 Age	15岁及以上人口 Population Aged 15 and Over	男 Male	女 Female	未婚 Never Married	男 Male	女 Female	初婚有配偶 First Married	男 Male	女 Female
总计 Total	**207458**	**103462**	**103996**	**37748**	**21972**	**15776**	**152588**	**75217**	**77371**
15-19	**20148**	**10941**	**9207**	**19791**	**10771**	**9020**	**314**	**133**	**182**
15	3827	2099	1727	3808	2082	1726	12	11	2
16	3904	2163	1741	3877	2143	1734	20	14	7
17	3616	1936	1681	3569	1911	1657	37	18	20
18	4579	2465	2114	4486	2415	2071	79	37	42
19	4222	2278	1944	4051	2219	1832	165	54	111
20-24	**16923**	**8362**	**8561**	**11768**	**6573**	**5195**	**5083**	**1756**	**3328**
20	3680	1880	1800	3319	1750	1569	350	121	230
21	3731	1840	1891	3058	1662	1395	663	172	491
22	3239	1579	1660	2216	1267	949	1012	308	704
23	3093	1542	1551	1725	1037	688	1349	500	849
24	3179	1520	1659	1451	856	594	1709	655	1054
25-29	**16629**	**8156**	**8473**	**3603**	**2380**	**1223**	**12729**	**5651**	**7079**
25	3211	1607	1604	1145	726	420	2035	866	1169
26	3607	1722	1884	956	614	342	2593	1084	1509
27	3219	1623	1596	655	436	219	2511	1166	1346
28	3185	1550	1635	518	372	146	2601	1150	1451
29	3408	1655	1753	328	232	96	2990	1385	1605
30-34	**18222**	**8960**	**9261**	**888**	**703**	**185**	**16734**	**7970**	**8764**
30	3399	1641	1757	236	180	57	3069	1422	1647
31	3196	1573	1623	189	150	40	2946	1393	1553
32	3756	1905	1851	180	148	32	3436	1686	1750
33	3689	1789	1900	144	107	37	3398	1607	1791
34	4182	2052	2130	139	119	20	3885	1862	2023
35-39	**24539**	**12137**	**12402**	**542**	**472**	**70**	**22933**	**11135**	**11798**
35	4363	2109	2255	117	108	10	4083	1923	2160
36	4709	2389	2320	130	112	18	4379	2172	2207
37	4994	2493	2501	126	112	14	4648	2280	2368
38	5514	2725	2789	100	81	19	5177	2516	2662
39	4958	2422	2536	68	59	9	4646	2244	2402

2-34 续表 1 continued

单位：人 (person)

年 龄 Age	15岁及以上人口 Population Aged 15 and Over	男 Male	女 Female	未 婚 Never Married	男 Male	女 Female	初婚有配偶 First Married	男 Male	女 Female
40-44	**25442**	**12622**	**12820**	**293**	**250**	**43**	**23752**	**11734**	**12018**
40	5526	2756	2770	71	62	9	5152	2557	2595
41	4529	2296	2232	70	58	12	4211	2112	2099
42	5264	2545	2719	51	46	5	4913	2375	2538
43	5256	2580	2677	61	52	9	4932	2412	2520
44	4867	2444	2422	40	32	7	4545	2278	2267
45-49	**17849**	**8772**	**9077**	**148**	**141**	**7**	**16513**	**8093**	**8419**
45	5786	2851	2936	53	50	3	5349	2601	2748
46	4155	2053	2102	34	32	2	3856	1908	1947
47	2914	1440	1474	22	22		2681	1336	1345
48	2338	1168	1170	15	13	2	2188	1093	1095
49	2655	1260	1395	24	24		2439	1154	1284
50-54	**19173**	**9594**	**9579**	**186**	**172**	**14**	**17595**	**8845**	**8750**
50	3565	1816	1749	38	38		3299	1680	1619
51	4062	2033	2029	33	31	1	3764	1874	1890
52	3658	1833	1825	33	33		3343	1676	1667
53	3955	1927	2028	42	33	9	3604	1777	1826
54	3932	1985	1947	40	36	3	3585	1837	1748
55-59	**15873**	**8091**	**7783**	**186**	**181**	**6**	**14141**	**7302**	**6839**
55	3478	1767	1711	37	35	2	3164	1608	1556
56	3618	1883	1736	45	44	1	3251	1719	1532
57	2956	1484	1472	32	32		2636	1335	1301
58	2977	1500	1477	35	33	2	2633	1351	1282
59	2844	1456	1387	37	36	1	2457	1288	1168
60-64	**10729**	**5338**	**5391**	**119**	**113**	**6**	**9039**	**4709**	**4330**
60	2462	1215	1247	26	24	2	2115	1079	1036
61	2296	1157	1139	22	21	1	1962	1018	944
62	2093	1019	1074	20	20		1761	900	861
63	2096	1017	1079	29	28	2	1744	901	843
64	1782	931	852	22	21	1	1456	811	646
65+	**21931**	**10489**	**11442**	**225**	**216**	**8**	**13755**	**7890**	**5865**

2-34 续表 2 continued

单位：人 (person)

年龄 Age	再婚有配偶 Re-married	男 Male	女 Female	离婚 Divorced	男 Male	女 Female	丧偶 Widowed	男 Male	女 Female
总计 Total	**3647**	**1801**	**1846**	**2300**	**1396**	**904**	**11175**	**3076**	**8099**
15-19	**24**	**22**	**2**	**17**	**15**	**2**	**1**		**1**
15	6	6		1	1				
16	3	3		4	4				
17	2		2	7	7		1		1
18	10	10		4	2	1			
19	3	3		3	2	1			
20-24	**19**	**5**	**14**	**47**	**28**	**20**	**5**	**1**	**5**
20	2	2		7	7		1		1
21	3		3	6	6		1		1
22	2		2	9	4	5			
23	5		5	14	5	9			
24	7	3	4	11	6	5	3		2
25-29	**115**	**40**	**76**	**163**	**81**	**82**	**18**	**5**	**13**
25	15	7	8	14	8	6	2		2
26	18	5	13	37	19	18	3	1	2
27	18	9	10	31	11	20	3	1	2
28	25	8	16	38	19	19	3	1	3
29	40	10	29	43	24	19	7	3	4
30-34	**229**	**96**	**133**	**308**	**171**	**137**	**62**	**20**	**42**
30	39	14	26	47	25	22	8	1	6
31	25	11	14	27	17	10	8	2	6
32	61	33	28	67	35	32	12	3	9
33	45	25	21	87	43	43	15	7	8
34	58	13	45	81	51	30	19	7	12
35-39	**499**	**210**	**289**	**455**	**284**	**171**	**109**	**35**	**74**
35	71	29	43	75	44	32	16	5	11
36	93	35	58	98	66	31	10	3	6
37	113	49	64	88	47	41	19	4	16
38	93	39	55	111	73	38	32	16	15
39	128	58	70	83	54	29	32	6	26

2-34 续表 3 continued

单位：人 (person)

年 龄 Age	再婚有配偶 Re-married	男 Male	女 Female	离 婚 Divorced	男 Male	女 Female	丧 偶 Widowed	男 Male	女 Female
40-44	**651**	**284**	**367**	**452**	**275**	**177**	**294**	**79**	**215**
40	140	62	78	104	62	42	60	15	45
41	115	59	56	84	56	28	50	11	38
42	149	56	93	91	51	40	60	17	43
43	112	50	62	84	47	37	68	18	49
44	137	59	78	89	59	30	57	17	40
45-49	**509**	**253**	**256**	**328**	**191**	**137**	**351**	**93**	**258**
45	167	89	78	119	77	42	98	34	64
46	113	52	61	76	46	31	76	15	61
47	93	42	52	46	22	23	71	18	54
48	60	31	29	39	25	14	37	7	29
49	75	40	35	48	22	26	69	19	49
50-54	**473**	**236**	**237**	**231**	**147**	**84**	**689**	**194**	**495**
50	77	38	39	51	36	14	101	24	76
51	98	54	44	50	28	22	117	45	72
52	105	47	58	55	39	16	123	38	85
53	86	44	42	45	28	17	179	45	134
54	108	54	54	30	15	15	170	42	128
55-59	**409**	**232**	**177**	**132**	**90**	**42**	**1005**	**286**	**719**
55	90	56	34	20	17	3	168	51	117
56	95	47	47	34	23	11	194	49	145
57	67	45	22	23	16	6	199	56	142
58	81	35	46	26	19	7	201	61	140
59	76	48	28	30	15	15	244	69	175
60-64	**244**	**129**	**115**	**66**	**53**	**13**	**1262**	**333**	**928**
60	64	36	28	24	19	5	234	57	176
61	52	31	21	5	3	1	255	83	172
62	49	23	27	11	9	2	251	67	184
63	46	20	26	11	10	1	266	59	207
64	34	20	14	14	11	3	256	67	189
65+	**474**	**293**	**181**	**100**	**61**	**39**	**7377**	**2029**	**5348**

2-35 全国乡村15岁及以上人口分年龄、性别的婚姻状况

Rural Population Aged 15 and Over by Age, Sex and Marital Status

单位：人 (person)

年 龄 Age	15岁及以上人口 Population Aged 15 and Over	男 Male	女 Female	未 婚 Never Married	男 Male	女 Female	初婚有配偶 First Married	男 Male	女 Female
总计 Total	**514890**	**259056**	**255834**	**95257**	**57410**	**37846**	**371712**	**182320**	**189392**
15-19	**52733**	**28234**	**24499**	**51529**	**27738**	**23791**	**1113**	**434**	**679**
15	10474	5567	4907	10386	5502	4884	64	46	18
16	10383	5683	4700	10290	5622	4668	80	50	30
17	10082	5396	4686	9961	5342	4619	111	47	64
18	11953	6458	5494	11658	6335	5322	273	107	166
19	9842	5130	4711	9234	4937	4298	585	184	401
20-24	**40599**	**20100**	**20499**	**26277**	**15180**	**11097**	**14040**	**4796**	**9244**
20	9025	4632	4393	7788	4295	3493	1209	326	883
21	9088	4470	4618	6950	3894	3057	2094	557	1537
22	8181	3992	4189	5067	2980	2088	3056	989	2067
23	7225	3528	3697	3656	2234	1422	3497	1264	2233
24	7079	3477	3603	2816	1778	1038	4184	1660	2524
25-29	**35662**	**17831**	**17832**	**7385**	**5272**	**2113**	**27526**	**12129**	**15397**
25	6915	3407	3508	2212	1482	730	4597	1863	2734
26	7821	3914	3907	1898	1330	567	5780	2500	3280
27	6839	3461	3379	1363	1022	341	5338	2361	2977
28	7177	3567	3610	1128	820	309	5886	2652	3234
29	6910	3482	3428	784	618	167	5925	2753	3172
30-34	**39198**	**19483**	**19715**	**2649**	**2243**	**406**	**35137**	**16468**	**18669**
30	7309	3591	3717	681	542	139	6381	2915	3466
31	6774	3428	3346	509	426	83	6037	2859	3178
32	7951	3932	4020	531	448	83	7148	3333	3815
33	8112	4039	4073	479	438	41	7336	3447	3890
34	9051	4493	4559	449	389	60	8233	3913	4320
35-39	**55277**	**27274**	**28003**	**1913**	**1743**	**171**	**51106**	**24326**	**26780**
35	10044	4984	5059	448	402	46	9176	4347	4829
36	10455	5142	5313	399	362	37	9647	4555	5092
37	10739	5514	5225	383	353	30	9950	4943	5007
38	12254	5897	6357	370	334	36	11351	5291	6060
39	11786	5738	6048	312	291	21	10982	5190	5792

2-35 续表 1 continued

单位：人 (person)

年 龄 Age	15岁及以上人口 Population Aged 15 and Over	男 Male	女 Female	未 婚 Never Married	男 Male	女 Female	初婚有配偶 First Married	男 Male	女 Female
40-44	**61045**	**30336**	**30709**	**1411**	**1316**	**95**	**56726**	**27512**	**29214**
40	13054	6487	6567	337	305	32	12080	5846	6234
41	11130	5539	5590	241	224	18	10369	5040	5329
42	12568	6223	6344	290	276	14	11689	5647	6042
43	12487	6254	6233	292	275	16	11635	5690	5945
44	11806	5832	5975	251	236	15	10952	5289	5662
45-49	**44081**	**21791**	**22290**	**785**	**744**	**41**	**40757**	**19804**	**20953**
45	13423	6610	6813	273	257	16	12412	5973	6439
46	10620	5184	5436	165	154	10	9877	4769	5109
47	7318	3616	3702	132	125	6	6730	3278	3452
48	5908	2936	2972	103	97	6	5477	2662	2815
49	6812	3446	3366	113	110	3	6261	3122	3139
50-54	**49932**	**25275**	**24657**	**921**	**891**	**31**	**45067**	**22616**	**22450**
50	9115	4577	4538	150	145	5	8246	4097	4150
51	10385	5259	5126	194	187	7	9435	4723	4711
52	9666	4828	4837	184	178	7	8742	4325	4417
53	10229	5234	4995	208	204	4	9236	4686	4550
54	10538	5377	5161	185	178	7	9407	4785	4622
55-59	**43781**	**22439**	**21342**	**851**	**813**	**37**	**38369**	**19705**	**18664**
55	9811	4976	4836	194	187	7	8749	4426	4323
56	9919	5123	4796	223	213	9	8702	4492	4210
57	8211	4092	4119	123	115	8	7253	3641	3612
58	8128	4189	3939	166	159	7	7029	3633	3396
59	7712	4059	3653	145	139	7	6637	3514	3123
60-64	**30050**	**15579**	**14471**	**616**	**599**	**17**	**24667**	**13122**	**11545**
60	7051	3714	3337	165	163	2	5874	3138	2736
61	6465	3333	3132	127	121	6	5366	2844	2523
62	5897	3041	2855	97	93	4	4887	2596	2290
63	5381	2761	2620	101	99	3	4338	2301	2037
64	5257	2730	2526	125	123	3	4202	2243	1958
65+	**62531**	**30714**	**31817**	**919**	**871**	**48**	**37205**	**21409**	**15796**

2-35 续表 2 continued

单位：人 (person)

年龄 Age	再婚有配偶 Re-married	男 Male	女 Female	离婚 Divorced	男 Male	女 Female	丧偶 Widowed	男 Male	女 Female
总计 Total	**9071**	**4025**	**5046**	**4061**	**3097**	**964**	**34788**	**12204**	**22585**
15-19	**35**	**30**	**5**	**42**	**21**	**21**	**14**	**11**	**3**
15	11	9	2	9	7	2	5	4	1
16	7	7		5	3	2	1	1	
17	4	3	1	5	2	2	1	1	
18	6	6		12	6	6	4	4	
19	7	5	2	12	3	9	2	1	1
20-24	**93**	**36**	**57**	**165**	**80**	**85**	**23**	**7**	**16**
20	9	4	5	18	7	11	2	1	1
21	11	5	5	31	13	18	2	1	1
22	14	5	9	35	16	19	9	3	6
23	31	10	21	40	18	22	2	2	
24	29	13	16	42	26	16	9	1	9
25-29	**297**	**132**	**165**	**388**	**260**	**127**	**67**	**38**	**29**
25	39	22	16	59	37	22	9	3	6
26	49	18	30	83	57	25	12	7	4
27	58	28	30	66	42	23	15	8	7
28	68	29	39	86	63	23	9	4	5
29	84	35	49	93	60	33	23	16	7
30-34	**666**	**259**	**408**	**560**	**430**	**130**	**187**	**84**	**103**
30	120	53	67	108	72	36	18	10	9
31	93	41	52	104	84	19	31	18	14
32	122	45	77	104	83	21	46	22	24
33	154	54	100	107	87	20	36	12	23
34	177	65	112	136	103	33	56	22	33
35-39	**1143**	**467**	**675**	**681**	**537**	**144**	**434**	**201**	**233**
35	208	88	120	147	119	28	65	28	37
36	200	91	109	146	109	37	62	24	38
37	204	78	126	137	108	29	65	32	33
38	279	103	177	126	101	25	127	68	59
39	252	107	144	125	100	25	115	50	66

2-35 续表 3 continued

单位：人 (person)

年龄 Age	再婚有配偶 Re-married	男 Male	女 Female	离婚 Divorced	男 Male	女 Female	丧偶 Widowed	男 Male	女 Female
40-44	**1330**	**546**	**784**	**671**	**569**	**102**	**907**	**393**	**515**
40	324	133	191	155	132	22	159	71	88
41	233	96	137	127	107	20	159	73	86
42	251	102	149	140	119	22	197	81	117
43	254	104	150	123	103	20	183	82	101
44	267	110	157	126	109	17	210	87	123
45-49	**1047**	**451**	**595**	**422**	**345**	**76**	**1070**	**446**	**624**
45	322	132	190	133	115	18	283	132	151
46	237	100	137	88	69	19	253	92	161
47	192	82	110	69	52	17	195	77	117
48	137	68	69	67	54	13	124	56	68
49	158	69	89	66	56	10	215	89	127
50-54	**1260**	**527**	**733**	**392**	**333**	**60**	**2291**	**908**	**1383**
50	261	114	147	95	81	14	362	140	222
51	257	116	141	78	65	13	421	168	254
52	232	96	136	72	62	10	435	167	267
53	248	93	155	65	53	12	471	197	274
54	261	107	154	83	72	11	602	236	366
55-59	**1126**	**501**	**625**	**262**	**204**	**59**	**3173**	**1216**	**1957**
55	251	104	147	58	46	12	560	213	347
56	279	128	151	61	54	7	655	236	418
57	208	86	121	55	43	13	572	207	365
58	214	98	116	55	36	18	665	263	402
59	175	85	91	33	24	9	721	297	424
60-64	**759**	**359**	**400**	**168**	**118**	**50**	**3841**	**1381**	**2460**
60	214	95	119	48	30	19	750	288	462
61	152	68	84	33	26	7	786	273	512
62	128	65	64	28	20	8	756	267	489
63	142	66	77	31	23	7	769	273	496
64	122	65	56	27	19	8	781	280	501
65+	**1315**	**716**	**599**	**310**	**200**	**111**	**22781**	**7518**	**15263**

2-36 各地区分性别、婚姻状况的人口

Population by Sex, Marital Status and Region

单位：人 (person)

地 区	Region	15岁及以上人口 Population Aged 15 and Over	男 Male	女 Female	未 婚 Never Married	男 Male	女 Female	初婚有配偶 First Married	男 Male	女 Female
全 国	**National Total**	**974433**	**487113**	**487319**	**184613**	**107637**	**76976**	**704076**	**346680**	**357396**
北 京	Beijing	13375	6767	6608	2855	1605	1249	9562	4817	4745
天 津	Tianjin	9028	4418	4610	1645	875	770	6614	3273	3341
河 北	Hebei	52866	26656	26210	9927	5714	4213	38753	19248	19505
山 西	Shanxi	25177	12662	12515	5028	2870	2158	18208	9043	9165
内蒙古	Inner Mongolia	18565	9484	9081	3109	1841	1269	13984	7039	6945
辽 宁	Liaoning	34259	17052	17207	5481	3128	2353	25353	12563	12790
吉 林	Jilin	21735	10946	10790	3694	2128	1566	15850	7909	7940
黑龙江	Heilongjiang	30280	15236	15044	4456	2609	1847	22769	11339	11430
上 海	Shanghai	15522	7705	7817	3123	1735	1388	10941	5457	5484
江 苏	jiangsu	59653	28266	31387	10340	5629	4712	43704	20709	22995
浙 江	Zhejiang	39465	19964	19501	6935	4209	2726	29091	14539	14552
安 徽	Anhui	44335	22090	22244	7535	4441	3094	32804	16110	16694
福 建	Fujian	26720	13250	13470	4887	2865	2022	19291	9542	9750
江 西	Jiangxi	30628	15114	15515	5265	3060	2205	22881	11228	11652
山 东	Shandong	71724	35377	36347	11743	6493	5250	54501	26776	27725
河 南	Henan	68058	33399	34659	13240	7373	5867	50016	24205	25810
湖 北	Hubei	44106	22058	22047	8528	4991	3536	31486	15369	16116
湖 南	Hunan	48037	24496	23541	8880	5569	3311	34716	17163	17553
广 东	Guangdong	69879	35265	34614	19409	10916	8493	46300	22986	23313
广 西	Guangxi	33798	17402	16396	7308	4722	2586	23665	11639	12026
海 南	Hainan	6015	3092	2922	1482	925	557	4091	2023	2069
重 庆	Chongqing	20687	10272	10416	3173	1875	1298	15099	7455	7644
四 川	Sichuan	60928	30601	30327	10530	6375	4155	43602	21587	22015
贵 州	Guizhou	25238	12865	12373	5097	3082	2015	17758	8786	8972
云 南	Yunnan	31885	16450	15435	6486	4208	2278	22475	11103	11372
西 藏	Tibet	2011	963	1048	649	346	303	1157	554	603
陕 西	Shaanxi	28407	14153	14254	5212	3056	2156	20724	10128	10596
甘 肃	Gansu	18840	9368	9472	3756	2163	1593	13500	6564	6935
青 海	Qinghai	3919	1963	1956	756	443	313	2738	1353	1385
宁 夏	Ningxia	4267	2154	2113	823	471	352	3141	1564	1577
新 疆	Xinjiang	15026	7626	7400	3261	1919	1342	9303	4609	4695

2-36 续表 continued

单位：人 (person)

地 区	Region	再婚有配偶 Re-married	男 Male	女 Female	离 婚 Divorced	男 Male	女 Female	丧 偶 Widowed	男 Male	女 Female
全 国	**National Total**	**17043**	**8048**	**8995**	**11164**	**6702**	**4463**	**57536**	**18047**	**39489**
北 京	Beijing	216	105	110	195	93	102	549	147	402
天 津	Tianjin	105	51	54	132	65	67	531	154	378
河 北	Hebei	974	432	541	470	316	154	2742	945	1797
山 西	Shanxi	478	201	277	234	177	57	1228	372	857
内蒙古	Inner Mongolia	394	172	222	220	141	80	857	291	566
辽 宁	Liaoning	662	297	365	775	421	354	1988	642	1345
吉 林	Jilin	539	254	285	475	275	200	1178	379	799
黑龙江	Heilongjiang	663	323	340	714	415	299	1678	550	1128
上 海	Shanghai	272	138	133	379	180	200	807	196	611
江 苏	jiangsu	963	404	558	550	335	216	4095	1189	2906
浙 江	Zhejiang	681	312	369	486	303	183	2271	601	1670
安 徽	Anhui	649	293	356	407	275	132	2940	972	1968
福 建	Fujian	415	199	216	240	149	92	1887	495	1392
江 西	Jiangxi	425	199	226	243	152	91	1815	474	1341
山 东	Shandong	1114	509	605	519	349	170	3848	1250	2598
河 南	Henan	801	351	450	439	284	155	3563	1186	2377
湖 北	Hubei	806	394	413	482	267	214	2804	1037	1768
湖 南	Hunan	1039	510	528	495	321	175	2907	933	1974
广 东	Guangdong	499	245	254	399	233	167	3272	884	2387
广 西	Guangxi	467	218	250	241	162	79	2117	661	1456
海 南	Hainan	70	36	34	41	28	13	330	80	250
重 庆	Chongqing	504	219	285	324	195	129	1588	528	1060
四 川	Sichuan	1212	558	654	870	518	352	4714	1563	3151
贵 州	Guizhou	462	252	211	289	185	104	1632	560	1072
云 南	Yunnan	598	316	282	358	221	137	1968	603	1365
西 藏	Tibet	8	3	5	51	15	36	145	43	102
陕 西	Shaanxi	433	198	235	275	177	98	1763	594	1169
甘 肃	Gansu	199	100	99	204	135	69	1182	405	776
青 海	Qinghai	101	49	53	92	46	46	232	72	160
宁 夏	Ningxia	79	41	38	51	28	23	173	50	123
新 疆	Xinjiang	1215	666	548	515	244	271	732	188	544

2-37 各地区城市分性别、婚姻状况的人口

City Population by Sex, Marital Status and Region

单位：人 (person)

地 区	Region	15岁及以上人口 Population Aged 15 and Over	男 Male	女 Female	未 婚 Never Married	男 Male	女 Female	初婚有配偶 First Married	男 Male	女 Female
全 国	**National Total**	**252085**	**124596**	**127490**	**51608**	**28254**	**23354**	**179776**	**89144**	**90633**
北 京	Beijing	10714	5416	5298	2408	1344	1064	7590	3824	3767
天 津	Tianjin	5967	2897	3070	1101	572	528	4305	2130	2175
河 北	Hebei	8400	4060	4341	1224	629	596	6494	3180	3313
山 西	Shanxi	6109	2953	3155	1329	647	683	4422	2184	2237
内蒙古	Inner Mongolia	5151	2599	2553	870	503	367	3855	1925	1930
辽 宁	Liaoning	15072	7354	7718	2664	1419	1245	10813	5368	5446
吉 林	Jilin	7875	3877	3997	1376	740	636	5636	2807	2828
黑龙江	Heilongjiang	10572	5235	5336	1565	898	667	7711	3840	3872
上 海	Shanghai	12574	6230	6344	2747	1523	1225	8659	4311	4348
江 苏	Jiangsu	18374	8747	9627	3882	1880	2001	12942	6350	6592
浙 江	Zhejiang	11180	5669	5511	2215	1340	876	8105	4050	4055
安 徽	Anhui	6870	3402	3467	1122	613	509	5117	2537	2580
福 建	Fujian	5837	2909	2928	1331	756	575	4043	2000	2043
江 西	Jiangxi	5594	2765	2828	880	505	375	4336	2150	2186
山 东	Shandong	16385	7968	8417	2658	1401	1257	12570	6208	6361
河 南	Henan	12841	6281	6560	2395	1333	1061	9555	4676	4879
湖 北	Hubei	11580	5622	5958	2676	1361	1314	7975	3918	4057
湖 南	Hunan	9550	4924	4625	2028	1336	692	6537	3191	3346
广 东	Guangdong	29671	14865	14806	9109	4852	4257	19283	9660	9623
广 西	Guangxi	4560	2359	2201	1003	613	390	3213	1621	1592
海 南	Hainan	1128	567	561	315	178	137	749	368	381
重 庆	Chongqing	3696	1758	1938	661	323	337	2621	1288	1334
四 川	Sichuan	8151	4000	4150	1436	785	650	5867	2917	2950
贵 州	Guizhou	2698	1322	1376	489	276	213	1865	919	946
云 南	Yunnan	4116	2241	1875	1016	723	293	2737	1394	1343
西 藏	Tibet	327	139	189	107	46	61	190	84	106
陕 西	Shaanxi	6723	3281	3443	1256	663	592	4989	2453	2536
甘 肃	Gansu	3632	1808	1824	540	310	230	2758	1374	1384
青 海	Qinghai	823	404	419	138	74	64	600	301	300
宁 夏	Ningxia	1080	537	544	172	95	78	816	408	408
新 疆	Xinjiang	4835	2406	2429	896	516	380	3424	1708	1716

2-37 续表 continued

单位：人 (person)

地区	Region	再婚有配偶 Re-married	男 Male	女 Female	离婚 Divorced	男 Male	女 Female	丧偶 Widowed	男 Male	女 Female
全国	**National Total**	**4325**	**2223**	**2103**	**4803**	**2209**	**2595**	**11573**	**2767**	**8806**
北京	Beijing	144	71	73	163	73	90	409	104	305
天津	Tianjin	63	32	31	104	48	56	394	114	280
河北	Hebei	194	112	82	100	39	61	389	100	289
山西	Shanxi	65	33	32	54	31	23	239	58	180
内蒙古	Inner Mongolia	117	59	57	93	48	45	216	63	153
辽宁	Liaoning	241	122	119	508	226	282	846	219	627
吉林	Jilin	195	99	96	263	127	136	405	104	301
黑龙江	Heilongjiang	246	124	122	388	193	195	662	180	481
上海	Shanghai	201	102	99	332	150	183	634	144	489
江苏	Jiangsu	281	135	146	274	126	148	995	256	739
浙江	Zhejiang	201	98	103	158	73	85	501	108	392
安徽	Anhui	129	68	62	158	81	77	343	104	239
福建	Fujian	83	49	34	88	41	47	292	63	229
江西	Jiangxi	47	24	23	86	39	47	245	47	197
山东	Shandong	272	121	151	185	85	100	700	153	547
河南	Henan	208	102	106	155	58	97	529	111	418
湖北	Hubei	192	104	88	237	100	136	502	139	363
湖南	Hunan	406	217	189	181	98	83	398	83	315
广东	Guangdong	183	100	83	188	80	107	908	173	736
广西	Guangxi	80	45	36	73	36	37	191	45	147
海南	Hainan	12	7	4	11	4	7	41	9	32
重庆	Chongqing	87	41	46	134	71	63	192	35	157
四川	Sichuan	178	95	82	244	102	142	426	100	326
贵州	Guizhou	111	60	51	107	49	58	127	19	108
云南	Yunnan	77	39	38	98	50	48	188	35	153
西藏	Tibet	2	1	1	8	2	6	20	6	14
陕西	Shaanxi	109	51	58	97	48	49	273	65	207
甘肃	Gansu	42	22	20	92	45	47	200	56	144
青海	Qinghai	20	10	10	24	10	14	41	9	32
宁夏	Ningxia	26	14	12	26	11	14	40	10	31
新疆	Xinjiang	112	65	47	175	65	111	228	53	175

2-38 各地区镇分性别、婚姻状况的人口
Town Population by Sex, Marital Status and Region

单位：人 (person)

地区	Region	15岁及以上人口 Population Aged 15 and Over	男 Male	女 Female	未婚 Never Married	男 Male	女 Female	初婚有配偶 First Married	男 Male	女 Female
全国	**National Total**	**207458**	**103462**	**103996**	**37748**	**21972**	**15776**	**152588**	**75217**	**77371**
北京	Beijing	620	317	302	129	73	55	439	223	216
天津	Tianjin	1052	509	543	166	84	82	818	402	416
河北	Hebei	13095	6755	6341	2652	1595	1057	9482	4785	4697
山西	Shanxi	5088	2571	2517	880	519	361	3826	1900	1926
内蒙古	Inner Mongolia	4168	2115	2053	638	367	271	3249	1631	1618
辽宁	Liaoning	5566	2761	2806	829	454	375	4211	2084	2127
吉林	Jilin	3853	1917	1936	654	377	277	2768	1373	1395
黑龙江	Heilongjiang	6048	3057	2991	915	554	362	4493	2249	2244
上海	Shanghai	1215	613	602	181	97	84	918	464	453
江苏	Jiangsu	13695	6437	7258	2095	1167	928	10407	4848	5560
浙江	Zhejiang	11564	5801	5763	2209	1270	939	8480	4226	4254
安徽	Anhui	10725	5308	5417	1834	1069	765	7981	3896	4084
福建	Fujian	7361	3653	3708	1299	773	526	5447	2693	2754
江西	Jiangxi	7224	3598	3626	1281	741	540	5456	2704	2752
山东	Shandong	17244	8551	8693	2667	1455	1212	13310	6582	6728
河南	Henan	11109	5426	5683	2165	1184	981	8267	4016	4251
湖北	Hubei	8419	4183	4236	1267	751	517	6468	3185	3284
湖南	Hunan	10368	5220	5148	1869	1156	713	7585	3740	3845
广东	Guangdong	15861	8193	7667	4089	2421	1668	10882	5483	5400
广西	Guangxi	8070	4089	3981	1624	1025	599	5784	2849	2935
海南	Hainan	1771	894	877	397	241	156	1253	620	633
重庆	Chongqing	6570	3229	3341	950	558	392	4886	2411	2475
四川	Sichuan	14487	7104	7384	2631	1495	1136	10297	5044	5253
贵州	Guizhou	4881	2478	2403	1014	610	404	3416	1686	1730
云南	Yunnan	6461	3244	3217	1164	723	441	4661	2279	2382
西藏	Tibet	280	136	144	73	44	29	181	86	95
陕西	Shaanxi	5058	2514	2544	950	544	406	3730	1831	1899
甘肃	Gansu	2541	1255	1286	516	284	232	1821	893	928
青海	Qinghai	815	407	408	137	78	59	591	296	295
宁夏	Ningxia	880	444	436	161	92	69	660	329	331
新疆	Xinjiang	1371	684	687	315	172	143	820	410	410

2-38 续表 continued

单位：人 (person)

地 区	Region	再婚有配偶 Re-married	男 Male	女 Female	离 婚 Divorced	男 Male	女 Female	丧 偶 Widowed	男 Male	女 Female
全 国	**National Total**	**3647**	**1801**	**1846**	**2300**	**1396**	**904**	**11175**	**3076**	**8099**
北 京	Beijing	19	10	9	9	6	3	24	5	19
天 津	Tianjin	17	8	9	12	5	6	39	10	29
河 北	Hebei	225	92	133	100	67	33	637	215	422
山 西	Shanxi	87	39	48	51	39	12	244	74	170
内蒙古	Inner Mongolia	83	39	44	55	30	25	142	47	95
辽 宁	Liaoning	107	51	56	103	68	35	317	103	214
吉 林	Jilin	107	51	55	82	49	33	241	67	175
黑龙江	Heilongjiang	162	78	84	155	88	67	323	89	233
上 海	Shanghai	28	14	15	29	18	11	59	21	39
江 苏	Jiangsu	211	95	116	107	73	34	874	254	620
浙 江	Zhejiang	180	88	92	143	90	53	552	126	426
安 徽	Anhui	178	89	89	86	57	29	647	197	450
福 建	Fujian	102	54	48	64	32	32	449	101	348
江 西	Jiangxi	84	42	42	54	29	25	349	83	267
山 东	Shandong	268	136	132	142	104	38	857	274	583
河 南	Henan	113	57	57	58	40	18	505	129	376
湖 北	Hubei	134	77	57	78	31	47	472	140	332
湖 南	Hunan	197	99	98	126	76	50	592	149	442
广 东	Guangdong	112	58	54	78	49	29	699	183	516
广 西	Guangxi	127	70	57	74	50	24	461	96	366
海 南	Hainan	19	8	10	10	7	2	93	17	75
重 庆	Chongqing	187	93	94	96	51	45	451	116	335
四 川	Sichuan	385	176	209	268	156	112	905	232	673
贵 州	Guizhou	106	62	45	56	32	24	288	88	200
云 南	Yunnan	162	86	76	99	58	42	374	98	276
西 藏	Tibet	1			7	2	5	18	5	14
陕 西	Shaanxi	70	37	33	49	32	17	260	71	189
甘 肃	Gansu	30	15	15	25	16	8	150	47	102
青 海	Qinghai	24	12	12	23	12	12	40	9	31
宁 夏	Ningxia	15	8	7	11	6	5	33	9	24
新 疆	Xinjiang	107	58	49	51	23	27	79	20	59

2-39 各地区乡村分性别、婚姻状况的人口

Rural Population by Sex, Marital Status and Region

单位：人 (person)

地区	Region	15岁及以上人口 Population Aged 15 and Over	男 Male	女 Female	未婚 Never Married	男 Male	女 Female	初婚有配偶 First Married	男 Male	女 Female
全国	**National Total**	**514890**	**259056**	**255834**	**95257**	**57410**	**37846**	**371712**	**182320**	**189392**
北京	Beijing	2042	1034	1007	318	188	130	1533	771	762
天津	Tianjin	2009	1012	997	379	219	160	1491	742	750
河北	Hebei	31370	15842	15528	6051	3491	2560	22778	11283	11495
山西	Shanxi	13980	7138	6843	2819	1704	1115	9960	4959	5002
内蒙古	Inner Mongolia	9246	4770	4475	1601	970	630	6879	3482	3397
辽宁	Liaoning	13620	6937	6683	1987	1254	733	10329	5111	5218
吉林	Jilin	10008	5151	4857	1663	1011	652	7446	3729	3717
黑龙江	Heilongjiang	13660	6944	6716	1976	1157	819	10565	5251	5314
上海	Shanghai	1734	863	871	195	115	80	1364	682	683
江苏	Jiangsu	27584	13082	14501	4363	2582	1782	20355	9511	10844
浙江	Zhejiang	16721	8494	8227	2511	1599	912	12506	6263	6243
安徽	Anhui	26740	13380	13360	4580	2759	1820	19706	9677	10029
福建	Fujian	13521	6688	6834	2257	1336	921	9802	4849	4952
江西	Jiangxi	17811	8751	9060	3105	1815	1290	13089	6374	6715
山东	Shandong	38096	18859	19238	6418	3637	2781	28621	13986	14636
河南	Henan	44108	21692	22416	8680	4856	3824	32194	15513	16681
湖北	Hubei	24106	12253	11853	4585	2880	1706	17043	8267	8776
湖南	Hunan	28120	14352	13768	4983	3077	1906	20595	10233	10362
广东	Guangdong	24347	12207	12141	6210	3643	2567	16134	7844	8290
广西	Guangxi	21168	10954	10215	4681	3085	1597	14668	7169	7500
海南	Hainan	3116	1631	1485	770	506	265	2089	1035	1055
重庆	Chongqing	10422	5285	5137	1562	994	569	7592	3756	3835
四川	Sichuan	38290	19497	18793	6464	4095	2369	27437	13625	13812
贵州	Guizhou	17659	9065	8594	3595	2197	1398	12477	6181	6296
云南	Yunnan	21308	10965	10343	4306	2761	1545	15077	7430	7647
西藏	Tibet	1403	688	716	469	257	212	786	385	401
陕西	Shaanxi	16626	8359	8267	3006	1849	1158	12005	5844	6161
甘肃	Gansu	12667	6305	6362	2700	1569	1131	8921	4298	4623
青海	Qinghai	2280	1151	1129	481	291	190	1546	756	790
宁夏	Ningxia	2307	1173	1134	490	285	205	1665	827	838
新疆	Xinjiang	8819	4536	4283	2050	1231	819	5059	2490	2569

2-39 续表 continued

单位：人 (person)

地 区	Region	再婚有配偶 Re-married	男 Male	女 Female	离 婚 Divorced	男 Male	女 Female	丧 偶 Widowed	男 Male	女 Female
全 国	**National Total**	**9071**	**4025**	**5046**	**4061**	**3097**	**964**	**34788**	**12204**	**22585**
北 京	Beijing	52	25	28	23	13	9	116	38	78
天 津	Tianjin	25	11	14	16	11	5	98	29	69
河 北	Hebei	555	229	326	270	209	60	1716	630	1086
山 西	Shanxi	326	129	198	129	107	23	745	239	506
内蒙古	Inner Mongolia	194	74	120	73	63	10	499	181	318
辽 宁	Liaoning	314	125	190	165	127	37	825	320	505
吉 林	Jilin	237	104	133	130	99	31	532	209	323
黑龙江	Heilongjiang	255	122	133	171	134	37	693	280	413
上 海	Shanghai	42	23	19	18	13	6	114	31	83
江 苏	Jiangsu	470	174	296	169	135	33	2227	680	1547
浙 江	Zhejiang	300	125	175	185	140	45	1218	367	852
安 徽	Anhui	342	136	206	163	136	27	1949	671	1278
福 建	Fujian	230	96	133	88	76	12	1145	331	815
江 西	Jiangxi	293	133	161	103	85	18	1221	344	877
山 东	Shandong	574	253	322	192	160	32	2291	824	1467
河 南	Henan	480	192	288	225	185	40	2529	946	1583
湖 北	Hubei	481	213	268	167	136	31	1831	758	1073
湖 南	Hunan	436	194	242	189	148	41	1917	701	1217
广 东	Guangdong	205	87	118	134	103	31	1664	529	1135
广 西	Guangxi	260	103	157	94	76	18	1465	521	944
海 南	Hainan	40	20	19	20	17	4	196	54	142
重 庆	Chongqing	230	86	144	93	72	21	945	377	568
四 川	Sichuan	649	287	362	358	260	98	3382	1230	2152
贵 州	Guizhou	245	130	115	126	104	21	1217	453	764
云 南	Yunnan	359	190	168	161	114	47	1406	469	937
西 藏	Tibet	5	2	3	36	12	24	107	33	75
陕 西	Shaanxi	254	110	144	130	98	32	1230	458	773
甘 肃	Gansu	127	63	64	87	73	14	832	302	530
青 海	Qinghai	57	26	31	45	24	21	151	54	97
宁 夏	Ningxia	38	19	19	15	11	4	100	31	69
新 疆	Xinjiang	996	544	452	289	156	133	425	115	310

2-40 全国育龄妇女分年龄、孩次的生育状况 (2007年11月1日至2008年10月31日)

Age-specific Fertility Rate of Women at Childbearing Ages by Age of Mother and Birth Order (2007.11.1-2008.10.31)

年龄 Age	平均育龄妇女人数(人) Average Number of Childbearing Women (person)	出生人数(人) Births (person)	一孩 1st Birth	二孩 2nd Birth	三孩及以上 3rd Birth and Above	生育率(‰) Fertility Rate (‰)	一孩 1st Birth	二孩 2nd Birth	三孩及以上 3rd Birth and Above
总计 Total	**319513**	**12405**	**8377**	**3573**	**456**	**38.83**	**26.22**	**11.18**	**1.43**
15-19	**43329**	**228**	**215**	**11**	**2**	**5.26**	**4.96**	**0.27**	**0.04**
15	7966	1	1			0.10	0.10		
16	7992	2	2			0.25	0.20		0.05
17	8239	15	14	1		1.84	1.72	0.12	
18	10038	51	51			5.11	5.07	0.04	
19	9093	159	147	10	1	17.43	16.20	1.11	0.13
20-24	**40883**	**3867**	**3455**	**382**	**30**	**94.60**	**84.51**	**9.35**	**0.74**
20	8548	350	329	21		40.96	38.46	2.45	0.05
21	9128	767	701	65	2	84.03	76.75	7.08	0.20
22	8317	874	803	61	9	105.04	96.55	7.38	1.11
23	7433	894	784	102	7	120.22	105.49	13.74	0.98
24	7457	983	838	133	11	131.83	112.45	17.86	1.53
25-29	**38920**	**3948**	**2727**	**1099**	**121**	**101.44**	**70.08**	**28.25**	**3.11**
25	7563	861	685	157	18	113.81	90.62	20.82	2.37
26	8576	930	697	215	19	108.42	81.22	25.03	2.17
27	7454	752	524	209	19	100.87	70.30	28.01	2.56
28	7618	736	452	256	28	96.55	59.28	33.54	3.73
29	7709	670	370	263	37	86.92	47.99	34.10	4.82
30-34	**41400**	**2229**	**917**	**1160**	**152**	**53.85**	**22.16**	**28.03**	**3.67**
30	8024	580	274	267	40	72.33	34.14	33.26	4.93
31	7193	432	170	238	23	59.99	23.69	33.09	3.21
32	8412	460	191	239	29	54.63	22.76	28.37	3.50
33	8458	405	153	220	32	47.86	18.06	26.05	3.76
34	9314	353	129	196	28	37.93	13.84	21.08	3.00
35-39	**55269**	**1212**	**493**	**625**	**94**	**21.93**	**8.92**	**11.31**	**1.70**
35	10228	303	94	189	20	29.66	9.16	18.52	1.98
36	10559	278	122	133	23	26.31	11.56	12.57	2.18
37	10648	210	82	107	21	19.73	7.72	10.07	1.94
38	12368	246	108	122	16	19.91	8.75	9.90	1.26
39	11466	174	87	73	14	15.21	7.56	6.38	1.26
40-44	**57072**	**566**	**333**	**190**	**43**	**9.93**	**5.84**	**3.33**	**0.76**
40	12376	152	72	69	12	12.29	5.81	5.55	0.93
41	10189	111	63	39	10	10.89	6.15	3.80	0.95
42	11653	100	68	23	9	8.60	5.81	2.01	0.78
43	11580	117	76	34	7	10.12	6.59	2.93	0.60
44	11274	86	55	26	6	7.63	4.84	2.27	0.52
45-49	**42640**	**284**	**188**	**84**	**12**	**6.65**	**4.40**	**1.96**	**0.29**
45	13233	99	65	30	5	7.52	4.93	2.25	0.34
46	9977	74	47	24	3	7.45	4.75	2.42	0.27
47	5653	32	22	9	1	5.66	3.96	1.55	0.15
48	7178	43	29	12	2	5.94	4.06	1.62	0.26
49	6599	35	23	9	2	5.33	3.55	1.43	0.36

2-41 全国城市育龄妇女分年龄、孩次的生育状况 (2007年11月1日至2008年10月31日)

Age-specific Fertility Rate of City Women at Childbearing Ages by Age of Mother and Birth Order (2007.11.1-2008.10.31)

年 龄 Age	平均育龄妇女人数(人) Average Number of Childbearing Women (person)	出生人数(人) Births (person)				生育率(‰) Fertility Rate (‰)			
			一孩 1st Birth	二孩 2nd Birth	三孩及以上 3rd Birth and Above		一孩 1st Birth	二孩 2nd Birth	三孩及以上 3rd Birth and Above
总计 Total	**86165**	**2689**	**2265**	**395**	**29**	**31.21**	**26.29**	**4.58**	**0.34**
15-19	**9623**	**17**	**17**			**1.79**	**1.79**		
15	1332								
16	1551								
17	1873	1	1			0.37	0.37		
18	2430	6	6			2.55	2.55		
19	2438	10	10			4.25	4.25		
20-24	**11822**	**496**	**467**	**26**	**3**	**41.95**	**39.50**	**2.20**	**0.25**
20	2354	31	31			13.14	13.14		
21	2620	83	82	2		31.74	31.14	0.60	
22	2469	93	91	1	1	37.60	36.77	0.59	0.25
23	2184	123	109	12	2	56.11	49.95	5.47	0.69
24	2195	166	155	11	1	75.85	70.43	5.04	0.38
25-29	**12616**	**1025**	**911**	**107**	**7**	**81.27**	**72.21**	**8.47**	**0.58**
25	2451	187	176	9	2	76.31	71.83	3.49	0.99
26	2784	225	200	22	2	80.63	71.97	7.79	0.87
27	2479	198	167	30	1	79.83	67.31	11.95	0.57
28	2373	206	185	21		86.77	77.78	8.78	0.21
29	2528	210	183	26	1	83.01	72.44	10.36	0.21
30-34	**12424**	**555**	**408**	**136**	**11**	**44.64**	**32.81**	**10.94**	**0.89**
30	2549	166	135	26	5	65.24	52.92	10.34	1.98
31	2224	111	83	27	2	50.13	37.19	12.09	0.85
32	2541	103	74	28	1	40.72	29.12	11.16	0.44
33	2485	89	56	32	1	35.74	22.67	12.85	0.22
34	2625	84	60	22	2	32.18	22.74	8.52	0.92
35-39	**14864**	**301**	**213**	**79**	**8**	**20.25**	**14.36**	**5.34**	**0.55**
35	2914	62	42	19	2	21.29	14.26	6.47	0.56
36	2926	74	55	19	1	25.36	18.71	6.46	0.20
37	2921	65	40	21	4	22.40	13.68	7.26	1.46
38	3221	57	42	15		17.82	13.15	4.67	
39	2882	42	35	5	2	14.52	12.10	1.85	0.57
40-44	**13543**	**160**	**130**	**30**		**11.82**	**9.63**	**2.20**	
40	3039	39	26	13		12.79	8.60	4.20	
41	2366	28	24	4		12.00	10.30	1.70	
42	2591	36	31	5		13.74	11.93	1.81	
43	2670	33	29	4		12.18	10.84	1.34	
44	2878	25	20	5		8.60	6.97	1.63	
45-49	**11273**	**105**	**91**	**14**		**9.29**	**8.05**	**1.23**	
45	3484	36	34	2		10.30	9.83	0.47	
46	2439	26	19	6		10.49	7.98	2.51	
47	1512	10	8	2		6.29	5.04	1.25	
48	2002	16	15	2		8.20	7.40	0.80	
49	1837	17	15	3		9.42	7.97	1.44	

2-42 全国镇育龄妇女分年龄、孩次的生育状况（2007年11月1日至2008年10月31日）

Age-specific Fertility Rate of Town Women at Childbearing Ages by Age of Mother and Birth Order (2007.11.1-2008.10.31)

年 龄 Age	平均育龄妇女人数(人) Average Number of Childbearing Women (person)	出生人数（人） Births (person)	一孩 1st Birth	二孩 2nd Birth	三孩及以上 3rd Birth and Above	生育率（‰） Fertility Rate (‰)	一孩 1st Birth	二孩 2nd Birth	三孩及以上 3rd Birth and Above
总计 Total	**69801**	**2668**	**1809**	**780**	**79**	**38.22**	**25.91**	**11.18**	**1.13**
15-19	**9207**	**31**	**29**	**2**		**3.37**	**3.19**	**0.18**	
15	1727								
16	1741								
17	1681	2	2			1.22	1.22		
18	2114	8	8			3.95	3.95		
19	1944	21	19	2		10.59	9.74	0.84	
20-24	**8561**	**813**	**744**	**67**	**3**	**94.94**	**86.86**	**7.79**	**0.29**
20	1800	56	54	2		31.30	30.12	1.18	
21	1891	140	131	9		74.05	69.35	4.69	
22	1660	181	170	11		108.77	102.35	6.42	
23	1551	198	175	23	1	127.74	112.51	14.70	0.52
24	1659	238	214	22	2	143.31	128.90	13.39	1.02
25-29	**8473**	**870**	**606**	**251**	**13**	**102.66**	**71.49**	**29.68**	**1.49**
25	1604	181	137	41	3	112.64	85.58	25.40	1.66
26	1884	238	185	53		126.08	98.04	27.93	0.11
27	1596	171	120	48	2	106.87	75.50	30.26	1.11
28	1635	150	88	58	4	92.03	53.67	35.76	2.60
29	1753	131	75	51	4	74.44	43.03	29.28	2.13
30-34	**9261**	**475**	**181**	**264**	**30**	**51.30**	**19.58**	**28.53**	**3.20**
30	1757	117	49	62	5	66.43	28.12	35.37	2.93
31	1623	90	39	48	4	55.47	23.93	29.34	2.20
32	1851	91	31	56	5	49.37	16.54	30.25	2.58
33	1900	102	40	50	12	53.58	21.17	26.19	6.22
34	2130	75	22	49	4	35.28	10.43	22.85	2.00
35-39	**12402**	**292**	**117**	**153**	**22**	**23.55**	**9.45**	**12.36**	**1.75**
35	2255	66	21	41	4	29.16	9.12	18.10	1.94
36	2320	67	29	32	6	28.89	12.49	13.78	2.63
37	2501	62	20	36	6	24.90	8.07	14.25	2.58
38	2789	57	25	26	5	20.33	9.13	9.50	1.71
39	2536	40	22	18		15.90	8.68	7.23	
40-44	**12820**	**129**	**90**	**29**	**10**	**10.05**	**6.99**	**2.25**	**0.81**
40	2770	27	14	11	2	9.63	4.88	3.99	0.76
41	2232	26	19	5	2	11.68	8.55	2.10	1.04
42	2719	18	15	2	2	6.72	5.34	0.69	0.68
43	2677	34	27	5	2	12.55	10.17	1.76	0.62
44	2422	24	15	7	2	10.02	6.33	2.69	1.01
45-49	**9077**	**43**	**34**	**8**	**2**	**4.78**	**3.70**	**0.89**	**0.20**
45	2936	13	10	1	2	4.31	3.34	0.43	0.54
46	2102	14	10	3		6.46	4.87	1.59	
47	1170	7	7			6.38	6.20		0.18
48	1474	6	4	2		3.92	2.64	1.28	
49	1395	4	2	2		2.81	1.68	1.13	

2-43 全国乡村育龄妇女分年龄、孩次的生育状况
(2007年11月1日至2008年10月31日)
Age-specific Fertility Rate of Rural Women at Childbearing Ages by Age of Mother and Birth Order(2007.11.1-2008.10.31)

年 龄 Age	平均育龄妇女人数(人) Average Number of Childbearing Women (person)	出生人数(人) Births (person)				生育率(‰) Fertility Rate (‰)			
			一孩 1st Birth	二孩 2nd Birth	三孩及以上 3rd Birth and Above		一孩 1st Birth	二孩 2nd Birth	三孩及以上 3rd Birth and Above
总计 Total	**163547**	**7048**	**4302**	**2398**	**348**	**43.10**	**26.31**	**14.66**	**2.13**
15-19	**24499**	**180**	**168**	**10**	**2**	**7.33**	**6.86**	**0.40**	**0.06**
15	4907	1	1			0.16	0.16		
16	4700	2	2			0.43	0.35		0.08
17	4686	12	11	1		2.65	2.44	0.21	
18	5494	37	36			6.69	6.61	0.07	
19	4711	128	118	8	1	27.08	25.04	1.80	0.24
20-24	**20499**	**2559**	**2244**	**290**	**25**	**124.81**	**109.48**	**14.13**	**1.20**
20	4393	263	244	19		59.82	55.44	4.29	0.09
21	4618	544	488	54	2	117.78	105.66	11.73	0.39
22	4189	600	542	49	9	143.31	129.48	11.78	2.06
23	3697	573	500	67	5	154.94	135.36	18.23	1.35
24	3603	579	470	100	9	160.67	130.48	27.73	2.46
25-29	**17832**	**2053**	**1211**	**741**	**101**	**115.13**	**67.90**	**41.56**	**5.67**
25	3508	493	372	108	13	140.53	106.05	30.84	3.65
26	3907	468	311	140	16	119.70	79.70	35.92	4.07
27	3379	383	237	131	16	113.47	70.03	38.74	4.70
28	3610	379	179	176	24	105.03	49.66	48.81	6.56
29	3428	330	111	185	33	96.18	32.50	54.08	9.60
30-34	**19715**	**1200**	**329**	**760**	**111**	**60.86**	**16.66**	**38.56**	**5.64**
30	3717	297	90	178	29	79.98	24.12	47.97	7.89
31	3346	230	49	164	18	68.74	14.60	48.88	5.27
32	4020	265	87	154	24	65.84	21.61	38.38	5.85
33	4073	214	56	139	19	52.59	13.79	34.04	4.76
34	4559	194	47	125	21	42.48	10.32	27.50	4.67
35-39	**28003**	**619**	**162**	**393**	**64**	**22.10**	**5.79**	**14.02**	**2.29**
35	5059	176	32	130	14	34.71	6.24	25.66	2.81
36	5313	137	38	82	16	25.71	7.21	15.41	3.08
37	5225	82	22	50	10	15.77	4.22	9.64	1.91
38	6357	132	40	81	11	20.78	6.35	12.73	1.70
39	6048	92	30	50	13	15.25	4.94	8.19	2.12
40-44	**30709**	**277**	**113**	**132**	**33**	**9.04**	**3.68**	**4.29**	**1.07**
40	6567	87	32	45	9	13.19	4.92	6.83	1.44
41	5590	57	19	30	7	10.11	3.43	5.36	1.32
42	6344	46	22	17	7	7.31	3.51	2.65	1.14
43	6233	51	20	26	5	8.19	3.23	4.11	0.85
44	5975	37	19	14	3	6.18	3.20	2.41	0.57
45-49	**22290**	**136**	**63**	**62**	**11**	**6.08**	**2.84**	**2.77**	**0.47**
45	6813	51	21	27	3	7.48	3.11	3.94	0.43
46	5436	35	18	15	3	6.46	3.26	2.71	0.50
47	2972	15	8	7	1	5.06	2.53	2.31	0.22
48	3702	20	10	8	2	5.53	2.83	2.20	0.50
49	3366	14	6	5	2	4.15	1.91	1.54	0.70

2-44 全国分年龄、性别的死亡人口状况
(2007年11月1日至2008年10月31日)
Status of Deaths by Age and Sex (2007.11.1-2008.10.31)

年龄 Age	年平均人口(人) Average Population (person)	男 Male	女 Female	死亡人口(人) Deaths (person)	男 Male	女 Female	死亡率(‰) Death Rate (‰)	男 Male	女 Female
总计 Total	**1176458**	**597758**	**578700**	**6759**	**3934**	**2825**	**5.75**	**6.58**	**4.88**
0-4	**55590**	**30283**	**25307**	**157**	**78**	**79**	**2.82**	**2.58**	**3.12**
0	7184	3967	3217	98	49	49	13.64	12.35	15.23
1	11346	6153	5193	23	8	15	2.03	1.30	2.89
2	12151	6600	5551	14	9	5	1.15	1.36	0.90
3	12196	6674	5522	13	7	6	1.07	1.05	1.09
4	12713	6889	5824	9	5	4	0.71	0.73	0.69
5-9	**65650**	**35660**	**29990**	**20**	**13**	**7**	**0.30**	**0.36**	**0.23**
5	11804	6428	5376	5	4	1	0.42	0.62	0.19
6	12724	6911	5813	4	3	1	0.31	0.43	0.17
7	13472	7333	6139	3		3	0.22		0.49
8	13984	7573	6411	3	3		0.21	0.40	
9	13666	7415	6251	5	3	2	0.37	0.40	0.32
10-14	**81407**	**43456**	**37951**	**35**	**28**	**7**	**0.43**	**0.64**	**0.18**
10	15351	8301	7050	5	4	1	0.33	0.48	0.14
11	15062	8125	6937	8	6	2	0.53	0.74	0.29
12	16270	8691	7579	6	4	2	0.37	0.46	0.26
13	17480	9221	8259	9	7	2	0.51	0.76	0.24
14	17244	9118	8126	7	7		0.41	0.77	
15-19	**92725**	**49193**	**43532**	**46**	**33**	**13**	**0.50**	**0.67**	**0.30**
15	17683	9477	8206	3		3	0.17		0.37
16	17857	9682	8175	8	6	2	0.45	0.62	0.24
17	17426	9222	8204	14	11	3	0.80	1.19	0.37
18	21003	11097	9906	9	7	2	0.43	0.63	0.20
19	18756	9715	9041	12	9	3	0.64	0.93	0.33
20-24	**81721**	**40517**	**41204**	**61**	**47**	**14**	**0.75**	**1.16**	**0.34**
20	17350	8836	8514	15	14	1	0.86	1.58	0.12
21	17949	8904	9045	16	12	4	0.89	1.35	0.44
22	16350	7999	8351	9	7	2	0.55	0.88	0.24
23	14925	7346	7579	12	8	4	0.80	1.09	0.53
24	15147	7432	7715	9	6	3	0.59	0.81	0.39
25-29	**78937**	**39080**	**39857**	**65**	**47**	**18**	**0.82**	**1.20**	**0.45**
25	15357	7615	7742	15	11	4	0.98	1.44	0.52
26	17281	8594	8687	9	7	2	0.52	0.81	0.23
27	14976	7413	7563	16	14	2	1.07	1.89	0.26
28	15633	7693	7940	16	7	9	1.02	0.91	1.13
29	15690	7765	7925	9	8	1	0.57	1.03	0.13

2-44 续表 1 continued

年龄 Age	年平均人口(人) Average Population (person)	男 Male	女 Female	死亡人口(人) Deaths (person)	男 Male	女 Female	死亡率(‰) Death Rate (‰)	男 Male	女 Female
30-34	**84840**	**42310**	**42530**	**111**	**75**	**36**	**1.31**	**1.77**	**0.85**
30	16284	7983	8301	26	15	11	1.60	1.88	1.33
31	14875	7495	7380	15	10	5	1.01	1.33	0.68
32	17152	8525	8627	24	18	6	1.40	2.11	0.70
33	17409	8724	8685	26	19	7	1.49	2.18	0.81
34	19120	9583	9537	20	13	7	1.05	1.36	0.73
35-39	**109613**	**54340**	**55273**	**142**	**103**	**39**	**1.30**	**1.90**	**0.71**
35	20548	10173	10375	35	26	9	1.70	2.56	0.87
36	21269	10547	10722	27	19	8	1.27	1.80	0.75
37	21436	10863	10573	29	19	10	1.35	1.75	0.95
38	24075	11803	12272	22	16	6	0.91	1.36	0.49
39	22285	10954	11331	29	23	6	1.30	2.10	0.53
40-44	**112178**	**56233**	**55945**	**214**	**146**	**68**	**1.91**	**2.60**	**1.22**
40	24670	12376	12294	38	26	12	1.54	2.10	0.98
41	19961	10028	9933	46	38	8	2.30	3.79	0.81
42	22375	11142	11233	42	25	17	1.88	2.24	1.51
43	22689	11474	11215	42	29	13	1.85	2.53	1.16
44	22483	11213	11270	46	28	18	2.05	2.50	1.60
45-49	**85384**	**42674**	**42710**	**219**	**157**	**62**	**2.56**	**3.68**	**1.45**
45	25825	12973	12852	51	39	12	1.97	3.01	0.93
46	19825	9827	9998	41	31	10	2.07	3.15	1.00
47	14835	7430	7405	38	26	12	2.56	3.50	1.62
48	11543	5757	5786	39	30	9	3.38	5.21	1.56
49	13356	6687	6669	50	31	19	3.74	4.64	2.85
50-54	**90440**	**45714**	**44726**	**361**	**244**	**117**	**3.99**	**5.34**	**2.62**
50	17451	8854	8597	66	53	13	3.78	5.99	1.51
51	18925	9623	9302	70	50	20	3.70	5.20	2.15
52	17489	8803	8686	75	49	26	4.29	5.57	2.99
53	18268	9210	9058	78	49	29	4.27	5.32	3.20
54	18307	9224	9083	72	43	29	3.93	4.66	3.19
55-59	**74946**	**37881**	**37065**	**471**	**315**	**156**	**6.28**	**8.32**	**4.21**
55	16919	8498	8421	95	68	27	5.62	8.00	3.21
56	16550	8416	8134	97	61	36	5.86	7.25	4.43
57	13995	7009	6986	66	43	23	4.72	6.14	3.29
58	14160	7155	7005	102	70	32	7.20	9.78	4.57
59	13322	6803	6519	111	73	38	8.33	10.73	5.83

2-44 续表 2 continued

年 龄 Age	年平均人口(人) Average Population (person)	男 Male	女 Female	死亡人口(人) Deaths (person)	男 Male	女 Female	死亡率(‰) Death Rate (‰)	男 Male	女 Female
60-64	**51358**	**26094**	**25264**	**548**	**338**	**210**	**10.67**	**12.95**	**8.31**
60	11982	6151	5831	114	71	43	9.51	11.54	7.37
61	10824	5507	5317	92	59	33	8.50	10.71	6.21
62	10205	5160	5045	99	62	37	9.70	12.02	7.33
63	9468	4719	4749	127	79	48	13.41	16.74	10.11
64	8879	4557	4322	116	67	49	13.06	14.70	11.34
65-69	**38994**	**19574**	**19420**	**701**	**432**	**269**	**17.98**	**22.07**	**13.85**
65	8429	4256	4173	135	86	49	16.02	20.21	11.74
66	8150	4036	4114	120	72	48	14.72	17.84	11.67
67	8025	4045	3980	123	77	46	15.33	19.04	11.56
68	7842	3945	3897	157	101	56	20.02	25.60	14.37
69	6548	3292	3256	166	96	70	25.35	29.16	21.50
70-74	**33315**	**16571**	**16744**	**1004**	**567**	**437**	**30.14**	**34.22**	**26.10**
70	7952	3972	3980	198	117	81	24.90	29.46	20.35
71	6894	3432	3462	195	119	76	28.29	34.67	21.95
72	6654	3370	3284	205	112	93	30.81	33.23	28.32
73	6167	3050	3117	206	117	89	33.40	38.36	28.55
74	5648	2747	2901	200	102	98	35.41	37.13	33.78
75-79	**21755**	**10585**	**11170**	**1023**	**575**	**448**	**47.02**	**54.32**	**40.11**
75	5582	2732	2850	225	132	93	40.31	48.32	32.63
76	4727	2295	2432	211	128	83	44.64	55.77	34.13
77	4117	2071	2046	236	124	112	57.32	59.87	54.74
78	4239	2022	2217	203	113	90	47.89	55.89	40.60
79	3090	1465	1625	148	78	70	47.90	53.24	43.08
80-84	**11514**	**5242**	**6272**	**848**	**433**	**415**	**73.65**	**82.60**	**66.17**
80	3231	1551	1680	215	119	96	66.54	76.72	57.14
81	2569	1144	1425	164	87	77	63.84	76.05	54.04
82	2129	971	1158	166	85	81	77.97	87.54	69.95
83	1965	863	1102	154	76	78	78.37	88.06	70.78
84	1620	713	907	149	66	83	91.98	92.57	91.51
85-89	**4626**	**1873**	**2753**	**495**	**223**	**272**	**107.00**	**119.06**	**98.80**
85	1363	597	766	110	47	63	80.70	78.73	82.25
86	1129	467	662	118	53	65	104.52	113.49	98.19
87	894	330	564	112	52	60	125.28	157.58	106.38
88	799	324	475	96	48	48	120.15	148.15	101.05
89	441	155	286	59	23	36	133.79	148.39	125.87
90+	**1465**	**478**	**987**	**238**	**80**	**158**	**162.46**	**167.36**	**160.08**

2-45 全国城市分年龄、性别的死亡人口状况
(2007年11月1日至2008年10月31日)
Status of City Deaths by Age and Sex (2007.11.1-2008.10.31)

年龄 Age	年平均人口(人) Average Population (person)	男 Male	女 Female	死亡人口(人) Deaths (person)	男 Male	女 Female	死亡率(‰) Death Rate (‰)	男 Male	女 Female
总计 Total	**301188**	**150263**	**150925**	**1192**	**693**	**499**	**3.96**	**4.61**	**3.31**
0-4	**10185**	**5385**	**4800**	**6**		**6**	**0.59**		**1.25**
0	1236	649	587	4		4	3.24		6.81
1	2248	1174	1074						
2	2252	1189	1063	1		1	0.44		0.94
3	2213	1192	1021	1		1	0.45		0.98
4	2236	1181	1055						
5-9	**12070**	**6453**	**5617**	**1**		**1**	**0.08**		**0.18**
5	1990	1050	940						
6	2384	1305	1079						
7	2505	1341	1164	1		1	0.40		0.86
8	2612	1363	1249						
9	2579	1394	1185						
10-14	**14294**	**7542**	**6752**	**4**	**3**	**1**	**0.28**	**0.40**	**0.15**
10	2681	1471	1210						
11	2691	1455	1236	1	1		0.37	0.69	
12	2860	1489	1371	3	2	1	1.05	1.34	0.73
13	3052	1556	1496						
14	3010	1571	1439						
15-19	**19428**	**10028**	**9400**	**1**	**1**		**0.05**	**0.10**	
15	3055	1651	1404						
16	3380	1817	1563						
17	3674	1877	1797	1	1		0.27	0.53	
18	4594	2291	2303						
19	4725	2392	2333						
20-24	**23283**	**11490**	**11793**	**6**	**5**	**1**	**0.26**	**0.44**	**0.08**
20	4698	2355	2343	1	1		0.21	0.42	
21	5098	2524	2574	3	2	1	0.59	0.79	0.39
22	4734	2301	2433						
23	4209	2059	2150	2	2		0.48	0.97	
24	4544	2251	2293						
25-29	**24755**	**11882**	**12873**	**8**	**7**	**1**	**0.32**	**0.59**	**0.08**
25	4842	2319	2523	5	4	1	1.03	1.72	0.40
26	5576	2737	2839						
27	4639	2160	2479	1	1		0.22	0.46	
28	4672	2231	2441						
29	5026	2435	2591	2	2		0.40	0.82	

2-45 续表 1 continued

年 龄 Age	年平均人口(人) Average Population (person)	男 Male	女 Female	死亡人口(人) Deaths (person)	男 Male	女 Female	死亡率(‰) Death Rate (‰)	男 Male	女 Female
30-34	**25193**	**12434**	**12759**	**13**	**7**	**6**	**0.52**	**0.56**	**0.47**
30	5008	2389	2619	2	1	1	0.40	0.42	0.38
31	4599	2310	2289						
32	5050	2432	2618	1		1	0.20		0.38
33	5080	2556	2524	5	3	2	0.98	1.17	0.79
34	5456	2747	2709	5	3	2	0.92	1.09	0.74
35-39	**30230**	**14974**	**15256**	**20**	**13**	**7**	**0.66**	**0.87**	**0.46**
35	5862	2889	2973	4	2	2	0.68	0.69	0.67
36	6062	3003	3059	6	3	3	0.99	1.00	0.98
37	5945	2983	2962	5	3	2	0.84	1.01	0.68
38	6465	3181	3284	2	2		0.31	0.63	
39	5896	2918	2978	3	3		0.51	1.03	
40-44	**28322**	**14249**	**14073**	**29**	**21**	**8**	**1.02**	**1.47**	**0.57**
40	6435	3263	3172	4	3	1	0.62	0.92	0.32
41	4743	2350	2393	5	4	1	1.05	1.70	0.42
42	5340	2664	2676	6	4	2	1.12	1.50	0.75
43	5675	2898	2777	6	4	2	1.06	1.38	0.72
44	6129	3074	3055	8	6	2	1.31	1.95	0.65
45-49	**24799**	**12550**	**12249**	**37**	**32**	**5**	**1.49**	**2.55**	**0.41**
45	7476	3846	3630	11	11		1.47	2.86	
46	5284	2649	2635	6	3	3	1.14	1.13	1.14
47	4529	2288	2241	5	5		1.10	2.19	
48	3384	1698	1686	6	5	1	1.77	2.94	0.59
49	4126	2069	2057	9	8	1	2.18	3.87	0.49
50-54	**25191**	**12592**	**12599**	**71**	**50**	**21**	**2.82**	**3.97**	**1.67**
50	5228	2620	2608	11	9	2	2.10	3.44	0.77
51	5358	2722	2636	14	11	3	2.61	4.04	1.14
52	4845	2438	2407	16	11	5	3.30	4.51	2.08
53	4898	2427	2471	16	9	7	3.27	3.71	2.83
54	4862	2385	2477	14	10	4	2.88	4.19	1.61
55-59	**19090**	**9313**	**9777**	**93**	**64**	**29**	**4.87**	**6.87**	**2.97**
55	4441	2167	2274	20	12	8	4.50	5.54	3.52
56	4064	1964	2100	18	14	4	4.43	7.13	1.90
57	3611	1796	1815	11	6	5	3.05	3.34	2.75
58	3625	1772	1853	21	17	4	5.79	9.59	2.16
59	3349	1614	1735	23	15	8	6.87	9.29	4.61

2-45 续表 2 continued

年 龄 Age	年平均人口(人) Average Population (person)	男 Male	女 Female	死亡人口(人) Deaths (person)	男 Male	女 Female	死亡率(‰) Death Rate (‰)	男 Male	女 Female
60-64	**12875**	**6318**	**6557**	**78**	**47**	**31**	**6.06**	**7.44**	**4.73**
60	3001	1485	1516	19	9	10	6.33	6.06	6.60
61	2677	1345	1332	14	8	6	5.23	5.95	4.50
62	2617	1284	1333	10	7	3	3.82	5.45	2.25
63	2431	1161	1270	16	9	7	6.58	7.75	5.51
64	2149	1043	1106	19	14	5	8.84	13.42	4.52
65-69	**10589**	**4975**	**5614**	**127**	**77**	**50**	**11.99**	**15.48**	**8.91**
65	2170	1034	1136	29	21	8	13.36	20.31	7.04
66	2180	987	1193	19	10	9	8.72	10.13	7.54
67	2143	1019	1124	23	13	10	10.73	12.76	8.90
68	2235	1058	1177	27	16	11	12.08	15.12	9.35
69	1861	877	984	29	17	12	15.58	19.38	12.20
70-74	**9656**	**4647**	**5009**	**192**	**103**	**89**	**19.88**	**22.16**	**17.77**
70	2180	994	1186	39	22	17	17.89	22.13	14.33
71	2009	980	1029	36	21	15	17.92	21.43	14.58
72	1955	979	976	34	15	19	17.39	15.32	19.47
73	1861	905	956	38	20	18	20.42	22.10	18.83
74	1651	789	862	45	25	20	27.26	31.69	23.20
75-79	**6412**	**3223**	**3189**	**195**	**106**	**89**	**30.41**	**32.89**	**27.91**
75	1605	790	815	46	26	20	28.66	32.91	24.54
76	1427	710	717	36	22	14	25.23	30.99	19.53
77	1221	640	581	36	18	18	29.48	28.13	30.98
78	1223	618	605	47	21	26	38.43	33.98	42.98
79	936	465	471	30	19	11	32.05	40.86	23.35
80-84	**3186**	**1527**	**1659**	**156**	**74**	**82**	**48.96**	**48.46**	**49.43**
80	875	429	446	47	23	24	53.71	53.61	53.81
81	758	356	402	35	18	17	46.17	50.56	42.29
82	597	287	310	27	10	17	45.23	34.84	54.84
83	537	259	278	20	9	11	37.24	34.75	39.57
84	419	196	223	27	14	13	64.44	71.43	58.30
85-89	**1240**	**537**	**703**	**105**	**61**	**44**	**84.68**	**113.59**	**62.59**
85	361	172	189	27	18	9	74.79	104.65	47.62
86	318	147	171	23	16	7	72.33	108.84	40.94
87	236	92	144	23	12	11	97.46	130.43	76.39
88	215	82	133	21	9	12	97.67	109.76	90.23
89	110	44	66	11	6	5	100.00	136.36	75.76
90+	**390**	**144**	**246**	**50**	**22**	**28**	**128.21**	**152.78**	**113.82**

2-46 全国镇分年龄、性别的死亡人口状况
(2007年11月1日至2008年10月31日)
Status of Town Deaths by Age and Sex (2007.11.1-2008.10.31)

年 龄 Age	年平均人口(人) Average Population (person)	男 Male	女 Female	死亡人口(人) Deaths (person)	男 Male	女 Female	死亡率(‰) Death Rate (‰)	男 Male	女 Female
总计 Total	**229602**	**116293**	**113309**	**1184**	**700**	**484**	**5.16**	**6.02**	**4.27**
0-4	**10573**	**5719**	**4854**	**22**	**12**	**10**	**2.08**	**2.10**	**2.06**
0	1375	764	611	12	8	4	8.73	10.47	6.55
1	2160	1160	1000	6	1	5	2.78	0.86	5.00
2	2313	1268	1045	1	1		0.43	0.79	
3	2308	1267	1041						
4	2417	1260	1157	3	2	1	1.24	1.59	0.86
5-9	**12688**	**6938**	**5750**	**6**	**5**	**1**	**0.47**	**0.72**	**0.17**
5	2312	1280	1032	3	2	1	1.30	1.56	0.97
6	2439	1298	1141	1	1		0.41	0.77	
7	2579	1440	1139						
8	2778	1529	1249	2	2		0.72	1.31	
9	2580	1391	1189						
10-14	**15947**	**8527**	**7420**	**3**	**2**	**1**	**0.19**	**0.23**	**0.13**
10	2987	1606	1381						
11	2849	1520	1329	1		1	0.35		0.75
12	3167	1702	1465	1	1		0.32	0.59	
13	3407	1807	1600	1	1		0.29	0.55	
14	3537	1892	1645						
15-19	**18338**	**9920**	**8418**	**8**	**3**	**5**	**0.44**	**0.30**	**0.59**
15	3597	1955	1642	1		1	0.28		0.61
16	3584	1987	1597	3	1	2	0.84	0.50	1.25
17	3301	1749	1552	1	1		0.30	0.57	
18	4125	2223	1902	1		1	0.24		0.53
19	3731	2006	1725	2	1	1	0.54	0.50	0.58
20-24	**15374**	**7545**	**7829**	**11**	**9**	**2**	**0.72**	**1.19**	**0.26**
20	3263	1668	1595	2	2		0.61	1.20	
21	3374	1675	1699	2	1	1	0.59	0.60	0.59
22	2957	1428	1529	5	4	1	1.69	2.80	0.65
23	2831	1379	1452	2	2		0.71	1.45	
24	2949	1395	1554						
25-29	**15493**	**7577**	**7916**	**15**	**11**	**4**	**0.97**	**1.45**	**0.51**
25	2958	1494	1464	2	2		0.68	1.34	
26	3329	1596	1733	2	2		0.60	1.25	
27	2984	1487	1497	6	5	1	2.01	3.36	0.67
28	3054	1470	1584	5	2	3	1.64	1.36	1.89
29	3168	1530	1638						

2-46 续表 1 continued

年 龄 Age	年平均人口(人) Average Population (person)	男 Male	女 Female	死亡人口(人) Deaths (person)	男 Male	女 Female	死亡率(‰) Death Rate (‰)	男 Male	女 Female
30-34	**17291**	**8549**	**8742**	**19**	**14**	**5**	**1.10**	**1.64**	**0.57**
30	3218	1564	1654	3	1	2	0.93	0.64	1.21
31	3019	1488	1531	2	2		0.66	1.34	
32	3548	1809	1739	5	3	2	1.41	1.66	1.15
33	3519	1721	1798	4	4		1.14	2.32	
34	3987	1967	2020	5	4	1	1.25	2.03	0.50
35-39	**22890**	**11351**	**11539**	**23**	**20**	**3**	**1.00**	**1.76**	**0.26**
35	4175	2013	2162	8	8		1.92	3.97	
36	4387	2225	2162	3	3		0.68	1.35	
37	4569	2302	2267	3	3		0.66	1.30	
38	5166	2547	2619	5	4	1	0.97	1.57	0.38
39	4593	2264	2329	4	2	2	0.87	0.88	0.86
40-44	**23322**	**11621**	**11701**	**38**	**26**	**12**	**1.63**	**2.24**	**1.03**
40	5066	2543	2523	7	6	1	1.38	2.36	0.40
41	4181	2108	2073	9	5	4	2.15	2.37	1.93
42	4770	2337	2433	3	1	2	0.63	0.43	0.82
43	4782	2359	2423	9	6	3	1.88	2.54	1.24
44	4523	2274	2249	10	8	2	2.21	3.52	0.89
45-49	**16568**	**8195**	**8373**	**43**	**31**	**12**	**2.60**	**3.78**	**1.43**
45	5234	2603	2631	9	5	4	1.72	1.92	1.52
46	3942	1951	1991	9	7	2	2.28	3.59	1.00
47	2772	1394	1378	6	5	1	2.16	3.59	0.73
48	2188	1077	1111	12	11	1	5.48	10.21	0.90
49	2432	1170	1262	7	3	4	2.88	2.56	3.17
50-54	**17262**	**8704**	**8558**	**57**	**42**	**15**	**3.30**	**4.83**	**1.75**
50	3245	1676	1569	10	9	1	3.08	5.37	0.64
51	3653	1844	1809	9	7	2	2.46	3.80	1.11
52	3328	1663	1665	14	8	6	4.21	4.81	3.60
53	3543	1763	1780	12	11	1	3.39	6.24	0.56
54	3493	1758	1735	12	7	5	3.44	3.98	2.88
55-59	**14226**	**7235**	**6991**	**84**	**58**	**26**	**5.90**	**8.02**	**3.72**
55	3143	1584	1559	19	16	3	6.05	10.10	1.92
56	3210	1655	1555	11	6	5	3.43	3.63	3.22
57	2651	1323	1328	14	9	5	5.28	6.80	3.77
58	2665	1346	1319	16	10	6	6.00	7.43	4.55
59	2557	1327	1230	24	17	7	9.39	12.81	5.69

2-46 续表 2 continued

年 龄 Age	年平均人口(人) Average Population (person)	男 Male	女 Female	死亡人口(人) Deaths (person)	男 Male	女 Female	死亡率(‰) Death Rate (‰)	男 Male	女 Female
60-64	**9607**	**4786**	**4821**	**103**	**70**	**33**	**10.72**	**14.63**	**6.85**
60	2198	1096	1102	18	14	4	8.19	12.77	3.63
61	1997	1003	994	16	13	3	8.01	12.96	3.02
62	1896	930	966	23	17	6	12.13	18.28	6.21
63	1857	894	963	25	12	13	13.46	13.42	13.50
64	1659	863	796	21	14	7	12.66	16.22	8.79
65-69	**7080**	**3539**	**3541**	**124**	**72**	**52**	**17.51**	**20.34**	**14.69**
65	1534	770	764	27	16	11	17.60	20.78	14.40
66	1538	758	780	23	15	8	14.95	19.79	10.26
67	1420	724	696	15	7	8	10.56	9.67	11.49
68	1439	707	732	31	18	13	21.54	25.46	17.76
69	1149	580	569	28	16	12	24.37	27.59	21.09
70-74	**5919**	**2929**	**2990**	**178**	**101**	**77**	**30.07**	**34.48**	**25.75**
70	1474	731	743	36	21	15	24.42	28.73	20.19
71	1252	615	637	33	23	10	26.36	37.40	15.70
72	1202	615	587	44	21	23	36.61	34.15	39.18
73	1040	506	534	35	23	12	33.65	45.45	22.47
74	951	462	489	30	13	17	31.55	28.14	34.76
75-79	**3770**	**1785**	**1985**	**173**	**96**	**77**	**45.89**	**53.78**	**38.79**
75	1013	469	544	36	18	18	35.54	38.38	33.09
76	785	373	412	34	19	15	43.31	50.94	36.41
77	704	341	363	34	21	13	48.30	61.58	35.81
78	746	348	398	43	24	19	57.64	68.97	47.74
79	522	254	268	26	14	12	49.81	55.12	44.78
80-84	**2124**	**946**	**1178**	**151**	**80**	**71**	**71.09**	**84.57**	**60.27**
80	595	268	327	38	21	17	63.87	78.36	51.99
81	470	220	250	24	10	14	51.06	45.45	56.00
82	406	173	233	34	22	12	83.74	127.17	51.50
83	341	151	190	29	15	14	85.04	99.34	73.68
84	312	134	178	26	12	14	83.33	89.55	78.65
85-89	**834**	**339**	**495**	**81**	**33**	**48**	**97.12**	**97.35**	**96.97**
85	259	114	145	9	4	5	34.75	35.09	34.48
86	199	75	124	16	5	11	80.40	66.67	88.71
87	141	44	97	20	8	12	141.84	181.82	123.71
88	149	73	76	23	11	12	154.36	150.68	157.89
89	86	33	53	13	5	8	151.16	151.52	150.94
90+	**296**	**88**	**208**	**45**	**15**	**30**	**152.03**	**170.45**	**144.23**

2-47 全国乡村分年龄、性别的死亡人口状况

(2007年11月1日至2008年10月31日)

Status of Rural Deaths by Age and Sex (2007.11.1-2008.10.31)

年 龄 Age	年平均人口(人) Average Population (person)	男 Male	女 Female	死亡人口(人) Deaths (person)	男 Male	女 Female	死亡率(‰) Death Rate (‰)	男 Male	女 Female
总计 Total	**645668**	**331202**	**314466**	**4383**	**2541**	**1842**	**6.79**	**7.67**	**5.86**
0-4	**34832**	**19179**	**15653**	**129**	**66**	**63**	**3.70**	**3.44**	**4.02**
0	4573	2554	2019	82	41	41	17.93	16.05	20.31
1	6938	3819	3119	17	7	10	2.45	1.83	3.21
2	7586	4143	3443	12	8	4	1.58	1.93	1.16
3	7675	4215	3460	12	7	5	1.56	1.66	1.45
4	8060	4448	3612	6	3	3	0.74	0.67	0.83
5-9	**40892**	**22269**	**18623**	**13**	**8**	**5**	**0.32**	**0.36**	**0.27**
5	7502	4098	3404	2	2		0.27	0.49	
6	7901	4308	3593	3	2	1	0.38	0.46	0.28
7	8388	4552	3836	2		2	0.24		0.52
8	8594	4681	3913	1	1		0.12	0.21	
9	8507	4630	3877	5	3	2	0.59	0.65	0.52
10-14	**51166**	**27387**	**23779**	**28**	**23**	**5**	**0.55**	**0.84**	**0.21**
10	9683	5224	4459	5	4	1	0.52	0.77	0.22
11	9522	5150	4372	6	5	1	0.63	0.97	0.23
12	10243	5500	4743	2	1	1	0.20	0.18	0.21
13	11021	5858	5163	8	6	2	0.73	1.02	0.39
14	10697	5655	5042	7	7		0.65	1.24	
15-19	**54959**	**29245**	**25714**	**37**	**29**	**8**	**0.67**	**0.99**	**0.31**
15	11031	5871	5160	2		2	0.18		0.39
16	10893	5878	5015	5	5		0.46	0.85	
17	10451	5596	4855	12	9	3	1.15	1.61	0.62
18	12284	6583	5701	8	7	1	0.65	1.06	0.18
19	10300	5317	4983	10	8	2	0.97	1.50	0.40
20-24	**43064**	**21482**	**21582**	**44**	**33**	**11**	**1.02**	**1.54**	**0.51**
20	9389	4813	4576	12	11	1	1.28	2.29	0.22
21	9477	4705	4772	11	9	2	1.16	1.91	0.42
22	8659	4270	4389	4	3	1	0.46	0.70	0.23
23	7885	3908	3977	8	4	4	1.01	1.02	1.01
24	7654	3786	3868	9	6	3	1.18	1.58	0.78
25-29	**38689**	**19621**	**19068**	**42**	**29**	**13**	**1.09**	**1.48**	**0.68**
25	7557	3802	3755	8	5	3	1.06	1.32	0.80
26	8376	4261	4115	7	5	2	0.84	1.17	0.49
27	7353	3766	3587	9	8	1	1.22	2.12	0.28
28	7907	3992	3915	11	5	6	1.39	1.25	1.53
29	7496	3800	3696	7	6	1	0.93	1.58	0.27

2-47 续表 1 continued

年 龄 Age	年平均人口(人) Average Population (person)	男 Male	女 Female	死亡人口(人) Deaths (person)	男 Male	女 Female	死亡率(‰) Death Rate (‰)	男 Male	女 Female
30-34	**42356**	**21327**	**21029**	**79**	**54**	**25**	**1.87**	**2.53**	**1.19**
30	8058	4030	4028	21	13	8	2.61	3.23	1.99
31	7257	3697	3560	13	8	5	1.79	2.16	1.40
32	8554	4284	4270	18	15	3	2.10	3.50	0.70
33	8810	4447	4363	17	12	5	1.93	2.70	1.15
34	9677	4869	4808	10	6	4	1.03	1.23	0.83
35-39	**56493**	**28015**	**28478**	**99**	**70**	**29**	**1.75**	**2.50**	**1.02**
35	10511	5271	5240	23	16	7	2.19	3.04	1.34
36	10820	5319	5501	18	13	5	1.66	2.44	0.91
37	10922	5578	5344	21	13	8	1.92	2.33	1.50
38	12444	6075	6369	15	10	5	1.21	1.65	0.79
39	11796	5772	6024	22	18	4	1.87	3.12	0.66
40-44	**60534**	**30363**	**30171**	**147**	**99**	**48**	**2.43**	**3.26**	**1.59**
40	13169	6570	6599	27	17	10	2.05	2.59	1.52
41	11037	5570	5467	32	29	3	2.90	5.21	0.55
42	12265	6141	6124	33	20	13	2.69	3.26	2.12
43	12232	6217	6015	27	19	8	2.21	3.06	1.33
44	11831	5865	5966	28	14	14	2.37	2.39	2.35
45-49	**44017**	**21929**	**22088**	**139**	**94**	**45**	**3.16**	**4.29**	**2.04**
45	13115	6524	6591	31	23	8	2.36	3.53	1.21
46	10599	5227	5372	26	21	5	2.45	4.02	0.93
47	7534	3748	3786	27	16	11	3.58	4.27	2.91
48	5971	2982	2989	21	14	7	3.52	4.69	2.34
49	6798	3448	3350	34	20	14	5.00	5.80	4.18
50-54	**47987**	**24418**	**23569**	**233**	**152**	**81**	**4.86**	**6.22**	**3.44**
50	8978	4558	4420	45	35	10	5.01	7.68	2.26
51	9914	5057	4857	47	32	15	4.74	6.33	3.09
52	9316	4702	4614	45	30	15	4.83	6.38	3.25
53	9827	5020	4807	50	29	21	5.09	5.78	4.37
54	9952	5081	4871	46	26	20	4.62	5.12	4.11
55-59	**41630**	**21333**	**20297**	**294**	**193**	**101**	**7.06**	**9.05**	**4.98**
55	9335	4747	4588	56	40	16	6.00	8.43	3.49
56	9276	4797	4479	68	41	27	7.33	8.55	6.03
57	7733	3890	3843	41	28	13	5.30	7.20	3.38
58	7870	4037	3833	65	43	22	8.26	10.65	5.74
59	7416	3862	3554	64	41	23	8.63	10.62	6.47

2-47 续表 2 continued

年　龄 Age	年平均人口(人) Average Population (person)	男 Male	女 Female	死亡人口(人) Deaths (person)	男 Male	女 Female	死亡率(‰) Death Rate (‰)	男 Male	女 Female
60-64	**28876**	**14990**	**13886**	**367**	**221**	**146**	**12.71**	**14.74**	**10.51**
60	6783	3570	3213	77	48	29	11.35	13.45	9.03
61	6150	3159	2991	62	38	24	10.08	12.03	8.02
62	5692	2946	2746	66	38	28	11.60	12.90	10.20
63	5180	2664	2516	86	58	28	16.60	21.77	11.13
64	5071	2651	2420	76	39	37	14.99	14.71	15.29
65-69	**21325**	**11060**	**10265**	**450**	**283**	**167**	**21.10**	**25.59**	**16.27**
65	4725	2452	2273	79	49	30	16.72	19.98	13.20
66	4432	2291	2141	78	47	31	17.60	20.52	14.48
67	4462	2302	2160	85	57	28	19.05	24.76	12.96
68	4168	2180	1988	99	67	32	23.75	30.73	16.10
69	3538	1835	1703	109	63	46	30.81	34.33	27.01
70-74	**17740**	**8995**	**8745**	**634**	**363**	**271**	**35.74**	**40.36**	**30.99**
70	4298	2247	2051	123	74	49	28.62	32.93	23.89
71	3633	1837	1796	126	75	51	34.68	40.83	28.40
72	3497	1776	1721	127	76	51	36.32	42.79	29.63
73	3266	1639	1627	133	74	59	40.72	45.15	36.26
74	3046	1496	1550	125	64	61	41.04	42.78	39.35
75-79	**11573**	**5577**	**5996**	**655**	**373**	**282**	**56.60**	**66.88**	**47.03**
75	2964	1473	1491	143	88	55	48.25	59.74	36.89
76	2515	1212	1303	141	87	54	56.06	71.78	41.44
77	2192	1090	1102	166	85	81	75.73	77.98	73.50
78	2270	1056	1214	113	68	45	49.78	64.39	37.07
79	1632	746	886	92	45	47	56.37	60.32	53.05
80-84	**6204**	**2769**	**3435**	**541**	**279**	**262**	**87.20**	**100.76**	**76.27**
80	1761	854	907	130	75	55	73.82	87.82	60.64
81	1341	568	773	105	59	46	78.30	103.87	59.51
82	1126	511	615	105	53	52	93.25	103.72	84.55
83	1087	453	634	105	52	53	96.60	114.79	83.60
84	889	383	506	96	40	56	107.99	104.44	110.67
85-89	**2552**	**997**	**1555**	**309**	**129**	**180**	**121.08**	**129.39**	**115.76**
85	743	311	432	74	25	49	99.60	80.39	113.43
86	612	245	367	79	32	47	129.09	130.61	128.07
87	517	194	323	69	32	37	133.46	164.95	114.55
88	435	169	266	52	28	24	119.54	165.68	90.23
89	245	78	167	35	12	23	142.86	153.85	137.72
90+	**779**	**246**	**533**	**143**	**43**	**100**	**183.57**	**174.80**	**187.62**

2-48 各地区分性别的各种户口状况人口

单位：人

地区	Region	人口数 Population 合计 Total	男 Male	女 Female	住本乡、镇、街道，户口在本乡、镇、街道 Residing in the Townships, Towns and Street Communities with Permanent Household Registration There 小计 Sub-total	男 Male	女 Female
全国	**National Total**	**1178521**	**598339**	**580182**	**1068230**	**542359**	**525870**
北京	Beijing	14813	7530	7284	8337	4248	4089
天津	Tianjin	10114	4986	5129	9466	4683	4783
河北	Hebei	62981	32103	30879	59692	30405	29286
山西	Shanxi	30779	15611	15167	28576	14522	14053
内蒙古	Inner Mongolia	21816	11185	10631	18932	9730	9202
辽宁	Liaoning	38988	19583	19405	35299	17835	17464
吉林	Jilin	24764	12527	12237	23010	11693	11317
黑龙江	Heilongjiang	34688	17540	17149	31283	15877	15405
上海	Shanghai	16854	8435	8420	11372	5745	5627
江苏	Jiangsu	69168	33709	35459	61187	29897	31290
浙江	Zhejiang	45900	23358	22543	37722	19094	18627
安徽	Anhui	55498	28469	27029	52576	26870	25706
福建	Fujian	32484	16342	16142	26620	13219	13401
江西	Jiangxi	39623	20253	19370	37527	19213	18313
山东	Shandong	84970	42513	42457	80614	40268	40346
河南	Henan	84906	42929	41978	82426	41680	40746
湖北	Hubei	51697	26215	25482	48978	24839	24138
湖南	Hunan	57648	29812	27835	55483	28681	26802
广东	Guangdong	85714	43920	41794	60608	30887	29721
广西	Guangxi	43252	22578	20674	41401	21627	19774
海南	Hainan	7665	4012	3653	6959	3671	3289
重庆	Chongqing	25545	12878	12667	23402	11867	11535
四川	Sichuan	73722	37341	36381	70508	35834	34674
贵州	Guizhou	34126	17736	16390	32247	16832	15415
云南	Yunnan	40947	21290	19658	38595	19883	18713
西藏	Tibet	2576	1253	1323	2559	1245	1314
陕西	Shaanxi	33999	17233	16766	32044	16243	15801
甘肃	Gansu	23739	12010	11730	23141	11719	11422
青海	Qinghai	5007	2524	2484	4612	2330	2282
宁夏	Ningxia	5533	2817	2716	5081	2589	2492
新疆	Xinjiang	19004	9649	9355	17974	9132	8842

Population by Sex, Household Registration Status and Region

(person)

住本乡、镇、街道半年以上，户口在外乡、镇、街道 Residing in Townships, Towns and Street Communities For More Than 6 Months, with Permanent Household Registration Elsewhere			住本乡、镇、街道不满半年，户口在外乡、镇、街道，离开户口登记地半年以上 Residing in Townships, Towns and Street Communities For Less Than 6 Months, with Permanent Household Registration Elsewhere, Having Been Away from That Places For More Than 6 Months.			住本乡、镇、街道，户口待定 Residing in Townships, Towns and Street Communities, with Place of Permanent Household Registration Unsettled		
小计 Sub-total	男 Male	女 Female	小计 Sub-total	男 Male	女 Female	小计 Sub-total	男 Male	女 Female
98143	**49482**	**48662**	**7150**	**3897**	**3252**	**4999**	**2601**	**2398**
6015	3022	2994	413	233	180	48	27	21
612	285	327	31	16	16	5	2	3
2919	1514	1404	221	105	116	150	78	72
1950	954	996	90	46	44	163	89	74
2638	1326	1312	172	90	82	74	39	35
3402	1607	1795	187	92	96	99	49	50
1638	777	861	74	32	42	43	25	18
3191	1547	1643	147	76	71	68	39	29
5216	2560	2656	233	112	120	33	17	16
7448	3512	3935	192	106	86	342	195	147
7564	3922	3643	372	227	144	243	115	128
2512	1394	1118	152	69	83	258	136	122
5086	2704	2382	384	211	173	395	209	186
1769	866	903	77	37	40	250	136	114
3945	2003	1942	198	111	87	213	132	81
2224	1104	1120	71	26	46	185	119	66
2424	1204	1220	157	105	52	138	66	72
1892	1002	890	119	62	57	154	68	86
21404	10992	10411	2978	1702	1276	724	338	386
1490	772	718	96	50	46	264	129	135
584	282	302	42	18	23	80	41	39
1945	916	1029	79	40	39	119	55	63
2850	1329	1521	100	42	58	264	135	129
1568	752	816	86	40	46	225	113	113
2019	1230	789	197	96	101	136	81	55
5	2	3	4	2	2	8	4	4
1720	859	861	80	51	29	155	80	74
507	249	258	47	23	24	45	19	25
334	162	172	34	18	16	28	13	14
380	192	189	38	20	18	34	17	17
892	443	449	81	40	40	57	33	24

2-49 各地区城市分性别的各种户口状况人口

单位：人

地 区	Region	人口数 Population			住本乡、镇、街道，户口在本乡、镇、街道 Residing in the Townships, Towns and Street Communities with Permanent Household Registration There		
		合计 Total	男 Male	女 Female	小计 Sub-total	男 Male	女 Female
全 国	**National Total**	**289367**	**144511**	**144856**	**218931**	**109078**	**109853**
北 京	Beijing	11830	6006	5824	5945	3038	2907
天 津	Tianjin	6460	3145	3315	5899	2884	3015
河 北	Hebei	9730	4767	4962	7618	3766	3852
山 西	Shanxi	7188	3514	3674	5883	2889	2994
内蒙古	Inner Mongolia	5969	3022	2946	4257	2129	2128
辽 宁	Liaoning	16707	8211	8496	14026	6915	7111
吉 林	Jilin	8817	4371	4446	7551	3759	3792
黑龙江	Heilongjiang	11840	5904	5936	9850	4944	4906
上 海	Shanghai	13625	6812	6813	8809	4464	4345
江 苏	Jiangsu	20873	10166	10707	16390	8125	8265
浙 江	Zhejiang	12723	6477	6246	8958	4480	4478
安 徽	Anhui	8178	4113	4065	6855	3442	3413
福 建	Fujian	6792	3420	3373	4019	1991	2028
江 西	Jiangxi	6565	3308	3257	5481	2781	2700
山 东	Shandong	19131	9429	9702	16237	7979	8258
河 南	Henan	15329	7634	7695	13945	6945	7000
湖 北	Hubei	13121	6466	6655	11126	5469	5657
湖 南	Hunan	10918	5645	5273	9507	4871	4636
广 东	Guangdong	34637	17573	17064	17424	8783	8642
广 西	Guangxi	5369	2810	2559	4165	2141	2024
海 南	Hainan	1369	700	669	977	511	466
重 庆	Chongqing	4261	2036	2225	3192	1551	1641
四 川	Sichuan	9313	4572	4741	7484	3650	3834
贵 州	Guizhou	3281	1629	1652	2365	1184	1181
云 南	Yunnan	4826	2584	2242	3159	1536	1623
西 藏	Tibet	394	172	222	394	172	222
陕 西	Shaanxi	7764	3846	3917	6634	3301	3334
甘 肃	Gansu	4335	2172	2163	3872	1953	1919
青 海	Qinghai	970	484	486	736	366	370
宁 夏	Ningxia	1305	651	654	1099	546	553
新 疆	Xinjiang	5747	2872	2875	5075	2517	2558

City Population by Sex, Household Registration Status and Region

(person)

住本乡、镇、街道半年以上，户口在外乡、镇、街道 Residing in Townships, Towns and Street Communities For More Than 6 Months, with Permanent Household Registration Elsewhere			住本乡、镇、街道不满半年，户口在外乡、镇、街道，离开户口登记地半年以上 Residing in Townships, Towns and Street Communities For Less Than 6 Months, with Permanent Household Registration Elsewhere, Having Been Away from That Places For More Than 6 Months.			住本乡、镇、街道，户口待定 Residing in Townships, Towns and Street Communities, with Place of Permanent Household Registration Unsettled		
小计 Sub-total	男 Male	女 Female	小计 Sub-total	男 Male	女 Female	小计 Sub-total	男 Male	女 Female
64828	**32390**	**32438**	**4523**	**2471**	**2051**	**1086**	**571**	**514**
5473	2737	2737	380	213	168	32	19	13
530	246	283	28	13	15	3	1	2
1931	924	1008	159	67	92	21	10	11
1209	572	637	61	34	27	35	18	17
1534	801	732	137	69	68	41	23	18
2519	1214	1305	129	63	67	33	20	13
1188	576	612	63	28	35	15	9	6
1872	903	968	98	48	50	21	9	12
4600	2241	2360	192	95	98	23	13	11
4287	1928	2359	141	77	65	55	36	19
3512	1852	1660	203	123	81	50	23	27
1201	616	586	98	45	53	24	11	14
2498	1286	1212	234	122	113	41	21	20
1004	488	516	45	22	23	34	17	18
2688	1321	1367	155	92	62	51	36	15
1317	658	658	35	9	26	33	22	11
1811	879	931	115	83	32	69	35	35
1306	721	585	82	44	38	24	9	14
15342	7728	7614	1586	933	653	285	129	156
1111	618	493	68	34	33	25	17	9
355	174	181	28	12	17	8	4	4
998	447	551	59	32	27	12	6	7
1763	886	877	49	26	23	16	10	7
842	410	432	50	24	27	24	12	12
1479	949	530	165	80	85	24	18	5
1058	508	550	36	20	16	36	18	18
404	193	211	38	17	21	21	8	13
203	101	102	25	13	12	6	4	3
182	93	89	21	11	10	3	1	2
609	319	290	42	23	20	20	13	6

2-50 各地区镇分性别的各种户口状况人口

单位：人

地 区	Region	人口数 Population			住本乡、镇、街道，户口在本乡、镇、街道 Residing in the Townships, Towns and Street Communities with Permanent Household Registration There		
		合计 Total	男 Male	女 Female	小计 Sub-total	男 Male	女 Female
全 国	**National Total**	**250330**	**126831**	**123499**	**228029**	**115183**	**112846**
北 京	Beijing	687	355	332	439	219	220
天 津	Tianjin	1258	620	638	1215	600	615
河 北	Hebei	15624	8136	7488	14950	7705	7245
山 西	Shanxi	6364	3243	3121	5929	3017	2912
内蒙古	Inner Mongolia	4972	2536	2436	4061	2091	1970
辽 宁	Liaoning	6374	3194	3180	5927	2972	2955
吉 林	Jilin	4347	2175	2173	4150	2077	2073
黑龙江	Heilongjiang	6857	3487	3370	6001	3033	2967
上 海	Shanghai	1325	668	657	1017	509	508
江 苏	Jiangsu	15925	7696	8229	14671	7072	7599
浙 江	Zhejiang	13532	6848	6684	10555	5300	5256
安 徽	Anhui	13300	6817	6483	12405	6367	6039
福 建	Fujian	9027	4532	4496	7097	3515	3581
江 西	Jiangxi	9205	4728	4477	8556	4404	4152
山 东	Shandong	20592	10352	10240	19743	9904	9838
河 南	Henan	13828	6914	6914	13137	6573	6564
湖 北	Hubei	9780	4924	4857	9341	4696	4645
湖 南	Hunan	12400	6361	6040	11980	6162	5818
广 东	Guangdong	19483	10213	9270	15050	7719	7331
广 西	Guangxi	10306	5286	5020	9990	5138	4851
海 南	Hainan	2249	1164	1085	2078	1075	1003
重 庆	Chongqing	8087	4056	4031	7297	3657	3639
四 川	Sichuan	16932	8375	8557	16372	8119	8253
贵 州	Guizhou	6356	3297	3059	5871	3058	2813
云 南	Yunnan	8113	4128	3985	7658	3893	3766
西 藏	Tibet	335	162	173	326	158	168
陕 西	Shaanxi	6046	3052	2994	5542	2806	2736
甘 肃	Gansu	3165	1574	1590	3130	1558	1572
青 海	Qinghai	1036	517	519	922	458	463
宁 夏	Ningxia	1131	575	556	966	494	473
新 疆	Xinjiang	1693	847	846	1654	833	821

Town Population by Sex, Household Registration Status and Region

(person)

住本乡、镇、街道半年以上，户口在外乡、镇、街道 Residing in Townships, Towns and Street Communities For More Than 6 Months, with Permanent Household Registration Elsewhere			住本乡、镇、街道不满半年，户口在外乡、镇、街道，离开户口登记地半年以上 Residing in Townships, Towns and Street Communities For Less Than 6 Months, with Permanent Household Registration Elsewhere, Having Been Away from That Places For More Than 6 Months.			住本乡、镇、街道，户口待定 Residing in Townships, Towns and Street Communities, with Place of Permanent Household Registration Unsettled		
小 计 Sub-total	男 Male	女 Female	小 计 Sub-total	男 Male	女 Female	小 计 Sub-total	男 Male	女 Female
19979	**10401**	**9578**	**1257**	**659**	**598**	**1065**	**587**	**477**
232	126	107	12	9	3	3	2	1
42	20	22				1		
604	387	217	23	10	13	48	34	13
392	202	190	6	2	3	37	21	16
877	428	449	20	10	10	14	7	7
396	197	200	37	20	18	13	6	7
184	91	94	6	2	4	7	5	2
806	426	380	45	26	19	6	2	4
275	144	131	31	14	17	2	1	1
1140	557	583	29	15	14	85	51	34
2762	1429	1332	130	80	51	84	39	45
796	400	396	32	14	18	66	36	30
1677	875	803	101	59	43	152	83	69
586	293	293	10	3	7	53	28	25
787	415	372	28	13	15	34	19	15
646	317	328	16	5	11	29	18	11
409	214	194	15	7	7	16	6	10
393	184	209	17	8	9	9	6	3
3756	2129	1627	558	292	265	119	73	46
246	111	135	20	13	8	50	24	25
143	76	67	9	4	5	18	9	10
722	365	356	17	6	11	52	27	25
507	230	277	26	10	16	26	15	12
430	209	221	13	8	5	41	21	20
405	207	199	13	5	8	37	24	13
2	1	1	4	2	2	2	1	1
445	212	233	16	10	6	44	24	20
30	16	14				5	1	4
103	53	51	7	4	3	4	3	2
147	73	74	13	7	6	4	2	2
37	14	23	1		1	1		1

2-51 各地区乡村分性别的各种户口状况人口

单位：人

地区	Region	人口数 Population			住本乡、镇、街道，户口在本乡、镇、街道 Residing in the Townships, Towns and Street Communities with Permanent Household Registration There		
		合计 Total	男 Male	女 Female	小计 Sub-total	男 Male	女 Female
全国	**National Total**	**638824**	**326997**	**311827**	**621269**	**318098**	**303171**
北京	Beijing	2296	1169	1127	1953	992	961
天津	Tianjin	2396	1220	1176	2351	1199	1152
河北	Hebei	37627	19199	18428	37124	18935	18189
山西	Shanxi	17227	8855	8372	16763	8616	8148
内蒙古	Inner Mongolia	10875	5627	5249	10614	5510	5104
辽宁	Liaoning	15907	8178	7729	15346	7948	7398
吉林	Jilin	11600	5981	5619	11309	5857	5451
黑龙江	Heilongjiang	15991	8149	7843	15432	7900	7532
上海	Shanghai	1905	954	950	1547	772	774
江苏	Jiangsu	32371	15848	16522	30126	14699	15427
浙江	Zhejiang	19645	10033	9612	18208	9315	8893
安徽	Anhui	34020	17539	16481	33316	17062	16255
福建	Fujian	16664	8391	8273	15504	7712	7791
江西	Jiangxi	23853	12217	11636	23489	12028	11461
山东	Shandong	45247	22733	22514	44633	22384	22249
河南	Henan	55750	28381	27369	55345	28162	27182
湖北	Hubei	28795	14826	13969	28511	14675	13836
湖南	Hunan	34329	17807	16522	33996	17648	16348
广东	Guangdong	31594	16134	15460	28134	14386	13749
广西	Guangxi	27577	14482	13095	27247	14348	12899
海南	Hainan	4047	2148	1900	3904	2085	1819
重庆	Chongqing	13196	6786	6410	12913	6658	6255
四川	Sichuan	47477	24395	23082	46652	24065	22587
贵州	Guizhou	24489	12810	11679	24011	12590	11421
云南	Yunnan	28008	14578	13430	27778	14454	13324
西藏	Tibet	1847	919	928	1839	915	924
陕西	Shaanxi	20189	10335	9854	19868	10136	9732
甘肃	Gansu	16240	8264	7977	16139	8208	7931
青海	Qinghai	3001	1522	1479	2954	1506	1448
宁夏	Ningxia	3098	1591	1507	3016	1549	1467
新疆	Xinjiang	11564	5930	5634	11245	5782	5462

Rural Population by Sex, Household Registration Status and Region

(person)

住本乡、镇、街道半年以上，户口在外乡、镇、街道 Residing in Townships, Towns and Street Communities For More Than 6 Months, with Permanent Household Registration Elsewhere			住本乡、镇、街道不满半年，户口在外乡、镇、街道，离开户口登记地半年以上 Residing in Townships, Towns and Street Communities For Less Than 6 Months, with Permanent Household Registration Elsewhere, Having Been Away from That Places For More Than 6 Months.			住本乡、镇、街道，户口待定 Residing in Townships, Towns and Street Communities, with Place of Permanent Household Registration Unsettled		
小 计 Sub-total	男 Male	女 Female	小 计 Sub-total	男 Male	女 Female	小 计 Sub-total	男 Male	女 Female
13337	**6690**	**6646**	**1370**	**767**	**603**	**2848**	**1442**	**1406**
310	159	151	20	11	9	13	6	7
40	18	22	4	2	1	1		1
383	203	180	39	28	11	81	34	47
349	180	169	23	9	14	92	50	41
227	97	131	15	11	5	19	9	9
487	196	291	20	9	11	53	24	30
266	110	155	5	2	3	21	12	9
513	218	295	5	2	3	41	28	13
341	175	166	9	4	6	8	3	4
2021	1027	994	22	14	8	202	108	94
1291	640	650	38	25	13	109	53	56
514	378	136	22	10	12	167	89	79
910	544	367	49	30	18	202	105	97
179	85	94	22	12	10	163	92	71
470	266	204	15	5	10	128	77	51
262	128	134	20	11	9	123	79	44
205	110	94	27	15	12	53	26	27
193	97	96	20	10	10	121	52	69
2306	1135	1171	834	477	357	320	136	183
133	43	90	8	3	5	189	88	101
86	32	53	4	2	1	54	28	26
225	104	122	4	2	2	54	22	32
579	213	366	25	6	18	221	111	111
296	132	164	22	8	14	160	79	80
135	74	60	19	11	8	76	39	37
2	1	2				6	3	3
217	139	78	29	21	8	75	38	36
73	40	33	9	6	3	19	10	8
28	9	19	1	1	1	17	7	10
51	26	25	4	2	2	27	14	13
245	110	135	37	18	19	37	20	17

2-52 各地区60岁及以上分性别、主要生活来源的人口

Population Aged 60 and Over by Sex, Main Source of Support and Region

单位：人 (person)

地区	Region	60岁及60岁以上人口 Population Aged 60 and over			劳动收入 Labour Income		
		合计 Total	男 Male	女 Female	小计 Sub-total	男 Male	女 Female
全　国	**National Total**	**164791**	**81082**	**83710**	**60502**	**35889**	**24612**
北　京	Beijing	2092	1002	1091	120	84	36
天　津	Tianjin	1770	842	928	175	110	65
河　北	Hebei	8387	4183	4204	3026	1935	1091
山　西	Shanxi	3613	1813	1801	1183	762	421
内蒙古	Inner Mongolia	2612	1343	1269	811	508	303
辽　宁	Liaoning	6331	3118	3213	1546	980	565
吉　林	Jilin	3362	1665	1697	789	524	266
黑龙江	Heilongjiang	4642	2286	2356	957	630	327
上　海	Shanghai	3088	1480	1608	158	105	53
江　苏	Jiangsu	11703	5492	6210	4570	2488	2082
浙　江	Zhejiang	7134	3593	3542	2312	1582	730
安　徽	Anhui	8785	4411	4373	3995	2388	1607
福　建	Fujian	4565	2234	2331	1182	817	366
江　西	Jiangxi	4941	2399	2542	1708	1089	618
山　东	Shandong	11989	5753	6236	5009	2889	2119
河　南	Henan	10077	4799	5278	4557	2561	1995
湖　北	Hubei	7822	3954	3868	3271	1929	1341
湖　南	Hunan	8981	4549	4432	3715	2283	1432
广　东	Guangdong	8876	4383	4494	2129	1392	736
广　西	Guangxi	5832	2842	2990	2671	1452	1219
海　南	Hainan	918	432	487	307	167	140
重　庆	Chongqing	4633	2340	2293	2314	1309	1005
四　川	Sichuan	12655	6313	6342	6075	3415	2660
贵　州	Guizhou	4113	2014	2099	2014	1080	935
云　南	Yunnan	4686	2250	2436	1892	1014	878
西　藏	Tibet	262	115	147	83	42	41
陕　西	Shaanxi	4894	2428	2466	1772	1081	691
甘　肃	Gansu	2926	1464	1462	1172	670	503
青　海	Qinghai	513	254	258	144	87	58
宁　夏	Ningxia	535	271	264	157	98	58
新　疆	Xinjiang	2053	1060	993	689	418	272

注：其他包括失业保险金、下岗生活费、内退生活费、原有积蓄、出租房屋及其他生活来源(以下表同)。

Note: Others include unemployment insurance payment ,subsistence allowances for laid-off workers,allowances for early retirement,previous savings, house-renting and other sources of support.The same applies to the tables following.

2-52 续表 1 continued

单位：人 (person)

地 区	Region	离退休金、养老金 Pensions for Retirement			最低生活保障金 Minimum Living Guarantee		
		小计 Sub-total	男 Male	女 Female	小计 Sub-total	男 Male	女 Female
全 国	**National Total**	**38051**	**22702**	**15350**	**3945**	**1816**	**2129**
北 京	Beijing	1539	798	740	29	14	15
天 津	Tianjin	1080	577	503	32	11	20
河 北	Hebei	1510	946	564	85	57	28
山 西	Shanxi	826	573	254	75	39	36
内蒙古	Inner Mongolia	619	430	189	181	90	91
辽 宁	Liaoning	2855	1574	1281	137	60	77
吉 林	Jilin	1225	742	483	151	42	109
黑龙江	Heilongjiang	1804	1160	644	254	69	186
上 海	Shanghai	2752	1333	1419	49	8	41
江 苏	Jiangsu	2841	1650	1190	253	123	129
浙 江	Zhejiang	1840	1022	818	136	76	60
安 徽	Anhui	1202	791	411	296	149	147
福 建	Fujian	832	534	297	96	59	38
江 西	Jiangxi	1012	632	380	127	56	71
山 东	Shandong	2083	1279	803	131	69	61
河 南	Henan	1255	801	454	207	106	101
湖 北	Hubei	1968	1118	850	115	50	65
湖 南	Hunan	1617	980	636	218	84	133
广 东	Guangdong	2038	1198	840	137	83	55
广 西	Guangxi	728	484	244	148	84	64
海 南	Hainan	251	141	111	43	20	23
重 庆	Chongqing	728	462	266	178	83	95
四 川	Sichuan	1775	1092	683	379	183	196
贵 州	Guizhou	466	318	149	151	71	80
云 南	Yunnan	600	394	206	95	41	54
西 藏	Tibet	9	7	3	7	3	4
陕 西	Shaanxi	1081	709	372	66	23	43
甘 肃	Gansu	534	352	182	57	22	35
青 海	Qinghai	126	84	42	10	3	6
宁 夏	Ningxia	156	104	53	17	5	12
新 疆	Xinjiang	699	417	282	84	33	51

注：其他包括失业保险金、下岗生活费、内退生活费、原有积蓄、出租房屋及其他生活来源(以下表同)。

Note: Others include unemployment insurance payment ,subsistence allowances for laid-off workers,allowances for early retirement,previous savings, house-renting and other sources of support.The same applies to the tables following.

2-52 续表 2 continued

单位：人 (person)

地区	Region	家庭其他成员供养 Supplied by Other Members of the Family			其他 Others		
		小计 Sub-total	男 Male	女 Female	小计 Sub-total	男 Male	女 Female
全国	**National Total**	**58873**	**19034**	**39839**	**3419**	**1641**	**1780**
北京	Beijing	385	95	290	22	11	10
天津	Tianjin	444	126	318	38	17	21
河北	Hebei	3601	1139	2463	165	106	59
山西	Shanxi	1424	381	1042	106	57	48
内蒙古	Inner Mongolia	925	283	642	77	33	44
辽宁	Liaoning	1674	447	1227	119	57	62
吉林	Jilin	1105	314	791	93	44	47
黑龙江	Heilongjiang	1497	376	1121	131	51	80
上海	Shanghai	104	25	79	26	10	16
江苏	Jiangsu	3834	1132	2702	206	98	108
浙江	Zhejiang	2604	784	1820	241	127	113
安徽	Anhui	3130	1004	2126	161	79	82
福建	Fujian	2405	799	1606	50	26	26
江西	Jiangxi	2022	592	1430	73	30	43
山东	Shandong	4545	1418	3127	222	97	124
河南	Henan	3775	1195	2580	284	136	149
湖北	Hubei	2357	805	1553	111	51	59
湖南	Hunan	3249	1113	2136	182	87	94
广东	Guangdong	4318	1582	2736	253	128	125
广西	Guangxi	2205	781	1424	79	40	38
海南	Hainan	299	96	203	18	6	11
重庆	Chongqing	1324	448	876	89	38	51
四川	Sichuan	4173	1498	2675	254	126	129
贵州	Guizhou	1420	523	897	62	24	38
云南	Yunnan	1980	743	1237	119	59	60
西藏	Tibet	150	58	92	12	5	7
陕西	Shaanxi	1866	569	1297	110	47	62
甘肃	Gansu	1115	402	713	48	20	29
青海	Qinghai	225	78	148	6	2	5
宁夏	Ningxia	195	60	136	9	3	5
新疆	Xinjiang	524	168	356	57	23	33

注：其他包括失业保险金、下岗生活费、内退生活费、原有积蓄、出租房屋及其他生活来源(以下表同)。

Note: Others include unemployment insurance payment ,subsistence allowances for laid-off workers,allowances for early retirement,previous savings, house-renting and other sources of support.The same applies to the tables following.

2-53 各地区城市60岁及以上分性别、主要生活来源的人口

City Population Aged 60 and Over by Sex, Main Source of Support and Region

单位：人 (person)

地 区	Region	60岁及60岁以上人口 Population Aged 60 and over			劳动收入 Labour Income		
		合计 Total	男 Male	女 Female	小计 Sub-total	男 Male	女 Female
全 国	**National Total**	**39839**	**19100**	**20739**	**2745**	**1820**	**925**
北 京	Beijing	1651	781	870	29	23	6
天 津	Tianjin	1368	650	718	42	28	14
河 北	Hebei	1585	757	829	123	92	31
山 西	Shanxi	868	432	436	38	30	8
内蒙古	Inner Mongolia	764	378	386	32	28	5
辽 宁	Liaoning	2852	1340	1512	134	91	43
吉 林	Jilin	1288	625	663	49	38	11
黑龙江	Heilongjiang	1877	882	995	83	56	27
上 海	Shanghai	2483	1196	1287	46	36	9
江 苏	Jiangsu	2994	1410	1584	370	223	146
浙 江	Zhejiang	1812	902	910	212	150	62
安 徽	Anhui	1132	557	575	69	51	18
福 建	Fujian	829	399	430	111	77	34
江 西	Jiangxi	897	452	445	45	39	7
山 东	Shandong	2614	1182	1433	245	166	79
河 南	Henan	1753	777	976	191	108	84
湖 北	Hubei	1974	959	1016	99	63	36
湖 南	Hunan	1561	777	783	58	31	27
广 东	Guangdong	2816	1342	1474	231	161	71
广 西	Guangxi	610	311	299	51	27	24
海 南	Hainan	132	64	68	10	7	3
重 庆	Chongqing	707	342	365	100	60	41
四 川	Sichuan	1278	619	659	148	86	63
贵 州	Guizhou	442	222	219	24	12	12
云 南	Yunnan	549	267	282	68	43	25
西 藏	Tibet	41	18	23	5	2	2
陕 西	Shaanxi	1147	545	602	61	40	21
甘 肃	Gansu	697	360	337	28	21	8
青 海	Qinghai	134	65	69	2	2	1
宁 夏	Ningxia	165	81	84	7	5	2
新 疆	Xinjiang	818	408	409	30	25	5

2-53 续表 1 continued

单位：人 (person)

地 区	Region	离退休金、养老金 Pensions for Retirement			最低生活保障金 Minimum Living Guarantee		
		小计 Sub-total	男 Male	女 Female	小计 Sub-total	男 Male	女 Female
全 国	**National Total**	**27268**	**14906**	**12362**	**827**	**233**	**594**
北 京	Beijing	1425	723	702	11	1	10
天 津	Tianjin	1039	552	487	24	6	18
河 北	Hebei	1095	592	502	5	2	3
山 西	Shanxi	563	351	212	18	7	12
内蒙古	Inner Mongolia	440	288	152	40	17	23
辽 宁	Liaoning	2346	1178	1168	41	11	30
吉 林	Jilin	941	525	416	49	11	38
黑龙江	Heilongjiang	1228	746	482	101	17	84
上 海	Shanghai	2354	1145	1208	38	4	34
江 苏	Jiangsu	1944	1000	944	77	20	56
浙 江	Zhejiang	1176	627	549	10	6	4
安 徽	Anhui	742	422	321	66	23	44
福 建	Fujian	470	259	211	3	2	1
江 西	Jiangxi	667	379	288	14	2	12
山 东	Shandong	1584	840	744	17	4	13
河 南	Henan	870	505	365	18	7	11
湖 北	Hubei	1541	811	730	36	7	28
湖 南	Hunan	1079	609	470	55	14	41
广 东	Guangdong	1449	809	641	5		5
广 西	Guangxi	389	242	147	1		1
海 南	Hainan	86	45	40	1		1
重 庆	Chongqing	427	238	189	38	17	22
四 川	Sichuan	817	438	379	67	23	44
贵 州	Guizhou	320	194	126	9	3	6
云 南	Yunnan	290	171	119	8	4	4
西 藏	Tibet	8	6	3	7	2	4
陕 西	Shaanxi	742	452	291	8		8
甘 肃	Gansu	476	302	174	25	8	16
青 海	Qinghai	94	58	37	3	1	2
宁 夏	Ningxia	112	71	41	6	1	5
新 疆	Xinjiang	554	328	226	25	11	13

2-53 续表 2 continued

单位：人 (person)

地 区	Region	家庭其他成员供养 Supplied by Other Members of the Family			其 他 Others		
		小计 Sub-total	男 Male	女 Female	小计 Sub-total	男 Male	女 Female
全 国	**National Total**	**8156**	**1796**	**6359**	**844**	**346**	**498**
北 京	Beijing	177	30	147	7	3	4
天 津	Tianjin	252	60	191	11	2	7
河 北	Hebei	340	59	281	24	13	13
山 西	Shanxi	221	35	186	27	10	17
内蒙古	Inner Mongolia	216	35	181	38	11	26
辽 宁	Liaoning	281	39	242	49	21	29
吉 林	Jilin	230	41	189	21	9	10
黑龙江	Heilongjiang	432	55	378	34	8	24
上 海	Shanghai	36	7	29	10	4	7
江 苏	Jiangsu	550	146	404	55	22	35
浙 江	Zhejiang	363	95	268	50	25	26
安 徽	Anhui	224	56	169	31	8	25
福 建	Fujian	232	55	177	15	7	8
江 西	Jiangxi	164	28	137	6	4	2
山 东	Shandong	695	149	546	74	23	52
河 南	Henan	574	120	454	98	36	62
湖 北	Hubei	271	63	208	27	13	13
湖 南	Hunan	316	94	222	52	28	23
广 东	Guangdong	1064	336	728	66	36	29
广 西	Guangxi	150	31	120	20	12	8
海 南	Hainan	30	9	21	4	2	2
重 庆	Chongqing	133	25	109	8	4	5
四 川	Sichuan	214	56	158	32	17	15
贵 州	Guizhou	85	13	72	4		4
云 南	Yunnan	163	42	122	20	7	13
西 藏	Tibet	18	6	12	2	2	
陕 西	Shaanxi	301	39	262	36	15	21
甘 肃	Gansu	159	25	133	9	3	6
青 海	Qinghai	32	5	28	2		2
宁 夏	Ningxia	36	3	33	3		3
新 疆	Xinjiang	195	39	157	15	7	9

2-54 各地区镇60岁及以上分性别、主要生活来源的人口

Town Population Aged 60 and Over by Sex, Main Source of Support and Region

单位：人 (person)

地区	Region	60岁及60岁以上人口 Population Aged 60 and over			劳动收入 Labour Income		
		合计 Total	男 Male	女 Female	小计 Sub-total	男 Male	女 Female
全　国	**National Total**	**32578**	**15791**	**16787**	**10326**	**6159**	**4167**
北　京	Beijing	80	37	42	4	3	1
天　津	Tianjin	124	58	67	21	15	7
河　北	Hebei	1866	945	921	711	451	259
山　西	Shanxi	646	323	323	153	101	52
内蒙古	Inner Mongolia	496	260	236	95	62	33
辽　宁	Liaoning	1030	512	517	242	162	80
吉　林	Jilin	642	306	336	99	71	28
黑龙江	Heilongjiang	915	438	477	121	68	52
上　海	Shanghai	216	103	113	41	22	19
江　苏	Jiangsu	2659	1257	1402	991	554	438
浙　江	Zhejiang	1762	857	905	468	340	127
安　徽	Anhui	1877	935	942	694	429	265
福　建	Fujian	1118	536	582	224	150	74
江　西	Jiangxi	1062	506	557	295	183	112
山　东	Shandong	2590	1253	1336	1048	606	442
河　南	Henan	1525	704	821	693	372	321
湖　北	Hubei	1288	623	665	451	259	192
湖　南	Hunan	1710	815	895	485	304	181
广　东	Guangdong	2107	1045	1062	482	331	151
广　西	Guangxi	1361	622	739	521	274	247
海　南	Hainan	281	129	152	75	42	32
重　庆	Chongqing	1291	632	660	487	285	202
四　川	Sichuan	2695	1319	1376	876	479	397
贵　州	Guizhou	693	339	354	241	135	106
云　南	Yunnan	975	476	499	297	154	143
西　藏	Tibet	39	18	22	17	9	9
陕　西	Shaanxi	775	367	408	245	150	95
甘　肃	Gansu	363	178	185	124	73	50
青　海	Qinghai	97	48	49	16	10	7
宁　夏	Ningxia	97	50	47	21	15	7
新　疆	Xinjiang	197	100	97	88	50	38

2-54 续表 1 continued

单位：人 (person)

地 区	Region	离退休金、养老金 Pensions for Retirement 小计 Sub-total	男 Male	女 Female	最低生活保障金 Minimum Living Guarantee 小计 Sub-total	男 Male	女 Female
全 国	**National Total**	**6968**	**4746**	**2222**	**1010**	**367**	**643**
北 京	Beijing	29	20	9	1		1
天 津	Tianjin	24	14	10	1		
河 北	Hebei	162	121	41	5	5	
山 西	Shanxi	167	132	35	7	3	3
内蒙古	Inner Mongolia	144	112	32	48	26	22
辽 宁	Liaoning	335	241	95	23	11	12
吉 林	Jilin	219	167	52	59	11	48
黑龙江	Heilongjiang	438	310	128	66	11	55
上 海	Shanghai	148	72	76			
江 苏	Jiangsu	511	341	170	68	34	34
浙 江	Zhejiang	436	251	185	50	21	29
安 徽	Anhui	310	232	78	86	29	57
福 建	Fujian	252	180	73	19	10	9
江 西	Jiangxi	266	179	87	46	18	29
山 东	Shandong	221	185	36	23	15	8
河 南	Henan	248	170	78	24	5	18
湖 北	Hubei	260	185	76	15	6	9
湖 南	Hunan	414	255	159	74	13	61
广 东	Guangdong	380	246	134	27	17	10
广 西	Guangxi	238	153	85	54	20	33
海 南	Hainan	88	50	38	13	6	7
重 庆	Chongqing	255	182	73	75	27	48
四 川	Sichuan	739	482	257	107	33	74
贵 州	Guizhou	81	64	17	48	24	24
云 南	Yunnan	229	148	81	34	12	22
西 藏	Tibet						
陕 西	Shaanxi	209	138	71	10	1	9
甘 肃	Gansu	42	35	8	7	2	5
青 海	Qinghai	27	22	5	2		2
宁 夏	Ningxia	28	22	6	4	1	3
新 疆	Xinjiang	66	38	27	13	3	10

2-54 续表 2 continued

单位：人 (person)

地 区	Region	家庭其他成员供养 Supplied by Other Members of the Family			其 他 Others		
		小计 Sub-total	男 Male	女 Female	小计 Sub-total	男 Male	女 Female
全 国	**National Total**	**13341**	**4033**	**9308**	**932**	**487**	**447**
北 京	Beijing	42	11	30	3	1	
天 津	Tianjin	69	25	43	9	3	7
河 北	Hebei	893	292	601	96	75	19
山 西	Shanxi	307	77	229	13	9	4
内蒙古	Inner Mongolia	187	48	139	22	12	10
辽 宁	Liaoning	411	92	319	18	7	12
吉 林	Jilin	251	53	198	14	4	10
黑龙江	Heilongjiang	270	39	231	21	10	11
上 海	Shanghai	15	4	11	12	5	7
江 苏	Jiangsu	1037	300	738	50	31	22
浙 江	Zhejiang	720	199	521	90	45	45
安 徽	Anhui	729	217	512	60	29	31
福 建	Fujian	608	188	420	16	8	8
江 西	Jiangxi	435	121	314	20	6	14
山 东	Shandong	1233	412	821	67	36	30
河 南	Henan	523	135	388	36	22	14
湖 北	Hubei	534	159	375	29	14	13
湖 南	Hunan	692	228	464	45	16	30
广 东	Guangdong	1159	416	743	58	34	23
广 西	Guangxi	521	164	357	27	10	16
海 南	Hainan	99	29	70	5	1	4
重 庆	Chongqing	443	125	318	29	11	19
四 川	Sichuan	877	275	603	95	50	46
贵 州	Guizhou	300	107	192	24	9	15
云 南	Yunnan	382	141	241	34	21	13
西 藏	Tibet	21	8	13			
陕 西	Shaanxi	290	69	221	22	10	12
甘 肃	Gansu	175	64	111	14	4	11
青 海	Qinghai	50	16	34	1		1
宁 夏	Ningxia	41	11	30	2		1
新 疆	Xinjiang	27	7	20	3	2	1

2-55 各地区乡村60岁及以上分性别、主要生活来源的人口

Rural Population Aged 60 and Over by Sex, Main Source of Support and Region

单位：人 (person)

地区	Region	60岁及60岁以上人口 Population Aged 60 and over			劳动收入 Labour Income		
		合计 Total	男 Male	女 Female	小计 Sub-total	男 Male	女 Female
全国	**National Total**	**92374**	**46190**	**46183**	**47431**	**27910**	**19520**
北京	Beijing	361	183	178	86	57	29
天津	Tianjin	277	134	143	111	68	44
河北	Hebei	4936	2481	2455	2192	1391	800
山西	Shanxi	2099	1058	1042	991	631	360
内蒙古	Inner Mongolia	1353	705	647	684	419	265
辽宁	Liaoning	2449	1266	1184	1170	728	443
吉林	Jilin	1432	734	698	641	415	226
黑龙江	Heilongjiang	1850	966	884	754	506	247
上海	Shanghai	390	181	208	72	47	25
江苏	Jiangsu	6049	2825	3225	3209	1711	1498
浙江	Zhejiang	3560	1834	1726	1632	1091	541
安徽	Anhui	5775	2919	2856	3232	1908	1324
福建	Fujian	2618	1299	1318	848	590	258
江西	Jiangxi	2981	1441	1540	1367	868	499
山东	Shandong	6785	3318	3467	3716	2117	1599
河南	Henan	6800	3319	3482	3672	2082	1591
湖北	Hubei	4560	2372	2188	2721	1607	1113
湖南	Hunan	5710	2957	2753	3172	1948	1224
广东	Guangdong	3954	1996	1958	1415	900	515
广西	Guangxi	3860	1909	1951	2099	1151	948
海南	Hainan	506	239	267	222	118	105
重庆	Chongqing	2635	1366	1269	1727	964	762
四川	Sichuan	8683	4375	4308	5051	2850	2201
贵州	Guizhou	2978	1453	1525	1749	933	816
云南	Yunnan	3162	1508	1654	1527	817	710
西藏	Tibet	182	79	103	61	31	30
陕西	Shaanxi	2971	1516	1455	1466	891	575
甘肃	Gansu	1866	926	940	1020	576	445
青海	Qinghai	281	141	140	126	75	50
宁夏	Ningxia	273	140	133	128	79	50
新疆	Xinjiang	1039	551	487	572	342	229

2-55 续表 1 continued

单位：人 (person)

地 区	Region	离退休金、养老金 Pensions for Retirement			最低生活保障金 Minimum Living Guarantee		
		小计 Sub-total	男 Male	女 Female	小计 Sub-total	男 Male	女 Female
全 国	**National Total**	**3815**	**3050**	**765**	**2108**	**1217**	**891**
北 京	Beijing	84	56	29	16	12	4
天 津	Tianjin	16	10	6	7	4	2
河 北	Hebei	253	232	21	75	50	24
山 西	Shanxi	96	90	7	50	29	21
内蒙古	Inner Mongolia	35	30	5	93	47	46
辽 宁	Liaoning	174	155	18	73	37	35
吉 林	Jilin	64	49	15	43	19	24
黑龙江	Heilongjiang	138	104	34	88	41	47
上 海	Shanghai	250	115	135	11	4	7
江 苏	Jiangsu	386	310	76	108	69	39
浙 江	Zhejiang	229	144	84	77	50	27
安 徽	Anhui	150	138	12	144	98	46
福 建	Fujian	109	96	14	74	46	28
江 西	Jiangxi	79	74	5	67	36	31
山 东	Shandong	278	254	24	91	51	40
河 南	Henan	137	126	11	165	93	71
湖 北	Hubei	167	123	44	65	36	28
湖 南	Hunan	124	117	7	89	58	31
广 东	Guangdong	209	143	66	106	66	40
广 西	Guangxi	101	89	12	93	63	30
海 南	Hainan	78	46	32	28	14	14
重 庆	Chongqing	46	42	4	65	39	26
四 川	Sichuan	219	172	47	205	127	78
贵 州	Guizhou	65	60	6	94	44	50
云 南	Yunnan	81	75	6	53	25	28
西 藏	Tibet	1	1				
陕 西	Shaanxi	130	120	10	48	22	26
甘 肃	Gansu	15	15	1	25	11	14
青 海	Qinghai	4	4		5	3	2
宁 夏	Ningxia	16	11	5	7	3	4
新 疆	Xinjiang	79	51	29	46	19	27

2-55 续表 2 continued

单位：人 (person)

地 区	Region	家庭其他成员供养 Supplied by Other Members of the Family			其 他 Others		
		小计 Sub-total	男 Male	女 Female	小计 Sub-total	男 Male	女 Female
全 国	**National Total**	**37377**	**13205**	**24172**	**1644**	**808**	**836**
北 京	Beijing	166	53	113	9	5	4
天 津	Tianjin	124	40	84	19	11	7
河 北	Hebei	2369	787	1581	48	20	28
山 西	Shanxi	896	269	627	66	39	28
内蒙古	Inner Mongolia	522	200	322	19	11	10
辽 宁	Liaoning	982	316	666	51	29	21
吉 林	Jilin	624	220	404	59	30	29
黑龙江	Heilongjiang	795	282	512	75	32	44
上 海	Shanghai	53	14	39	4	2	2
江 苏	Jiangsu	2246	686	1560	101	49	51
浙 江	Zhejiang	1521	490	1032	101	59	41
安 徽	Anhui	2177	732	1446	72	44	27
福 建	Fujian	1565	556	1009	21	11	10
江 西	Jiangxi	1422	443	979	47	20	27
山 东	Shandong	2618	857	1760	83	40	44
河 南	Henan	2677	940	1737	148	78	71
湖 北	Hubei	1552	583	969	55	23	32
湖 南	Hunan	2241	791	1450	84	43	40
广 东	Guangdong	2094	830	1265	129	57	73
广 西	Guangxi	1533	586	947	34	19	15
海 南	Hainan	170	58	111	7	2	4
重 庆	Chongqing	747	298	449	51	24	28
四 川	Sichuan	3081	1167	1914	127	59	67
贵 州	Guizhou	1035	403	632	35	14	21
云 南	Yunnan	1435	560	875	66	32	35
西 藏	Tibet	111	44	66	9	3	6
陕 西	Shaanxi	1275	461	814	53	23	30
甘 肃	Gansu	781	312	469	25	13	12
青 海	Qinghai	143	57	86	3	1	1
宁 夏	Ningxia	118	45	73	4	3	1
新 疆	Xinjiang	301	123	179	40	16	24

2-56 全国60岁及以上分年龄、性别、主要生活来源的人口

Population Aged 60 and Over by Age, Sex and Main Source of Support

单位：人 (person)

年龄 Age	60岁及60岁以上人口 Population Aged 60 and over			劳动收入 Labour Income		
	合计 Total	男 Male	女 Female	小计 Sub-total	男 Male	女 Female
合 计 Total	**164791**	**81082**	**83710**	**60502**	**35889**	**24612**
60-64	**52665**	**26756**	**25909**	**30358**	**17320**	**13038**
60	12290	6294	5996	7653	4393	3261
61	11195	5731	5464	6663	3791	2872
62	10403	5236	5167	5870	3302	2568
63	9745	4853	4892	5397	3028	2369
64	9031	4642	4389	4773	2805	1968
65-69	**39131**	**19798**	**19333**	**17086**	**10322**	**6763**
65	8450	4322	4128	4211	2512	1699
66	8133	4044	4089	3828	2241	1586
67	8241	4195	4046	3786	2287	1499
68	7781	3968	3813	3118	1945	1173
69	6526	3268	3257	2143	1337	806
70-74	**33208**	**16509**	**16699**	**8740**	**5561**	**3179**
70	7852	3968	3884	2441	1554	887
71	6814	3352	3461	1852	1123	729
72	6749	3392	3356	1799	1169	631
73	6178	3064	3114	1419	925	494
74	5616	2732	2884	1229	791	438
75-79						
75	5596	2695	2901	1042	646	397
76	4751	2267	2484	785	485	301
77	4167	2059	2109	634	414	219
78	4275	2044	2231	553	345	209
79	3134	1447	1687	282	170	112
80-84	**11646**	**5179**	**6467**	**805**	**487**	**318**
80	3259	1557	1701	273	180	93
81	2581	1100	1481	181	102	79
82	2148	966	1182	144	88	56
83	1991	842	1149	113	67	46
84	1667	714	953	94	50	44
85-89	**4758**	**1882**	**2876**	**190**	**123**	**67**
85	1437	605	832	72	48	24
86	1168	465	703	32	18	14
87	902	323	580	42	26	17
88	818	337	481	30	21	10
89	432	152	280	14	10	4
90-94	**1200**	**373**	**826**	**10**	**4**	**6**
90	412	146	266	2	1	1
91	272	82	190	3		3
92	227	71	156	1		1
93	172	49	123			
94	116	24	92	3	3	
95+	**262**	**73**	**189**	**17**	**13**	**4**

2-56 续表 1 continued

单位：人 (person)

年 龄 Age	离退休金、养老金 Pensions for Retirement			最低生活保障金 Minimum Living Guarantee		
	小计 Sub-total	男 Male	女 Female	小计 Sub-total	男 Male	女 Female
合 计 Total	**38051**	**22702**	**15350**	**3945**	**1816**	**2129**
60-64	**11054**	**6374**	**4680**	**789**	**392**	**397**
60	2384	1291	1092	149	79	70
61	2298	1332	966	152	87	65
62	2277	1363	914	153	61	92
63	2137	1250	887	162	77	85
64	1959	1138	821	174	88	86
65-69	**9617**	**5528**	**4089**	**801**	**406**	**396**
65	1948	1121	826	128	67	61
66	1969	1107	862	168	77	91
67	1987	1171	816	158	89	69
68	1983	1150	833	172	80	92
69	1730	978	752	175	92	84
70-74	**8480**	**5149**	**3331**	**948**	**470**	**478**
70	1980	1172	808	203	89	114
71	1792	1095	697	196	102	94
72	1752	1097	655	197	92	106
73	1570	960	610	188	99	89
74	1385	825	560	164	88	76
75-79						
75	1422	867	555	166	71	95
76	1236	758	478	141	53	88
77	1008	657	351	129	58	71
78	1025	674	351	160	72	88
79	739	479	260	111	45	66
80-84	**2455**	**1597**	**858**	**435**	**168**	**267**
80	701	452	248	118	58	60
81	571	369	202	88	30	58
82	444	302	142	78	31	46
83	422	266	156	88	28	60
84	318	208	110	64	20	43
85-89	**793**	**488**	**305**	**191**	**60**	**131**
85	231	149	82	55	24	31
86	218	133	85	35	8	27
87	148	90	58	38	9	29
88	119	70	49	41	12	29
89	77	46	31	21	5	15
90-94	**185**	**109**	**76**	**60**	**17**	**42**
90	54	29	25	20	5	15
91	46	34	12	10	1	8
92	37	21	16	13	7	6
93	30	16	15	10	3	6
94	18	9	9	6		6
95+	**37**	**22**	**16**	**14**	**5**	**9**

2-56 续表 2 continued

单位：人 (person)

年 龄 Age	家庭其他成员供养 Supplied by Other Members of the Family			其 他 Others		
	小计 Sub-total	男 Male	女 Female	小计 Sub-total	男 Male	女 Female
合 计 Total	**58873**	**19034**	**39839**	**3419**	**1641**	**1780**
60-64	**9542**	**2222**	**7320**	**923**	**449**	**472**
60	1874	421	1453	231	112	121
61	1916	433	1483	166	88	77
62	1917	427	1490	187	84	105
63	1865	412	1453	186	86	98
64	1971	530	1441	154	81	72
65-69	**10903**	**3194**	**7709**	**723**	**348**	**377**
65	1993	534	1459	169	88	82
66	2012	552	1460	155	66	89
67	2182	589	1593	128	59	69
68	2353	709	1644	156	83	72
69	2363	811	1552	115	51	64
70-74	**14281**	**4956**	**9325**	**759**	**373**	**386**
70	3052	1065	1987	176	88	88
71	2827	961	1866	146	72	75
72	2853	962	1891	147	73	75
73	2853	1002	1851	148	78	71
74	2697	966	1731	140	63	79
75-79						
75	2844	1043	1801	121	68	53
76	2482	918	1564	106	53	53
77	2285	872	1413	111	59	55
78	2425	903	1522	113	50	62
79	1930	726	1204	71	27	45
80-84	**7626**	**2775**	**4851**	**325**	**153**	**171**
80	2084	822	1262	84	46	38
81	1667	573	1094	74	25	48
82	1408	508	899	74	38	38
83	1323	462	861	46	20	27
84	1145	411	734	47	26	21
85-89	**3444**	**1155**	**2289**	**140**	**56**	**84**
85	1041	362	679	37	21	16
86	846	293	553	37	13	24
87	644	189	455	31	9	21
88	602	225	376	26	8	18
89	312	86	226	9	5	4
90-94	**925**	**238**	**687**	**19**	**4**	**15**
90	322	108	214	13	2	11
91	209	46	164	3	1	2
92	174	43	131	1		1
93	130	29	101	2	1	1
94	89	12	77			
95+	**186**	**32**	**154**	**7**	**1**	**6**

2-57 全国城市60岁及以上分年龄、性别、主要生活来源的人口

City Population Aged 60 and Over by Age, Sex and Main Source of Support

单位：人 (person)

年龄 Age	60岁及60岁以上人口 Population Aged 60 and over			劳动收入 Labour Income		
	合计 Total	男 Male	女 Female	小计 Sub-total	男 Male	女 Female
合计 Total	**39839**	**19100**	**20739**	**2745**	**1820**	**925**
60-64	**11915**	**5853**	**6062**	**1588**	**1053**	**535**
60	2782	1368	1415	492	337	155
61	2437	1244	1193	338	247	91
62	2417	1180	1238	316	188	128
63	2278	1078	1200	251	152	99
64	2001	984	1017	191	129	63
65-69	**9493**	**4471**	**5022**	**665**	**458**	**207**
65	1973	944	1029	212	143	69
66	1927	868	1059	135	88	47
67	1936	935	1001	135	91	43
68	1982	937	1044	131	98	33
69	1675	786	889	52	37	15
70-74	**8517**	**4071**	**4445**	**300**	**189**	**110**
70	1948	884	1064	81	55	25
71	1785	852	933	70	39	31
72	1720	846	874	56	34	23
73	1635	802	833	50	30	20
74	1429	686	742	43	31	11
75-79						
75	1385	669	716	39	26	13
76	1285	640	645	38	21	16
77	1111	564	548	31	25	6
78	1066	545	521	13	12	1
79	799	394	405	8	2	6
80-84	**2806**	**1310**	**1496**	**40**	**19**	**21**
80	763	371	392	12	10	3
81	677	303	374	9	3	6
82	533	254	279	8	2	6
83	477	217	260	5	3	2
84	355	165	190	6	1	5
85-89	**1106**	**461**	**644**	**15**	**7**	**8**
85	326	149	177	8	5	3
86	290	123	167			
87	217	81	136	4	1	3
88	181	68	113	3	1	2
89	92	41	52			
90-94	**287**	**99**	**187**			
90	84	23	61			
91	76	30	45			
92	53	27	27			
93	45	13	32			
94	29	6	23			
95+	**71**	**25**	**46**	**9**	**7**	**2**

2-57 续表 1 continued

单位：人 (person)

年龄 Age	离退休金、养老金 Pensions for Retirement			最低生活保障金 Minimum Living Guarantee		
	小计 Sub-total	男 Male	女 Female	小计 Sub-total	男 Male	女 Female
合计 Total	**27268**	**14906**	**12362**	**827**	**233**	**594**
60-64	**7774**	**4130**	**3644**	**183**	**66**	**118**
60	1725	890	835	35	10	26
61	1599	859	740	31	19	12
62	1570	858	712	33	12	20
63	1516	807	709	44	11	33
64	1364	716	648	40	14	26
65-69	**6740**	**3493**	**3247**	**149**	**48**	**100**
65	1332	696	635	22	8	14
66	1374	684	689	33	12	21
67	1394	744	650	30	13	17
68	1390	726	664	31	7	24
69	1250	642	608	33	8	25
70-74	**6180**	**3403**	**2776**	**188**	**50**	**138**
70	1387	727	660	53	11	41
71	1302	715	588	38	10	29
72	1250	711	540	42	10	32
73	1202	684	519	25	6	19
74	1038	567	471	30	12	18
75-79						
75	1030	570	459	32	10	22
76	920	519	402	27	3	24
77	761	468	293	33	11	22
78	757	461	296	33	7	26
79	558	339	219	23	6	17
80-84	**1809**	**1098**	**711**	**92**	**21**	**71**
80	506	302	204	21	7	14
81	438	260	177	15	3	12
82	328	211	117	21	6	15
83	312	187	124	17	1	16
84	225	137	88	19	3	16
85-89	**582**	**336**	**245**	**43**	**9**	**34**
85	172	111	61	8	4	5
86	164	90	74	8	3	5
87	107	61	46	10	1	9
88	85	46	39	13	3	11
89	54	29	25	4		4
90-94	**130**	**74**	**57**	**17**		**17**
90	36	17	19	8		8
91	34	24	10	2		2
92	27	16	11	2		2
93	22	10	12	4		4
94	12	6	5	2		2
95+	**27**	**15**	**12**	**5**	**1**	**5**

2-57 续表 2 continued

单位：人 (person)

年 龄 Age	家庭其他成员供养 Supplied by Other Members of the Family			其 他 Others		
	小计 Sub-total	男 Male	女 Female	小计 Sub-total	男 Male	女 Female
合 计 Total	**8156**	**1796**	**6359**	**844**	**346**	**498**
60-64	**2057**	**459**	**1598**	**312**	**145**	**168**
60	447	95	352	83	36	47
61	419	95	324	50	24	26
62	441	92	349	57	29	28
63	400	84	316	68	23	45
64	350	94	256	56	32	24
65-69	**1738**	**389**	**1349**	**201**	**82**	**119**
65	358	69	289	51	28	23
66	348	71	278	37	12	23
67	345	77	268	33	10	22
68	368	79	289	61	27	35
69	319	93	226	21	7	14
70-74	**1696**	**375**	**1321**	**154**	**54**	**100**
70	391	73	317	36	16	20
71	346	77	268	28	12	16
72	339	83	256	32	9	24
73	336	75	261	22	7	15
74	285	67	218	34	9	25
75-79						
75	263	52	211	21	10	10
76	280	88	192	19	9	10
77	263	49	214	22	10	13
78	246	56	190	18	7	10
79	199	43	155	12	3	8
80-84	**810**	**157**	**653**	**54**	**16**	**39**
80	212	46	165	11	4	6
81	199	36	164	17	1	16
82	163	31	132	14	5	9
83	139	23	116	6	4	2
84	98	21	76	8	3	5
85-89	**440**	**100**	**340**	**25**	**9**	**18**
85	132	28	105	6	2	3
86	110	26	84	8	4	4
87	95	19	77	1		1
88	73	18	55	8		8
89	30	10	20	4	2	2
90-94	**133**	**24**	**109**	**5**	**1**	**5**
90	36	6	30	4		4
91	39	6	33			
92	24	10	14			
93	19	3	17			
94	15		15			
95+	**30**	**3**	**27**			

2-58 全国镇60岁及以上分年龄、性别、主要生活来源的人口

Town Population Aged 60 and Over by Age, Sex and Main Source of Support

单位：人 (person)

年龄 Age	60岁及60岁以上人口 Population Aged 60 and over			劳动收入 Labour Income		
	合计 Total	男 Male	女 Female	小计 Sub-total	男 Male	女 Female
合 计 Total	**32578**	**15791**	**16787**	**10326**	**6159**	**4167**
60-64	**10718**	**5331**	**5387**	**5485**	**3185**	**2299**
60	2462	1215	1246	1375	802	573
61	2294	1155	1139	1186	679	507
62	2092	1018	1074	1043	599	443
63	2093	1015	1078	1080	595	485
64	1777	927	850	801	510	291
65-69	**7711**	**3886**	**3825**	**2796**	**1694**	**1103**
65	1651	842	809	658	393	265
66	1672	819	853	663	389	274
67	1598	820	778	620	387	234
68	1550	776	774	529	315	214
69	1240	628	612	325	210	115
70-74	**6372**	**3149**	**3223**	**1415**	**894**	**521**
70	1572	803	769	409	268	141
71	1319	633	686	312	183	129
72	1334	685	649	323	205	118
73	1126	540	586	217	141	77
74	1022	488	534	155	98	57
75-79						
75	1133	511	622	163	91	72
76	869	407	462	104	66	38
77	794	385	410	72	42	30
78	815	375	440	72	47	25
79	590	277	313	45	31	14
80-84	**2354**	**1019**	**1335**	**145**	**91**	**54**
80	684	305	379	46	33	13
81	518	237	281	40	25	16
82	454	178	276	24	16	8
83	366	159	208	19	11	9
84	332	139	192	15	7	8
85-89	**896**	**357**	**539**	**28**	**17**	**11**
85	282	118	163	10	5	5
86	209	79	131	4	4	
87	155	45	110	7	4	3
88	156	80	75	5	3	2
89	95	34	60	2	2	
90-94	**273**	**83**	**191**			
90	84	25	59			
91	58	18	39			
92	59	17	42			
93	51	16	35			
94	21	5	16			
95+	**52**	**12**	**39**			

2-58 续表 1 continued

单位：人 (person)

年 龄 Age	离退休金、养老金 Pensions for Retirement			最低生活保障金 Minimum Living Guarantee		
	小计 Sub-total	男 Male	女 Female	小计 Sub-total	男 Male	女 Female
合 计 Total	**6968**	**4746**	**2222**	**1010**	**367**	**643**
60-64	**2188**	**1387**	**801**	**216**	**76**	**140**
60	451	254	198	36	19	18
61	485	308	177	43	15	27
62	453	294	158	53	14	39
63	412	278	134	41	9	32
64	387	253	134	44	20	24
65-69	**1891**	**1235**	**656**	**224**	**93**	**132**
65	429	271	159	29	14	15
66	393	257	135	50	12	38
67	382	255	127	45	21	24
68	371	249	122	52	19	33
69	317	203	114	48	26	22
70-74	**1434**	**1039**	**395**	**231**	**101**	**130**
70	379	266	112	45	18	27
71	302	223	79	44	20	23
72	306	217	89	50	27	24
73	233	174	59	44	18	26
74	215	159	56	48	18	30
75-79						
75	239	171	68	36	13	23
76	202	149	53	40	7	32
77	153	106	47	30	8	22
78	175	135	40	36	15	21
79	120	88	32	28	12	16
80-84	**408**	**321**	**87**	**115**	**28**	**87**
80	134	99	35	32	10	23
81	91	79	12	23	3	20
82	66	54	12	21	7	14
83	65	48	17	25	6	18
84	52	42	10	14	3	12
85-89	**111**	**84**	**27**	**37**	**7**	**30**
85	36	24	12	12	2	10
86	24	22	3	6	2	5
87	17	14	4	6		6
88	19	15	5	9	3	5
89	14	10	4	4		4
90-94	**41**	**27**	**14**	**16**	**7**	**9**
90	12	7	5	1	1	
91	8	8		2	1	1
92	9	5	5	9	6	4
93	8	5	3	1		1
94	3	2	1	3		3
95+	**6**	**4**	**2**	**1**		**1**

2-58 续表 2 continued

单位：人 (person)

年 龄 Age	家庭其他成员供养 Supplied by Other Members of the Family			其 他 Others		
	小计 Sub-total	男 Male	女 Female	小计 Sub-total	男 Male	女 Female
合 计 Total	**13341**	**4033**	**9308**	**932**	**487**	**447**
60–64	**2551**	**531**	**2020**	**277**	**152**	**126**
60	525	103	422	73	37	36
61	523	120	403	58	33	25
62	484	83	402	59	28	32
63	504	97	408	56	36	19
64	515	129	385	31	16	15
65–69	**2620**	**773**	**1847**	**178**	**91**	**87**
65	486	141	345	48	24	24
66	520	141	379	46	19	28
67	525	145	380	25	12	13
68	563	168	395	35	25	10
69	526	178	348	24	11	13
70–74	**3097**	**1011**	**2086**	**194**	**104**	**90**
70	680	218	462	59	33	27
71	613	182	431	48	24	24
72	625	216	409	29	20	9
73	600	188	412	33	20	12
74	579	207	372	25	6	19
75–79						
75	666	218	448	28	17	12
76	495	171	323	29	14	15
77	502	206	296	36	23	15
78	495	164	331	36	15	22
79	379	137	242	19	8	11
80–84	**1590**	**531**	**1059**	**95**	**47**	**49**
80	441	150	291	31	14	17
81	343	121	222	19	10	10
82	323	92	231	19	10	10
83	248	89	159	10	5	5
84	235	79	156	15	8	7
85–89	**687**	**232**	**454**	**33**	**17**	**17**
85	211	79	133	11	8	3
86	165	50	115	10	2	9
87	117	25	92	9	4	5
88	120	57	63	2	2	
89	73	22	52	1	1	
90–94	**216**	**49**	**167**	**1**		**1**
90	71	17	54			
91	47	10	37	1		1
92	41	7	34			
93	42	11	31	1		1
94	15	3	11			
95+	**43**	**8**	**34**	**2**		**2**

2-59 全国乡村60岁及以上分年龄、性别、主要生活来源的人口

Rural Population Aged 60 and Over by Age, Sex and Main Source of Support

单位：人 (person)

年 龄 Age	60岁及60岁以上人口 Population Aged 60 and over			劳动收入 Labour Income		
	合计 Total	男 Male	女 Female	小计 Sub-total	男 Male	女 Female
合 计 Total	**92374**	**46190**	**46183**	**47431**	**27910**	**19520**
60-64	**30032**	**15572**	**14459**	**23285**	**13081**	**10204**
60	7046	3711	3335	5787	3253	2533
61	6464	3332	3132	5139	2865	2274
62	5894	3039	2855	4512	2515	1997
63	5375	2760	2615	4066	2281	1785
64	5252	2730	2522	3781	2167	1614
65-69	**21927**	**11441**	**10486**	**13624**	**8171**	**5453**
65	4825	2536	2290	3341	1976	1365
66	4534	2357	2177	3029	1764	1265
67	4707	2440	2267	3031	1809	1222
68	4250	2255	1995	2457	1532	925
69	3611	1854	1757	1766	1090	676
70-74	**18319**	**9288**	**9030**	**7025**	**4478**	**2547**
70	4332	2280	2052	1952	1231	721
71	3709	1867	1842	1470	901	568
72	3695	1861	1834	1420	930	490
73	3417	1722	1695	1152	755	397
74	3166	1558	1608	1031	662	370
75-79						
75	3078	1516	1563	841	528	312
76	2597	1221	1377	644	397	246
77	2262	1111	1151	531	347	183
78	2394	1124	1270	468	286	183
79	1745	777	968	229	137	92
80-84	**6486**	**2850**	**3636**	**620**	**377**	**243**
80	1812	881	930	214	137	77
81	1386	560	826	132	75	57
82	1161	533	628	112	70	42
83	1147	466	681	88	53	35
84	980	410	571	73	41	32
85-89	**2756**	**1064**	**1692**	**147**	**98**	**49**
85	830	337	492	53	38	15
86	669	264	405	28	14	14
87	531	197	334	32	21	11
88	481	189	293	22	17	6
89	245	77	168	12	8	4
90-94	**640**	**192**	**448**	**10**	**4**	**6**
90	245	99	146	2	1	1
91	139	34	105	3		3
92	114	27	87	1		1
93	76	20	56			
94	65	12	53	3	3	
95+	**139**	**36**	**104**	**8**	**6**	**2**

2-59 续表 1 continued

单位：人 (person)

年 龄 Age	离退休金、养老金 Pensions for Retirement			最低生活保障金 Minimum Living Guarantee		
	小计 Sub-total	男 Male	女 Female	小计 Sub-total	男 Male	女 Female
合 计 Total	**3815**	**3050**	**765**	**2108**	**1217**	**891**
60-64	**1092**	**856**	**235**	**390**	**250**	**140**
60	207	148	59	77	51	26
61	214	165	49	78	52	26
62	254	210	44	67	35	32
63	209	164	44	77	58	20
64	209	170	39	90	54	36
65-69	**986**	**800**	**186**	**428**	**265**	**164**
65	187	155	32	77	46	32
66	203	165	37	85	52	32
67	211	172	39	83	55	27
68	223	176	47	89	54	35
69	162	132	30	94	57	37
70-74	**866**	**707**	**159**	**529**	**319**	**210**
70	214	178	36	105	60	45
71	188	157	31	114	72	42
72	196	170	26	106	55	51
73	135	103	32	119	75	44
74	133	99	34	86	58	28
75-79						
75	153	125	28	98	48	50
76	114	91	23	74	43	32
77	93	82	11	66	38	28
78	93	78	15	91	50	41
79	61	52	9	60	27	33
80-84	**238**	**178**	**60**	**227**	**119**	**109**
80	60	51	9	64	41	23
81	42	30	12	51	24	27
82	50	37	13	37	19	18
83	45	30	15	46	21	25
84	41	29	12	30	14	16
85-89	**100**	**68**	**32**	**110**	**44**	**67**
85	23	14	9	35	19	16
86	29	21	8	21	4	17
87	24	16	8	22	9	14
88	15	9	6	19	6	13
89	8	7	2	13	5	7
90-94	**14**	**9**	**5**	**27**	**10**	**16**
90	6	5	1	12	5	7
91	4	2	2	6	1	5
92				3	2	1
93	1	1		5	3	2
94	3	1	2	1		1
95+	**5**	**3**	**2**	**8**	**4**	**3**

2-59 续表 2 continued

单位：人 (person)

年 龄 Age	家庭其他成员供养 Supplied by Other Members of the Family			其 他 Others		
	小计 Sub-total	男 Male	女 Female	小计 Sub-total	男 Male	女 Female
合 计 Total	**37377**	**13205**	**24172**	**1644**	**808**	**836**
60-64	**4934**	**1232**	**3702**	**331**	**154**	**178**
60	901	223	678	74	37	38
61	974	219	756	58	31	27
62	991	252	739	70	27	44
63	961	231	730	61	26	35
64	1107	307	800	66	32	34
65-69	**6545**	**2032**	**4512**	**343**	**173**	**171**
65	1149	324	825	71	36	36
66	1145	341	804	73	35	38
67	1312	367	945	71	36	34
68	1421	461	960	59	33	27
69	1518	540	978	71	35	36
70-74	**9488**	**3569**	**5918**	**411**	**215**	**196**
70	1981	773	1208	81	38	41
71	1868	701	1167	70	35	35
72	1889	662	1226	83	45	41
73	1918	740	1178	94	50	44
74	1833	692	1140	83	48	35
75-79						
75	1916	774	1142	71	39	30
76	1707	659	1048	58	31	26
77	1520	617	903	52	27	27
78	1683	682	1001	59	28	31
79	1353	545	807	41	15	26
80-84	**5226**	**2087**	**3139**	**175**	**91**	**85**
80	1431	625	806	42	27	15
81	1124	417	708	37	15	23
82	921	385	536	41	22	19
83	937	350	587	30	12	19
84	812	310	502	24	15	9
85-89	**2317**	**823**	**1494**	**82**	**32**	**50**
85	697	256	441	21	10	10
86	571	217	354	19	7	12
87	432	145	287	21	5	15
88	408	150	258	17	7	10
89	209	55	154	4	2	2
90-94	**576**	**165**	**411**	**13**	**4**	**9**
90	215	85	130	9	2	7
91	124	30	94	2	1	1
92	109	26	84	1		1
93	69	15	54	1	1	
94	59	9	50			
95+	**114**	**21**	**93**	**5**	**1**	**4**

第三部分

Chapter Three

2008 年劳动力抽样调查主要数据

Main Data from 2008 Labor Force Survey

3-1 分地区全国就业人员受教育程度构成

Educational Attainment of Employed Persons by Region

单位：% (%)

地 区	Region	就业人员 Employed Persons	男 Male	女 Female	未上过学 No Schooling	小学 Primary School	初中 Junior Secondary School	高中 Senior Secondary School	大学专科 College	大学本科 University	研究生及以上 Graduate and Higher Level
全 国	**National Total**	**100.0**	**53.6**	**46.4**	**5.3**	**27.4**	**47.7**	**12.7**	**4.4**	**2.3**	**0.21**
北 京	Beijing	100.0	57.7	42.3	1.0	7.1	34.0	25.2	14.4	15.3	3.09
天 津	Tianjin	100.0	53.3	46.7	1.3	12.6	41.9	27.3	9.8	6.4	0.77
河 北	Hebei	100.0	55.5	44.5	2.4	24.1	57.5	11.1	3.2	1.6	0.22
山 西	Shanxi	100.0	59.0	41.0	2.4	18.7	57.9	13.9	5.1	2.0	0.07
内蒙古	Inner Mongolia	100.0	56.7	43.3	5.9	25.8	47.3	13.2	5.6	2.1	0.05
辽 宁	Liaoning	100.0	55.5	44.5	1.5	21.4	52.0	13.4	6.9	4.6	0.23
吉 林	Jilin	100.0	55.8	44.2	1.7	24.1	49.3	17.2	4.7	2.8	0.16
黑龙江	Heilongjiang	100.0	55.6	44.4	1.7	22.5	54.3	15.0	4.5	1.9	0.06
上 海	Shanghai	100.0	57.7	42.3	1.1	8.5	34.6	26.5	14.7	12.8	1.71
江 苏	Jiangsu	100.0	49.8	50.2	4.5	24.5	50.2	14.2	4.3	2.1	0.20
浙 江	Zhejiang	100.0	57.1	42.9	5.9	30.7	42.4	12.0	5.6	3.1	0.20
安 徽	Anhui	100.0	53.4	46.6	11.3	30.2	46.6	7.9	2.9	1.1	0.07
福 建	Fujian	100.0	56.1	43.9	6.5	34.3	39.7	12.1	4.4	2.8	0.22
江 西	Jiangxi	100.0	52.7	47.3	4.1	31.8	43.0	14.3	4.9	1.9	0.10
山 东	Shandong	100.0	52.0	48.0	5.0	23.6	52.5	13.2	3.6	1.9	0.13
河 南	Henan	100.0	51.4	48.6	5.1	19.6	59.1	11.8	3.4	1.0	0.05
湖 北	Hubei	100.0	52.3	47.7	5.4	28.6	44.4	14.6	4.4	2.5	0.22
湖 南	Hunan	100.0	53.9	46.1	3.6	28.2	48.1	14.5	3.9	1.5	0.16
广 东	Guangdong	100.0	54.5	45.5	1.4	19.7	51.9	18.3	5.4	3.1	0.31
广 西	Guangxi	100.0	52.7	47.3	3.2	29.0	53.8	10.3	2.7	1.0	0.06
海 南	Hainan	100.0	53.7	46.3	5.6	19.3	53.9	15.2	4.2	1.7	0.23
重 庆	Chongqing	100.0	52.3	47.7	5.4	37.3	43.7	9.7	2.6	1.3	0.04
四 川	Sichuan	100.0	52.7	47.3	7.8	40.9	39.6	8.3	2.3	0.9	0.09
贵 州	Guizhou	100.0	52.6	47.4	12.6	39.0	38.0	5.8	3.1	1.3	0.05
云 南	Yunnan	100.0	53.2	46.8	10.9	47.4	32.5	6.1	2.1	0.9	0.02
西 藏	Tibet	100.0	50.7	49.3	35.5	52.0	11.2	1.0	0.3		
陕 西	Shaanxi	100.0	52.7	47.3	6.3	26.6	44.9	13.4	5.7	2.7	0.45
甘 肃	Gansu	100.0	51.8	48.2	16.8	33.7	35.5	8.9	3.5	1.6	0.12
青 海	Qinghai	100.0	53.0	47.0	15.0	38.5	28.2	9.0	6.1	3.0	0.14
宁 夏	Ningxia	100.0	53.7	46.3	8.5	27.2	43.9	11.1	6.3	2.9	0.10
新 疆	Xinjiang	100.0	54.7	45.3	3.2	29.7	45.2	10.6	7.6	3.6	0.12

资料来源：2008年11月劳动力调查资料(下表同)。
Data Source: Labor Force Survey in Nov.2008. The same applies to the tables following.

3-2 分地区全国男性就业人员受教育程度构成

Educational Attainment of Male Employed Persons by Region

单位: % (%)

地 区	Region	男 性 就业人员 Male Employed Persons	未上过学 No Schooling	小学 Primary School	初中 Junior Secondary School	高中 Senior Secondary School	大学专科 College	大学本科 University	研究生及以上 Graduate and Higher Level
全 国	**National Total**	**100.0**	**3.0**	**24.0**	**50.9**	**14.7**	**4.6**	**2.5**	**0.24**
北 京	Beijing	100.0	0.6	6.2	36.9	26.0	12.9	14.1	3.23
天 津	Tianjin	100.0	0.9	11.7	44.1	26.5	9.6	6.4	0.77
河 北	Hebei	100.0	1.4	20.9	59.9	12.6	3.3	1.6	0.23
山 西	Shanxi	100.0	1.6	16.0	60.3	15.3	4.9	1.9	0.05
内蒙古	Inner Mongolia	100.0	3.3	22.2	51.8	14.9	5.8	2.0	0.07
辽 宁	Liaoning	100.0	0.9	18.8	54.8	13.9	6.9	4.5	0.24
吉 林	Jilin	100.0	1.2	21.5	51.3	18.2	4.8	2.8	0.18
黑龙江	Heilongjiang	100.0	1.1	19.7	56.2	16.5	4.6	1.8	0.08
上 海	Shanghai	100.0	0.6	7.2	35.9	28.0	13.6	12.7	1.88
江 苏	Jiangsu	100.0	2.2	20.2	52.2	17.5	5.0	2.6	0.33
浙 江	Zhejiang	100.0	3.6	29.6	44.9	13.1	5.5	3.1	0.18
安 徽	Anhui	100.0	6.5	26.5	52.4	9.8	3.3	1.4	0.09
福 建	Fujian	100.0	2.2	30.2	45.4	14.2	4.7	3.0	0.30
江 西	Jiangxi	100.0	2.2	26.0	47.0	16.9	5.5	2.3	0.12
山 东	Shandong	100.0	2.7	18.7	55.9	16.2	4.1	2.2	0.18
河 南	Henan	100.0	3.1	15.7	62.0	14.4	3.7	1.1	0.04
湖 北	Hubei	100.0	3.2	24.7	47.4	16.6	4.8	3.0	0.26
湖 南	Hunan	100.0	2.1	25.0	50.1	16.6	4.2	1.8	0.17
广 东	Guangdong	100.0	0.6	15.8	53.0	21.3	5.5	3.5	0.35
广 西	Guangxi	100.0	1.5	24.5	57.4	12.5	2.8	1.2	0.08
海 南	Hainan	100.0	2.6	15.1	55.8	19.5	4.9	2.0	0.21
重 庆	Chongqing	100.0	3.4	34.7	46.3	11.2	2.9	1.4	0.06
四 川	Sichuan	100.0	4.6	39.3	42.7	9.6	2.6	1.1	0.10
贵 州	Guizhou	100.0	5.8	36.7	45.2	7.1	3.5	1.6	0.04
云 南	Yunnan	100.0	6.3	45.0	38.2	7.1	2.3	1.1	0.02
西 藏	Tibet	100.0	27.3	57.1	14.1	1.1	0.3		
陕 西	Shaanxi	100.0	4.2	22.5	48.4	15.3	6.0	3.1	0.55
甘 肃	Gansu	100.0	10.3	31.6	40.9	11.4	3.8	1.8	0.17
青 海	Qinghai	100.0	8.8	37.3	33.9	9.8	6.8	3.3	0.20
宁 夏	Ningxia	100.0	4.8	23.6	48.9	12.6	6.6	3.3	0.12
新 疆	Xinjiang	100.0	2.9	28.3	46.8	11.1	7.5	3.4	0.13

3-3 分地区全国女性就业人员受教育程度构成

Educational Attainment of Female Employed Persons by Region

单位：% (%)

地 区	Region	女 性 就业人员 Female Employed Persons	未上过学 No Schooling	小 学 Primary School	初 中 Junior Secondary School	高 中 Senior Secondary School	大学专科 College	大学本科 University	研究生及以上 Graduate and Higher Level
全 国	**National Total**	**100.0**	**7.9**	**31.3**	**44.1**	**10.4**	**4.1**	**2.0**	**0.17**
北 京	Beijing	100.0	1.4	8.3	30.0	24.1	16.5	16.8	2.89
天 津	Tianjin	100.0	1.6	13.7	39.4	28.1	10.0	6.4	0.77
河 北	Hebei	100.0	3.6	28.0	54.3	9.2	3.2	1.5	0.22
山 西	Shanxi	100.0	3.6	22.5	54.4	11.7	5.4	2.2	0.11
内蒙古	Inner Mongolia	100.0	9.4	30.6	41.3	11.0	5.5	2.2	0.02
辽 宁	Liaoning	100.0	2.2	24.7	48.4	12.8	7.0	4.6	0.21
吉 林	Jilin	100.0	2.4	27.2	46.8	16.1	4.6	2.7	0.14
黑龙江	Heilongjiang	100.0	2.3	26.1	52.0	13.2	4.4	2.0	0.03
上 海	Shanghai	100.0	1.8	10.2	33.0	24.5	16.1	12.9	1.46
江 苏	Jiangsu	100.0	6.7	28.8	48.3	10.8	3.6	1.7	0.07
浙 江	Zhejiang	100.0	8.9	32.2	39.2	10.6	5.7	3.1	0.22
安 徽	Anhui	100.0	16.7	34.4	40.0	5.7	2.4	0.7	0.06
福 建	Fujian	100.0	11.9	39.6	32.5	9.4	4.0	2.5	0.11
江 西	Jiangxi	100.0	6.2	38.3	38.5	11.3	4.1	1.5	0.08
山 东	Shandong	100.0	7.6	29.0	48.8	10.0	3.1	1.5	0.08
河 南	Henan	100.0	7.1	23.8	56.0	9.0	3.2	0.9	0.05
湖 北	Hubei	100.0	7.7	32.8	41.2	12.4	3.9	1.9	0.18
湖 南	Hunan	100.0	5.3	32.0	45.8	12.0	3.7	1.2	0.15
广 东	Guangdong	100.0	2.3	24.3	50.7	14.7	5.3	2.6	0.25
广 西	Guangxi	100.0	5.0	34.0	49.7	7.9	2.6	0.7	0.04
海 南	Hainan	100.0	9.1	24.2	51.7	10.2	3.4	1.2	0.20
重 庆	Chongqing	100.0	7.6	40.2	40.8	7.9	2.3	1.1	0.03
四 川	Sichuan	100.0	11.3	42.7	36.2	6.9	1.9	0.8	0.09
贵 州	Guizhou	100.0	20.2	41.6	30.0	4.4	2.7	1.0	0.06
云 南	Yunnan	100.0	16.1	50.2	26.2	5.0	1.9	0.7	0.01
西 藏	Tibet	100.0	44.0	46.8	8.1	0.7	0.3		
陕 西	Shaanxi	100.0	8.6	31.1	40.9	11.3	5.4	2.3	0.34
甘 肃	Gansu	100.0	23.8	35.9	29.7	6.1	3.2	1.3	0.06
青 海	Qinghai	100.0	22.0	39.9	21.7	8.2	5.4	2.6	0.15
宁 夏	Ningxia	100.0	12.6	31.4	37.9	9.4	6.0	2.5	0.14
新 疆	Xinjiang	100.0	3.6	31.5	43.3	9.9	7.8	3.8	0.10

3-4 按年龄、性别分的全国就业人员受教育程度构成

Educational Attainment of Employed Persons by Age and Sex

单位：% (%)

年龄 Age	就业人员 Employed Persons	未上过学 No Schooling	小学 Primary School	初中 Junior Secondary School	高中 Senior Secondary School	大学专科 College	大学本科 University	研究生及以上 Graduate and Higher Level
总计 Total	**100.0**	**5.3**	**27.4**	**47.7**	**12.7**	**4.4**	**2.3**	**0.2**
16-19	100.0	0.8	11.4	72.0	14.9	0.8	0.1	
20-24	100.0	0.8	9.1	61.5	19.0	6.7	3.0	0.1
25-29	100.0	0.9	10.6	56.2	17.5	8.8	5.4	0.6
30-34	100.0	1.4	16.0	56.0	14.9	7.3	3.9	0.4
35-39	100.0	1.8	21.2	56.3	12.7	5.1	2.8	0.3
40-44	100.0	2.5	25.0	54.7	11.7	3.9	2.1	0.2
45-49	100.0	3.5	26.5	46.3	18.0	3.7	1.8	0.2
50-54	100.0	7.3	41.7	35.8	11.4	2.7	1.0	0.1
55-59	100.0	11.7	54.4	26.7	5.1	1.5	0.6	
60-64	100.0	18.6	59.9	18.6	2.2	0.4	0.2	
65+	100.0	31.7	55.0	11.2	1.6	0.3	0.1	
男 Male	**100.0**	**3.0**	**24.0**	**50.9**	**14.7**	**4.6**	**2.5**	**0.2**
16-19	100.0	0.7	10.7	72.5	15.3	0.7	0.1	
20-24	100.0	0.5	8.1	61.8	20.5	6.2	2.8	0.1
25-29	100.0	0.6	9.0	57.2	18.8	8.4	5.4	0.6
30-34	100.0	0.9	12.9	57.3	16.7	7.6	4.1	0.5
35-39	100.0	0.9	16.4	59.0	14.6	5.5	3.2	0.3
40-44	100.0	1.2	18.9	58.6	13.8	4.4	2.8	0.2
45-49	100.0	1.5	18.8	50.9	21.9	4.4	2.3	0.3
50-54	100.0	3.0	33.2	43.5	15.6	3.5	1.2	0.1
55-59	100.0	5.5	48.3	35.4	7.6	2.3	0.9	0.1
60-64	100.0	9.4	60.6	25.6	3.3	0.6	0.3	
65+	100.0	20.7	60.9	15.5	2.3	0.4	0.2	
女 Female	**100.0**	**7.9**	**31.3**	**44.1**	**10.4**	**4.1**	**2.0**	**0.2**
16-19	100.0	0.9	12.2	71.3	14.5	0.9	0.2	
20-24	100.0	1.0	10.1	61.1	17.4	7.2	3.1	0.1
25-29	100.0	1.3	12.3	55.2	16.0	9.2	5.5	0.7
30-34	100.0	2.0	19.4	54.6	13.0	7.0	3.7	0.4
35-39	100.0	2.6	26.3	53.5	10.6	4.6	2.2	0.2
40-44	100.0	3.8	31.5	50.5	9.3	3.2	1.4	0.1
45-49	100.0	5.8	35.1	41.2	13.7	2.9	1.2	0.1
50-54	100.0	13.0	52.7	25.9	6.1	1.7	0.7	
55-59	100.0	20.2	62.6	15.0	1.6	0.4	0.2	
60-64	100.0	30.7	59.0	9.4	0.7	0.1	0.1	
65+	100.0	49.2	45.8	4.5	0.5	0.1		

3-5 按受教育程度、性别分的全国就业人员年龄构成

Age Composition of Employed Persons by Educational Attainment and Sex

单位：% (%)

年龄 Age	就业人员 Employed Persons	未上过学 No Schooling	小学 Primary School	初中 Junior Secondary School	高中 Senior Secondary School	大学专科 College	大学本科 University	研究生及以上 Graduate and Higher Level
总计 Total	**100.0**	**100.0**	**100.0**	**100.0**	**100.0**	**100.0**	**100.0**	**100.0**
16-19	3.5	0.5	1.4	5.2	4.1	0.6	0.2	0.1
20-24	8.6	1.2	2.8	11.0	12.8	13.2	11.2	2.1
25-29	9.7	1.7	3.7	11.4	13.3	19.5	23.2	28.3
30-34	10.7	2.9	6.2	12.5	12.5	17.8	18.4	21.9
35-39	14.4	4.8	11.1	16.9	14.3	16.6	17.4	18.0
40-44	15.0	7.0	13.6	17.1	13.7	13.2	14.0	13.2
45-49	10.8	7.2	10.4	10.5	15.3	9.1	8.3	9.1
50-54	10.6	14.7	16.1	8.0	9.5	6.6	4.6	4.6
55-59	8.0	17.7	15.9	4.5	3.2	2.7	2.1	1.9
60-64	4.4	15.4	9.6	1.7	0.8	0.4	0.4	0.5
65+	4.5	26.9	9.0	1.1	0.6	0.3	0.3	0.2
男 Male	**100.0**	**100.0**	**100.0**	**100.0**	**100.0**	**100.0**	**100.0**	**100.0**
16-19	3.4	0.8	1.5	4.9	3.6	0.5	0.2	
20-24	8.2	1.5	2.8	9.9	11.4	11.1	9.1	1.7
25-29	9.4	2.0	3.5	10.6	12.0	17.1	20.2	21.9
30-34	10.4	3.2	5.6	11.7	11.8	17.1	17.3	21.1
35-39	13.9	4.4	9.5	16.1	13.8	16.4	17.9	20.0
40-44	14.5	5.9	11.4	16.7	13.6	13.9	16.0	14.7
45-49	10.6	5.4	8.3	10.6	15.8	10.1	9.7	11.0
50-54	11.2	11.1	15.4	9.5	11.8	8.5	5.4	5.9
55-59	8.6	15.7	17.3	6.0	4.4	4.3	3.1	2.6
60-64	4.7	14.8	11.8	2.4	1.1	0.6	0.6	0.7
65+	5.1	35.4	13.0	1.6	0.8	0.5	0.4	0.2
女 Female	**100.0**	**100.0**	**100.0**	**100.0**	**100.0**	**100.0**	**100.0**	**100.0**
16-19	3.5	0.4	1.4	5.7	4.9	0.8	0.3	0.4
20-24	9.0	1.1	2.9	12.5	15.1	16.0	14.1	2.7
25-29	10.0	1.6	3.9	12.5	15.4	22.5	27.5	39.0
30-34	11.0	2.8	6.8	13.6	13.7	18.7	19.9	23.3
35-39	14.9	4.9	12.5	18.1	15.2	16.8	16.6	14.6
40-44	15.5	7.5	15.6	17.8	13.9	12.3	11.1	10.9
45-49	11.0	8.0	12.3	10.2	14.4	7.8	6.3	5.8
50-54	10.0	16.3	16.7	5.8	5.8	4.1	3.4	2.4
55-59	7.3	18.6	14.6	2.5	1.1	0.7	0.7	0.5
60-64	4.1	15.7	7.7	0.9	0.3	0.1	0.1	0.2
65+	3.7	23.2	5.5	0.4	0.2	0.1		0.2

3-6 按行业、性别分的全国就业人员受教育程度构成

Educational Attainment of Employed Persons by Sector and Sex

单位：% (%)

受教育程度	Educational Attainment	就业人员 Employed Persons	农、林、牧、渔业 Agriculture, Forestry, Animal Husbandry and Fishery	采矿业 Mining	制造业 Manu-facturing	电力、燃气及水的生产和供应业 Production and Distribution of Electricity, Gas and Water	建筑业 Construction	交通运输、仓储和邮政业 Transport, Storage and Post
总　计	**Total**	**100.0**	**100.0**	**100.0**	**100.0**	**100.0**	**100.0**	**100.0**
未上过学	No Schooling	5.3	8.2	0.9	1.1	0.2	1.5	0.6
小　学	Primary School	27.7	38.2	14.9	13.8	4.4	19.3	10.0
初　中	Junior Secondary School	47.8	47.9	56.5	56.0	30.2	60.0	55.4
高　中	Senior Secondary School	12.5	5.4	21.5	21.3	37.3	13.5	25.1
大学专科	College	4.3	0.3	4.4	5.4	17.7	4.0	6.4
大学本科	University	2.3	0.04	1.6	2.2	8.9	1.6	2.3
研究生及以上	Graduate and Higher Level	0.2		0.1	0.2	1.2	0.1	0.2
男	**Male**	**100.0**	**100.0**	**100.0**	**100.0**	**100.0**	**100.0**	**100.0**
未上过学	No Schooling	3.0	4.9	0.9	0.6	0.1	1.2	0.5
小　学	Primary School	24.3	34.7	15.4	11.4	4.4	18.9	10.3
初　中	Junior Secondary School	50.9	52.7	58.6	54.7	33.5	62.0	57.9
高　中	Senior Secondary School	14.5	7.3	19.4	24.4	37.1	13.2	24.3
大学专科	College	4.5	0.3	4.2	6.1	15.5	3.2	5.1
大学本科	University	2.5	0.1	1.5	2.6	8.1	1.3	1.8
研究生及以上	Graduate and Higher Level	0.2		0.1	0.2	1.2	0.1	0.2
女	**Female**	**100.0**	**100.0**	**100.0**	**100.0**	**100.0**	**100.0**	**100.0**
未上过学	No Schooling	8.0	11.5	1.3	1.8	0.2	3.6	1.1
小　学	Primary School	31.6	41.8	12.8	16.7	4.5	21.8	8.6
初　中	Junior Secondary School	44.1	43.0	47.6	57.6	22.1	45.2	41.1
高　中	Senior Secondary School	10.1	3.5	30.9	17.5	37.8	16.0	30.0
大学专科	College	4.0	0.2	5.2	4.6	23.3	9.4	13.7
大学本科	University	2.0		2.0	1.7	10.7	3.7	5.3
研究生及以上	Graduate and Higher Level	0.2		0.2	0.1	1.3	0.3	0.3

注：人口变动调查自2003年开始使用新国民经济行业分类(下表同)。

Note:The new industry classification has been used since 2003 in National Sampling Survey of Population Changes. The same applies to the tables following.

3-6 续表 1 continued

单位：% (%)

受教育程度	Educational Attainment	信息传输、计算机服务和软件业 Information Transmission, Computer Service and Software	批发和零售业 Wholesale and Retail Trades	住宿和餐饮业 Hotels and Catering Services	金融业 Financial Intermediation	房地产业 Real Estate	租赁和商务服务业 Leasing and Business Services	科学研究、技术服务和地质勘查业 Scientific Research, Technical Services, and Geological Prospecting
总　计	**Total**	**100.0**	**100.0**	**100.0**	**100.0**	**100.0**	**100.0**	**100.0**
未上过学	No Schooling	0.2	1.2	1.1		0.7	0.4	0.6
小　学	Primary School	2.2	12.2	12.4	1.5	7.9	6.0	2.9
初　中	Junior Secondary School	21.6	50.7	59.5	13.8	33.3	27.6	16.8
高　中	Senior Secondary School	28.2	26.7	22.3	28.5	29.1	29.8	23.3
大学专科	College	26.0	6.7	3.7	33.3	19.6	20.7	22.2
大学本科	University	19.6	2.3	1.0	20.8	8.7	14.1	28.1
研究生及以上	Graduate and Higher Level	2.1	0.1	0.1	2.1	0.6	1.4	6.2
男	**Male**	**100.0**	**100.0**	**100.0**	**100.0**	**100.0**	**100.0**	**100.0**
未上过学	No Schooling	0.2	0.8	0.5	0.0	0.7	0.5	
小　学	Primary School	2.6	11.7	9.4	1.6	7.1	6.1	3.0
初　中	Junior Secondary School	21.9	49.8	59.7	14.7	36.7	29.8	18.5
高　中	Senior Secondary School	27.4	27.3	25.0	28.2	29.5	30.9	24.2
大学专科	College	24.6	7.5	4.2	31.5	16.9	18.9	18.8
大学本科	University	20.9	2.8	1.2	22.0	8.6	12.6	29.1
研究生及以上	Graduate and Higher Level	2.5	0.1	0.1	2.0	0.7	1.3	6.4
女	**Female**	**100.0**	**100.0**	**100.0**	**100.0**	**100.0**	**100.0**	**100.0**
未上过学	No Schooling	0.3	1.6	1.7		0.9	0.4	1.5
小　学	Primary School	1.7	12.7	14.9	1.5	9.5	6.0	2.6
初　中	Junior Secondary School	21.1	51.6	59.3	12.8	27.3	24.7	13.9
高　中	Senior Secondary School	29.6	26.1	20.1	28.8	28.3	28.3	21.6
大学专科	College	28.5	6.0	3.2	35.1	24.7	23.1	28.0
大学本科	University	17.4	1.8	0.8	19.7	8.9	16.0	26.4
研究生及以上	Graduate and Higher Level	1.5	0.1		2.1	0.5	1.5	5.8

3-6 续表 2 continued

单位：% (%)

受教育程度	Educational Attainment	水利、环境和公共设施管理业 Management of Water Conservancy, Environment and Public Facilities	居民服务和其他服务业 Services to Households and Other Services	教育 Education	卫生、社会保障和社会福利业 Health, Social Securities and Social Welfare	文化、体育和娱乐业 Culture, Sports and Entertainment	公共管理和社会组织 Public Management and Social Organization	国际组织 International Organizations
总　计	**Total**	**100.0**	**100.0**	**100.0**	**100.0**	**100.0**	**100.0**	**100.0**
未上过学	No Schooling	2.2	1.7	0.2	0.3	0.4	0.4	
小　学	Primary School	14.4	14.3	2.0	2.5	6.7	2.8	
初　中	Junior Secondary School	37.6	55.2	9.7	16.2	33.6	14.4	33.3
高　中	Senior Secondary School	25.0	23.0	20.4	32.0	27.2	27.0	
大学专科	College	13.3	4.5	35.2	32.9	18.5	34.2	
大学本科	University	6.8	1.3	29.1	14.7	12.5	20.0	66.7
研究生及以上	Graduate and Higher Level	0.7	0.1	3.4	1.3	1.2	1.3	
男	**Male**	**100.0**	**100.0**	**100.0**	**100.0**	**100.0**	**100.0**	**100.0**
未上过学	No Schooling	1.2	1.0	0.1	0.3	0.1	0.3	
小　学	Primary School	12.6	12.6	2.0	2.7	6.2	2.8	
初　中	Junior Secondary School	37.8	57.0	8.9	19.6	32.2	15.2	
高　中	Senior Secondary School	26.2	23.8	20.3	30.9	28.8	26.4	
大学专科	College	14.1	4.2	33.1	28.7	20.1	34.2	
大学本科	University	7.6	1.4	31.6	16.0	11.2	19.8	100.0
研究生及以上	Graduate and Higher Level	0.6	0.1	4.0	1.8	1.3	1.3	
女	**Female**	**100.0**	**100.0**	**100.0**	**100.0**	**100.0**	**100.0**	**100.0**
未上过学	No Schooling	3.9	2.5	0.2	0.3	0.6	0.5	
小　学	Primary School	17.2	16.5	2.1	2.4	7.2	2.7	
初　中	Junior Secondary School	37.4	52.8	10.4	13.6	35.3	12.6	33.3
高　中	Senior Secondary School	23.0	22.0	20.4	33.0	25.1	28.3	
大学专科	College	11.9	4.8	36.8	36.3	16.6	34.4	
大学本科	University	5.7	1.3	27.1	13.6	14.1	20.5	66.7
研究生及以上	Graduate and Higher Level	0.8		2.9	0.9	1.1	1.1	

3-7 按职业、性别分的全国就业人员受教育程度构成

Educational Attainment of Employed Persons by Occupation and Sex

单位：% (%)

受教育程度	Educational Attainment	就业人员 Employed Persons	单位负责人 Unit Head	专业技术人员 Technical Personnel	办事人员和有关人员 Clerk and Related Workers	商业、服务业人员 Business Service Personnel	农林牧渔水利业生产人员 Producers in the Sectors of Agriculture, Forestry, Animal Husbandry, Fishery and Water Conservancy	生产运输设备操作人员及有关人员 Production, Transport Equipment Operators and Related Workers	其他 Others
总计	**Total**	**100.0**	**100.0**	**100.0**	**100.0**	**100.0**	**100.0**	**100.0**	**100.0**
未上过学	No Schooling	5.3	0.3	0.2	0.4	1.3	8.2	1.2	1.9
小学	Primary School	27.7	6.0	2.6	4.7	12.9	38.2	15.3	12.6
初中	Junior Secondary School	47.8	33.2	17.5	22.2	52.5	47.9	60.1	53.7
高中	Senior Secondary School	12.5	29.3	26.0	29.7	25.2	5.4	19.1	22.3
大学专科	College	4.3	18.7	30.3	27.0	5.9	0.2	3.3	5.8
大学本科	University	2.3	11.2	21.1	14.9	2.0		0.9	3.4
研究生及以上	Graduate and Higher Level	0.2	1.4	2.3	1.2	0.1		0.1	0.1
男	**Male**	**100.0**	**100.0**	**100.0**	**100.0**	**100.0**	**100.0**	**100.0**	**100.0**
未上过学	No Schooling	3.0	0.2	0.2	0.4	0.8	4.8	0.7	2.0
小学	Primary School	24.3	6.0	3.1	5.8	11.6	34.6	13.8	11.3
初中	Junior Secondary School	50.9	33.7	19.8	24.7	52.4	52.8	60.1	54.3
高中	Senior Secondary School	14.5	29.2	24.7	28.4	26.2	7.3	20.9	22.5
大学专科	College	4.5	18.3	27.4	25.5	6.5	0.3	3.5	5.6
大学本科	University	2.5	11.3	22.2	14.1	2.4	0.1	1.0	4.1
研究生及以上	Graduate and Higher Level	0.2	1.3	2.7	1.2	0.1		0.1	0.2
女	**Female**	**100.0**	**100.0**	**100.0**	**100.0**	**100.0**	**100.0**	**100.0**	**100.0**
未上过学	No Schooling	8.0	0.5	0.2	0.4	1.9	11.5	2.0	1.8
小学	Primary School	31.6	5.8	2.1	2.5	14.2	41.7	18.4	14.8
初中	Junior Secondary School	44.1	31.2	15.2	17.2	52.6	43.0	60.2	52.7
高中	Senior Secondary School	10.1	29.7	27.4	32.3	24.2	3.5	15.7	22.0
大学专科	College	4.0	20.6	33.4	29.9	5.4	0.2	2.8	6.2
大学本科	University	2.0	10.7	19.9	16.5	1.7		0.9	2.4
研究生及以上	Graduate and Higher Level	0.2	1.5	1.9	1.2	0.1		0.1	0.1

3-8 按受教育程度、性别分的全国就业人员职业构成

Occupation of Employed Persons by Educational Attainment and Sex

单位：% (%)

受教育程度	Educational Attainment	就业人员 Employed Persons	单位负责人 Unit Head	专业技术人员 Technical Personnel	办事人员和有关人员 Clerk and Related Workers	商业、服务业人员 Business Service Personnel	农林牧渔水利业生产人员 Producers in the Sectors of Agriculture, Forestry, Animal Husbandry, Fishery and Water Conservancy	生产运输设备操作人员及有关人员 Production, Transport Equipment Operators and Related Workers	其他 Others
总计	**Total**	**100.0**	**1.1**	**5.4**	**3.8**	**12.7**	**60.6**	**16.3**	**0.3**
未上过学	No Schooling	100.0	0.1	0.2	0.3	3.2	92.7	3.5	0.1
小学	Primary School	100.0	0.2	0.5	0.6	5.9	83.6	9.0	0.1
初中	Junior Secondary School	100.0	0.7	2.0	1.7	13.9	60.8	20.5	0.3
高中	Senior Secondary School	100.0	2.5	11.2	8.9	25.6	26.3	24.9	0.5
大学专科	College	100.0	4.6	38.1	23.6	17.6	3.4	12.4	0.4
大学本科	University	100.0	5.3	50.3	24.9	11.3	1.1	6.7	0.4
研究生及以上	Graduate and Higher Level	100.0	6.9	59.2	22.0	5.0	0.8	5.8	0.2
男	**Male**	**100.0**	**1.6**	**5.1**	**4.7**	**11.8**	**56.5**	**20.1**	**0.3**
未上过学	No Schooling	100.0	0.1	0.3	0.6	3.2	90.6	4.9	0.2
小学	Primary School	100.0	0.4	0.6	1.1	5.6	80.7	11.4	0.2
初中	Junior Secondary School	100.0	1.0	2.0	2.3	12.1	58.6	23.7	0.4
高中	Senior Secondary School	100.0	3.1	8.6	9.1	21.2	28.6	28.9	0.5
大学专科	College	100.0	6.3	30.6	26.2	17.0	4.0	15.5	0.4
大学本科	University	100.0	7.2	45.5	26.6	11.2	1.2	7.8	0.6
研究生及以上	Graduate and Higher Level	100.0	8.5	56.3	23.5	4.9	0.3	6.3	0.2
女	**Female**	**100.0**	**0.5**	**5.7**	**2.7**	**13.7**	**65.3**	**11.8**	**0.2**
未上过学	No Schooling	100.0	0.0	0.1	0.1	3.2	93.6	2.9	0.1
小学	Primary School	100.0	0.1	0.4	0.2	6.2	86.2	6.9	0.1
初中	Junior Secondary School	100.0	0.3	2.0	1.1	16.4	63.8	16.2	0.3
高中	Senior Secondary School	100.0	1.4	15.6	8.6	32.9	22.6	18.4	0.5
大学专科	College	100.0	2.4	47.9	20.2	18.4	2.5	8.2	0.4
大学本科	University	100.0	2.5	57.2	22.4	11.4	0.9	5.2	0.3
研究生及以上	Graduate and Higher Level	100.0	4.2	64.0	19.6	5.3	1.7	5.0	0.2

3-9 按年龄、性别分的全国就业人员就业身份构成

Employment Status of Employed Persons by Age and Sex

单位：% (%)

年 龄 Age	就业人员 Employed Persons	雇 员 Employee	雇 主 Employer	自营劳动者 Self-Employed	家庭帮工 Unpaid Familial Worker
总计 Total	**100.0**	**29.2**	**2.1**	**67.0**	**1.7**
16-19	100.0	36.8	0.5	60.4	2.3
20-24	100.0	42.8	1.1	53.7	2.4
25-29	100.0	43.0	2.2	52.6	2.2
30-34	100.0	38.1	2.9	57.1	1.9
35-39	100.0	33.6	2.9	61.6	1.9
40-44	100.0	29.2	2.7	66.2	1.8
45-49	100.0	28.9	2.6	66.8	1.7
50-54	100.0	21.1	1.9	75.7	1.3
55-59	100.0	13.8	1.2	83.9	1.0
60-64	100.0	6.3	0.8	92.1	0.9
65+	100.0	3.4	0.5	95.3	0.8
男 Male	**100.0**	**31.6**	**2.8**	**64.8**	**0.7**
16-19	100.0	34.2	0.6	62.8	2.5
20-24	100.0	43.4	1.4	53.0	2.3
25-29	100.0	44.3	2.8	51.7	1.2
30-34	100.0	40.2	3.9	55.3	0.6
35-39	100.0	35.9	4.0	59.8	0.4
40-44	100.0	32.1	3.8	63.9	0.3
45-49	100.0	33.2	3.6	62.9	0.2
50-54	100.0	27.8	2.7	69.2	0.4
55-59	100.0	20.2	1.8	77.7	0.3
60-64	100.0	8.9	1.1	89.5	0.5
65+	100.0	4.4	0.6	94.5	0.5
女 Female	**100.0**	**26.3**	**1.2**	**69.5**	**2.9**
16-19	100.0	39.7	0.3	57.8	2.2
20-24	100.0	42.2	0.7	54.4	2.7
25-29	100.0	41.7	1.5	53.5	3.2
30-34	100.0	35.8	1.8	59.0	3.3
35-39	100.0	31.1	1.8	63.7	3.5
40-44	100.0	26.1	1.5	68.8	3.5
45-49	100.0	24.2	1.4	71.2	3.3
50-54	100.0	12.4	0.9	84.1	2.6
55-59	100.0	5.2	0.4	92.4	1.9
60-64	100.0	2.8	0.4	95.4	1.4
65+	100.0	1.8	0.3	96.7	1.3

3-10 按就业身份、性别分的全国就业人员年龄构成

Age Composition of Employed Persons by Employment Status and Sex

单位：%　　(%)

年龄 Age	就业人员 Employed Persons	雇员 Employee	雇主 Employer	自营劳动者 Self-Employed	家庭帮工 Unpaid Familial Worker
总计 Total	**100.0**	**100.0**	**100.0**	**100.0**	**100.0**
16-19	3.4	4.3	0.8	3.1	4.6
20-24	8.4	12.3	4.3	6.7	12.0
25-29	9.6	14.2	10.1	7.6	12.1
30-34	10.7	13.9	14.8	9.1	11.8
35-39	14.4	16.5	20.1	13.2	15.5
40-44	15.0	15.0	19.5	14.8	16.0
45-49	10.8	10.7	13.2	10.8	10.5
50-54	10.7	7.7	9.6	12.1	8.3
55-59	8.1	3.8	4.7	10.1	4.8
60-64	4.4	1.0	1.7	6.1	2.3
65+	4.5	0.5	1.1	6.4	2.2
男 Male	**100.0**	**100.0**	**100.0**	**100.0**	**100.0**
16-19	3.4	3.6	0.7	3.2	12.3
20-24	8.0	11.0	4.0	6.6	26.6
25-29	9.4	13.1	9.3	7.5	16.7
30-34	10.4	13.2	14.2	8.9	9.6
35-39	13.9	15.8	19.7	12.8	7.5
40-44	14.5	14.7	19.4	14.3	5.8
45-49	10.7	11.2	13.7	10.3	3.9
50-54	11.2	9.8	10.6	12.0	5.8
55-59	8.6	5.5	5.5	10.4	4.5
60-64	4.7	1.3	1.8	6.5	3.4
65+	5.2	0.7	1.2	7.5	4.0
女 Female	**100.0**	**100.0**	**100.0**	**100.0**	**100.0**
16-19	3.5	5.2	0.9	2.9	2.6
20-24	8.9	14.2	5.4	6.9	8.0
25-29	9.9	15.7	12.4	7.6	10.9
30-34	10.9	14.8	16.4	9.3	12.4
35-39	14.9	17.6	21.4	13.7	17.6
40-44	15.6	15.4	19.5	15.4	18.7
45-49	11.0	10.1	12.1	11.3	12.2
50-54	10.0	4.7	6.9	12.2	9.0
55-59	7.4	1.5	2.6	9.8	4.9
60-64	4.1	0.4	1.4	5.7	2.0
65+	3.8	0.3	0.8	5.3	1.6

3-11 按受教育程度、性别分的全国就业人员就业身份构成
Employment Status of Employed Persons by Educational Attainment and Sex

单位: % (%)

受教育程度	Educational Attainment	就业人员 Employed Persons	雇员 Employee	雇主 Employer	自营劳动者 Self-Employed	家庭帮工 Unpaid Familial Worker
总 计	**Total**	**100.0**	**29.2**	**2.1**	**67.0**	**1.7**
未上过学	No Schooling	100.0	4.2	0.3	94.3	1.2
小 学	Primary School	100.0	10.1	0.9	87.7	1.4
初 中	Junior Secondary School	100.0	26.6	2.3	69.0	2.1
高 中	Senior Secondary School	100.0	58.3	4.3	35.3	2.1
大学专科	College	100.0	89.8	3.0	6.5	0.8
大学本科	University	100.0	95.6	2.2	2.0	0.2
研究生及以上	Graduate and Higher Level	100.0	96.3	2.4	1.2	0.1
男	**Male**	**100.0**	**31.6**	**2.8**	**64.8**	**0.7**
未上过学	No Schooling	100.0	5.7	0.5	93.3	0.5
小 学	Primary School	100.0	12.0	1.3	86.3	0.4
初 中	Junior Secondary School	100.0	27.4	3.0	68.8	0.8
高 中	Senior Secondary School	100.0	55.3	4.9	38.7	1.1
大学专科	College	100.0	88.0	3.9	7.6	0.5
大学本科	University	100.0	94.6	3.0	2.2	0.2
研究生及以上	Graduate and Higher Level	100.0	95.5	3.2	1.2	0.1
女	**Female**	**100.0**	**26.3**	**1.2**	**69.5**	**2.9**
未上过学	No Schooling	100.0	3.5	0.2	94.7	1.6
小 学	Primary School	100.0	8.4	0.5	88.9	2.2
初 中	Junior Secondary School	100.0	25.5	1.4	69.3	3.8
高 中	Senior Secondary School	100.0	63.3	3.3	29.7	3.7
大学专科	College	100.0	92.1	1.8	5.0	1.1
大学本科	University	100.0	96.9	1.1	1.7	0.3
研究生及以上	Graduate and Higher Level	100.0	97.6	1.1	1.3	

3-12 按就业身份、性别分的全国就业人员受教育程度构成

Educational Attainment of Employed Persons by Employment Status and Sex

单位：% (%)

受教育程度	Educational Attainment	就业人员 Employed Persons	雇员 Employee	雇主 Employer	自营劳动者 Self-Employed	家庭帮工 Unpaid Familial Worker
总 计	**Total**	**100.0**	**100.0**	**100.0**	**100.0**	**100.0**
未上过学	No Schooling	5.3	0.8	0.8	7.5	3.9
小 学	Primary School	27.7	9.6	11.5	36.2	21.8
初 中	Junior Secondary School	47.8	43.5	53.4	49.2	57.2
高 中	Senior Secondary School	12.5	24.9	25.6	6.6	15.0
大学专科	College	4.3	13.2	6.1	0.4	1.9
大学本科	University	2.3	7.4	2.4	0.1	0.3
研究生及以上	Graduate and Higher Level	0.2	0.7	0.2		
男	**Male**	**100.0**	**100.0**	**100.0**	**100.0**	**100.0**
未上过学	No Schooling	3.0	0.5	0.5	4.3	2.1
小 学	Primary School	24.3	9.2	11.1	32.3	13.7
初 中	Junior Secondary School	50.9	44.1	54.2	54.1	57.4
高 中	Senior Secondary School	14.5	25.4	25.2	8.7	22.8
大学专科	College	4.5	12.6	6.2	0.5	3.2
大学本科	University	2.5	7.4	2.6	0.1	0.6
研究生及以上	Graduate and Higher Level	0.2	0.7	0.3		
女	**Female**	**100.0**	**100.0**	**100.0**	**100.0**	**100.0**
未上过学	No Schooling	8.0	1.1	1.5	11.0	4.3
小 学	Primary School	31.6	10.1	12.6	40.5	23.9
初 中	Junior Secondary School	44.1	42.6	51.2	43.9	57.2
高 中	Senior Secondary School	10.1	24.3	26.8	4.3	12.8
大学专科	College	4.0	14.0	5.9	0.3	1.5
大学本科	University	2.0	7.3	1.8		0.2
研究生及以上	Graduate and Higher Level	0.2	0.6	0.2		

3-13 按年龄、性别分的城镇就业人员就业身份构成

Employment Status of Urban Employed Persons by Age and Sex

单位：% (%)

年龄 Age	城镇就业人员 Urban Employed Persons	雇员 Employee	雇主 Employer	自营劳动者 Self-Employed	家庭帮工 Unpaid Familial Worker
总计 Total	**100.0**	**54.3**	**3.9**	**39.0**	**2.8**
16-19	100.0	66.0	0.8	29.3	3.9
20-24	100.0	68.6	1.7	26.1	3.6
25-29	100.0	66.6	3.5	27.0	2.9
30-34	100.0	61.2	4.6	31.4	2.7
35-39	100.0	56.8	5.0	35.3	2.9
40-44	100.0	53.1	4.7	39.3	2.9
45-49	100.0	53.8	4.5	39.0	2.7
50-54	100.0	44.9	3.9	48.7	2.5
55-59	100.0	33.3	2.8	61.7	2.1
60-64	100.0	16.4	2.3	79.2	2.1
65+	100.0	9.6	1.4	87.0	2.0
男 Male	**100.0**	**55.8**	**5.0**	**38.1**	**1.1**
16-19	100.0	61.5	1.0	33.3	4.3
20-24	100.0	67.4	2.2	27.1	3.3
25-29	100.0	66.3	4.2	27.9	1.5
30-34	100.0	61.3	6.0	31.9	0.8
35-39	100.0	57.4	6.5	35.5	0.6
40-44	100.0	54.7	6.2	38.6	0.4
45-49	100.0	57.3	5.9	36.4	0.4
50-54	100.0	52.8	4.9	41.7	0.6
55-59	100.0	43.2	3.7	52.4	0.7
60-64	100.0	22.2	3.0	73.6	1.2
65+	100.0	12.4	1.7	84.5	1.4
女 Female	**100.0**	**52.5**	**2.5**	**40.0**	**5.0**
16-19	100.0	70.8	0.6	25.1	3.5
20-24	100.0	70.0	1.2	24.9	3.9
25-29	100.0	66.9	2.6	26.0	4.4
30-34	100.0	61.1	3.1	30.9	4.9
35-39	100.0	56.2	3.3	35.1	5.4
40-44	100.0	51.2	3.0	40.0	5.8
45-49	100.0	49.6	2.7	42.2	5.5
50-54	100.0	31.6	2.1	60.6	5.6
55-59	100.0	14.8	1.3	79.2	4.7
60-64	100.0	7.8	1.2	87.5	3.4
65+	100.0	5.0	0.9	91.0	3.0

3-14 按就业身份、性别分的城镇就业人员年龄构成

Age Composition of Urban Employed Persons by Employment Status and Sex

单位：% (%)

年　龄 Age	城　镇 就业人员 Urban Employed Persons	雇　员 Employee	雇　主 Employer	自营劳动者 Self-Employed	家庭帮工 Unpaid Familial Worker
总计 Total	**100.0**	**100.0**	**100.0**	**100.0**	**100.0**
16-19	2.8	3.4	0.6	2.1	3.9
20-24	8.9	11.3	3.9	6.0	11.4
25-29	11.8	14.4	10.5	8.2	12.2
30-34	12.8	14.4	15.3	10.3	12.3
35-39	16.2	17.0	20.9	14.7	16.5
40-44	15.8	15.4	19.3	15.9	16.4
45-49	11.5	11.4	13.3	11.5	11.0
50-54	9.6	7.9	9.5	12.0	8.5
55-59	5.9	3.6	4.4	9.4	4.4
60-64	2.5	0.8	1.5	5.1	1.9
65+	2.2	0.4	0.8	4.9	1.6
男 Male	**100.0**	**100.0**	**100.0**	**100.0**	**100.0**
16-19	2.6	2.8	0.5	2.3	10.4
20-24	8.2	9.9	3.6	5.8	25.8
25-29	11.1	13.2	9.5	8.1	16.0
30-34	12.4	13.7	14.9	10.4	9.6
35-39	15.7	16.2	20.5	14.6	9.3
40-44	15.3	15.0	19.1	15.5	6.4
45-49	11.5	11.8	13.7	11.0	4.9
50-54	10.9	10.3	10.7	11.9	6.4
55-59	7.0	5.4	5.2	9.6	4.7
60-64	2.7	1.1	1.6	5.3	3.2
65+	2.4	0.5	0.9	5.4	3.2
女 Female	**100.0**	**100.0**	**100.0**	**100.0**	**100.0**
16-19	3.1	4.2	0.8	1.9	2.2
20-24	9.8	13.0	4.7	6.1	7.6
25-29	12.6	16.0	13.1	8.2	11.2
30-34	13.3	15.5	16.4	10.3	13.0
35-39	16.8	18.0	22.1	14.8	18.4
40-44	16.3	15.9	19.8	16.3	19.1
45-49	11.4	10.8	12.4	12.1	12.5
50-54	8.0	4.8	6.7	12.1	9.0
55-59	4.6	1.3	2.4	9.1	4.4
60-64	2.3	0.3	1.1	5.0	1.5
65+	1.9	0.2	0.6	4.2	1.1

3-15 按受教育程度、性别分的城镇就业人员就业身份构成

Employment Status of Urban Employed Persons by Educational Attainment and Sex

单位：% (%)

受教育程度	Educational Attainment	城镇就业人员 Urban Employed Persons	雇员 Employee	雇主 Employer	自营劳动者 Self-Employed	家庭帮工 Unpaid Familial Worker
总　计	**Total**	**100.0**	**54.3**	**3.9**	**39.0**	**2.8**
未上过学	No Schooling	100.0	12.2	1.1	83.4	3.2
小　学	Primary School	100.0	23.7	2.4	70.6	3.3
初　中	Junior Secondary School	100.0	46.0	4.3	46.1	3.6
高　中	Senior Secondary School	100.0	72.7	5.3	19.7	2.3
大学专科	College	100.0	91.8	3.1	4.4	0.7
大学本科	University	100.0	96.0	2.2	1.5	0.2
研究生及以上	Graduate and Higher Level	100.0	96.8	2.4	0.8	
男	**Male**	**100.0**	**55.8**	**5.0**	**38.1**	**1.1**
未上过学	No Schooling	100.0	16.2	1.9	80.9	1.1
小　学	Primary School	100.0	26.4	3.4	69.3	1.0
初　中	Junior Secondary School	100.0	46.3	5.5	47.0	1.2
高　中	Senior Secondary School	100.0	70.7	6.1	21.9	1.2
大学专科	College	100.0	90.4	4.0	5.1	0.5
大学本科	University	100.0	95.1	3.0	1.7	0.2
研究生及以上	Graduate and Higher Level	100.0	95.7	3.1	1.1	
女	**Female**	**100.0**	**52.5**	**2.5**	**40.0**	**5.0**
未上过学	No Schooling	100.0	10.5	0.8	84.5	4.2
小　学	Primary School	100.0	21.2	1.4	71.9	5.5
初　中	Junior Secondary School	100.0	45.6	2.8	44.9	6.6
高　中	Senior Secondary School	100.0	75.6	4.0	16.5	4.0
大学专科	College	100.0	93.6	1.9	3.5	1.0
大学本科	University	100.0	97.3	1.1	1.3	0.3
研究生及以上	Graduate and Higher Level	100.0	98.5	1.1	0.4	

3-16 按就业身份、性别分的城镇就业人员受教育程度构成

Educational Attainment of Urban Employed Persons by Employment Status and Sex

单位：% (%)

受教育程度	Educational Attainment	城镇就业人员 Urban Employed Persons	雇员 Employee	雇主 Employer	自营劳动者 Self-Employed	家庭帮工 Unpaid Familial Worker
总计	**Total**	**100.0**	**100.0**	**100.0**	**100.0**	**100.0**
未上过学	No Schooling	2.4	0.5	0.7	5.2	2.8
小学	Primary School	16.3	7.1	10.0	29.6	19.3
初中	Junior Secondary School	45.2	38.2	50.1	53.4	57.8
高中	Senior Secondary School	20.8	27.9	28.3	10.5	17.4
大学专科	College	9.5	16.0	7.5	1.1	2.4
大学本科	University	5.3	9.3	3.1	0.2	0.4
研究生及以上	Graduate and Higher Level	0.5	0.9	0.3		
男	**Male**	**100.0**	**100.0**	**100.0**	**100.0**	**100.0**
未上过学	No Schooling	1.3	0.4	0.5	2.8	1.4
小学	Primary School	14.3	6.8	9.7	26.0	13.1
初中	Junior Secondary School	46.1	38.2	50.5	56.7	53.7
高中	Senior Secondary School	22.5	28.5	27.8	12.9	26.5
大学专科	College	9.6	15.5	7.7	1.3	4.4
大学本科	University	5.6	9.6	3.4	0.2	0.9
研究生及以上	Graduate and Higher Level	0.6	1.0	0.4		
女	**Female**	**100.0**	**100.0**	**100.0**	**100.0**	**100.0**
未上过学	No Schooling	3.8	0.8	1.3	8.0	3.2
小学	Primary School	18.8	7.6	10.7	33.8	20.9
初中	Junior Secondary School	44.0	38.2	49.1	49.4	58.8
高中	Senior Secondary School	18.8	27.0	29.6	7.7	15.0
大学专科	College	9.3	16.6	6.9	0.8	1.9
大学本科	University	4.9	9.0	2.2	0.2	0.3
研究生及以上	Graduate and Higher Level	0.4	0.8	0.2		

3-17 按年龄、性别分的城镇就业人员行业构成

Urban Employed Persons by Age, Sex and Sector

单位：%　　　　(%)

年　龄 Age	城　镇 就业人员 Urban Employed Persons	农、林、牧、渔业 Agriculture, Forestry, Animal Husbandry and Fishery	采矿业 Mining	制造业 Manu-facturing	电力、燃气及水的生产和供应业 Production and Distribution of Electricity, Gas and Water	建筑业 Construction	交通运输、仓储和邮政业 Transport, Storage and Post
总计　Total	**100.0**	**27.5**	**1.4**	**20.9**	**1.3**	**4.7**	**5.3**
16-19	100.0	25.5	0.5	35.7	0.3	2.9	2.0
20-24	100.0	19.1	0.8	29.5	1.1	3.3	3.8
25-29	100.0	16.6	1.1	24.8	1.3	4.0	5.4
30-34	100.0	17.8	1.4	23.1	1.4	4.5	6.3
35-39	100.0	21.5	1.8	22.7	1.6	5.4	6.3
40-44	100.0	25.6	1.8	20.5	1.5	5.9	6.2
45-49	100.0	26.9	1.9	18.4	1.5	5.4	6.3
50-54	100.0	37.3	1.4	14.7	1.3	5.2	5.3
55-59	100.0	52.0	0.8	11.7	0.7	4.2	3.7
60-64	100.0	70.5	0.5	7.2	0.3	3.0	1.4
65+	100.0	79.9	0.2	4.7	0.1	1.4	0.7
男　Male	**100.0**	**24.3**	**1.9**	**21.0**	**1.6**	**7.3**	**8.0**
16-19	100.0	28.2	0.8	33.9	0.5	5.2	3.3
20-24	100.0	18.7	1.1	30.7	1.3	5.3	5.9
25-29	100.0	14.7	1.6	25.4	1.7	6.4	8.3
30-34	100.0	15.8	1.9	22.9	1.7	7.0	9.7
35-39	100.0	18.8	2.5	21.9	2.0	8.3	9.6
40-44	100.0	22.0	2.5	19.4	1.8	9.1	9.5
45-49	100.0	22.0	2.7	19.0	1.9	8.2	9.3
50-54	100.0	28.5	2.0	17.3	1.8	7.7	7.7
55-59	100.0	41.2	1.1	14.6	1.0	6.0	5.3
60-64	100.0	62.4	0.7	9.4	0.5	4.8	2.1
65+	100.0	76.1	0.2	5.3	0.2	2.2	1.0
女　Female	**100.0**	**31.4**	**0.7**	**20.9**	**0.9**	**1.6**	**2.0**
16-19	100.0	22.6	0.3	37.5	0.2	0.5	0.7
20-24	100.0	19.6	0.6	28.3	0.8	1.2	1.5
25-29	100.0	18.5	0.6	24.2	0.8	1.5	2.2
30-34	100.0	20.2	0.8	23.4	1.0	1.5	2.3
35-39	100.0	24.7	1.0	23.6	1.1	2.1	2.4
40-44	100.0	29.8	1.0	21.7	1.2	2.2	2.5
45-49	100.0	33.1	0.8	17.7	1.0	1.9	2.6
50-54	100.0	52.1	0.3	10.4	0.6	1.0	1.2
55-59	100.0	72.5	0.2	6.2	0.1	0.8	0.6
60-64	100.0	82.6	0.1	3.8	0.1	0.3	0.3
65+	100.0	86.0	0.2	3.7		0.1	0.2

3-17 续表 1 continued

单位：% (%)

年　龄 Age	信息传输、计算机服务和软件业 Information Transmission, Computer Service and Software	批发和零售业 Wholesale and Retail Trades	住宿和餐饮业 Hotels and Catering Services	金融业 Financial Intermediation	房地产业 Real Estate	租赁和商务服务业 Leasing and Business Services	科学研究、技术服务和地质勘查业 Scientific Research, Technical Services,and Geological Prospecting
总计 Total	**1.0**	**14.7**	**3.8**	**1.3**	**0.8**	**1.1**	**0.6**
16-19	1.1	13.3	9.4	0.1	0.3	0.8	0.1
20-24	2.4	17.8	6.1	1.2	0.8	1.6	0.4
25-29	2.4	17.7	4.3	1.7	1.0	1.8	0.8
30-34	1.4	17.7	4.1	1.7	0.9	1.2	0.8
35-39	0.7	16.1	3.7	1.7	0.7	1.1	0.6
40-44	0.5	14.6	3.5	1.4	0.7	0.9	0.6
45-49	0.4	14.2	3.4	1.4	0.9	0.9	0.7
50-54	0.3	10.9	3.0	0.9	0.9	0.8	0.5
55-59	0.2	9.0	1.9	0.5	0.7	0.6	0.5
60-64	0.2	7.0	1.3	0.1	0.3	0.3	0.2
65+	0.1	5.8	1.1	0.1	0.2	0.2	0.1
男 Male	**1.1**	**12.5**	**3.2**	**1.2**	**0.9**	**1.1**	**0.7**
16-19	0.9	9.6	8.4	0.1	0.4	0.8	0.0
20-24	2.7	13.9	5.6	1.1	0.8	1.5	0.5
25-29	2.9	14.5	4.1	1.6	1.0	1.7	0.9
30-34	1.6	14.5	3.5	1.4	1.0	1.3	0.9
35-39	0.9	13.6	3.0	1.4	0.8	1.0	0.7
40-44	0.6	12.6	2.6	1.3	0.7	0.9	0.7
45-49	0.4	12.6	2.7	1.4	1.1	1.0	0.8
50-54	0.4	10.3	2.6	1.1	1.2	0.9	0.6
55-59	0.3	9.4	1.6	0.7	0.9	0.8	0.6
60-64	0.3	7.7	1.2	0.2	0.5	0.5	0.3
65+	0.1	6.1	1.1	0.2	0.3	0.2	0.1
女 Female	**0.8**	**17.5**	**4.6**	**1.5**	**0.7**	**1.1**	**0.5**
16-19	1.2	17.1	10.5	0.2	0.1	0.8	0.1
20-24	2.0	21.8	6.6	1.4	0.8	1.8	0.4
25-29	1.8	21.3	4.5	1.9	0.9	1.9	0.8
30-34	1.3	21.3	4.7	2.0	0.7	1.1	0.7
35-39	0.5	19.0	4.6	2.0	0.7	1.1	0.5
40-44	0.4	16.9	4.6	1.4	0.7	0.8	0.5
45-49	0.3	16.3	4.3	1.5	0.7	0.8	0.6
50-54	0.3	11.8	3.6	0.7	0.5	0.7	0.4
55-59	0.1	8.3	2.4	0.3	0.5	0.3	0.3
60-64		6.0	1.3	0.1	0.1	0.1	0.2
65+	0.1	5.4	1.0			0.1	0.1

3-17 续表 2 continued

单位：% (%)

年 龄 Age	水利、环境和公共设施管理业 Management of Water Conservancy, Environment and Public Facilities	居民服务和其他服务业 Services to Households and Other Services	教 育 Education	卫生、社会保障和社会福利业 Health, Social Securities and Social Welfare	文化、体育和娱乐业 Culture, Sports and Entertainment	公共管理和社会组织 Public Management and Social Organization	国际组织 International Organizations
总计 Total	**0.6**	**3.9**	**3.7**	**2.0**	**0.9**	**4.5**	
16-19	0.2	5.0	0.6	0.4	1.3	0.5	
20-24	0.3	4.4	2.3	1.6	1.4	2.0	
25-29	0.5	4.3	5.0	2.4	1.2	3.8	
30-34	0.5	4.0	4.5	2.3	0.9	5.5	
35-39	0.5	3.8	4.0	2.0	0.8	5.0	
40-44	0.7	3.5	4.2	1.8	0.7	5.4	
45-49	0.9	4.0	4.0	2.1	0.8	5.8	
50-54	0.9	4.0	3.9	2.2	0.6	5.7	
55-59	0.8	3.3	2.8	1.6	0.6	4.4	
60-64	0.5	2.5	1.0	1.4	0.4	1.9	
65+	0.4	2.2	0.6	0.8	0.3	1.2	
男 Male	**0.6**	**3.8**	**2.9**	**1.5**	**0.9**	**5.6**	
16-19	0.2	5.3	0.2	0.1	1.1	0.8	
20-24	0.4	4.9	1.1	0.8	1.3	2.5	
25-29	0.5	4.7	3.2	1.6	1.1	4.2	
30-34	0.6	3.9	3.0	1.7	1.0	6.6	
35-39	0.5	3.6	3.1	1.4	0.8	6.1	
40-44	0.7	3.4	3.5	1.3	0.8	6.7	
45-49	0.8	3.2	3.3	1.6	0.8	7.2	
50-54	1.0	3.8	3.6	1.8	0.7	7.0	
55-59	1.0	3.5	3.7	1.7	0.7	6.0	
60-64	0.5	2.6	1.4	1.9	0.4	2.7	
65+	0.4	2.5	0.8	1.2	0.4	1.6	
女 Female	**0.5**	**4.0**	**4.7**	**2.6**	**0.9**	**3.2**	
16-19	0.2	4.7	1.0	0.7	1.6	0.3	
20-24	0.2	3.9	3.6	2.4	1.4	1.5	
25-29	0.4	3.8	6.9	3.3	1.3	3.4	
30-34	0.4	4.1	6.3	3.1	0.9	4.2	
35-39	0.5	4.1	5.0	2.7	0.8	3.7	
40-44	0.7	3.7	4.9	2.2	0.7	3.9	
45-49	0.9	5.0	4.9	2.8	0.8	4.0	
50-54	0.6	4.3	4.6	3.0	0.5	3.5	
55-59	0.4	3.0	1.2	1.2	0.4	1.3	
60-64	0.4	2.4	0.3	0.6	0.4	0.8	
65+	0.5	1.6	0.2	0.2	0.1	0.5	

3-18 按行业、性别分的城镇就业人员年龄构成

Age Composition of Urban Employed Persons by Sector and Sex

单位：% (%)

年龄 Age	城镇就业人员 Urban Employed Persons	农、林、牧、渔业 Agriculture, Forestry, Animal Husbandry and Fishery	采矿业 Mining	制造业 Manu-facturing	电力、燃气及水的生产和供应业 Production and Distribution of Electricity, Gas and Water	建筑业 Construction	交通运输、仓储和邮政业 Transport, Storage and Post
总计 Total	**100.0**	**100.0**	**100.0**	**100.0**	**100.0**	**100.0**	**100.0**
16-19	2.8	2.6	1.1	4.8	0.7	1.7	1.1
20-24	8.9	6.2	5.4	12.6	7.4	6.3	6.3
25-29	11.8	7.1	9.2	14.0	11.7	10.1	11.8
30-34	12.8	8.3	13.1	14.2	13.9	12.2	15.1
35-39	16.2	12.7	21.1	17.6	20.0	18.7	19.1
40-44	15.8	14.7	20.4	15.4	18.6	19.8	18.5
45-49	11.5	11.3	15.6	10.1	13.4	13.2	13.6
50-54	9.6	13.0	9.7	6.7	10.1	10.6	9.5
55-59	5.9	11.2	3.4	3.3	3.3	5.3	4.1
60-64	2.5	6.5	0.8	0.9	0.7	1.6	0.7
65+	2.2	6.3	0.3	0.5	0.2	0.7	0.3
男 Male	**100.0**	**100.0**	**100.0**	**100.0**	**100.0**	**100.0**	**100.0**
16-19	2.6	3.0	1.1	4.2	0.7	1.9	1.1
20-24	8.2	6.3	4.5	12.0	6.7	6.0	6.1
25-29	11.1	6.7	8.9	13.5	11.6	9.8	11.4
30-34	12.4	8.1	12.5	13.6	13.3	12.1	15.1
35-39	15.7	12.2	20.6	16.4	19.3	18.0	18.8
40-44	15.3	13.9	19.5	14.2	17.1	19.2	18.1
45-49	11.5	10.4	16.4	10.4	13.5	13.1	13.3
50-54	10.9	12.8	11.5	9.0	12.3	11.6	10.5
55-59	7.0	11.9	4.0	4.9	4.5	5.8	4.6
60-64	2.7	7.0	0.9	1.2	0.8	1.8	0.7
65+	2.4	7.7	0.2	0.6	0.2	0.8	0.3
女 Female	**100.0**	**100.0**	**100.0**	**100.0**	**100.0**	**100.0**	**100.0**
16-19	3.1	2.2	1.1	5.5	0.6	0.9	1.0
20-24	9.8	6.1	8.2	13.2	9.0	7.5	7.5
25-29	12.6	7.4	9.9	14.6	12.0	11.8	13.9
30-34	13.3	8.5	15.3	14.9	15.4	12.7	15.4
35-39	16.8	13.2	22.7	19.0	21.7	22.7	20.2
40-44	16.3	15.5	23.5	17.0	21.9	22.7	20.4
45-49	11.4	12.1	13.1	9.7	12.9	13.8	14.8
50-54	8.0	13.2	3.8	3.9	5.3	4.9	4.6
55-59	4.6	10.6	1.5	1.4	0.7	2.3	1.5
60-64	2.3	6.0	0.4	0.4	0.4	0.5	0.4
65+	1.9	5.1	0.5	0.3	0.1	0.1	0.2

3-18 续表 1 continued

单位：% (%)

年龄 Age	信息传输、计算机服务和软件业 Information Transmission, Computer Service and Software	批发和零售业 Wholesale and Retail Trades	住宿和餐饮业 Hotels and Catering Services	金融业 Financial Intermediation	房地产业 Real Estate	租赁和商务服务业 Leasing and Business Services	科学研究、技术服务和地质勘查业 Scientific Research, Technical Services,and Geological Prospecting
总计 Total	**100.0**	**100.0**	**100.0**	**100.0**	**100.0**	**100.0**	**100.0**
16-19	3.0	2.5	6.9	0.3	1.0	2.0	0.3
20-24	21.5	10.7	14.1	8.4	9.1	13.5	6.3
25-29	28.4	14.2	13.1	15.5	14.3	19.8	16.0
30-34	18.4	15.4	13.6	16.2	14.0	14.2	16.2
35-39	11.5	17.7	15.9	21.1	14.8	15.9	16.4
40-44	7.8	15.6	14.6	16.2	14.5	13.0	16.6
45-49	4.4	11.1	10.1	12.6	13.7	9.8	13.6
50-54	3.1	7.1	7.5	6.9	11.5	7.1	8.6
55-59	1.3	3.6	2.9	2.4	5.6	3.6	4.8
60-64	0.4	1.2	0.8	0.3	1.0	0.7	0.9
65+	0.2	0.9	0.6	0.2	0.5	0.4	0.2
男 Male	**100.0**	**100.0**	**100.0**	**100.0**	**100.0**	**100.0**	**100.0**
16-19	2.1	2.0	6.8	0.2	1.3	1.9	0.2
20-24	20.2	9.2	14.2	7.3	7.4	11.4	5.7
25-29	29.0	12.9	14.2	14.8	13.0	17.5	14.1
30-34	17.4	14.5	13.7	14.5	13.6	14.5	15.5
35-39	12.5	17.1	14.7	19.0	13.7	15.2	16.7
40-44	8.1	15.5	12.6	16.4	12.8	13.0	16.3
45-49	4.4	11.7	9.5	13.7	14.2	10.5	14.2
50-54	3.6	9.0	8.9	9.7	15.1	8.9	9.9
55-59	1.8	5.3	3.5	3.9	6.7	5.5	6.2
60-64	0.6	1.7	1.0	0.4	1.4	1.2	1.0
65+	0.2	1.2	0.8	0.3	0.8	0.5	0.2
女 Female	**100.0**	**100.0**	**100.0**	**100.0**	**100.0**	**100.0**	**100.0**
16-19	4.4	3.0	7.0	0.4	0.6	2.2	0.6
20-24	23.6	12.1	13.9	9.6	11.9	16.1	7.4
25-29	27.3	15.3	12.2	16.3	16.3	22.8	18.9
30-34	20.0	16.2	13.4	17.9	14.8	13.9	17.5
35-39	10.0	18.2	16.9	23.2	16.8	16.8	16.0
40-44	7.5	15.8	16.2	16.1	17.4	13.0	17.2
45-49	4.3	10.6	10.7	11.5	12.9	8.9	12.5
50-54	2.4	5.4	6.3	4.0	5.5	4.9	6.5
55-59	0.4	2.2	2.4	0.9	3.6	1.2	2.3
60-64		0.8	0.6	0.2	0.4	0.1	0.8
65+	0.2	0.6	0.4			0.1	0.3

3-18 续表 2 continued

单位：% (%)

年　龄 Age	水利、环境和公共设施管理业 Management of Water Conservancy, Environment and Public Facilities	居民服务和其他服务业 Services to Households and Other Services	教　育 Education	卫生、社会保障和社会福利业 Health, Social Securities and Social Welfare	文化、体育和娱乐业 Culture, Sports and Entertainment	公共管理和社会组织 Public Management and Social Organization	国际组织 International Organizations
总计 Total	**100.0**	**100.0**	**100.0**	**100.0**	**100.0**	**100.0**	**100.0**
16-19	1.0	3.6	0.5	0.6	4.2	0.3	
20-24	4.6	10.2	5.6	7.4	14.0	3.9	
25-29	9.1	12.9	15.6	14.6	16.2	9.9	50.0
30-34	10.3	13.2	15.6	15.4	13.9	15.5	25.0
35-39	14.5	16.0	17.2	16.9	14.6	17.8	
40-44	17.9	14.5	17.6	14.3	13.5	18.7	25.0
45-49	16.8	11.8	12.4	12.6	10.6	14.6	
50-54	14.4	9.8	10.1	10.9	7.0	11.9	
55-59	7.8	5.1	4.5	4.7	4.0	5.7	
60-64	2.0	1.7	0.7	1.8	1.2	1.1	
65+	1.5	1.2	0.3	0.9	0.7	0.6	
男 Male	**100.0**	**100.0**	**100.0**	**100.0**	**100.0**	**100.0**	**100.0**
16-19	1.0	3.6	0.2	0.2	3.2	0.4	
20-24	4.8	10.6	3.1	4.7	12.6	3.7	
25-29	8.5	13.8	12.0	12.2	14.1	8.4	
30-34	10.6	12.9	12.8	14.1	13.9	14.7	100.0
35-39	13.1	14.8	16.5	15.5	14.2	17.0	
40-44	15.4	13.8	18.4	14.0	13.7	18.2	
45-49	14.5	9.6	13.1	12.4	11.0	14.8	
50-54	17.5	10.8	13.2	13.1	9.0	13.5	
55-59	10.8	6.4	8.8	8.2	5.7	7.5	
60-64	2.2	1.9	1.3	3.5	1.4	1.3	
65+	1.4	1.6	0.7	2.0	1.1	0.7	
女 Female	**100.0**	**100.0**	**100.0**	**100.0**	**100.0**	**100.0**	**100.0**
16-19	1.1	3.6	0.7	0.9	5.4	0.2	
20-24	4.2	9.7	7.5	9.2	15.7	4.5	
25-29	10.1	12.0	18.4	16.3	18.6	13.1	66.7
30-34	9.9	13.6	17.7	16.3	13.8	17.2	
35-39	16.8	17.4	17.9	17.9	15.1	19.5	
40-44	21.8	15.2	16.9	14.4	13.3	19.8	33.3
45-49	20.3	14.4	11.8	12.7	10.0	14.4	
50-54	9.6	8.6	7.7	9.3	4.7	8.6	
55-59	3.2	3.5	1.2	2.2	2.1	1.8	
60-64	1.7	1.3	0.2	0.5	1.0	0.6	
65+	1.7	0.8	0.1	0.2	0.3	0.3	

3-19 按受教育程度、性别分的城镇就业人员行业构成

Urban Employed Persons by Sex, Educational Attainment and Sector

单位：% (%)

受教育程度	Educational Attainment	城镇就业人员 Urban Employed Persons	农、林、牧、渔业 Agriculture, Forestry, Animal Husbandry and Fishery	采矿业 Mining	制造业 Manu-facturing	电力、燃气及水的生产和供应业 Production and Distribution of Electricity, Gas and Water	建筑业 Construction	交通运输、仓储和邮政业 Transport, Storage and Post
总　计	**Total**	**100.0**	**27.5**	**1.4**	**20.9**	**1.3**	**4.7**	**5.3**
未上过学	No Schooling	100.0	75.4	0.4	7.2	0.1	2.5	1.3
小　学	Primary School	100.0	58.8	0.8	13.9	0.3	4.9	2.8
初　中	Junior Secondary School	100.0	30.9	1.6	24.4	0.7	5.8	5.9
高　中	Senior Secondary School	100.0	9.0	1.9	25.2	2.4	3.9	7.5
大学专科	College	100.0	1.6	1.0	16.0	2.7	3.2	4.6
大学本科	University	100.0	0.7	0.7	12.1	2.5	2.4	3.0
研究生及以上	Graduate and Higher Level	100.0	0.8	0.5	11.3	3.6	1.5	2.5
男	**Male**	**100.0**	**24.3**	**1.9**	**21.0**	**1.6**	**7.3**	**8.0**
未上过学	No Schooling	100.0	70.2	0.9	6.7	0.1	5.6	3.4
小　学	Primary School	100.0	54.1	1.4	13.0	0.4	8.6	5.0
初　中	Junior Secondary School	100.0	28.8	2.2	23.0	1.0	9.0	9.2
高　中	Senior Secondary School	100.0	9.5	2.3	26.4	2.8	5.5	10.2
大学专科	College	100.0	1.8	1.4	17.5	3.0	3.9	5.5
大学本科	University	100.0	0.7	0.9	13.2	2.7	2.9	3.3
研究生及以上	Graduate and Higher Level	100.0	1.0	0.4	12.8	4.1	1.5	2.9
女	**Female**	**100.0**	**31.4**	**0.7**	**20.9**	**0.9**	**1.6**	**2.0**
未上过学	No Schooling	100.0	77.6	0.1	7.3	0.0	1.3	0.4
小　学	Primary School	100.0	63.2	0.3	14.7	0.2	1.3	0.7
初　中	Junior Secondary School	100.0	33.7	0.8	26.2	0.4	1.5	1.7
高　中	Senior Secondary School	100.0	8.2	1.4	23.6	1.8	1.7	3.5
大学专科	College	100.0	1.4	0.5	14.1	2.3	2.1	3.3
大学本科	University	100.0	0.6	0.4	10.6	2.1	1.7	2.5
研究生及以上	Graduate and Higher Level	100.0	0.6	0.6	8.8	3.0	1.7	1.9

3-19 续表 1 continued

单位：%　　　　(%)

受教育程度	Educational Attainment	信息传输、计算机服务和软件业 Information Transmission, Computer Service and Software	批发和零售业 Wholesale and Retail Trades	住宿和餐饮业 Hotels and Catering Services	金融业 Financial Intermediation	房地产业 Real Estate	租赁和商务服务业 Leasing and Business Services	科学研究、技术服务和地质勘查业 Scientific Research, Technical Services,and Geological Prospecting
总　计	**Total**	**1.0**	**14.7**	**3.8**	**1.3**	**0.8**	**1.1**	**0.6**
未上过学	No Schooling	0.1	6.6	1.7		0.3	0.2	0.2
小　学	Primary School	0.1	9.7	2.7	0.1	0.4	0.4	0.1
初　中	Junior Secondary School	0.4	15.7	4.9	0.3	0.5	0.6	0.2
高　中	Senior Secondary School	1.3	20.7	4.5	1.8	1.1	1.6	0.7
大学专科	College	2.9	12.2	1.7	4.8	1.7	2.5	1.5
大学本科	University	4.0	7.6	0.9	5.4	1.4	3.2	3.4
研究生及以上	Graduate and Higher Level	4.7	3.4	0.6	5.8	1.1	3.3	8.0
男	**Male**	**1.1**	**12.5**	**3.2**	**1.2**	**0.9**	**1.1**	**0.7**
未上过学	No Schooling	0.1	6.5	0.9		0.5	0.4	
小　学	Primary School	0.1	9.0	2.0	0.1	0.4	0.4	0.1
初　中	Junior Secondary School	0.4	12.7	4.0	0.3	0.6	0.6	0.3
高　中	Senior Secondary School	1.4	16.4	3.9	1.5	1.2	1.5	0.7
大学专科	College	3.1	11.5	1.6	4.1	1.7	2.3	1.4
大学本科	University	4.6	7.5	0.8	4.9	1.5	2.7	3.7
研究生及以上	Graduate and Higher Level	5.5	3.8	0.4	4.6	1.2	2.8	8.3
女	**Female**	**0.8**	**17.5**	**4.6**	**1.5**	**0.7**	**1.1**	**0.5**
未上过学	No Schooling	0.1	6.6	2.1		0.2	0.1	0.2
小　学	Primary School	0.1	10.4	3.3	0.1	0.3	0.3	0.1
初　中	Junior Secondary School	0.3	19.7	6.1	0.4	0.4	0.6	0.1
高　中	Senior Secondary School	1.3	27.0	5.4	2.3	1.0	1.6	0.6
大学专科	College	2.7	13.2	1.9	5.7	1.8	2.8	1.6
大学本科	University	3.3	7.8	0.9	6.2	1.3	3.8	2.9
研究生及以上	Graduate and Higher Level	3.4	2.6	0.6	7.8	0.7	4.1	7.4

3-19 续表 2 continued

单位：% (%)

受教育程度	Educational Attainment	水利、环境和公共设施管理业 Management of Water Conservancy, Environment and Public Facilities	居民服务和其他服务业 Services to Households and Other Services	教育 Education	卫生、社会保障和社会福利业 Health, Social Securities and Social Welfare	文化、体育和娱乐业 Culture, Sports and Entertainment	公共管理和社会组织 Public Management and Social Organization	国际组织 International Organizations
总　计	**Total**	**0.6**	**3.9**	**3.7**	**2.0**	**0.9**	**4.5**	
未上过学	No Schooling	0.4	2.6	0.3	0.2	0.1	0.6	
小　学	Primary School	0.5	3.1	0.4	0.2	0.3	0.6	
初　中	Junior Secondary School	0.5	4.5	0.7	0.5	0.6	1.2	
高　中	Senior Secondary School	0.8	4.7	3.0	2.9	1.2	5.8	
大学专科	College	0.9	2.1	14.0	7.4	1.8	17.3	
大学本科	University	0.9	1.2	23.7	6.2	2.3	18.5	
研究生及以上	Graduate and Higher Level	0.9	0.8	30.5	5.9	2.4	12.6	
男	**Male**	**0.6**	**3.8**	**2.9**	**1.5**	**0.9**	**5.6**	
未上过学	No Schooling	0.2	2.7	0.2	0.3	0.1	1.0	
小　学	Primary School	0.5	3.0	0.4	0.2	0.3	0.8	
初　中	Junior Secondary School	0.5	4.4	0.5	0.5	0.5	1.5	
高　中	Senior Secondary School	0.8	4.5	2.0	1.9	1.1	6.5	
大学专科	College	1.1	2.0	9.8	4.9	2.0	21.3	
大学本科	University	1.0	1.1	19.9	5.1	1.9	21.4	
研究生及以上	Graduate and Higher Level	0.8	1.0	26.3	5.5	2.2	15.0	
女	**Female**	**0.5**	**4.0**	**4.7**	**2.6**	**0.9**	**3.2**	
未上过学	No Schooling	0.5	2.6	0.3	0.2	0.1	0.4	
小　学	Primary School	0.5	3.2	0.4	0.2	0.3	0.4	
初　中	Junior Secondary School	0.4	4.6	1.0	0.6	0.7	0.8	
高　中	Senior Secondary School	0.7	5.0	4.5	4.4	1.2	4.8	
大学专科	College	0.7	2.3	19.2	10.6	1.7	12.2	
大学本科	University	0.7	1.3	29.1	7.8	2.8	14.3	
研究生及以上	Graduate and Higher Level	1.1	0.6	37.6	6.3	2.6	8.6	

3-20 按行业、性别分的城镇就业人员受教育程度构成

Educational Attainment of Urban Employed Persons by Sector and Sex

单位：% (%)

受教育程度	Educational Attainment	城镇就业人员 Urban Employed Persons	农、林、牧、渔业 Agriculture, Forestry, Animal Husbandry and Fishery	采矿业 Mining	制造业 Manu-facturing	电力、燃气及水的生产和供应业 Production and Distribution of Electricity, Gas and Water	建筑业 Construction	交通运输、仓储和邮政业 Transport, Storage and Post
总　计	**Total**	**100.0**	**100.0**	**100.0**	**100.0**	**100.0**	**100.0**	**100.0**
未上过学	No Schooling	2.4	6.6	0.6	0.8	0.1	1.3	0.6
小　学	Primary School	16.3	35.0	9.9	10.8	3.6	16.9	8.6
初　中	Junior Secondary School	45.2	50.9	51.0	52.6	25.5	55.2	50.3
高　中	Senior Secondary School	20.8	6.8	28.9	25.1	39.1	17.4	29.2
大学专科	College	9.5	0.6	6.8	7.2	19.9	6.3	8.1
大学本科	University	5.3	0.1	2.6	3.1	10.3	2.7	3.0
研究生及以上	Graduate and Higher Level	0.5		0.2	0.3	1.4	0.2	0.2
男	**Male**	**100.0**	**100.0**	**100.0**	**100.0**	**100.0**	**100.0**	**100.0**
未上过学	No Schooling	1.3	3.8	0.6	0.4	0.1	1.0	0.6
小　学	Primary School	14.3	31.9	10.4	8.9	3.6	17.1	9.0
初　中	Junior Secondary School	46.1	54.6	52.4	50.5	28.0	57.4	52.9
高　中	Senior Secondary School	22.5	8.8	27.0	28.3	39.3	17.0	28.5
大学专科	College	9.6	0.7	6.9	8.0	17.9	5.2	6.6
大学本科	University	5.6	0.2	2.6	3.5	9.6	2.2	2.3
研究生及以上	Graduate and Higher Level	0.6		0.1	0.3	1.4	0.1	0.2
女	**Female**	**100.0**	**100.0**	**100.0**	**100.0**	**100.0**	**100.0**	**100.0**
未上过学	No Schooling	3.8	9.4	0.7	1.3	0.2	3.0	0.7
小　学	Primary School	18.8	37.9	8.4	13.3	3.5	15.8	6.9
初　中	Junior Secondary School	44.0	47.3	46.1	55.3	19.8	43.0	37.7
高　中	Senior Secondary School	18.8	4.9	35.3	21.2	38.8	19.8	32.6
大学专科	College	9.3	0.4	6.5	6.3	24.6	12.7	15.6
大学本科	University	4.9	0.1	2.7	2.5	11.8	5.2	6.1
研究生及以上	Graduate and Higher Level	0.4		0.3	0.2	1.4	0.4	0.4

3-20 续表 1 continued

单位：% (%)

受教育程度	Educational Attainment	信息传输、计算机服务和软件业 Information Transmission, Computer Service and Software	批发和零售业 Wholesale and Retail Trades	住宿和餐饮业 Hotels and Catering Services	金融业 Financial Intermediation	房地产业 Real Estate	租赁和商务服务业 Leasing and Business Services	科学研究、技术服务和地质勘查业 Scientific Research, Technical Services,and Geological Prospecting
总　计	**Total**	**100.0**	**100.0**	**100.0**	**100.0**	**100.0**	**100.0**	**100.0**
未上过学	No Schooling	0.2	1.1	1.1	0.1	0.8	0.4	0.6
小　学	Primary School	1.6	10.8	11.3	1.3	7.5	5.4	2.3
初　中	Junior Secondary School	18.1	48.2	57.4	11.8	30.2	24.9	15.4
高　中	Senior Secondary School	28.2	29.2	24.6	28.3	30.3	30.1	23.0
大学专科	College	28.0	7.9	4.3	34.4	21.0	22.2	22.8
大学本科	University	21.5	2.7	1.2	21.9	9.5	15.5	29.4
研究生及以上	Graduate and Higher Level	2.3	0.1	0.1	2.2	0.7	1.5	6.4
男	**Male**	**100.0**	**100.0**	**100.0**	**100.0**	**100.0**	**100.0**	**100.0**
未上过学	No Schooling	0.2	0.7	0.4	0.1	0.8	0.5	
小　学	Primary School	1.6	10.4	8.7	1.5	7.0	5.8	2.4
初　中	Junior Secondary School	18.2	46.9	57.0	12.5	32.7	26.1	17.4
高　中	Senior Secondary School	27.3	29.7	27.5	27.7	30.9	31.2	23.8
大学专科	College	26.8	8.8	4.9	32.9	18.3	20.8	19.4
大学本科	University	23.0	3.4	1.5	23.2	9.6	14.1	30.5
研究生及以上	Graduate and Higher Level	2.7	0.2	0.1	2.1	0.8	1.4	6.7
女	**Female**	**100.0**	**100.0**	**100.0**	**100.0**	**100.0**	**100.0**	**100.0**
未上过学	No Schooling	0.3	1.4	1.7		0.9	0.4	1.5
小　学	Primary School	1.6	11.2	13.5	1.2	8.3	4.7	2.3
初　中	Junior Secondary School	18.0	49.3	57.8	11.1	26.1	23.2	12.2
高　中	Senior Secondary School	29.7	28.9	22.2	29.0	29.2	28.7	21.7
大学专科	College	29.8	7.0	3.7	36.0	25.6	24.1	28.7
大学本科	University	19.0	2.1	1.0	20.5	9.3	17.3	27.5
研究生及以上	Graduate and Higher Level	1.6	0.1	0.1	2.2	0.5	1.6	6.0

3-20 续表 2 continued

单位：% (%)

受教育程度	Educational Attainment	水利、环境和公共设施管理业 Management of Water Conservancy, Environment and Public Facilities	居民服务和其他服务业 Services to Households and Other Services	教育 Education	卫生、社会保障和社会福利业 Health, Social Securities and Social Welfare	文化、体育和娱乐业 Culture, Sports and Entertainment	公共管理和社会组织 Public Management and Social Organization	国际组织 International Organizations
总 计	**Total**	**100.0**	**100.0**	**100.0**	**100.0**	**100.0**	**100.0**	**100.0**
未上过学	No Schooling	1.7	1.6	0.2	0.3	0.3	0.3	
小 学	Primary School	13.5	13.2	1.8	2.0	5.5	2.1	
初 中	Junior Secondary School	34.8	52.9	8.4	12.6	30.8	12.0	33.3
高 中	Senior Secondary School	26.7	25.3	16.8	31.0	28.2	26.7	
大学专科	College	14.7	5.2	35.3	35.9	20.0	36.0	
大学本科	University	7.7	1.6	33.4	16.8	13.8	21.5	66.7
研究生及以上	Graduate and Higher Level	0.8	0.1	4.0	1.5	1.4	1.4	
男	**Male**	**100.0**	**100.0**	**100.0**	**100.0**	**100.0**	**100.0**	**100.0**
未上过学	No Schooling	0.5	0.9	0.1	0.3	0.1	0.2	
小 学	Primary School	11.4	11.4	1.9	2.3	4.6	2.1	
初 中	Junior Secondary School	35.1	54.2	7.6	14.8	28.9	12.5	
高 中	Senior Secondary School	27.8	26.7	15.4	29.3	30.0	26.0	
大学专科	College	15.9	5.0	32.1	32.1	22.2	36.3	
大学本科	University	8.7	1.7	38.0	19.3	12.7	21.4	100.0
研究生及以上	Graduate and Higher Level	0.7	0.1	5.0	2.1	1.5	1.5	
女	**Female**	**100.0**	**100.0**	**100.0**	**100.0**	**100.0**	**100.0**	**100.0**
未上过学	No Schooling	3.6	2.4	0.2	0.3	0.4	0.4	
小 学	Primary School	17.0	15.3	1.7	1.8	6.6	2.2	
初 中	Junior Secondary School	34.2	51.5	9.0	11.0	33.0	10.9	33.3
高 中	Senior Secondary School	24.9	23.6	18.0	32.2	26.1	28.2	
大学专科	College	12.9	5.5	37.8	38.7	17.4	35.5	
大学本科	University	6.5	1.6	30.0	15.0	15.2	21.6	66.7
研究生及以上	Graduate and Higher Level	0.9	0.1	3.3	1.0	1.2	1.1	

3-21 按年龄、性别分的城镇就业人员职业构成

Occupation of Urban Employed Persons by Age and Sex

单位：% (%)

年龄 Age	城镇就业人员 Urban Employed Persons	单位负责人 Unit Head	专业技术人员 Technical Personnel	办事人员和有关人员 Clerk and Related Workers	商业、服务业人员 Business Service Personnel	农林牧渔水利业生产人员 Producers in the Sectors of Agriculture, Forestry, Animal Husbandry, Fishery and Water Conservancy	生产运输设备操作人员及有关人员 Production, Transport Equipment Operators and Related Workers	其他 Others
总计 Total	**100.0**	**2.1**	**11.2**	**8.2**	**24.8**	**27.7**	**19.8**	**6.3**
16-19	100.0	0.2	3.1	3.0	29.1	25.9	33.6	5.1
20-24	100.0	0.8	10.3	7.5	30.4	19.4	26.0	5.7
25-29	100.0	1.6	15.9	9.5	28.3	16.7	21.4	6.5
30-34	100.0	2.2	13.9	9.3	27.8	18.1	21.6	7.1
35-39	100.0	2.4	12.6	8.1	26.0	21.7	21.9	7.3
40-44	100.0	2.7	11.1	8.1	24.6	25.9	20.8	6.9
45-49	100.0	2.7	11.2	9.3	24.7	27.2	18.0	6.9
50-54	100.0	3.0	9.4	9.4	20.5	37.5	14.7	5.6
55-59	100.0	2.4	6.7	7.8	15.6	52.2	10.9	4.4
60-64	100.0	1.3	3.4	3.7	12.3	70.5	6.7	2.1
65+	100.0	0.7	2.2	2.2	10.2	79.8	3.9	0.9
男 Male	**100.0**	**3.0**	**9.8**	**9.8**	**21.8**	**24.5**	**22.4**	**8.6**
16-19	100.0	0.2	2.5	3.3	23.9	28.7	35.7	5.8
20-24	100.0	1.0	8.3	7.4	26.3	19.0	30.3	7.7
25-29	100.0	2.0	13.3	10.0	25.7	15.0	24.6	9.4
30-34	100.0	3.1	11.4	10.5	24.5	16.1	24.3	10.1
35-39	100.0	3.4	10.7	9.6	22.7	19.0	24.5	10.1
40-44	100.0	3.9	10.0	10.1	21.1	22.2	23.3	9.4
45-49	100.0	3.9	10.1	11.4	21.3	22.3	21.3	9.7
50-54	100.0	4.1	9.3	12.1	19.7	28.7	18.6	7.5
55-59	100.0	3.4	8.2	10.9	16.1	41.4	14.2	5.8
60-64	100.0	2.0	4.7	5.6	13.1	62.5	9.3	2.9
65+	100.0	1.0	3.1	3.3	11.0	76.1	4.2	1.3
女 Female	**100.0**	**1.0**	**12.8**	**6.2**	**28.4**	**31.6**	**16.5**	**3.4**
16-19	100.0	0.1	3.8	2.8	34.6	23.0	31.5	4.2
20-24	100.0	0.6	12.3	7.5	34.7	19.8	21.5	3.7
25-29	100.0	1.3	18.8	8.9	31.1	18.6	18.0	3.4
30-34	100.0	1.1	16.9	7.8	31.6	20.4	18.5	3.7
35-39	100.0	1.2	14.7	6.3	29.9	24.8	19.0	4.0
40-44	100.0	1.2	12.3	5.8	28.7	30.1	17.9	4.0
45-49	100.0	1.2	12.7	6.6	28.9	33.4	13.8	3.4
50-54	100.0	1.1	9.5	4.7	22.0	52.4	8.0	2.3
55-59	100.0	0.5	3.7	2.0	14.8	72.5	4.9	1.6
60-64	100.0	0.4	1.4	0.9	11.1	82.5	2.8	0.9
65+	100.0	0.2	0.8	0.4	9.0	85.9	3.5	0.3

3-22 按职业、性别分的城镇就业人员年龄构成

Age Composition of Urban Employed Persons by Occupation and Sex

单位：% (%)

年龄 Age	城镇就业人员 Urban Employed Persons	单位负责人 Unit Head	专业技术人员 Technical Personnel	办事人员和有关人员 Clerk and Related Workers	商业、服务业人员 Business Service Personnel	农林牧渔水利业生产人员 Producers in the Sectors of Agriculture, Forestry, Animal Husbandry, Fishery and Water Conservancy	生产运输设备操作人员及有关人员 Production, Transport Equipment Operators and Related Workers	其他 Others
总计 Total	**100.0**	**100.0**	**100.0**	**100.0**	**100.0**	**100.0**	**100.0**	**100.0**
16-19	2.8	0.2	0.8	1.0	3.3	2.6	4.8	2.3
20-24	8.9	3.2	8.2	8.1	10.9	6.2	11.7	8.1
25-29	11.8	9.1	16.8	13.6	13.4	7.1	12.8	12.2
30-34	12.8	13.1	16.0	14.5	14.4	8.4	14.0	14.6
35-39	16.2	18.1	18.3	15.9	17.0	12.7	18.0	18.9
40-44	15.8	19.7	15.6	15.5	15.7	14.7	16.6	17.4
45-49	11.5	14.4	11.6	13.0	11.5	11.3	10.5	12.6
50-54	9.6	13.3	8.0	10.9	7.9	13.0	7.1	8.5
55-59	5.9	6.6	3.5	5.7	3.7	11.2	3.3	4.1
60-64	2.5	1.6	0.8	1.1	1.3	6.4	0.9	0.8
65+	2.2	0.7	0.4	0.6	0.9	6.3	0.4	0.3
男 Male	**100.0**	**100.0**	**100.0**	**100.0**	**100.0**	**100.0**	**100.0**	**100.0**
16-19	2.6	0.2	0.7	0.9	2.8	3.0	4.1	1.8
20-24	8.2	2.7	7.0	6.3	9.9	6.4	11.1	7.4
25-29	11.1	7.2	15.1	11.3	13.1	6.8	12.2	12.2
30-34	12.4	12.7	14.4	13.4	14.0	8.2	13.5	14.6
35-39	15.7	17.7	17.1	15.4	16.3	12.2	17.2	18.6
40-44	15.3	19.7	15.6	15.8	14.8	13.9	15.9	16.9
45-49	11.5	14.7	11.8	13.4	11.3	10.5	11.0	13.1
50-54	10.9	14.6	10.3	13.4	9.8	12.7	9.0	9.5
55-59	7.0	7.8	5.9	7.8	5.2	11.8	4.4	4.7
60-64	2.7	1.8	1.3	1.6	1.6	7.0	1.1	0.9
65+	2.4	0.8	0.8	0.8	1.2	7.6	0.5	0.4
女 Female	**100.0**	**100.0**	**100.0**	**100.0**	**100.0**	**100.0**	**100.0**	**100.0**
16-19	3.1	0.4	0.9	1.4	3.8	2.2	5.9	3.8
20-24	9.8	5.3	9.3	11.8	11.9	6.1	12.7	10.5
25-29	12.6	15.8	18.4	17.9	13.7	7.4	13.8	12.4
30-34	13.3	14.6	17.5	16.6	14.8	8.6	14.9	14.5
35-39	16.8	19.7	19.3	17.1	17.7	13.3	19.4	20.0
40-44	16.3	19.7	15.7	15.1	16.5	15.6	17.8	19.2
45-49	11.4	13.1	11.3	12.2	11.6	12.1	9.6	11.2
50-54	8.0	8.3	5.9	6.1	6.2	13.2	3.8	5.5
55-59	4.6	2.1	1.3	1.4	2.4	10.6	1.4	2.2
60-64	2.3	0.9	0.2	0.3	0.9	5.9	0.4	0.6
65+	1.9	0.3	0.1	0.1	0.6	5.1	0.4	0.2

3-23 按受教育程度、性别分的城镇就业人员职业构成

Occupation of Urban Employed Persons by Educational Attainment and Sex

单位：% (%)

受教育程度	Educational Attainment	城镇就业人员 Urban Employed Persons	单位负责人 Unit Head	专业技术人员 Technical Personnel	办事人员和有关人员 Clerk and Related Workers	商业、服务业人员 Business Service Personnel	农林牧渔水利业生产人员 Producers in the Sectors of Agriculture, Forestry, Animal Husbandry, Fishery and Water Conservancy	生产运输设备操作人员及有关人员 Production, Transport Equipment Operators and Related Workers	其他 Others
总计	**Total**	**100.0**	**2.1**	**11.2**	**8.2**	**24.8**	**27.7**	**25.5**	**0.5**
未上过学	No Schooling	100.0	0.2	0.6	1.1	12.8	75.6	9.4	0.3
小学	Primary School	100.0	0.7	1.3	1.8	17.7	58.9	19.3	0.4
初中	Junior Secondary School	100.0	1.4	3.6	3.6	27.4	31.3	32.2	0.6
高中	Senior Secondary School	100.0	3.0	13.3	11.9	32.9	9.2	29.0	0.6
大学专科	College	100.0	4.7	38.0	24.9	18.2	1.3	12.4	0.4
大学本科	University	100.0	5.3	50.6	25.0	11.4	0.7	6.6	0.5
研究生及以上	Graduate and Higher Level	100.0	6.8	59.5	22.3	5.0	0.4	5.8	0.2
男	**Male**	**100.0**	**3.0**	**9.8**	**9.8**	**21.8**	**24.5**	**30.4**	**0.6**
未上过学	No Schooling	100.0	0.5	1.0	2.5	12.5	70.1	12.8	0.7
小学	Primary School	100.0	1.1	1.5	3.0	16.0	54.2	23.7	0.5
初中	Junior Secondary School	100.0	1.9	3.3	4.6	23.3	29.2	36.9	0.6
高中	Senior Secondary School	100.0	4.0	10.1	12.7	27.9	9.8	34.9	0.7
大学专科	College	100.0	6.5	29.9	28.1	17.7	1.5	15.7	0.4
大学本科	University	100.0	7.2	45.8	26.7	11.3	0.7	7.7	0.6
研究生及以上	Graduate and Higher Level	100.0	8.6	56.2	23.7	4.8	0.2	6.3	0.2
女	**Female**	**100.0**	**1.0**	**12.8**	**6.2**	**28.4**	**31.6**	**19.5**	**0.4**
未上过学	No Schooling	100.0	0.1	0.4	0.6	12.9	77.9	8.0	0.2
小学	Primary School	100.0	0.3	1.1	0.6	19.3	63.2	15.2	0.3
初中	Junior Secondary School	100.0	0.7	3.8	2.2	32.7	34.1	26.1	0.5
高中	Senior Secondary School	100.0	1.6	18.0	10.8	40.4	8.3	20.3	0.6
大学专科	College	100.0	2.5	48.2	20.8	18.9	1.1	8.2	0.4
大学本科	University	100.0	2.5	57.5	22.6	11.5	0.6	5.1	0.3
研究生及以上	Graduate and Higher Level	100.0	3.9	65.0	19.9	5.2	0.7	5.0	0.2

3-24 按职业、性别分的城镇就业人员受教育程度构成

Educational Attainment of Urban Employed Persons by Occupation and Sex

单位：% (%)

受教育程度	Educational Attainment	城镇就业人员 Urban Employed Persons	单位负责人 Unit Head	专业技术人员 Technical Personnel	办事人员和有关人员 Clerk and Related Workers	商业、服务业人员 Business Service Personnel	农林牧渔水利业生产人员 Producers in the Sectors of Agriculture, Forestry, Animal Husbandry, Fishery and Water Conservancy	生产运输设备操作人员及有关人员 Production, Transport Equipment Operators and Related Workers	其他 Others
总　计	**Total**	**100.0**	**100.0**	**100.0**	**100.0**	**100.0**	**100.0**	**100.0**	**100.0**
未上过学	No Schooling	2.4	0.2	0.1	0.3	1.2	6.6	0.9	1.6
小　学	Primary School	16.3	5.2	1.9	3.6	11.7	34.8	12.4	12.1
初　中	Junior Secondary School	45.2	29.4	14.4	19.6	50.0	51.1	56.9	48.4
高　中	Senior Secondary School	20.8	29.5	24.8	30.2	27.7	6.9	23.7	25.7
大学专科	College	9.5	21.0	32.2	28.7	7.0	0.5	4.6	7.3
大学本科	University	5.3	13.0	23.9	16.1	2.4	0.1	1.4	4.6
研究生及以上	Graduate and Higher Level	0.5	1.6	2.6	1.3	0.1		0.1	0.2
男	**Male**	**100.0**	**100.0**	**100.0**	**100.0**	**100.0**	**100.0**	**100.0**	**100.0**
未上过学	No Schooling	1.3	0.2	0.1	0.3	0.7	3.7	0.5	1.6
小　学	Primary School	14.3	5.4	2.3	4.4	10.5	31.7	11.1	11.3
初　中	Junior Secondary School	46.1	29.5	15.7	21.9	49.2	54.9	55.9	48.8
高　中	Senior Secondary School	22.5	29.5	23.2	29.2	28.7	9.0	25.9	25.5
大学专科	College	9.6	20.6	29.3	27.5	7.8	0.6	5.0	7.1
大学本科	University	5.6	13.3	26.2	15.3	2.9	0.2	1.4	5.5
研究生及以上	Graduate and Higher Level	0.6	1.6	3.2	1.4	0.1		0.1	0.2
女	**Female**	**100.0**	**100.0**	**100.0**	**100.0**	**100.0**	**100.0**	**100.0**	**100.0**
未上过学	No Schooling	3.8	0.4	0.1	0.3	1.7	9.3	1.5	1.6
小　学	Primary School	18.8	4.9	1.6	1.9	12.8	37.8	14.7	13.4
初　中	Junior Secondary School	44.0	29.3	13.1	15.3	50.7	47.5	58.9	47.8
高　中	Senior Secondary School	18.8	29.8	26.4	32.4	26.6	4.9	19.5	25.9
大学专科	College	9.3	22.4	35.0	31.1	6.2	0.3	3.9	7.7
大学本科	University	4.9	11.7	21.8	17.6	2.0	0.1	1.3	3.2
研究生及以上	Graduate and Higher Level	0.4	1.6	2.1	1.3	0.1		0.1	0.2

3-25 城镇就业人员调查周平均工作时间

Weekly Working Hours of Urban Employed Persons

单位：小时／周 (hours/per week)

分　组	Group	2004年11月 Nov.2004	2005年11月 Nov.2005	2006年11月 Nov.2006	2007年11月 Nov.2007	2008年11月 Nov.2008
全　部	**Total**	**45.5**	**47.8**	**47.3**	**45.5**	**44.6**
一、按年龄分组	**By Age**					
	16-19	48.7	51.8	49.9	48.1	45.8
	20-24	46.4	49.4	48.4	46.9	45.6
	25-29	45.9	48.6	48.1	46.5	45.7
	30-34	45.9	48.6	48.4	46.9	46.0
	35-39	46.0	48.4	48.3	46.7	45.9
	40-44	45.3	47.7	47.7	46.1	45.4
	45-49	44.7	46.9	46.5	45.2	44.5
	50-54	44.5	45.9	45.2	43.9	43.3
	55-59	44.0	44.8	43.9	41.8	41.0
	60-64	43.0	42.9	41.8	38.4	37.3
	65+	40.7		36.8	33.4	32.7
二、按职业分组	**By Occupation**					
单位负责人	Unit Head	44.0	47.2	47.3	47.7	47.5
专业技术人员	Technical Personnel	43.4	43.2	44.1	43.4	43.0
办事人员和有关人员	Clerk and Related Workers	42.4	44.4	44.4	43.8	43.5
商业、服务业人员	Business Service Personnel	49.3	52.0	52.0	50.3	49.1
农林牧渔水利业生产人员	Producers in the Sectors of Agriculture, Forestry,Animal Husbandry,Fishery and Water Conservancy	42.9	43.0	41.9	38.2	37.7
生产、运输设备操作人员及有关人员	Production, Transport Equipment Operators and Related Workers	48.1	51.4	50.8	49.8	48.21
其　他	Others	46.8	48.9	48.4	46.7	46.8
三、按受教育程度分组	**By Educational Attaiment**					
未上过学	No Schooling	44.8	44.4	41.5	37.3	36.4
小　学	Primary School	46.1	47.8	46.4	43.4	41.7
初　中	Junior Secondary School	47.4	50.0	49.3	47.3	46.1
高　中	Senior Secondary School	44.9	47.8	47.7	46.8	46.0
大　专	College	42.0	43.2	43.8	42.9	43.0
大学本科	University	41.2	41.9	42.1	41.7	41.7
研究生及以上	Graduate and Higher Level	40.9	41.3	42.2	41.4	41.1

3-25 续表 continued

单位：小时／周 (hours/per week)

分 组	Group	2004年11月 Nov.2004	2005年11月 Nov.2005	2006年11月 Nov.2006	2007年11月 Nov.2007	2008年11月 Nov.2008
四、按行业分组	**By Sector**					
农、林、牧、渔业	Agriculture, Forestry, Animal Husbandry and Fishery	42.9	42.9	41.9	38.2	37.6
采矿业	Mining	45.4	47.5	47.8	46.1	45.2
制造业	Manufacturing	46.9	51.1	50.4	49.4	47.9
电力、燃气及水的生产和供应业	Production and Distribution of Electricity, Gas and Water	42.4	43.4	43.5	43.2	43.0
建筑业	Construction	48.0	51.6	51.3	49.7	48.2
交通运输、仓储和邮政业	Transport, Storage and Post	46.5	49.9	50.0	49.1	48.1
信息传输、计算机服务和软件业	Information Transmission, Computer Service and Software	43.6	45.6	46.3	45.1	45.4
批发和零售业	Wholesale and Retail Trades	50.1	52.5	52.5	50.9	49.6
住宿和餐饮业	Hotels and Catering Services	49.1	53.9	54.4	52.1	50.7
金融业	Financial Intermediation	41.7	42.4	42.6	42.4	42.3
房地产业	Real Estate	42.4	45.8	45.8	45.7	44.9
租赁和商务服务业	Leasing and Business Services	45.2	45.8	46.4	45.0	44.5
科学研究、技术服务和地质勘查业	Scientific Research, Technical Services and Geological Prospecting	42.2	42.7	42.5	42.2	42.3
水利、环境和公共设施管理业	Management of Water Conservancy, Environment and Public Facilities	42.2	45.3	44.3	44.4	43.7
居民服务和其他服务业	Services to Households and Other Services	47.0	52.3	52.1	50.2	49.0
教 育	Education	41.1	42.3	42.4	41.7	41.5
卫生、社会保障和社会福利业	Health, Social Securities and Social Welfare	43.0	44.6	45.3	44.2	44.1
文化、体育和娱乐业	Cultrue, Sports and Entertainment	44.1	46.3	46.8	45.2	45.4
公共管理和社会组织	Public Management and Social Organization	41.1	42.2	42.0	41.8	41.5
国际组织	International Organizations	43.0	43.4	47.8	40.0	40.0

注：1.11月相对应的调查周是10月25日至10月31日。

2.甲栏就业身份和行业职业按主业分组，工作时间包括主业和兼职工作时间(下表同)。

Note: a)The referent week in November is 25th to 31st, October.

b)The items about employment status, sectors and occupation are for the first job. The working hours both include the first and sencond job. The same applies to the tables following.

3-26 城镇男性就业人员调查周平均工作时间

Weekly Working Hours of Urban Male Employed Persons

单位：小时／周 (hours/per week)

分 组	Group	2004年11月 Nov.2004	2005年11月 Nov.2005	2006年11月 Nov.2006	2007年11月 Nov.2007	2008年11月 Nov.2008
全 部	**Total**	**46.0**	**48.7**	**48.3**	**46.8**	**45.7**
一、按年龄分组	**By Age**					
	16-19	47.9	51.4	49.7	48.2	45.8
	20-24	46.9	50.2	49.3	47.9	46.5
	25-29	46.6	49.6	49.3	47.8	46.9
	30-34	46.4	49.6	49.4	48.1	47.1
	35-39	46.6	49.3	49.5	47.9	47.0
	40-44	46.0	48.6	48.8	47.4	46.5
	45-49	45.3	48.0	47.8	46.6	45.8
	50-54	45.0	47.2	46.9	45.7	44.9
	55-59	44.3	46.2	45.7	44.2	43.3
	60-64	43.7	44.8	43.7	40.9	39.9
	65+	41.6		38.8	35.5	34.7
二、按职业分组	**By Occupation**					
单位负责人	Unit Head	44.0	47.2	48.3	47.8	47.6
专业技术人员	Technical Personnel	44.0	43.9	44.7	43.9	43.3
办事人员和有关人员	Clerk and Related Workers	42.6	45.0	44.9	44.4	44.0
商业、服务业人员	Business Service Personnel	50.0	52.2	52.4	50.7	49.6
农林牧渔水利业生产人员	Producers in the Sectors ot Agriculture, Forestry,Animal Husbandry,Fishery and Water Conservancy	44.6	45.1	44.5	41.0	40.2
生产、运输设备操作人员及有关人员	Production, Transport Equipment Operators and Related Workers	48.2	51.4	50.9	50.0	48.5
其 他	Others	47.4	49.6	48.9	48.3	46.7
三、按受教育程度分组	**By Educational Attaiment**					
未上过学	No Schooling	46.1	46.2	43.3	40.3	39.2
小 学	Primary School	46.9	49.2	48.2	45.5	43.6
初 中	Junior Secondary School	47.9	50.7	50.3	48.5	47.2
高 中	Senior Secondary School	45.4	48.4	48.3	47.4	46.5
大 专	College	42.3	43.6	44.3	43.3	43.3
大学本科	University	41.4	42.2	42.5	42.0	42.0
研究生及以上	Graduate and Higher Level	41.0	41.7	42.8	41.4	41.3

3-26 续表 continued

单位：小时／周 (hours/per week)

分 组	Group	2004年11月 Nov.2004	2005年11月 Nov.2005	2006年11月 Nov.2006	2007年11月 Nov.2007	2008年11月 Nov.2008
四、按行业分组	**By Sector**					
农、林、牧、渔业	Agriculture, Forestry, Animal Husbandry and Fishery	44.4	45.0	44.37	40.9	40.1
采矿业	Mining	45.9	48.2	48.84	46.9	46.0
制造业	Manufacturing	46.5	51.0	50.3	49.6	48.0
电力、燃气及水的生产和供应业	Production and Distribution of Electricity, Gas and Water	42.6	43.9	43.9	43.8	43.5
建筑业	Construction	48.6	52.2	51.9	50.3	48.8
交通运输、仓储和邮政业	Transport, Storage and Post	47.3	50.8	51.0	49.9	48.8
信息传输、计算机服务和软件业	Information Transmission, Computer Service and Software	44.1	45.8	46.5	45.5	45.8
批发和零售业	Wholesale and Retail Trades	50.6	52.9	53.0	51.4	50.1
住宿和餐饮业	Hotels and Catering Services	49.8	54.5	54.9	52.6	51.8
金融业	Financial Intermediation	41.8	42.7	42.8	42.6	42.6
房地产业	Real Estate	42.8	46.6	46.6	46.1	45.2
租赁和商务服务业	Leasing and Business Services	45.5	46.7	47.5	45.9	45.2
科学研究、技术服务和地质勘查业	Scientific Research, Technical Services and Geological Prospecting	42.4	43.1	43.0	42.6	42.5
水利、环境和公共设施管理业	Management of Water Conservancy, Environment and Public Facilities	42.3	45.2	44.6	44.4	43.4
居民服务和其他服务业	Services to Households and Other Services	47.7	52.7	52.7	51.0	49.9
教 育	Education	41.2	42.6	42.9	41.9	41.6
卫生、社会保障和社会福利业	Health, Social Securities and Social Welfare	43.5	45.6	46.3	44.9	44.9
文化、体育和娱乐业	Cultrue, Sports and Entertainment	44.1	46.4	47.3	45.7	45.4
公共管理和社会组织	Public Management and Social Organization	41.4	42.6	42.3	42.1	41.7
国际组织	International Organizations	44.6	44.7	53.8		40.0

3-27 城镇女性就业人员调查周平均工作时间

Weekly Working Hours of Urban Female Employed Persons

单位：小时／周　　(hours/per week)

分　组	Group	2004年11月 Nov.2004	2005年11月 Nov.2005	2006年11月 Nov.2006	2007年11月 Nov.2007	2008年11月 Nov.2008
全　部	**Total**	**44.9**	**46.7**	**45.9**	**44.0**	**43.1**
一、按年龄分组	**By Age**					
	16-19	49.3	52.0	50.2	48.0	45.8
	20-24	45.9	48.6	47.5	46.0	44.7
	25-29	45.1	47.4	46.8	45.1	44.4
	30-34	45.2	47.5	47.2	45.5	44.7
	35-39	45.2	47.2	46.9	45.2	44.6
	40-44	44.5	46.5	46.4	44.5	44.1
	45-49	43.9	45.3	44.8	43.4	43.0
	50-54	43.4	43.6	42.4	40.8	40.5
	55-59	43.2	41.7	40.4	37.2	36.5
	60-64	41.3	39.2	38.4	34.5	33.3
	65+	38.4		33.1	29.4	29.6
二、按职业分组	**By Occupation**					
单位负责人	Unit Head	44.1	47.1	48.8	47.6	47.1
专业技术人员	Technical Personnel	42.6	42.6	43.6	43.0	42.6
办事人员和有关人员	Clerk and Related Workers	42.1	43.0	43.3	42.8	42.5
商业、服务业人员	Business Service Personnel	48.7	51.7	51.6	49.9	48.7
农林牧渔水利业生产人员	Producers in the Sectors of Agriculture, Forestry,Animal Husbandry,Fishery and Water Conservancy	41.3	40.9	39.5	35.6	35.3
生产、运输设备操作人员及有关人员	Production, Transport Equipment Operators and Related Workers	47.8	51.5	50.7	49.3	47.66
其　他	Others	45.9	47.6	47.8	43.9	46.8
三、按受教育程度分组	**By Educational Attaiment**					
未上过学	No Schooling	44.1	43.6	40.7	36.1	35.2
小　学	Primary School	45.2	46.3	44.7	41.4	40.0
初　中	Junior Secondary School	46.8	48.9	47.9	45.7	44.5
高　中	Senior Secondary School	44.3	46.9	46.8	45.8	45.4
大　专	College	41.7	42.6	43.1	42.5	42.5
大学本科	University	41.0	41.4	41.5	41.3	41.3
研究生及以上	Graduate and Higher Level	40.6	40.6	40.9	41.3	40.6

3-27 续表 continued

单位：小时／周 (hours/per week)

分　组	Group	2004年11月 Nov.2004	2005年11月 Nov.2005	2006年11月 Nov.2006	2007年11月 Nov.2007	2008年11月 Nov.2008
四、按行业分组	**By Sector**					
农、林、牧、渔业	Agriculture, Forestry, Animal Husbandry and Fishery	41.2	40.8	39.4	35.6	35.3
采矿业	Mining	43.6	44.8	44.1	43.2	42.8
制造业	Manufacturing	47.5	51.3	50.5	49.2	47.7
电力、燃气及水的生产和供应业	Production and Distribution of Electricity, Gas and Water	41.9	42.2	42.4	41.9	41.9
建筑业	Construction	44.3	47.7	47.9	46.0	44.8
交通运输、仓储和邮政业	Transport, Storage and Post	43.3	45.6	45.4	45.0	44.6
信息传输、计算机服务和软件业	Information Transmission, Computer Service and Software	42.9	45.3	46.0	44.5	44.8
批发和零售业	Wholesale and Retail Trades	49.7	52.2	52.0	50.4	49.2
住宿和餐饮业	Hotels and Catering Services	48.6	53.4	53.9	51.6	49.8
金融业	Financial Intermediation	41.6	42.2	42.3	42.2	42.0
房地产业	Real Estate	41.9	44.5	44.4	44.8	44.3
租赁和商务服务业	Leasing and Business Services	44.9	44.4	44.5	43.8	43.7
科学研究、技术服务和地质勘查业	Scientific Research, Technical Services and Geological Prospecting	42.0	41.8	41.6	41.6	41.8
水利、环境和公共设施管理业	Management of Water Conservancy, Environment and Public Facilities	42.0	45.4	43.8	44.5	44.2
居民服务和其他服务业	Services to Households and Other Services	46.3	51.9	51.4	49.2	47.9
教　育	Education	41.0	42.0	42.1	41.6	41.3
卫生、社会保障和社会福利业	Health, Social Securities and Social Welfare	42.7	43.9	44.5	43.7	43.5
文化、体育和娱乐业	Cultrue, Sports and Entertainment	44.1	46.1	46.0	44.6	45.5
公共管理和社会组织	Public Management and Social Organization	40.7	41.3	41.3	41.2	40.9
国际组织	International Organizations	39.7	41.7	40.0	40.0	40.0

3-28 按年龄、性别分的城镇就业人员工作时间构成

Working Hours of Urban Employed Persons by Age and Sex

单位：% (%)

年龄 Age	城镇就业人员 Urban Employed Persons	1-8小时 1-8 Hours	9-19小时 9-19 Hours	20-39小时 20-39 Hours	40小时 40 Hours	41-48小时 41-48 Hours	48小时以上 48 Hours and Above
总计 Total	**100.0**	**0.6**	**2.3**	**14.8**	**33.3**	**18.3**	**30.8**
16-19	100.0	0.6	2.6	15.1	23.1	22.3	36.3
20-24	100.0	0.5	1.8	12.1	30.0	23.4	32.2
25-29	100.0	0.4	1.3	10.2	36.3	20.8	31.0
30-34	100.0	0.3	1.3	10.6	36.1	19.0	32.7
35-39	100.0	0.4	1.3	12.0	34.8	18.2	33.3
40-44	100.0	0.4	1.6	12.9	34.6	17.9	32.7
45-49	100.0	0.5	1.9	14.0	37.0	17.1	29.6
50-54	100.0	0.6	2.7	18.0	33.7	16.4	28.5
55-59	100.0	1.1	4.6	25.3	28.7	14.9	25.3
60-64	100.0	1.6	8.5	36.9	18.4	13.4	21.2
65+	100.0	3.2	13.3	45.0	13.9	9.7	14.9
男 Male	**100.0**	**0.4**	**1.5**	**12.0**	**33.7**	**18.9**	**33.5**
16-19	100.0	0.7	2.5	16.0	21.6	22.0	37.2
20-24	100.0	0.5	1.3	10.8	29.1	23.0	35.2
25-29	100.0	0.3	0.7	8.3	35.0	21.5	34.2
30-34	100.0	0.2	1.0	8.0	35.2	19.4	36.1
35-39	100.0	0.3	0.8	9.4	34.5	18.8	36.2
40-44	100.0	0.3	0.8	10.0	35.1	18.3	35.4
45-49	100.0	0.3	1.1	10.4	38.0	17.7	32.5
50-54	100.0	0.4	1.4	12.8	36.9	17.8	30.8
55-59	100.0	0.6	2.6	18.7	33.3	16.5	28.3
60-64	100.0	1.1	5.7	31.3	20.6	15.9	25.4
65+	100.0	2.7	10.9	42.3	15.6	11.2	17.2
女 Female	**100.0**	**0.8**	**3.2**	**18.2**	**32.7**	**17.6**	**27.4**
16-19	100.0	0.5	2.8	14.3	24.6	22.6	35.3
20-24	100.0	0.6	2.3	13.4	30.9	23.7	29.1
25-29	100.0	0.5	2.1	12.4	37.7	19.9	27.4
30-34	100.0	0.5	1.7	13.7	37.0	18.5	28.6
35-39	100.0	0.4	1.9	15.1	35.1	17.4	29.9
40-44	100.0	0.6	2.4	16.3	33.9	17.3	29.5
45-49	100.0	0.8	2.8	18.4	35.8	16.3	25.9
50-54	100.0	1.0	4.9	26.7	28.4	14.1	24.8
55-59	100.0	2.1	8.6	37.8	20.0	12.0	19.5
60-64	100.0	2.4	12.6	45.4	15.0	9.7	15.0
65+	100.0	4.1	17.3	49.5	11.1	7.0	11.0

3-29 按受教育程度、性别分的城镇就业人员工作时间构成

Working Hours of Urban Employed Persons by Educational Attainment and Sex

单位：%　　　　(%)

受教育程度	Educational Attainment	城镇就业人员 Urban Employed Persons	1-8小时 1-8 Hours	9-19小时 9-19 Hours	20-39小时 20-39 Hours	40小时 40 Hours	41-48小时 41-48 Hours	48小时以上 48 Hours and Above
总　计	**Total**	**100.0**	**0.6**	**2.3**	**14.8**	**33.3**	**18.3**	**30.8**
未上过学	No Schooling	100.0	1.4	10.0	41.6	14.4	11.7	21.0
小　学	Primary School	100.0	1.2	5.4	28.3	17.5	16.1	31.5
初　中	Junior Secondary School	100.0	0.6	2.1	15.6	23.5	20.1	38.1
高　中	Senior Secondary School	100.0	0.3	0.7	6.9	41.9	20.2	29.9
大学专科	College	100.0	0.1	0.3	4.4	66.6	15.7	13.0
大学本科	University	100.0	0.3	0.2	4.8	75.2	11.8	7.8
研究生及以上	Graduate and Higher Level	100.0	0.2	0.6	5.5	79.0	8.0	6.7
男	**Male**	**100.0**	**0.4**	**1.5**	**12.0**	**33.7**	**18.9**	**33.5**
未上过学	No Schooling	100.0	1.2	7.4	35.2	15.6	14.5	26.2
小　学	Primary School	100.0	0.8	4.0	24.4	18.2	17.1	35.5
初　中	Junior Secondary School	100.0	0.5	1.4	12.9	23.4	20.6	41.3
高　中	Senior Secondary School	100.0	0.2	0.6	6.6	40.9	20.0	31.7
大学专科	College	100.0	0.1	0.3	4.0	65.2	15.9	14.5
大学本科	University	100.0	0.2	0.2	4.5	74.2	12.2	8.7
研究生及以上	Graduate and Higher Level	100.0	0.3	0.7	5.3	76.7	8.7	8.4
女	**Female**	**100.0**	**0.8**	**3.2**	**18.2**	**32.7**	**17.6**	**27.4**
未上过学	No Schooling	100.0	1.5	11.0	44.4	13.9	10.5	18.7
小　学	Primary School	100.0	1.5	6.7	32.1	16.9	15.1	27.7
初　中	Junior Secondary School	100.0	0.8	3.0	19.1	23.6	19.4	34.1
高　中	Senior Secondary School	100.0	0.3	0.9	7.4	43.5	20.6	27.3
大学专科	College	100.0	0.1	0.3	4.9	68.4	15.3	11.1
大学本科	University	100.0	0.3	0.2	5.1	76.6	11.3	6.5
研究生及以上	Graduate and Higher Level	100.0		0.6	5.8	82.8	6.7	4.1

3-30 按户口性质、性别分的城镇就业人员工作时间构成

Working Hours of Urban Employed Persons by Household Registration and Sex

单位：% (%)

户口性质	Household Registration	城镇就业人员 Urban Employed Persons	1-8小时 1-8 Hours	9-19小时 9-19 Hours	20-39小时 20-39 Hours	40小时 40 Hours	41-48小时 41-48 Hours	48小时以上 48 Hours and Above
总　计	**Total**	**100.0**	**0.6**	**2.3**	**14.8**	**33.3**	**18.3**	**30.8**
农　业	Agriculture	100.0	0.9	3.7	22.2	19.2	19.2	34.7
非农业	Non-Agriculture	100.0	0.2	0.6	6.2	49.5	17.2	26.3
男	**Male**	**100.0**	**0.4**	**1.5**	**12.0**	**33.7**	**18.9**	**33.5**
农　业	Agriculture	100.0	0.7	2.5	18.1	19.0	20.5	39.2
非农业	Non-Agriculture	100.0	0.2	0.5	5.5	49.5	17.1	27.3
女	**Female**	**100.0**	**0.8**	**3.2**	**18.2**	**32.7**	**17.6**	**27.4**
农　业	Agriculture	100.0	1.2	5.1	27.0	19.4	17.8	29.4
非农业	Non-Agriculture	100.0	0.2	0.8	7.2	49.5	17.4	25.0

3-31 按就业身份、性别分的城镇就业人员工作时间构成

Working Hours of Urban Employed Persons by Employment Status and Sex

单位：% (%)

就业身份	Employment Status	城镇就业人员 Urban Employed Persons	1-8小时 1-8 Hours	9-19小时 9-19 Hours	20-39小时 20-39 Hours	40小时 40 Hours	41-48小时 41-48 Hours	48小时以上 48 Hours and Above
总　计	**Total**	**100.0**	**0.2**	**0.7**	**8.1**	**24.8**	**21.4**	**44.7**
雇　员	Employee	100.0	0.2	0.5	5.7	29.3	25.8	38.7
雇　主	Employer	100.0	0.2	0.4	5.3	23.2	15.1	55.7
自营劳动者	Self-Employed	100.0	0.2	1.1	12.6	16.6	14.8	54.8
家庭帮工	Unpaid Familial Worker	100.0	0.4	2.5	17.0	17.5	14.2	48.5
男	**Male**	**100.0**	**0.2**	**0.6**	**7.1**	**24.0**	**21.1**	**47.1**
雇　员	Employee	100.0	0.1	0.4	4.9	28.4	25.3	40.7
雇　主	Employer	100.0	0.2	0.3	5.0	22.7	15.3	56.5
自营劳动者	Self-Employed	100.0	0.2	0.9	11.3	16.3	15.3	56.0
家庭帮工	Unpaid Familial Worker	100.0	0.2	2.1	14.6	17.9	14.7	50.4
女	**Female**	**100.0**	**0.2**	**0.9**	**9.4**	**25.9**	**21.9**	**41.7**
雇　员	Employee	100.0	0.2	0.5	6.5	30.3	26.2	36.2
雇　主	Employer	100.0	0.3	0.7	6.2	24.5	14.5	53.7
自营劳动者	Self-Employed	100.0	0.3	1.3	15.1	17.0	13.9	52.4
家庭帮工	Unpaid Familial Worker	100.0	0.4	2.6	17.6	17.4	14.1	48.0

3-32 按行业、性别分的城镇就业人员工作时间构成

单位：%

项　目	Item	城　镇 就业人员 Urban Employed Persons	1-8小时 1-8 Hours
总　计	**Total**	**100.0**	**0.6**
农、林、牧、渔业	Agriculture,Forestry, Animal Husbandry and Fishery	100.0	1.7
采矿业	Mining	100.0	0.6
制造业	Manufacturing	100.0	0.1
电力、燃气及水的生产和供应业	Production and Distribution of Electricity,Gas and Water	100.0	
建筑业	Construction	100.0	0.2
交通运输、仓储和邮政业	Transport,Storage and Post	100.0	0.1
信息传输、计算机服务和软件业	Information Transmission, Computer Service and Software	100.0	0.1
批发和零售业	Wholesale and Retail Trades	100.0	0.1
住宿和餐饮业	Hotels and Catering Services	100.0	0.1
金融业	Financial Intermediation	100.0	0.1
房地产业	Real Estate	100.0	0.1
租赁和商务服务业	Leasing and Business Services	100.0	0.1
科学研究、技术服务和地质勘查业	Scientific Research,Technical Services and Geologic Prospecting	100.0	
水利、环境和公共设施管理业	Management of Water Conservancy,Environment and Public Facilities	100.0	0.1
居民服务和其他服务业	Services to Households and Other Services	100.0	0.3
教　育	Education	100.0	0.4
卫生、社会保障和社会福利业	Health,Social Securities and Social Welfare	100.0	0.1
文化、体育和娱乐业	Culture, Sports and Entertainment	100.0	0.2
公共管理和社会组织	Public Management and Social Organization	100.0	0.2
国际组织	International Organizations	100.0	
男	**Male**	**100.0**	**0.4**
农、林、牧、渔业	Agriculture,Forestry, Animal Husbandry and Fishery	100.0	1.4
采矿业	Mining	100.0	0.3
制造业	Manufacturing	100.0	0.1
电力、燃气及水的生产和供应业	Production and Distribution of Electricity,Gas and Water	100.0	0.0
建筑业	Construction	100.0	0.2
交通运输、仓储和邮政业	Transport,Storage and Post	100.0	0.1
信息传输、计算机服务和软件业	Information Transmission, Computer Service and Software	100.0	0.1
批发和零售业	Wholesale and Retail Trades	100.0	0.1
住宿和餐饮业	Hotels and Catering Services	100.0	0.1
金融业	Financial Intermediation	100.0	

Working Hours of Urban Employed Persons by Sector and Sex

(%)

9-19小时 9-19 Hours	20-39小时 20-39 Hours	40小时 40 Hours	41-48小时 41-48 Hours	48小时以上 48 Hours and Above
2.3	**14.8**	**33.3**	**18.3**	**30.8**
6.9	36.4	18.1	15.7	21.1
0.3	6.3	45.5	20.8	26.6
0.4	5.4	32.9	25.4	35.8
0.1	3.8	68.4	13.8	13.9
0.6	8.5	28.8	18.5	43.4
0.5	7.0	36.3	16.1	40.0
0.1	3.9	54.6	18.6	22.7
0.8	7.9	25.6	18.9	46.7
0.6	8.3	21.3	19.3	50.4
0.2	6.1	69.3	13.9	10.4
0.6	5.3	50.8	20.9	22.3
0.4	5.4	56.0	18.4	19.8
0.2	6.0	74.1	10.4	9.4
0.5	8.1	53.5	16.8	20.8
1.1	10.1	26.0	16.9	45.7
0.4	5.8	73.6	11.8	8.0
0.1	4.5	56.0	22.0	17.3
0.6	7.8	49.7	15.6	26.2
0.2	6.3	75.8	9.3	8.2
		100.0		
1.5	**12.0**	**33.7**	**18.9**	**33.5**
4.8	31.2	18.4	18.4	25.8
0.2	5.4	43.0	21.4	29.5
0.3	4.1	34.0	25.1	36.4
0.1	3.7	65.2	14.4	16.6
0.6	8.1	26.3	19.1	45.9
0.5	6.9	33.1	16.4	43.1
0.2	3.0	54.2	18.8	23.8
0.6	7.2	25.3	18.2	48.4
0.6	6.3	20.3	18.4	54.2
0.1	5.7	69.4	13.6	11.1

3-32 续表

单位：%

项　目	Item	城　镇就业人员 Urban Employed Persons	1-8小时 1-8 Hours
房地产业	Real Estate	100.0	0.1
租赁和商务服务业	Leasing and Business Services	100.0	
科学研究、技术服务和地质勘查业	Scientific Research,Technical Services and Geologic Prospecting	100.0	
水利、环境和公共设施管理业	Management of Water Conservancy,Environment and Public Facilities	100.0	0.1
居民服务和其他服务业	Services to Households and Other Services	100.0	0.1
教　育	Education	100.0	0.4
卫生、社会保障和社会福利业	Health,Social Securities and Social Welfare	100.0	
文化、体育和娱乐业	Culture, Sports and Entertainment	100.0	0.2
公共管理和社会组织	Public Management and Social Organization	100.0	0.2
国际组织	International Organizations	100.0	
女	**Female**	**100.0**	**0.8**
农、林、牧、渔业	Agriculture,Forestry, Animal Husbandry and Fishery	100.0	2.1
采矿业	Mining	100.0	1.3
制造业	Manufacturing	100.0	0.1
电力、燃气及水的生产和供应业	Production and Distribution of Electricity,Gas and Water	100.0	
建筑业	Construction	100.0	0.3
交通运输、仓储和邮政业	Transport,Storage and Post	100.0	0.1
信息传输、计算机服务和软件业	Information Transmission, Computer Service and Software	100.0	
批发和零售业	Wholesale and Retail Trades	100.0	0.2
住宿和餐饮业	Hotels and Catering Services	100.0	0.2
金融业	Financial Intermediation	100.0	0.1
房地产业	Real Estate	100.0	0.1
租赁和商务服务业	Leasing and Business Services	100.0	0.1
科学研究、技术服务和地质勘查业	Scientific Research,Technical Services and Geologic Prospecting	100.0	
水利、环境和公共设施管理业	Management of Water Conservancy,Environment and Public Facilities	100.0	
居民服务和其他服务业	Services to Households and Other Services	100.0	0.5
教　育	Education	100.0	0.3
卫生、社会保障和社会福利业	Health,Social Securities and Social Welfare	100.0	0.1
文化、体育和娱乐业	Culture, Sports and Entertainment	100.0	0.1
公共管理和社会组织	Public Management and Social Organization	100.0	0.1
国际组织	International Organizations	100.0	

continued

(%)

9-19小时 9-19 Hours	20-39小时 20-39 Hours	40小时 40 Hours	41-48小时 41-48 Hours	48小时以上 48 Hours and Above
0.6	5.3	50.0	20.1	24.0
0.5	4.9	54.4	18.1	22.0
0.2	6.4	71.7	10.4	11.2
0.3	7.7	55.8	17.1	19.0
0.7	7.9	25.6	16.7	49.0
0.5	5.8	72.6	12.2	8.6
0.1	4.6	51.3	23.1	20.9
1.0	6.9	51.1	15.2	25.6
0.2	6.0	74.6	10.0	9.0
		100.0		
3.2	**18.2**	**32.7**	**17.6**	**27.4**
8.9	41.5	17.8	13.0	16.6
0.3	9.0	53.4	18.9	17.1
0.5	7.0	31.6	25.8	35.0
	4.1	75.6	12.5	7.7
0.7	10.8	43.5	15.2	29.4
0.6	7.5	52.8	15.0	24.1
0.1	5.4	55.3	18.3	20.9
0.9	8.5	25.8	19.5	45.2
0.6	9.9	22.1	20.0	47.1
0.3	6.4	69.3	14.2	9.7
0.7	5.2	52.2	22.3	19.6
0.3	6.1	57.8	18.6	17.1
0.2	5.3	77.8	10.3	6.4
0.9	8.7	50.0	16.6	23.8
1.5	12.7	26.4	17.2	41.8
0.4	5.8	74.5	11.4	7.5
0.1	4.3	59.4	21.3	14.8
0.2	8.8	48.0	16.0	26.9
0.3	7.0	78.5	7.8	6.3
		100.0		

3-33 按职业、性别分的城镇就业人员工作时间构成

Working Hours of Urban Employed Persons by Occupation and Sex

单位：%　　　　(%)

职　业	Occupation	城镇就业人员 Urban Employed Persons	1-8小时 1-8 Hours	9-19小时 9-19 Hours	20-39小时 20-39 Hours	40小时 40 Hours	41-48小时 41-48 Hours	48小时以上 48 Hours and Above
合　计	**Total**	**100.0**	**0.6**	**2.3**	**14.8**	**33.3**	**18.3**	**30.8**
单位负责人	Unit Head	100.0	0.2	0.3	4.5	42.9	16.8	35.1
专业技术人员	Technical Personnel	100.0	0.2	0.3	5.5	64.0	16.1	14.0
办事人员和有关人员	Clerk and Related Workers	100.0	0.1	0.2	4.5	65.3	14.6	15.3
商业、服务业人员	Business Service Personnel	100.0	0.2	0.8	8.4	27.3	18.7	44.7
农林牧渔水利业生产人员	Producers in the Sectors of Agriculture, Forestry, Animal Husbandry, Fishery and Water Conservancy	100.0	1.7	6.9	36.2	18.2	15.8	21.2
生产运输设备操作人员及有关人员	Production,Transport Equipment Operators and Related Workers	100.0	0.2	0.5	6.5	30.6	23.0	39.3
其　他	Others	100.0	0.4	0.8	7.7	36.6	18.8	35.6
男	**Male**	**100.0**	**0.4**	**1.5**	**12.0**	**33.7**	**18.9**	**33.5**
单位负责人	Unit Head	100.0	0.1	0.2	4.3	42.8	16.8	35.8
专业技术人员	Technical Personnel	100.0	0.1	0.4	5.3	62.2	16.4	15.6
办事人员和有关人员	Clerk and Related Workers	100.0	0.1	0.2	4.3	63.3	14.8	17.3
商业、服务业人员	Business Service Personnel	100.0	0.1	0.6	7.4	27.4	17.9	46.5
农林牧渔水利业生产人员	Producers in the Sectors of Agriculture, Forestry, Animal Husbandry, Fishery and Water Conservancy	100.0	1.3	4.8	30.9	18.6	18.5	25.9
生产运输设备操作人员及有关人员	Production,Transport Equipment Operators and Related Workers	100.0	0.2	0.4	5.7	30.6	22.2	40.9
其　他	Others	100.0	0.2	0.6	7.7	37.7	18.6	35.2
女	**Female**	**100.0**	**0.8**	**3.2**	**18.2**	**32.7**	**17.6**	**27.4**
单位负责人	Unit Head	100.0	0.7	0.6	5.4	43.4	17.1	32.8
专业技术人员	Technical Personnel	100.0	0.2	0.3	5.6	65.6	15.8	12.5
办事人员和有关人员	Clerk and Related Workers	100.0	0.1	0.1	5.0	69.2	14.3	11.3
商业、服务业人员	Business Service Personnel	100.0	0.2	0.9	9.3	27.1	19.5	43.0
农林牧渔水利业生产人员	Producers in the Sectors of Agriculture, Forestry, Animal Husbandry, Fishery and Water Conservancy	100.0	2.0	8.9	41.3	17.9	13.1	16.7
生产运输设备操作人员及有关人员	Production,Transport Equipment Operators and Related Workers	100.0	0.1	0.6	8.0	30.6	24.5	36.2
其　他	Others	100.0	0.7	1.1	7.6	34.9	19.0	36.6

3-34 按年龄、性别分的城镇失业人员失业原因构成

Reason for Unemployment of Urban Unemployed Persons by Age and Sex

单位：% (%)

年 龄 Age	城 镇 失业人员 Urban Unemployed Persons	离退休 Retired	料理家务 Do Housework	毕业后未工作 Job-off After Graduated	因单位原因失去工作 Lost Job for Working Unit Reasons	因个人原因失去工作 Lost Job for Individual Reasons	承包土地被征用 Land Expropriated	其 他 Others
总计 Total	**100.0**	**2.1**	**12.9**	**22.1**	**28.7**	**19.1**	**3.6**	**11.5**
16-19	100.0		0.8	77.6	2.3	14.3	0.2	4.8
20-24	100.0		4.8	60.9	4.7	19.1	1.1	9.3
25-29	100.0		17.2	28.0	12.2	27.3	1.9	13.4
30-34	100.0		23.3	4.8	29.2	21.8	4.2	16.7
35-39	100.0		19.4	2.9	39.0	19.4	7.3	12.1
40-44	100.0	0.2	13.6	0.8	53.5	15.7	5.4	10.6
45-49	100.0	1.2	11.5	0.6	56.4	17.6	3.2	9.5
50-54	100.0	14.3	7.2	0.4	50.0	10.6	5.1	12.4
55-59	100.0	20.9	5.1		45.5	11.9	4.3	12.3
60-64	100.0	35.7	16.7		7.1	14.3	14.3	11.9
65+	100.0	41.4	10.3		17.2	20.7	6.9	3.4
男 Male	**100.0**	**1.6**	**1.1**	**24.9**	**33.6**	**20.9**	**4.1**	**13.6**
16-19	100.0		0.3	77.6	2.1	14.3		5.6
20-24	100.0		0.5	65.7	5.1	18.8	0.9	8.9
25-29	100.0		1.5	32.2	14.7	31.3	2.2	18.2
30-34	100.0		1.7	6.0	38.4	27.3	6.5	20.1
35-39	100.0		0.3	1.5	44.3	23.8	11.4	18.7
40-44	100.0	0.2	1.8	0.2	58.3	20.2	4.8	14.5
45-49	100.0		1.3	0.3	63.0	18.2	5.3	11.9
50-54	100.0	4.0	1.4	0.3	66.1	10.9	4.6	12.6
55-59	100.0	14.0	0.5		59.1	15.1	1.1	10.2
60-64	100.0	40.7	14.8		3.7	11.1	22.2	7.4
65+	100.0	60.0				20.0	13.3	6.7
女 Female	**100.0**	**2.6**	**23.8**	**19.4**	**24.1**	**17.4**	**3.1**	**9.6**
16-19	100.0		1.1	77.9	2.6	14.2	0.5	3.7
20-24	100.0		9.3	56.0	4.3	19.3	1.4	9.7
25-29	100.0		29.7	24.7	10.3	24.1	1.6	9.6
30-34	100.0		38.7	3.9	22.7	17.7	2.6	14.3
35-39	100.0		30.4	3.6	36.2	16.8	4.8	8.2
40-44	100.0	0.2	23.7	1.4	49.6	12.0	5.8	7.3
45-49	100.0	2.2	20.8	0.8	50.6	16.9	1.4	7.2
50-54	100.0	34.4	18.9	0.6	18.3	10.0	6.1	11.7
55-59	100.0	39.7	17.6		8.8	2.9	11.8	19.1
60-64	100.0	28.6	21.4		14.3	14.3		21.4
65+	100.0	26.7	20.0		33.3	20.0		

3-35 按失业原因、性别分的城镇失业人员年龄构成

Age Composition of Urban Unemployed Persons by Reason and Sex

单位：%　　　　　　　　　　　　　　　　　　　　　　　　　　　　　　　　　　(%)

年龄 Age	城镇 失业人员 Urban Unemployed Persons	离退休 Retired	料理家务 Do Housework	毕业后 未工作 Job-off After Graduated	因单位原因 失去工作 Lost Job for Working Unit Reasons	因个人原因 失去工作 Lost Job for Individual Reasons	承包土地 被征用 Land Expropriated	其他 Others
总计　Total	**100.0**	**100.0**	**100.0**	**100.0**	**100.0**	**100.0**	**100.0**	**100.0**
16-19	6.1		0.4	21.6	0.5	4.6	0.4	2.6
20-24	19.2		7.2	52.9	3.1	19.1	6.0	15.5
25-29	15.8		21.1	20.1	6.8	22.6	8.5	18.5
30-34	12.9		23.3	2.8	13.1	14.7	14.8	18.8
35-39	14.0		21.0	1.8	19.0	14.2	27.9	14.7
40-44	12.3	1.2	13.1	0.5	23.0	10.2	18.4	11.4
45-49	8.7	4.8	7.8	0.2	17.1	8.0	7.8	7.2
50-54	6.8	45.5	3.8	0.1	11.8	3.8	9.5	7.3
55-59	3.3	32.1	1.3		5.2	2.0	3.9	3.5
60-64	0.5	9.1	0.7		0.1	0.4	2.1	0.6
65+	0.4	7.3	0.3		0.2	0.4	0.7	0.1
男　Male	**100.0**	**100.0**	**100.0**	**100.0**	**100.0**	**100.0**	**100.0**	**100.0**
16-19	7.7		2.3	23.8	0.5	5.2		3.1
20-24	20.4		9.3	53.7	3.1	18.3	4.5	13.4
25-29	14.6		18.6	18.8	6.4	21.8	7.7	19.4
30-34	11.1		16.3	2.7	12.7	14.6	17.4	16.5
35-39	10.6		2.3	0.6	13.9	12.0	29.0	14.5
40-44	11.8	1.6	18.6	0.1	20.4	11.4	13.5	12.6
45-49	8.5		9.3	0.1	16.0	7.4	11.0	7.5
50-54	9.3	23.0	11.6	0.1	18.3	4.9	10.3	8.6
55-59	5.0	42.6	2.3		8.7	3.6	1.3	3.7
60-64	0.7	18.0	9.3		0.1	0.4	3.9	0.4
65+	0.4	14.8				0.4	1.3	0.2
女　Female	**100.0**	**100.0**	**100.0**	**100.0**	**100.0**	**100.0**	**100.0**	**100.0**
16-19	4.7		0.2	18.9	0.5	3.8	0.8	1.8
20-24	18.0		7.1	52.0	3.2	20.1	8.1	18.4
25-29	17.0		21.2	21.7	7.3	23.6	8.9	17.1
30-34	14.5		23.6	2.9	13.6	14.8	12.1	21.8
35-39	17.1		21.9	3.2	25.6	16.5	26.6	14.8
40-44	12.8	0.9	12.8	0.9	26.4	8.8	24.2	9.8
45-49	8.9	7.5	7.8	0.4	18.7	8.7	4.0	6.7
50-54	4.5	58.5	3.5	0.1	3.4	2.6	8.9	5.4
55-59	1.7	25.5	1.2		0.6	0.3	6.5	3.4
60-64	0.3	3.8	0.3		0.2	0.3		0.8
65+	0.4	3.8	0.3		0.5	0.4		

3-36 按受教育程度、性别分的城镇失业人员失业原因构成
Reason for Unemployment of Urban Unemployed Persons by Educational Attainment and Sex

单位：% (%)

受教育程度	Educational Attainment	城镇失业人员 Urban Unemployed Persons	离退休 Retired	料理家务 Do Housework	毕业后未工作 Job-off After Graduated	因单位原因失去工作 Lost Job for Working Unit Reasons	因个人原因失去工作 Lost Job for Individual Reasons	承包土地被征用 Land Expropriated	其他 Others
总计	**Total**	**100.0**	**2.1**	**12.9**	**22.1**	**28.7**	**19.1**	**3.6**	**11.5**
未上过学	No Schooling	100.0	2.9	23.5	5.9	2.9	5.9	5.9	52.9
小学	Primary School	100.0	4.0	18.8	3.8	19.8	20.4	12.6	20.4
初中	Junior Secondary School	100.0	2.4	16.9	13.8	29.1	19.8	5.6	12.4
高中	Senior Secondary School	100.0	1.9	11.0	23.1	35.2	17.9	1.0	9.8
大学专科	College	100.0	1.1	4.8	46.3	19.8	18.0	0.4	9.6
大学本科	University	100.0	0.9	2.1	55.0	15.9	21.8		4.4
研究生及以上	Graduate and Higher Level	100.0			43.8	6.3	43.8		6.3
男	**Male**	**100.0**	**1.6**	**1.1**	**24.9**	**33.6**	**20.9**	**4.1**	**13.6**
未上过学	No Schooling	100.0	6.7		13.3		6.7	13.3	60.0
小学	Primary School	100.0	5.0	1.8	2.8	25.7	22.9	15.1	26.6
初中	Junior Secondary School	100.0	1.8	1.7	16.0	36.5	22.1	6.5	15.5
高中	Senior Secondary School	100.0	1.2	0.8	26.0	39.4	20.4	1.4	10.8
大学专科	College	100.0	0.8	0.6	48.6	20.1	18.0	0.4	11.5
大学本科	University	100.0	0.5		57.9	19.1	18.0		4.4
研究生及以上	Graduate and Higher Level	100.0			30.8	7.7	53.8		7.7
女	**Female**	**100.0**	**2.6**	**23.8**	**19.4**	**24.1**	**17.4**	**3.1**	**9.6**
未上过学	No Schooling	100.0		40.0		5.0	5.0		50.0
小学	Primary School	100.0	3.3	32.5	4.7	15.0	18.2	10.6	15.7
初中	Junior Secondary School	100.0	3.0	30.1	11.9	22.6	17.8	4.8	9.7
高中	Senior Secondary School	100.0	2.5	20.6	20.5	31.3	15.6	0.7	8.9
大学专科	College	100.0	1.5	9.5	43.5	19.4	18.1	0.4	7.5
大学本科	University	100.0	1.3	4.4	51.9	12.0	25.9		4.4
研究生及以上	Graduate and Higher Level	100.0			60.0	20.0	20.0		

3-37 按失业原因、性别分的城镇失业人员受教育程度构成
Educational Attainment of Urban Unemployed Persons by Reason and Sex

单位：% (%)

受教育程度	Educational Attainment	城镇失业人员 Urban Unemployed Persons	离退休 Retired	料理家务 Do Housework	毕业后未工作 Job-off After Graduated	因单位原因失去工作 Lost Job for Working Unit Reasons	因个人原因失去工作 Lost Job for Individual Reasons	承包土地被征用 Land Expropriated	其他 Others
总　计	**Total**	**100.0**	**100.0**	**100.0**	**100.0**	**100.0**	**100.0**	**100.0**	**100.0**
未上过学	No Schooling	0.4	0.6	0.8	0.1		0.1	0.7	2.0
小　学	Primary School	6.3	12.2	9.3	1.1	4.4	6.8	22.1	11.3
初　中	Junior Secondary School	43.1	50.0	56.3	27.0	43.7	44.7	66.2	46.3
高　中	Senior Secondary School	33.3	29.3	28.3	34.9	41.0	31.3	9.6	28.5
大学专科	College	12.2	6.1	4.6	25.6	8.4	11.5	1.4	10.2
大学本科	University	4.4	1.8	0.7	10.9	2.4	5.0		1.7
研究生及以上	Graduate and Higher Level	0.2			0.4		0.5		0.1
男	**Male**	**100.0**	**100.0**	**100.0**	**100.0**	**100.0**	**100.0**	**100.0**	**100.0**
未上过学	No Schooling	0.4	1.7		0.2		0.1	1.3	1.8
小　学	Primary School	5.9	18.3	9.3	0.6	4.5	6.4	21.2	11.4
初　中	Junior Secondary School	41.8	46.7	60.5	26.8	45.4	44.1	64.7	47.4
高　中	Senior Secondary School	33.8	25.0	23.3	35.2	39.5	33.0	11.5	26.8
大学专科	College	13.0	6.7	7.0	25.4	7.8	11.3	1.3	11.0
大学本科	University	4.9	1.7		11.4	2.8	4.2		1.6
研究生及以上	Graduate and Higher Level	0.3			0.4	0.1	0.9		0.2
女	**Female**	**100.0**	**100.0**	**100.0**	**100.0**	**100.0**	**100.0**	**100.0**	**100.0**
未上过学	No Schooling	0.5		0.8		0.1	0.1		2.6
小　学	Primary School	6.8	8.6	9.3	1.7	4.2	7.1	23.0	11.1
初　中	Junior Secondary School	44.3	51.4	56.1	27.1	41.6	45.4	68.3	44.8
高　中	Senior Secondary School	32.9	31.4	28.5	34.6	42.8	29.4	7.1	30.6
大学专科	College	11.5	6.7	4.6	25.7	9.3	11.9	1.6	9.1
大学本科	University	3.9	1.9	0.7	10.4	2.0	5.8		1.8
研究生及以上	Graduate and Higher Level	0.1			0.4	0.1	0.1		

3-38 按年龄、性别分的城镇失业人员受教育程度构成

Educational Attainment of Urban Unemployed Persons by Age and Sex

单位：% (%)

年 龄 Age	城 镇 失业人员 Urban Unemployed Persons	未 上 过 学 No Schooling	小 学 Primary School	初 中 Junior Secondary School	高 中 Senior Secondary School	大 学 专 科 College	大 学 本 科 University	研究生 及以上 Graduate and Higher Level
总计 Total	**100.0**	**0.4**	**6.3**	**43.1**	**33.3**	**12.2**	**4.4**	**0.2**
16-19	100.0	0.2	1.7	54.4	40.4	2.7	0.6	
20-24	100.0	0.3	2.1	30.2	31.2	26.8	9.3	0.1
25-29	100.0	0.3	2.1	36.4	32.7	18.3	9.7	0.5
30-34	100.0	0.6	6.0	43.8	36.2	10.8	2.5	0.2
35-39	100.0	0.5	8.6	50.9	30.8	7.0	1.8	0.4
40-44	100.0	0.4	8.2	51.1	33.1	5.5	1.4	0.2
45-49	100.0	0.4	6.9	44.6	42.2	4.3	1.5	
50-54	100.0	0.4	12.3	46.6	34.7	4.9	1.1	
55-59	100.0	1.2	22.0	54.3	15.4	5.1	2.0	
60-64	100.0	4.8	47.6	31.0	9.5	4.8	2.4	
65+	100.0	6.9	24.1	34.5	13.8	20.7		
男 Male	**100.0**	**0.4**	**5.9**	**41.8**	**33.8**	**13.0**	**4.9**	**0.3**
16-19	100.0	0.3	1.7	55.2	39.5	2.8	0.3	
20-24	100.0	0.4	1.3	26.6	34.8	26.9	9.8	0.1
25-29	100.0	0.6	2.6	35.2	29.5	19.8	11.7	0.7
30-34	100.0	0.2	4.8	44.1	36.2	12.5	1.7	0.5
35-39	100.0	0.5	8.9	47.8	32.2	7.8	2.3	0.5
40-44	100.0	0.2	7.5	50.2	32.1	7.2	2.3	0.5
45-49	100.0		6.0	41.2	46.2	4.4	2.2	
50-54	100.0	0.3	10.3	46.0	35.6	6.3	1.4	
55-59	100.0	0.5	17.3	59.5	15.1	5.4	2.2	
60-64	100.0	3.6	42.9	28.6	14.3	7.1	3.6	
65+	100.0		26.7	33.3	13.3	26.7		
女 Female	**100.0**	**0.5**	**6.8**	**44.3**	**32.9**	**11.5**	**3.9**	**0.1**
16-19	100.0		1.6	53.4	41.9	2.6	0.5	
20-24	100.0	0.1	3.0	33.9	27.5	26.8	8.7	
25-29	100.0	0.1	1.7	37.2	35.2	17.1	8.1	0.4
30-34	100.0	0.9	6.8	43.5	36.2	9.4	3.2	
35-39	100.0	0.4	8.4	52.8	30.0	6.5	1.6	0.3
40-44	100.0	0.6	8.9	51.9	34.0	4.1	0.6	
45-49	100.0	0.6	7.8	47.6	39.0	4.5	0.6	
50-54	100.0	0.6	16.1	47.8	32.8	2.2	0.6	
55-59	100.0	1.5	35.3	41.2	16.2	4.4	1.5	
60-64	100.0	7.1	57.1	35.7				
65+	100.0	13.3	20.0	33.3	20.0	13.3		

3-39 按受教育程度、性别分的城镇失业人员年龄构成

Age Composition of Urban Unemployed Persons by Educational Attainment and Sex

单位：% (%)

年龄 Age	城镇失业人员 Urban Unemployed Persons	未上过学 No Schooling	小学 Primary School	初中 Junior Secondary School	高中 Senior Secondary School	大学专科 College	大学本科 University	研究生及以上 Graduate and Higher Level
总计 Total	**100.0**	**100.0**	**100.0**	**100.0**	**100.0**	**100.0**	**100.0**	**100.0**
16-19	6.1	2.8	1.6	7.8	7.4	1.4	0.9	
20-24	19.2	11.1	6.5	13.4	17.9	42.1	40.6	6.7
25-29	15.8	11.1	5.3	13.4	15.5	23.7	35.0	40.0
30-34	12.9	16.7	12.2	13.1	14.0	11.4	7.4	13.3
35-39	14.0	13.9	18.9	16.5	12.9	8.0	5.9	26.7
40-44	12.3	11.1	16.0	14.7	12.3	5.6	3.8	13.3
45-49	8.7	8.3	9.5	9.0	11.0	3.0	2.9	
50-54	6.8	5.6	13.2	7.3	7.1	2.7	1.8	
55-59	3.3	8.3	11.4	4.1	1.5	1.4	1.5	
60-64	0.5	5.6	4.1	0.4	0.2	0.2	0.3	
65+	0.4	5.6	1.4	0.3	0.2	0.6		
男 Male	**100.0**	**100.0**	**100.0**	**100.0**	**100.0**	**100.0**	**100.0**	**100.0**
16-19	7.7	7.1	2.3	10.1	8.9	1.6	0.5	
20-24	20.4	21.4	4.5	13.0	21.0	42.0	41.0	9.1
25-29	14.6	21.4	6.4	12.3	12.7	22.1	35.0	36.4
30-34	11.1	7.1	9.1	11.8	11.9	10.7	3.8	18.2
35-39	10.6	14.3	15.9	12.1	10.0	6.4	4.9	18.2
40-44	11.8	7.1	15.0	14.2	11.2	6.6	5.5	18.2
45-49	8.5		8.6	8.4	11.6	2.9	3.8	
50-54	9.3	7.1	16.4	10.2	9.8	4.5	2.7	
55-59	5.0	7.1	14.5	7.0	2.2	2.0	2.2	
60-64	0.7	7.1	5.5	0.5	0.3	0.4	0.5	
65+	0.4		1.8	0.3	0.2	0.8		
女 Female	**100.0**	**100.0**	**100.0**	**100.0**	**100.0**	**100.0**	**100.0**	**100.0**
16-19	4.7		1.1	5.7	6.0	1.1	0.6	
20-24	18.0	5.0	8.1	13.8	15.0	42.0	40.1	
25-29	17.0	5.0	4.4	14.4	18.3	25.4	35.7	60.0
30-34	14.5	25.0	14.7	14.3	15.9	11.9	12.1	
35-39	17.1	15.0	21.2	20.3	15.6	9.7	7.0	40.0
40-44	12.8	15.0	16.8	15.0	13.2	4.5	1.9	
45-49	8.9	10.0	10.3	9.6	10.5	3.4	1.3	
50-54	4.5	5.0	10.6	4.8	4.4	0.9	0.6	
55-59	1.7	5.0	8.8	1.6	0.8	0.6	0.6	
60-64	0.3	5.0	2.9	0.3				
65+	0.4	10.0	1.1	0.3	0.2	0.4		

3-40 按年龄、性别分的城镇失业人员寻找工作方式构成

Method of Job-seeking of Urban Unemployed Persons by Age and Sex

单位：% (%)

年龄 Age	城镇失业人员 Urban Unemployed Persons	在职业介绍机构登记 Register in Employment Agency Office	委托亲友找工作 Ask Friends and Relatives about Job	参加招聘会 Take Part in Employment Advertise Meeting	应答或刊登广告 Answer the Wanted Ad. or Advertise for the job	为自己经营作准备 Prepare for Own Business	其他 Others
总计 Total	**100.0**	**12.5**	**52.4**	**2.1**	**9.5**	**7.1**	**16.4**
16-19	100.0	9.4	64.2	2.3	8.8	4.8	10.5
20-24	100.0	15.2	46.3	2.0	20.7	5.2	10.7
25-29	100.0	12.2	45.5	2.4	13.8	7.5	18.7
30-34	100.0	11.0	50.7	2.5	7.4	7.7	20.7
35-39	100.0	12.1	54.2	2.3	5.6	9.8	16.0
40-44	100.0	10.9	58.9	1.6	3.3	7.5	17.8
45-49	100.0	14.9	53.6	1.9	4.6	6.9	18.0
50-54	100.0	12.9	57.1	1.9	3.0	8.7	16.3
55-59	100.0	11.1	61.3	0.8	2.0	4.7	20.2
60-64	100.0	4.8	47.6		2.4	4.8	40.5
65+	100.0	6.9	44.8			10.3	37.9
男 Male	**100.0**	**13.9**	**52.9**	**2.1**	**9.7**	**8.3**	**13.1**
16-19	100.0	10.5	64.1	1.7	7.7	4.5	11.5
20-24	100.0	17.8	48.4	2.5	18.0	5.1	8.1
25-29	100.0	15.1	45.6	1.7	16.5	9.6	11.6
30-34	100.0	11.8	51.1	2.4	9.8	11.8	13.2
35-39	100.0	12.7	50.9	2.5	4.8	14.4	14.7
40-44	100.0	10.2	58.8	1.6	4.1	8.6	16.7
45-49	100.0	13.5	54.4	2.2	5.0	7.5	17.3
50-54	100.0	16.1	57.9	2.3	3.5	7.5	12.7
55-59	100.0	14.1	58.9	0.5	2.7	5.4	18.4
60-64	100.0	7.4	59.3		3.7	3.7	25.9
65+	100.0		46.7			13.3	40.0
女 Female	**100.0**	**11.1**	**51.8**	**2.1**	**9.4**	**6.1**	**19.5**
16-19	100.0	8.3	64.1	2.6	10.4	5.2	9.4
20-24	100.0	12.2	44.3	1.7	23.5	5.1	13.2
25-29	100.0	9.9	45.3	3.1	11.6	5.8	24.3
30-34	100.0	10.3	50.6	2.6	5.6	4.8	26.2
35-39	100.0	12.0	56.1	2.0	6.1	7.1	16.8
40-44	100.0	11.6	58.8	1.5	2.9	6.6	18.7
45-49	100.0	16.2	53.4	1.4	4.2	6.1	18.7
50-54	100.0	6.7	55.0	1.1	2.8	11.1	23.3
55-59	100.0	3.0	67.2	1.5		3.0	25.4
60-64	100.0		28.6			7.1	64.3
65+	100.0	13.3	40.0			6.7	40.0

3-41 按受教育程度、性别分的城镇失业人员寻找工作方式构成

Method of Job-seeking of Urban Unemployed Persons by Educational Attainment and Sex

单位：% (%)

受教育程度	Educational Attainment	城镇失业人员 Urban Unemployed Persons	在职业介绍机构登记 Register in Employment Agency Office	委托亲友找工作 Ask Friends and Relatives about Job	参加招聘会 Take Part in Employment Advertise Meeting	应答或刊登广告 Answer the Wanted Ad. or Advertise for the job	为自己经营作准备 Prepare for Own Business	其他 Others
总 计	**Total**	**100.0**	**12.5**	**52.4**	**2.1**	**9.5**	**7.1**	**16.4**
未上过学	No Schooling	100.0	2.7	40.5	5.4	5.4	10.8	35.1
小 学	Primary School	100.0	9.3	56.6	2.0	3.0	7.9	21.1
初 中	Junior Secondary School	100.0	10.0	59.2	1.4	4.7	6.7	18.0
高 中	Senior Secondary School	100.0	13.5	53.0	2.0	8.2	7.9	15.4
大学专科	College	100.0	18.3	35.6	3.3	24.3	6.5	12.0
大学本科	University	100.0	18.8	23.2	5.6	33.4	6.2	12.9
研究生及以上	Graduate and Higher Level	100.0	5.9	17.6		47.1	17.6	11.8
男	**Male**	**100.0**	**13.9**	**52.9**	**2.1**	**9.7**	**8.3**	**13.1**
未上过学	No Schooling	100.0		57.1	7.1		7.1	28.6
小 学	Primary School	100.0	7.7	61.4	1.4	2.3	8.6	18.6
初 中	Junior Secondary School	100.0	11.5	60.7	1.0	4.5	7.8	14.6
高 中	Senior Secondary School	100.0	15.5	52.5	2.4	9.0	9.1	11.5
大学专科	College	100.0	19.1	36.7	3.9	21.9	7.8	10.7
大学本科	University	100.0	19.0	24.5	4.9	33.2	7.6	10.9
研究生及以上	Graduate and Higher Level	100.0		25.0		41.7	16.7	16.7
女	**Female**	**100.0**	**11.1**	**51.8**	**2.1**	**9.4**	**6.1**	**19.5**
未上过学	No Schooling	100.0	5.0	35.0		10.0	10.0	40.0
小 学	Primary School	100.0	10.6	52.7	2.6	3.7	7.3	23.1
初 中	Junior Secondary School	100.0	8.7	57.8	1.8	4.9	5.8	21.0
高 中	Senior Secondary School	100.0	11.5	53.6	1.6	7.4	6.6	19.2
大学专科	College	100.0	17.5	34.6	2.6	26.8	5.2	13.4
大学本科	University	100.0	18.6	21.8	6.4	34.0	4.5	14.7
研究生及以上	Graduate and Higher Level	100.0	20.0			60.0	20.0	

3-42 按年龄、性别分的城镇失业人员失业前的行业构成

Sector of Urban Unemployed Persons (Prior to Unemployment) by Age and Sex

单位：% (%)

年 龄 Age	城 镇 失业人员 Urban Unemployed Persons	农、林、牧、渔业 Agriculture, Forestry, Animal Husbandry and Fishery	采矿业 Mining	制造业 Manu-facturing	电力、燃气及水的生产和供应业 Production and Distribution of Electricity, Gas and Water	建筑业 Construction	交通运输、仓储和邮政业 Transport, Storage and Post
总计 Total	**100.0**	**5.4**	**1.8**	**33.4**	**0.7**	**5.8**	**5.7**
16-19	100.0	5.0		36.3	3.8	5.0	2.5
20-24	100.0	5.3	0.4	26.8	1.3	3.0	4.5
25-29	100.0	2.9	0.8	25.3	0.5	5.2	4.4
30-34	100.0	4.8	1.1	25.0	0.2	6.3	6.5
35-39	100.0	7.6	1.2	34.0	0.5	5.9	6.8
40-44	100.0	6.5	2.8	41.5	1.1	4.5	6.4
45-49	100.0	4.1	2.1	39.7	0.3	5.5	5.5
50-54	100.0	5.1	3.4	43.2	0.6	9.8	6.0
55-59	100.0	5.0	2.1	38.2	0.8	9.7	5.5
60-64	100.0	16.7		30.6	2.8	8.3	2.8
65+	100.0	16.7	25.0	4.2	8.3	4.2	
男 Male	**100.0**	**4.2**	**2.2**	**36.3**	**0.6**	**9.6**	**9.1**
16-19	100.0	4.1		32.7	6.1	8.2	4.1
20-24	100.0	2.7		26.8	1.8	6.4	9.1
25-29	100.0	2.2	1.9	27.1	0.3	10.2	7.6
30-34	100.0	4.9	1.1	28.1		11.2	13.2
35-39	100.0	7.4	1.5	37.1	0.6	11.9	11.6
40-44	100.0	5.5	3.5	43.6	0.8	5.8	10.0
45-49	100.0	2.1	1.7	39.7		7.3	8.0
50-54	100.0	3.5	2.9	47.8	0.6	12.7	6.7
55-59	100.0	1.7	2.8	40.1		11.9	6.2
60-64	100.0	12.5		29.2	4.2	12.5	
65+	100.0	21.4	35.7	7.1		7.1	
女 Female	**100.0**	**6.5**	**1.4**	**30.8**	**0.8**	**2.4**	**2.6**
16-19	100.0	6.7		40.0			
20-24	100.0	7.8	0.8	27.3	0.4		0.4
25-29	100.0	3.4		24.1	0.5	1.6	2.0
30-34	100.0	4.7	1.1	22.8	0.4	2.7	1.5
35-39	100.0	7.7	1.1	32.2	0.4	2.2	3.9
40-44	100.0	7.3	2.1	39.2	1.4	3.2	3.0
45-49	100.0	5.7	2.5	40.1	0.6	3.8	3.2
50-54	100.0	8.6	4.6	33.6	0.7	3.9	3.9
55-59	100.0	14.8		32.8	3.3	1.6	3.3
60-64	100.0	27.3		36.4			9.1
65+	100.0	10.0	10.0		20.0		

3-42 续表 1 continued

单位：% (%)

年 龄 Age	信息传输、计算机服务和软件业 Information Transmission, Computer Service and Software	批发和零售业 Wholesale and Retail Trades	住宿和餐饮业 Hotels and Catering Services	金融业 Financial Intermediation	房地产业 Real Estate	租赁和商务服务业 Leasing and Business Services	科学研究、技术服务和地质勘查业 Scientific Research, Technical Services,and Geological Prospecting
总计 Total	**1.5**	**22.6**	**8.3**	**1.0**	**1.5**	**1.4**	**0.5**
16-19		30.0	7.5				
20-24	3.6	28.5	10.4	0.6	1.1	1.3	0.4
25-29	3.6	26.5	12.4	1.3	3.6	2.4	0.4
30-34	2.3	26.6	11.7	0.7	1.9	2.2	0.1
35-39	0.8	25.7	7.6	0.5	0.8	0.8	0.1
40-44	0.6	17.1	5.5	0.7	0.6	0.7	0.4
45-49	0.3	20.7	7.6	1.5	1.5	1.2	1.0
50-54	0.2	12.0	4.3	1.9	0.9	1.3	1.1
55-59	0.4	18.5	2.9	0.8	1.7	1.7	2.5
60-64		11.1	5.6			2.8	
65+		4.2	4.2			8.3	4.2
男 Male	**1.8**	**16.3**	**5.9**	**1.1**	**1.5**	**1.5**	**0.5**
16-19		32.7	6.1				
20-24	5.5	20.0	10.9	0.9	1.8	1.4	0.9
25-29	5.1	16.9	8.6	2.2	2.9	2.5	0.3
30-34	2.9	18.3	8.6	0.6	1.7	1.7	
35-39	0.9	15.7	4.5	0.9	0.9	0.9	
40-44	0.5	12.3	3.3	0.8	1.0	1.5	0.3
45-49	0.3	22.0	6.6	1.7	0.7	0.7	1.0
50-54		9.9	2.9	1.3	1.3	1.9	0.3
55-59	0.6	16.4	3.4	1.1	1.7	1.7	2.8
60-64		12.5	4.2				
65+							7.1
女 Female	**1.2**	**28.3**	**10.5**	**0.8**	**1.5**	**1.4**	**0.5**
16-19		26.7	10.0				
20-24	2.0	36.7	9.8		0.4	0.8	
25-29	2.5	33.4	15.2	0.7	3.9	2.3	0.5
30-34	1.7	32.6	14.0	1.1	2.1	2.5	0.2
35-39	0.9	32.0	9.6	0.2	0.6	0.7	0.2
40-44	0.7	21.6	7.6	0.7	0.2	0.2	0.5
45-49	0.3	19.7	8.6	1.3	1.9	1.6	1.0
50-54		16.4	7.2	3.3		0.7	2.6
55-59		24.6	1.6		1.6		3.3
60-64		9.1	9.1				
65+		10.0	10.0			20.0	

3-42 续表 2 continued

单位：% (%)

年龄 Age	水利、环境和公共设施管理业 Management of Water Conservancy, Environment and Public Facilities	居民服务和其他服务业 Services to Households and Other Services	教育 Education	卫生、社会保障和社会福利业 Health, Social Securities and Social Welfare	文化、体育和娱乐业 Culture, Sports and Entertainment	公共管理和社会组织 Public Management and Social Organization	国际组织 International Organizations
总计 Total	**0.3**	**5.9**	**1.1**	**0.6**	**1.2**	**1.2**	
16-19		7.5			1.3	1.3	
20-24	0.2	6.0	2.1	0.4	2.6	1.5	
25-29	0.1	7.4	1.3		1.3	0.7	
30-34	0.1	8.4	0.4	1.0	0.6	0.1	
35-39	0.3	4.3	0.9	0.2	0.8	1.1	
40-44	0.1	6.0	1.0	0.6	1.9	2.0	
45-49	1.2	4.0	0.8	1.0	0.5	1.7	
50-54	0.4	5.1	0.9	0.6	1.1	2.1	
55-59	0.8	3.8	2.1	1.3	1.3	0.8	
60-64		2.8	5.6	5.6		5.6	
65+		12.5	8.3				
男 Male	**0.6**	**4.7**	**0.7**	**0.4**	**1.3**	**1.7**	
16-19		4.1				2.0	
20-24	0.5	5.5	3.2		1.4	1.4	
25-29	0.3	7.0	1.0		2.5	1.3	
30-34	0.3	5.4		0.9	0.9	0.3	
35-39	0.9	2.1	0.3		0.9	2.1	
40-44		6.0	0.3	0.3	2.8	2.0	
45-49	1.7	3.1		0.7	0.3	2.1	
50-54	0.6	3.8		0.6	0.3	2.9	
55-59	1.1	2.8	1.7	1.1	1.7	1.1	
60-64		4.2	8.3	4.2		8.3	
65+		21.4					
女 Female	**0.1**	**6.9**	**1.5**	**0.8**	**1.0**	**0.8**	
16-19		13.3			3.3		
20-24		6.1	1.2	0.8	3.7	1.6	
25-29		7.5	1.6		0.5	0.5	
30-34		10.6	0.6	1.1	0.4		
35-39		5.5	1.3	0.4	0.7	0.6	
40-44	0.2	6.0	1.8	1.1	1.1	2.1	
45-49	0.6	4.5	1.6	1.0	0.6	1.3	
50-54		7.2	2.6	1.3	2.6	0.7	
55-59		6.6	4.9	1.6			
60-64				9.1			
65+			20.0				

3-43 按受教育程度、性别分的城镇失业人员失业前的行业构成
Sector of Urban Unemployed Persons (Prior to Unemployment) by Educational Attainment and Sex

单位：%　　(%)

受教育程度	Educational Attainment	城镇失业人员 Urban Unemployed Persons	农、林、牧、渔业 Agriculture, Forestry, Animal Husbandry and Fishery	采矿业 Mining	制造业 Manu-facturing	电力、燃气及水的生产和供应业 Production and Distribution of Electricity, Gas and Water	建筑业 Construction	交通运输、仓储和邮政业 Transport, Storage and Post
总　计	**Total**	**100.0**	**5.4**	**1.8**	**33.4**	**0.7**	**5.8**	**5.7**
未上过学	No Schooling	100.0	11.5		53.8		3.8	7.7
小　学	Primary School	100.0	16.9	4.0	31.1		11.1	3.8
初　中	Junior Secondary School	100.0	6.8	2.5	34.7	0.9	6.1	5.9
高　中	Senior Secondary School	100.0	2.4	0.7	34.4	0.8	4.7	6.3
大学专科	College	100.0	1.1	0.5	26.0	0.5	5.6	5.2
大学本科	University	100.0		0.7	25.5		1.4	0.7
研究生及以上	Graduate and Higher Level	100.0			55.6			11.1
男	**Male**	**100.0**	**4.2**	**2.2**	**36.3**	**0.6**	**9.6**	**9.1**
未上过学	No Schooling	100.0			77.8			11.1
小　学	Primary School	100.0	13.3	5.3	29.3		20.7	6.4
初　中	Junior Secondary School	100.0	5.1	3.0	37.4	0.8	10.7	9.9
高　中	Senior Secondary School	100.0	2.6	0.8	37.6	0.8	7.0	10.0
大学专科	College	100.0	0.4	0.9	28.4		8.0	6.7
大学本科	University	100.0		1.4	35.6		1.4	1.4
研究生及以上	Graduate and Higher Level	100.0			62.5			12.5
女	**Female**	**100.0**	**6.5**	**1.4**	**30.8**	**0.8**	**2.4**	**2.6**
未上过学	No Schooling	100.0	17.6		41.2		5.9	5.9
小　学	Primary School	100.0	20.4	2.8	31.8		2.8	1.9
初　中	Junior Secondary School	100.0	8.4	2.0	32.2	0.9	2.1	2.4
高　中	Senior Secondary School	100.0	2.3	0.6	31.3	0.8	2.6	2.9
大学专科	College	100.0	1.8		23.4	0.9	3.2	3.6
大学本科	University	100.0			15.9		2.9	1.4
研究生及以上	Graduate and Higher Level	100.0						

3-43 续表 1 continued

单位：% (%)

受教育程度	Educational Attainment	信息传输、计算机服务和软件业 Information Transmission, Computer Service and Software	批发和零售业 Wholesale and Retail Trades	住宿和餐饮业 Hotels and Catering Services	金融业 Financial Intermediation	房地产业 Real Estate	租赁和商务服务业 Leasing and Business Services	科学研究、技术服务和地质勘查业 Scientific Research, Technical Services,and Geological Prospecting
总　计	**Total**	**1.5**	**22.6**	**8.3**	**1.0**	**1.5**	**1.4**	**0.5**
未上过学	No Schooling		15.4				3.8	3.8
小　学	Primary School		15.2	7.8		1.0	0.8	0.3
初　中	Junior Secondary School	0.5	20.2	9.4	0.7	1.0	1.0	0.5
高　中	Senior Secondary School	1.7	26.9	8.2	0.8	1.1	1.3	0.3
大学专科	College	5.0	25.1	5.0	3.2	4.5	3.2	0.5
大学本科	University	9.2	25.5	4.3	4.3	6.4	6.4	2.8
研究生及以上	Graduate and Higher Level		11.1	22.2				
男	**Male**	**1.8**	**16.3**	**5.9**	**1.1**	**1.5**	**1.5**	**0.5**
未上过学	No Schooling							11.1
小　学	Primary School		12.8	4.3		0.5		0.5
初　中	Junior Secondary School	0.6	13.6	6.1	0.8	1.3	1.4	0.4
高　中	Senior Secondary School	2.4	19.9	6.8	0.7	0.8	0.9	0.5
大学专科	College	4.9	19.6	3.6	4.0	4.4	3.1	0.9
大学本科	University	9.6	19.2	2.7	5.5	4.1	8.2	
研究生及以上	Graduate and Higher Level			25.0				
女	**Female**	**1.2**	**28.3**	**10.5**	**0.8**	**1.5**	**1.4**	**0.5**
未上过学	No Schooling		23.5				5.9	
小　学	Primary School		17.5	10.9		0.9	1.4	0.5
初　中	Junior Secondary School	0.5	25.9	12.3	0.5	0.8	0.6	0.6
高　中	Senior Secondary School	1.1	33.2	9.5	0.9	1.3	1.7	0.3
大学专科	College	5.0	30.6	6.3	2.7	5.0	3.2	
大学本科	University	8.7	31.9	5.8	2.9	7.2	4.3	4.3
研究生及以上	Graduate and Higher Level		100.0					

3-43 续表 2 continued

单位：% (%)

受教育程度	Educational Attainment	水利、环境和公共设施管理业 Management of Water Conservancy, Environment and Public Facilities	居民服务和其他服务业 Services to Households and Other Services	教育 Education	卫生、社会保障和社会福利业 Health, Social Securities and Social Welfare	文化、体育和娱乐业 Culture, Sports and Entertainment	公共管理和社会组织 Public Management and Social Organization	国际组织 International Organizations
总　计	**Total**	**0.3**	**5.9**	**1.1**	**0.6**	**1.2**	**1.2**	
未上过学	No Schooling							
小　学	Primary School	0.5	5.1	1.3	0.5	0.3	0.5	
初　中	Junior Secondary School	0.4	6.5	0.5	0.4	1.3	0.8	
高　中	Senior Secondary School	0.3	5.7	1.3	0.6	1.1	1.5	
大学专科	College	0.2	4.7	3.6	1.6	1.8	2.9	
大学本科	University		4.3	1.4	2.8	0.7	3.5	
研究生及以上	Graduate and Higher Level							
男	**Male**	**0.6**	**4.7**	**0.7**	**0.4**	**1.3**	**1.7**	
未上过学	No Schooling							
小　学	Primary School	1.1	3.2	1.1	1.1		0.5	
初　中	Junior Secondary School	0.7	5.0	0.4	0.2	1.4	1.1	
高　中	Senior Secondary School	0.3	4.7	0.5	0.5	1.2	2.0	
大学专科	College	0.4	4.9	2.2	0.4	3.1	4.0	
大学本科	University		4.1	1.4	2.7		2.7	
研究生及以上	Graduate and Higher Level							
女	**Female**	**0.1**	**6.9**	**1.5**	**0.8**	**1.0**	**0.8**	
未上过学	No Schooling							
小　学	Primary School		6.6	1.4		0.5	0.5	
初　中	Junior Secondary School	0.1	7.8	0.5	0.5	1.3	0.5	
高　中	Senior Secondary School	0.2	6.6	2.0	0.8	1.0	1.0	
大学专科	College		4.5	5.0	2.7	0.5	1.8	
大学本科	University		4.3	1.4	2.9	1.4	4.3	
研究生及以上	Graduate and Higher Level							

3-44 按年龄、性别分的城镇失业人员失业前的职业构成

Occupation of Urban Unemployed Persons (Prior to Unemployment) by Age and Sex

单位：% (%)

年龄 Age	城镇失业人员 Urban Unemployed Persons	单位负责人 Unit Head	专业技术人员 Technical Personnel	办事人员和有关人员 Clerk and Related Workers	商业、服务业人员 Business Service Personnel	农林牧渔水利业生产人员 Producers in the Sectors of Agriculture, Forestry, Animal Husbandry, Fishery and Water Conservancy	生产运输设备操作人员及有关人员 Production, Transport Equipment Operators and Related Workers	其他 Others
总计 Total	**100.0**	**0.8**	**8.0**	**6.2**	**39.9**	**6.2**	**30.9**	**8.0**
16-19	100.0		3.8	8.9	49.4	5.1	25.3	7.6
20-24	100.0	0.2	10.7	5.8	48.6	5.6	23.3	5.8
25-29	100.0	0.4	8.7	6.2	52.1	3.6	21.7	7.3
30-34	100.0	0.9	6.4	4.1	48.4	5.6	27.3	7.3
35-39	100.0	0.9	7.7	4.9	40.6	8.8	29.0	8.2
40-44	100.0	1.1	6.2	7.9	32.6	7.2	36.9	8.1
45-49	100.0	1.7	7.3	6.1	33.9	5.1	36.9	8.9
50-54	100.0	1.3	10.1	7.5	23.6	5.1	41.3	11.1
55-59	100.0		11.0	10.1	25.3	6.3	39.2	8.0
60-64	100.0		12.1	12.1	21.2	21.2	30.3	3.0
65+	100.0		20.8		29.2	16.7	29.2	4.2
男 Male	**100.0**	**1.1**	**7.9**	**7.9**	**30.4**	**5.0**	**36.2**	**11.5**
16-19	100.0		4.1	14.3	40.8	4.1	26.5	10.2
20-24	100.0	0.5	11.8	7.2	42.5	2.7	27.6	7.7
25-29	100.0	0.6	11.2	7.0	38.0	2.9	29.1	11.2
30-34	100.0	1.1	7.7	4.3	34.7	6.3	33.8	12.0
35-39	100.0	1.2	6.3	8.0	28.0	8.6	32.7	15.2
40-44	100.0	1.5	5.8	9.0	26.4	6.0	39.7	11.6
45-49	100.0	1.4	4.5	6.9	31.6	3.8	39.6	12.2
50-54	100.0	1.9	8.6	9.2	19.4	3.2	46.3	11.4
55-59	100.0		10.3	11.5	23.6	2.3	42.5	9.8
60-64	100.0		13.6	13.6	18.2	13.6	36.4	4.5
65+	100.0		14.3		14.3	21.4	42.9	7.1
女 Female	**100.0**	**0.6**	**8.1**	**4.8**	**48.5**	**7.2**	**26.0**	**4.8**
16-19	100.0		6.5		61.3	6.5	22.6	3.2
20-24	100.0		9.8	4.5	54.1	8.1	19.5	4.1
25-29	100.0	0.2	7.0	5.9	61.6	4.3	16.5	4.5
30-34	100.0	0.6	5.5	4.0	58.7	5.1	22.5	3.6
35-39	100.0	0.7	8.6	2.9	48.3	8.8	26.6	4.0
40-44	100.0	0.5	6.7	6.9	38.3	8.3	34.4	5.0
45-49	100.0	1.9	9.8	5.7	35.8	6.3	34.5	6.0
50-54	100.0		13.3	3.3	32.0	9.3	31.3	10.7
55-59	100.0		12.9	6.5	30.6	17.7	30.6	1.6
60-64	100.0		9.1	9.1	27.3	27.3	18.2	9.1
65+	100.0		33.3		44.4	11.1	11.1	

3-45 按受教育程度、性别分的城镇失业人员失业前的职业构成
Occupation of Urban Unemployed Persons (Prior to Unemployment) by Educational Attainment and Sex

单位：% (%)

受教育程度	Educational Attainment	城镇失业人员 Urban Unemployed Persons	单位负责人 Unit Head	专业技术人员 Technical Personnel	办事人员和有关人员 Clerk and Related Workers	商业、服务业人员 Business Service Personnel	农林牧渔水利业生产人员 Producers in the Sectors of Agriculture, Forestry, Animal Husbandry, Fishery and Water Conservancy	生产运输设备操作人员及有关人员 Production, Transport Equipment Operators and Related Workers	其他 Others
总计	**Total**	**100.0**	**0.8**	**8.0**	**6.2**	**39.9**	**6.2**	**30.9**	**8.0**
未上过学	No Schooling	100.0				20.0	12.0	64.0	4.0
小学	Primary School	100.0		1.5	3.5	32.9	17.3	39.2	5.5
初中	Junior Secondary School	100.0	0.5	4.4	4.8	39.7	7.8	33.3	9.5
高中	Senior Secondary School	100.0	1.1	8.8	6.3	42.8	3.0	30.3	7.7
大学专科	College	100.0	1.6	23.6	12.8	38.1	1.8	16.7	5.4
大学本科	University	100.0	2.8	29.1	17.0	34.0		14.2	2.8
研究生及以上	Graduate and Higher Level	100.0		37.5	12.5	50.0			
男	**Male**	**100.0**	**1.1**	**7.9**	**7.9**	**30.4**	**5.0**	**36.2**	**11.5**
未上过学	No Schooling	100.0						88.9	11.1
小学	Primary School	100.0		1.1	6.4	25.1	13.4	47.6	6.4
初中	Junior Secondary School	100.0	0.6	4.4	6.3	29.2	6.3	39.8	13.3
高中	Senior Secondary School	100.0	1.6	8.5	8.2	32.7	3.0	34.2	11.7
大学专科	College	100.0	1.8	20.7	14.4	32.0	0.9	21.6	8.6
大学本科	University	100.0	4.2	30.6	12.5	30.6		18.1	4.2
研究生及以上	Graduate and Higher Level	100.0		42.9		57.1			
女	**Female**	**100.0**	**0.6**	**8.1**	**4.8**	**48.5**	**7.2**	**26.0**	**4.8**
未上过学	No Schooling	100.0				31.3	18.8	50.0	
小学	Primary School	100.0		1.9	0.9	40.1	20.8	31.6	4.7
初中	Junior Secondary School	100.0	0.4	4.3	3.5	49.0	9.2	27.6	6.0
高中	Senior Secondary School	100.0	0.6	9.1	4.6	52.0	2.9	26.7	4.0
大学专科	College	100.0	1.4	26.7	11.3	43.9	2.7	11.8	2.3
大学本科	University	100.0	1.5	27.9	23.5	36.8		10.3	
研究生及以上	Graduate and Higher Level	100.0			100.0				

3-46 按受教育程度、性别分的城镇失业人员未工作时间构成
Unemployment Duration of Urban Unemployed Persons by Educational Attainment and Sex

单位：% (%)

受教育程度	Educational Attainment	城镇失业人员 Urban Unemployed Persons	1个月 1 Month	2-3个月 2-3 Months	4-6个月 4-6 Months	7-12个月 7-12 Months	13-24个月 13-24 Months	25个月以上 25+ Months+
总　计	**Total**	**100.0**	**4.5**	**13.3**	**15.9**	**28.7**	**21.3**	**16.3**
未上过学	No Schooling	100.0			25.7	28.6	5.7	40.0
小　学	Primary School	100.0	9.3	13.4	13.4	23.9	20.9	19.2
初　中	Junior Secondary School	100.0	4.5	11.9	14.4	29.2	22.4	17.6
高　中	Senior Secondary School	100.0	3.6	12.6	13.9	30.5	22.1	17.2
大学专科	College	100.0	3.8	19.7	24.9	24.7	16.8	10.2
大学本科	University	100.0	7.3	15.2	22.0	28.7	19.4	7.3
研究生及以上	Graduate and Higher Level	100.0	6.3	18.8	25.0	37.5	12.5	
男	**Male**	**100.0**	**5.5**	**15.6**	**16.3**	**28.7**	**19.6**	**14.3**
未上过学	No Schooling	100.0			40.0	13.3		46.7
小　学	Primary School	100.0	12.7	17.7	11.8	21.8	17.7	18.2
初　中	Junior Secondary School	100.0	5.8	15.5	15.0	29.6	18.5	15.6
高　中	Senior Secondary School	100.0	4.6	14.4	13.6	30.6	21.8	15.0
大学专科	College	100.0	3.9	18.5	24.8	24.6	18.5	9.7
大学本科	University	100.0	5.4	15.2	25.0	28.3	20.7	5.4
研究生及以上	Graduate and Higher Level	100.0		27.3	27.3	27.3	18.2	
女	**Female**	**100.0**	**3.6**	**11.2**	**15.6**	**28.7**	**22.8**	**18.1**
未上过学	No Schooling	100.0			14.3	38.1	9.5	38.1
小　学	Primary School	100.0	6.6	9.9	14.6	25.5	23.0	20.4
初　中	Junior Secondary School	100.0	3.4	8.8	14.0	28.8	25.7	19.3
高　中	Senior Secondary School	100.0	2.7	10.9	14.2	30.5	22.5	19.2
大学专科	College	100.0	3.7	21.2	24.8	24.6	14.9	10.8
大学本科	University	100.0	8.9	15.3	19.1	29.3	17.8	9.6
研究生及以上	Graduate and Higher Level	100.0	20.0		20.0	60.0		

3-47 按年龄、性别分的城镇失业人员未工作时间构成

Unemployment Duration of Urban Unemployed Persons by Age and Sex

单位：%　　　　(%)

年龄 Age	城镇失业人员 Urban Unemployed Persons	1个月 1 Month	2-3个月 2-3 Months	4-6个月 4-6 Months	7-12个月 7-12 Months	13-24个月 13-24 Months	25个月以上 25+ Months+
总计 Total	**100.0**	**4.5**	**13.3**	**15.9**	**28.7**	**21.3**	**16.3**
16-19	100.0	3.8	17.3	25.9	28.6	18.4	6.1
20-24	100.0	5.1	16.8	20.4	28.8	19.7	9.1
25-29	100.0	5.7	16.3	17.4	31.6	19.4	9.7
30-34	100.0	4.7	12.3	17.2	32.3	20.0	13.5
35-39	100.0	4.2	12.7	11.1	26.2	25.8	20.0
40-44	100.0	4.2	10.7	13.6	26.4	23.2	21.9
45-49	100.0	3.8	10.2	11.7	28.5	19.9	25.8
50-54	100.0	3.8	7.6	11.0	26.8	21.1	29.8
55-59	100.0	3.6	9.9	11.1	22.1	25.3	28.1
60-64	100.0		2.4	7.3	39.0	24.4	26.8
65+	100.0	3.4		3.4	37.9	34.5	20.7
男 Male	**100.0**	**5.5**	**15.6**	**16.3**	**28.7**	**19.6**	**14.3**
16-19	100.0	3.5	18.1	25.4	31.4	15.7	5.9
20-24	100.0	5.5	17.6	19.7	28.8	20.2	8.3
25-29	100.0	8.1	18.9	18.9	29.5	17.6	7.0
30-34	100.0	6.5	16.5	16.8	30.7	20.1	9.4
35-39	100.0	6.1	19.0	14.0	29.2	17.0	14.7
40-44	100.0	3.9	13.4	15.0	27.0	23.4	17.5
45-49	100.0	6.3	11.6	10.0	28.8	18.5	24.8
50-54	100.0	4.3	8.6	10.4	25.4	19.3	32.0
55-59	100.0	3.2	11.8	10.8	24.7	24.7	24.7
60-64	100.0		3.7	11.1	40.7	25.9	18.5
65+	100.0	7.1		7.1	35.7	28.6	21.4
女 Female	**100.0**	**3.6**	**11.2**	**15.6**	**28.7**	**22.8**	**18.1**
16-19	100.0	4.2	16.2	26.7	24.6	22.0	6.3
20-24	100.0	4.7	16.0	21.2	28.9	19.3	9.9
25-29	100.0	3.8	14.2	16.1	33.3	20.8	11.8
30-34	100.0	3.4	9.2	17.5	33.4	20.1	16.4
35-39	100.0	3.2	9.1	9.5	24.6	30.8	22.8
40-44	100.0	4.2	8.5	12.5	25.9	23.2	25.7
45-49	100.0	1.7	8.9	13.3	28.3	21.1	26.7
50-54	100.0	2.8	5.5	12.2	29.3	24.3	26.0
55-59	100.0	4.4	5.9	11.8	13.2	26.5	38.2
60-64	100.0				35.7	21.4	42.9
65+	100.0				40.0	40.0	20.0

第四部分

Chapter Four

2008 年城镇单位就业人员统计数据

Data from Statistics on Employment in Urban Units in 2008

4-1 各地区分行业国有单位就业人员数

Employed Persons in State-owned Units by Sector and Region

单位：人 (person)

地 区	Region	国有单位合　计 Total	(一)中央 I.Under Central Government	(二)省、自治区、直辖市 II.Under Provincial Government	(三)地区 III.Under Prefectural Government	(四)县及县以下 IV.At and Below County Level	(五)其他 V.Other	(一)企业 I.Enterprises	#地方 Local
总 计	**National Total**	**64470331**	**11423449**	**10893824**	**12525932**	**29355724**	**271402**	**25010860**	**15673161**
北 京	Beijing	1877392	836126	430143	480553	64732	65838	753734	329724
天 津	Tianjin	874528	176847	409213	204977	80538	2953	402810	262512
河 北	Hebei	3348013	528061	403460	612166	1803784	542	1270423	818735
山 西	Shanxi	2559064	409427	660153	407228	1081950	306	1216315	841288
内蒙古	Inner Mongolia	1634991	270498	256622	337819	769258	794	622003	380594
辽 宁	Liaoning	3037839	724666	295322	798842	1193791	25218	1511683	860045
吉 林	Jilin	1684155	332666	265765	352567	729073	4084	623178	349938
黑龙江	Heilongjiang	3183832	692340	1130206	624799	735102	1385	1927777	1276692
上 海	Shanghai	1407320	494916	424098	457594	29587	1125	704494	322106
江 苏	Jiangsu	2780381	382915	386462	537380	1473624		829386	535223
浙 江	Zhejiang	2012299	195830	252721	372717	1169261	21770	549365	387460
安 徽	Anhui	1998185	228444	321345	396682	1033383	18331	618715	435907
福 建	Fujian	1522254	166778	218256	364530	770522	2168	522104	394840
江 西	Jiangxi	1966736	230420	352309	355802	1027173	1032	710497	517809
山 东	Shandong	4278723	594662	598909	785319	2283045	16788	1634975	1139643
河 南	Henan	3909495	427221	346288	776698	2328588	30700	1346958	963849
湖 北	Hubei	2871961	655862	281974	530964	1403161		1180283	637443
湖 南	Hunan	2659466	339524	376888	438492	1486761	17801	807219	529634
广 东	Guangdong	3851367	429746	418749	933507	2046281	23084	1174017	884872
广 西	Guangxi	1981420	192046	277159	456073	1053528	2614	660591	498388
海 南	Hainan	548759	27033	278583	61417	177414	4312	285772	270930
重 庆	Chongqing	1198293	196051	287793	456986	252456	5007	458343	286772
四 川	Sichuan	3245596	660478	380215	550324	1641653	12926	1152140	623836
贵 州	Guizhou	1491505	190755	303545	176273	820932		536104	357965
云 南	Yunnan	1857970	194075	449311	199322	1015053	209	577829	415199
西 藏	Tibet	189798	16050	46340	40670	86738		41687	31101
陕 西	Shaanxi	2480633	670351	370550	325871	1109434	4427	1170461	588237
甘 肃	Gansu	1453789	226895	338842	190594	694354	3104	544790	345840
青 海	Qinghai	342917	75093	79915	38132	148934	843	121560	55029
宁 夏	Ningxia	359936	66800	89535	72829	130751	21	123211	64488
新 疆	Xinjiang	1861714	790873	163153	188805	714863	4020	932436	267062

4-1 续表 1 continued

单位：人 (person)

地区	Region	(二)事业 II.Institutions	#地方 Local	(三)机关 III.Agencies and Organizations	#地方 Local	(一)农、林、牧、渔业 I.Agriculture, Forestry, Animal Husbandry and Fishery	1.农业 1.Agriculture	2.林业 2.Forestry
总　计	**National Total**	**27904954**	**26402093**	**11554517**	**10971628**	**3921177**	**2068302**	**965614**
北　京	Beijing	833067	470771	290591	240771	8407	1588	1814
天　津	Tianjin	344749	316834	126969	118335	6792	1197	615
河　北	Hebei	1439040	1393087	638550	608130	71726	47159	6548
山　西	Shanxi	931053	911029	411696	397320	33545	5090	9691
内蒙古	Inner Mongolia	713486	699298	299502	284601	268139	108847	96216
辽　宁	Liaoning	1107853	1059693	418303	393435	304434	244781	11660
吉　林	Jilin	805156	758300	255821	243251	160271	32715	84205
黑龙江	Heilongjiang	904949	878447	351106	336353	931836	499136	311971
上　海	Shanghai	551165	444849	151661	145449	5433	2806	126
江　苏	Jiangsu	1429482	1361215	521513	501028	112090	88721	8120
浙　江	Zhejiang	1013897	996650	449037	432359	13682	1828	2834
安　徽	Anhui	1002237	967401	377233	366433	73423	37810	12683
福　建	Fujian	698630	686585	301520	274051	59527	29525	11707
江　西	Jiangxi	873099	851406	383140	367101	134836	67843	41531
山　东	Shandong	1864202	1792418	779546	752000	39457	6933	5029
河　南	Henan	1744710	1716918	817827	801507	61849	29326	8051
湖　北	Hubei	1233964	1142756	457714	435900	171688	128747	9007
湖　南	Hunan	1310908	1272368	541339	517940	86402	56010	12176
广　东	Guangdong	1824382	1757859	852968	778890	90032	40265	19695
广　西	Guangxi	1011614	996922	309215	294064	114056	60090	27322
海　南	Hainan	180728	172009	82259	78787	165158	6831	153546
重　庆	Chongqing	542380	525609	197570	189861	14972	535	1390
四　川	Sichuan	1445099	1340071	648357	621211	63796	2174	22337
贵　州	Guizhou	658467	650124	296934	292661	26499	4475	6176
云　南	Yunnan	872725	856270	407416	392426	136729	32016	60015
西　藏	Tibet	75251	74668	72860	67979	4931	381	428
陕　西	Shaanxi	903608	842570	406564	379475	58964	7314	10866
甘　肃	Gansu	638460	615979	270539	265075	57565	23078	15030
青　海	Qinghai	145726	140821	75631	71974	19211	4384	3029
宁　夏	Ningxia	170518	166385	66207	62263	30626	21448	3343
新　疆	Xinjiang	634349	542781	294929	260998	595101	475249	8453

4-1 续表 2 continued

单位：人 (person)

地 区	Region	3.畜牧业 3.Animal Husbandry	4.渔业 4.Fishery	5.农、林、牧、渔服务业 5.Service in support of Agriculture, Forestry, Animal Husbandry and Fishery	(二)采矿业 II.Mining	1.煤炭开采和洗选业 1.Mining and Washing of Coal	2.石油和天然气开采业 2.Extraction of Petroleum and Natural Gas	3.黑色金属矿采选业 3.Mining of Ferrous Metal Ores
总 计	**National Total**	**264800**	**36847**	**585614**	**2429139**	**1510678**	**654019**	**64617**
北 京	Beijing	1893	173	2939	18629		18183	446
天 津	Tianjin	1681	200	3099	18692		18012	
河 北	Hebei	3215	1293	13511	137400	80243	34084	9190
山 西	Shanxi	3689	208	14867	444012	441774		358
内蒙古	Inner Mongolia	24812	4490	33774	35872	31211	102	1261
辽 宁	Liaoning	21969	1230	24794	208506	60823	124349	13490
吉 林	Jilin	5105	3262	34984	68003	60707	2906	396
黑龙江	Heilongjiang	92128	5646	22955	17262	14605		596
上 海	Shanghai	415	38	2048	602		530	
江 苏	Jiangsu	1896	1710	11643	85523	57985	17672	3814
浙 江	Zhejiang	431	258	8331	2217			
安 徽	Anhui	861	1210	20859	39006	35959		122
福 建	Fujian	299	224	17772	19258	10963		1448
江 西	Jiangxi	1892	3115	20455	67995	53398		588
山 东	Shandong	298	2342	24855	424665	278034	112332	10082
河 南	Henan	2904	813	20755	145446	76361	57925	
湖 北	Hubei	3143	3964	26827	54008	4779	41504	4891
湖 南	Hunan	1006	2657	14553	63510	48967		
广 东	Guangdong	629	1876	27567	17147	262	7174	57
广 西	Guangxi	901	350	25393	24054	10435		4537
海 南	Hainan	405	729	3647	8154	239	32	5435
重 庆	Chongqing	419	260	12368	32784	26656	5527	386
四 川	Sichuan	2498	138	36649	126569	61809	56520	3674
贵 州	Guizhou	534	221	15093	28114	19379	212	8
云 南	Yunnan	575	63	44060	40691	20056	57	2342
西 藏	Tibet	171		3951	1257	31		308
陕 西	Shaanxi	8152	88	32544	179742	73852	91719	1037
甘 肃	Gansu	879	24	18554	33090	28098		
青 海	Qinghai	2537	53	9208	6952	1282	3410	
宁 夏	Ningxia	120	42	5673	1958	1958		
新 疆	Xinjiang	79343	170	31886	78021	10812	61769	151

4-1 续表 3 continued

单位：人 (person)

地 区	Region	4.有色金属矿采选业 4.Mining of Non-ferrous Metal Ores	5.非金属矿采选业 5.Mining and Processing of Nonmetal Ores	6.其他采矿业 6.Mining of Other Ores	(三)制造业 III. Manufacturing	1.农副食品加工业 1.Processing of Food from Agricultural Products	2.食品制造业 2.Manufacture of Foods	3.饮料制造业 3.Manufacture of Beverage
总 计	**National Total**	**119988**	**74906**	**4931**	**4854831**	**124745**	**74106**	**107586**
北 京	Beijing				75279	1760	989	8849
天 津	Tianjin		680		101385	1686	1436	1118
河 北	Hebei	2894	10989		380712	4515	3000	3428
山 西	Shanxi	1379	498	3	180586	3299	1576	11143
内蒙古	Inner Mongolia	2170	988	140	23342	573	478	522
辽 宁	Liaoning	6802	3042		347319	5674	3051	1670
吉 林	Jilin	3796	150	48	112281	648	306	435
黑龙江	Heilongjiang	1869	192		255678	6972	2400	5128
上 海	Shanghai		72		153576	752	141	93
江 苏	Jiangsu	81	5464	507	152053	2200	1715	2783
浙 江	Zhejiang	7	2210		62757	4364	1253	612
安 徽	Anhui	1992	933		126671	2340	1514	8030
福 建	Fujian	3	6844		53824	783	2807	471
江 西	Jiangxi	12434	847	728	141105	4888	4334	5599
山 东	Shandong	19902	4315		324618	14147	8741	11191
河 南	Henan	9046	2114		243653	7099	17690	8439
湖 北	Hubei	1198	1555	81	299826	2920	5518	1825
湖 南	Hunan	10854	3464	225	163533	1831	894	839
广 东	Guangdong	2708	6938	8	119693	14883	4766	1042
广 西	Guangxi	5209	3873		169379	12933	1222	3889
海 南	Hainan	358	2090		13604	2756	656	158
重 庆	Chongqing	160	55		145869	5007	964	1895
四 川	Sichuan	2073	2475	18	293160	2069	659	4127
贵 州	Guizhou	1791	6724		128941	1613	2068	17078
云 南	Yunnan	10737	4564	2935	142961	8725	1238	1049
西 藏	Tibet	843	75		3988	183	103	
陕 西	Shaanxi	12953	175	6	372243	6471	2357	2048
甘 肃	Gansu	4504	305	183	196119	1109		3036
青 海	Qinghai	45	2197	18	16341	249	68	851
宁 夏	Ningxia				13709	680	40	173
新 疆	Xinjiang	4180	1078	31	40626	1616	2122	65

4-1 续表 4 continued

单位：人 (person)

地区	Region	4.烟草制品业 4.Manufacture of Tobacco	5.纺织业 5.Manufacture of Textile	6.纺织服装、鞋、帽制造业 6.Manufacture of Textile Wearing Apparel, Footware and Caps	7.皮革、毛皮、羽毛(绒)及其制品业 7.Manufacture of Leather, Fur, Feather and Its Products	8.木材加工及木、竹、藤、棕、草制品业 8.Processing of Timbers, Manufacture of Wood, Bamboo, Rattan, Palm and Straw Products	9.家具制造业 9.Manufacture of Furniture	10.造纸及纸制品业 10.Manufacture of Paper and Paper Products
总计	**National Total**	**160526**	**225172**	**51935**	**21230**	**37482**	**5778**	**72295**
北京	Beijing	791	930	562		323	182	537
天津	Tianjin	936	3440	637	22	296	42	470
河北	Hebei	6421	46618	5261	1322	431	418	4918
山西	Shanxi		13420	2744	447	213	90	1012
内蒙古	Inner Mongolia	602	17	1607	863	98	35	14
辽宁	Liaoning	491	3002	1448	355	478	34	4683
吉林	Jilin	4003	20	204		8300	69	1
黑龙江	Heilongjiang	2808	6431	94	8	11067	107	345
上海	Shanghai	3625	2624	1088	1154	373	93	374
江苏	Jiangsu	5775	11198	7158	556		36	1505
浙江	Zhejiang	3064	2847	134	1175	534		103
安徽	Anhui	6273	8454	1053	9	72	44	1350
福建	Fujian	4778	280	732	5	27	159	1424
江西	Jiangxi	8040	3363	2252	4000	1292	413	935
山东	Shandong	4643	26138	1777	355	584	245	7959
河南	Henan	11474	30513	2725	2284	148	495	10112
湖北	Hubei	3511	14804	9510	1340	1191	414	668
湖南	Hunan	17413	4080	183	114	1600		12868
广东	Guangdong	6010	5463	4784	539	586	673	6616
广西	Guangxi	3145	1255	596	185	1844	54	8876
海南	Hainan		89	127		503	14	92
重庆	Chongqing	2181	1861	368	7	340	174	178
四川	Sichuan	9077	3560	1188	1029	1048	212	2702
贵州	Guizhou	14899	668	2700	2724	682	363	792
云南	Yunnan	26578	20	665	10	3146	1051	1559
西藏	Tibet		145		91	1378	49	
陕西	Shaanxi	10979	24512	381	1580	250	172	1097
甘肃	Gansu	2112	1352		1028	314		57
青海	Qinghai		623	561		21		
宁夏	Ningxia	379	46	82				655
新疆	Xinjiang	518	7399	1314	28	343	140	393

4-1 续表 5 continued

单位：人 (person)

地 区	Region	11.印刷业和记录媒介的复制 11.Printing, Reproduction of Recording Media	12.文教体育用品制造业 12.Manufacture of Articles for Culture, Education and Sport Activities	13.石油加工、炼焦及核燃料加工业 13.Processing of Petroleum, Coking, Processing of Nuclear Fuel	14.化学原料及化学制品制造业 14.Manufacture of Chemical Raw Material and Chemical Products	15.医药制造业 15.Manufacture of Medicines	16.化学纤维制造业 16.Manufacture of Chemical Fiber	17.橡胶制品业 17.Manufacture of Rubber
总 计	**National Total**	**104015**	**8790**	**171021**	**422063**	**133497**	**13677**	**29200**
北 京	Beijing	13221	254	42	1540	2433	9	103
天 津	Tianjin	2356	242	1080	5237	1189	493	279
河 北	Hebei	7568	34	10068	41674	25543	3929	1647
山 西	Shanxi	4201	550	5477	20716	1061	1380	2020
内蒙古	Inner Mongolia	1314			615	1014		
辽 宁	Liaoning	2863	1138	30143	29403	24899	100	232
吉 林	Jilin	1778		1915	12430	2904		25
黑龙江	Heilongjiang	3943	1180	39287	12819	6390	11	52
上 海	Shanghai	4909	592	1639	5016	7716	225	1719
江 苏	Jiangsu	2792	10	1301	11544	631		510
浙 江	Zhejiang	1334		1136	16654	332		920
安 徽	Anhui	497	10		14875	2402		12
福 建	Fujian	3029	158	256	7924	1448		69
江 西	Jiangxi	3221	188	3594	9211	8275	487	163
山 东	Shandong	6635	604	19494	27568	12986	238	2052
河 南	Henan	4677		1228	26147	4521	310	1545
湖 北	Hubei	3816	11	9774	9920	4393	37	721
湖 南	Hunan	3162	6	3667	15076	387	2498	
广 东	Guangdong	4344	1920	3226	6459	4054	42	2564
广 西	Guangxi	3190	2	919	15348	3112	211	2569
海 南	Hainan	598			806	1720		132
重 庆	Chongqing	673	3		12740	3425		1769
四 川	Sichuan	6618	1658	2426	17734	2800	594	60
贵 州	Guizhou	2028	76		11790			5690
云 南	Yunnan	2121	54	371	21161	1185		1037
西 藏	Tibet	415				466		
陕 西	Shaanxi	6289	100	7508	25484	3555	189	3208
甘 肃	Gansu	3126		14166	23498	2997	2299	
青 海	Qinghai	678		1405	8170	1109		37
宁 夏	Ningxia	55			9200			
新 疆	Xinjiang	2564		10899	1304	550	625	65

4-1 续表 6 continued

单位：人 (person)

地 区	Region	18.塑料制品业 18.Manufacture of Plastic	19.非金属矿物制品业 19.Manufacture of Non-metallic Mineral Products	20.黑色金属冶炼及压延加工业 20.Manufacture and Processing of Ferrous Metals	21.有色金属冶炼及压延加工业 21.Manufacture and Processing of Non-ferrous Metals	22.金属制品业 22.Manufacture of Metal Products	23.通用设备制造业 23.Manufacture of General Purpose Machinery	24.专用设备制造业 24.Manufacture of Special Purpose Machinery
总 计	**National Total**	**21366**	**286907**	**654549**	**286950**	**66980**	**328348**	**409373**
北 京	Beijing	299	2250	714	421	712	5329	8296
天 津	Tianjin	556	2112	35929	175	5939	3738	8664
河 北	Hebei	5887	21354	68183	1245	6044	29798	36672
山 西	Shanxi	164	14511	11911	13703	1417	20143	20456
内蒙古	Inner Mongolia	171	2794	130	4379	21	769	3080
辽 宁	Liaoning	754	6915	155515	4400	5988	16896	17286
吉 林	Jilin	157	4260	899		1674	2129	4179
黑龙江	Heilongjiang	789	13555	7791	6241	5869	34959	32827
上 海	Shanghai	1428	8495	17925	2458	3593	18267	13768
江 苏	Jiangsu	1134	10296	1114	9620	2630	23820	5791
浙 江	Zhejiang	43	290	10542	1494	86	4251	2892
安 徽	Anhui	550	9669	5167	20405	1120	8096	3251
福 建	Fujian	76	2462	48	4136	127	3257	2650
江 西	Jiangxi	740	12885	3289	25931	1382	4512	7245
山 东	Shandong	722	38075	23788	18459	2261	34014	17006
河 南	Henan	1013	21868	6166	16403	2279	12771	25772
湖 北	Hubei	319	12104	94680	17103	3496	23314	5523
湖 南	Hunan	79	12325	28344	4642	1999	8501	18741
广 东	Guangdong	329	7245	245	2831	4185	5620	4392
广 西	Guangxi	504	17229	18596	14184	918	7562	27504
海 南	Hainan	103	3194			120	27	495
重 庆	Chongqing	1335	4104	29633	3099	259	19207	27203
四 川	Sichuan	515	11062	76605	7056	3814	5476	28593
贵 州	Guizhou	421	11414	496	3079	3915	8249	5542
云 南	Yunnan	219	3008	20169	30182	821	4047	7053
西 藏	Tibet		1070		37			12
陕 西	Shaanxi	771	19913	6013	2699	4619	16317	69382
甘 肃	Gansu	2007	7064	29872	70301	1274	6701	3345
青 海	Qinghai		1029	161	356	55	58	549
宁 夏	Ningxia		1207		693		341	97
新 疆	Xinjiang	281	3148	624	1218	363	179	1107

4-1 续表 7 continued

单位：人 (person)

地区	Region	25.交通运输设备制造业 25.Manufacture of Transport Equipment	26.电气机械及器材制造业 26.Manufacture of Electrical Machinery and Equipment	27.通信设备、计算机及其他电子设备制造业 27.Manufacture of Communication Equipment, Computer and Other Electronic Equipment	28.仪器仪表及文化、办公用机械制造业 28.Manufacture of Measuring Instrument and Machinery for Cultural Activity and Office Work	29.工艺品及其他制造业 29.Manufacture of Artwork, Other Manufacture	30.废弃资源和废旧材料回收加工业 30.Recycling and Disposal of Waste
总　计	**National Total**	**667375**	**154305**	**123664**	**63424**	**27376**	**1096**
北　京	Beijing	14458	882	3542	3637	2054	160
天　津	Tianjin	13749	2182	4547	2725	110	
河　北	Hebei	29852	13148	1263	255	210	6
山　西	Shanxi	12749	9504	5486	687	357	149
内蒙古	Inner Mongolia	2610	454	1172		10	
辽　宁	Liaoning	16473	3867	4130	3655	1602	174
吉　林	Jilin	65599	269	41	36		
黑龙江	Heilongjiang	38143	10404	3639	2324	95	
上　海	Shanghai	45005	5628	1922	1933	881	140
江　苏	Jiangsu	31699	8089	3488	3742	894	22
浙　江	Zhejiang	5300	1331	496	1370	200	
安　徽	Anhui	28851	1386	1181	5	7	48
福　建	Fujian	6254	5694	4332	265	87	86
江　西	Jiangxi	6481	4243	3754	5747	4638	3
山　东	Shandong	31663	6504	3494	1546	1729	
河　南	Henan	19092	6630	320	1693	239	
湖　北	Hubei	42098	9996	16928	3841	45	6
湖　南	Hunan	17543	2306	2530	425	1446	34
广　东	Guangdong	14862	4616	5108	1285	949	55
广　西	Guangxi	16678	3918	1225	1467	244	
海　南	Hainan	1303	180	512		19	
重　庆	Chongqing	20219	1816	2432	4194	745	38
四　川	Sichuan	54958	2907	42432	1783	398	
贵　州	Guizhou	26339	1293	1575	495	2933	19
云　南	Yunnan	5841	1023	501	95	32	
西　藏	Tibet					39	
陕　西	Shaanxi	85817	36943	6798	19250	7385	156
甘　肃	Gansu	9800	8918	816	899	28	
青　海	Qinghai	361					
宁　夏	Ningxia	20	41				
新　疆	Xinjiang	3558	133		70		

4-1 续表 8 continued

单位：人 (person)

地 区	Region	(四)电力、燃气及水的生产和供应业 IV.Production and Distribution of Electricity, Gas and Water	1.电力、热力的生产和供应业 1.Production and Supply of Electric Power and Heat Power	2.燃气生产和供应业 2.Production and Distribution of Gas	3.水的生产和供应业 3.Production and Distribution of Water	(五)建筑业 V.Construction	1.房屋和土木工程建筑业 1.Construction of Building and Civil Engineering	2.建筑安装业 2.Architectural Installation
总 计	**National Total**	**2030746**	**1551704**	**94227**	**384815**	**2677305**	**2275182**	**297133**
北 京	Beijing	11126	8648	1615	863	44592	39374	2404
天 津	Tianjin	22991	17400	4604	987	26825	19189	6700
河 北	Hebei	161849	129438	7648	24763	120607	97266	22178
山 西	Shanxi	71942	52108	4586	15248	116130	104990	9568
内蒙古	Inner Mongolia	66530	53793	1820	10917	26880	23344	3067
辽 宁	Liaoning	104953	67704	10120	27129	93678	78250	14540
吉 林	Jilin	53956	38237	1152	14567	45627	42001	2939
黑龙江	Heilongjiang	112335	71572	9964	30799	125747	117995	6332
上 海	Shanghai	39415	17121	11214	11080	44105	29151	14195
江 苏	Jiangsu	65431	49811	360	15260	49404	29137	17216
浙 江	Zhejiang	77671	64494	542	12635	50661	43788	5971
安 徽	Anhui	65456	51256	2064	12136	80774	68168	11606
福 建	Fujian	56008	43984	1395	10629	88500	60823	20870
江 西	Jiangxi	65855	54855	653	10347	120287	79473	18112
山 东	Shandong	145021	115678	3841	25502	180616	141674	25776
河 南	Henan	134349	105395	3146	25808	176476	141000	25743
湖 北	Hubei	90620	72897	2690	15033	163083	143879	14063
湖 南	Hunan	77387	59556	45	17786	145733	133081	9422
广 东	Guangdong	113963	86139	3281	24543	136763	118611	10404
广 西	Guangxi	69447	55680	654	13113	40174	38797	626
海 南	Hainan	14286	11026	418	2842	31479	28528	886
重 庆	Chongqing	24746	11280	7275	6191	67843	63655	3068
四 川	Sichuan	80795	65232	4424	11139	262469	245651	13396
贵 州	Guizhou	58073	49718	307	8048	133925	124052	8677
云 南	Yunnan	43788	35865	3184	4739	67600	63572	3087
西 藏	Tibet	8018	5710	1783	525	3583	3562	
陕 西	Shaanxi	79975	64205	2860	12910	103414	89395	12151
甘 肃	Gansu	53182	42455	1036	9691	57125	45490	10840
青 海	Qinghai	12206	10214	94	1898	18355	16982	248
宁 夏	Ningxia	25474	21885	435	3154	9041	8136	554
新 疆	Xinjiang	23898	18348	1017	4533	45809	36168	2494

4-1 续表 9 continued

单位：人 (person)

地 区	Region	3.建筑装饰业 3.Architectural Decoration	4.其他建筑业 4.Other Construction	(六)交通运输、仓储和邮政业 VI.Transport, Storage and Post	1.铁路运输业 1.Transport Via Railway	2.道路运输业 2.Transport Via Road	3.城市公共交通业 3.Urban Public Traffic	4.水上运输业 4.Water Transport
总 计	**National Total**	**26394**	**78596**	**4244915**	**1730148**	**981639**	**414577**	**197918**
北 京	Beijing	1614	1200	128087	81460	4667	2766	
天 津	Tianjin	565	371	65281	14684	10833	16684	11809
河 北	Hebei	208	955	219904	63399	78541	23980	17599
山 西	Shanxi	1218	354	194616	114402	38968	9201	39
内蒙古	Inner Mongolia	62	407	140948	84641	26403	5778	156
辽 宁	Liaoning	263	625	263339	134268	49703	22259	10778
吉 林	Jilin	30	657	118479	68057	16482	4885	163
黑龙江	Heilongjiang	367	1053	235652	116683	58273	8413	3098
上 海	Shanghai	587	172	124353	25364	9134	28748	26584
江 苏	Jiangsu	492	2559	184645	64500	29065	19508	18490
浙 江	Zhejiang	504	398	122664	17557	28833	32519	10680
安 徽	Anhui	17	983	101684	31685	23696	16062	3423
福 建	Fujian	1158	5649	122427	31286	24477	22093	6659
江 西	Jiangxi	2273	20429	145887	64767	43584	10847	2986
山 东	Shandong	916	12250	208670	63559	44030	28941	31869
河 南	Henan	6587	3146	232007	100121	63006	27018	429
湖 北	Hubei	336	4805	240506	143629	48249	10606	10688
湖 南	Hunan	449	2781	171539	76754	41584	19305	2087
广 东	Guangdong	1911	5837	234613	34577	70667	44380	12883
广 西	Guangxi	446	305	123927	43961	34545	6699	10021
海 南	Hainan	1739	326	22204	95	9933	1833	903
重 庆	Chongqing	453	667	93856	28021	24425	11594	10607
四 川	Sichuan	751	2671	169355	47743	50179	16529	4713
贵 州	Guizhou	963	233	78324	29224	20210	9448	684
云 南	Yunnan	140	801	96369	44245	29460	1965	334
西 藏	Tibet		21	8092	165	4281	473	17
陕 西	Shaanxi	1668	200	176167	95375	43391	5917	159
甘 肃	Gansu	577	218	85276	45742	19008	1358	47
青 海	Qinghai		1125	26639	13077	9243	21	13
宁 夏	Ningxia	15	336	25937	12366	5341	3333	
新 疆	Xinjiang	85	7062	83468	38741	21428	1414	

4-1 续表 10 continued

单位：人 (person)

地 区	Region	5.航空运输业 5.Air Transport	6.管道运输业 6.Transport Via Pipeline	7.装卸搬运和其他运输服务业 7.Loading, Unloading Portage and Other Transport Services	8.仓储业 8.Storage	9.邮政业 9.Post	(七)信息传输、计算机服务和软件业 VII.Information Transmission, Computer Services and Software	1.电信和其他信息传输服务业 1.Telecom and Other Information Transmission Services
总 计	**National Total**	**121088**	**12798**	**85873**	**156492**	**544382**	**630176**	**599304**
北 京	Beijing	34		1531	6697	30932	13386	3959
天 津	Tianjin	2375		1255	3426	4215	4255	3765
河 北	Hebei	804	691	2481	6758	25651	28779	28437
山 西	Shanxi	1436		2648	7781	20141	34449	32176
内蒙古	Inner Mongolia	3727		129	6529	13585	32745	32619
辽 宁	Liaoning	8217	1210	5407	9240	22257	21875	20641
吉 林	Jilin	4347	260	927	10249	13109	24959	24795
黑龙江	Heilongjiang	2725	470	6528	18169	21293	36941	35218
上 海	Shanghai	4472		2373	3654	24024	15530	13528
江 苏	Jiangsu	4678	7553	3074	4113	33664	25176	24172
浙 江	Zhejiang	2857		2020	1256	26942	17454	16560
安 徽	Anhui	1108		2772	6552	16386	22040	22003
福 建	Fujian	7739		5913	3287	20973	14711	14155
江 西	Jiangxi	1516		1224	5035	15928	19124	18555
山 东	Shandong	4889	1358	6638	5586	21800	26807	26245
河 南	Henan	217		3797	13534	23885	24608	24132
湖 北	Hubei	578	664	2111	5066	18915	23645	23268
湖 南	Hunan	804		1021	5007	24977	26554	25847
广 东	Guangdong	24796		5062	4450	37798	55863	53174
广 西	Guangxi	3556		3545	4008	17592	18959	18519
海 南	Hainan	1400		4120	221	3699	2201	1968
重 庆	Chongqing	3846		1077	3855	10431	14704	14559
四 川	Sichuan	12704		6826	4777	25884	36920	36414
贵 州	Guizhou	3308		1073	3064	11313	10342	9009
云 南	Yunnan	4360	3	1001	1360	13641	20160	19747
西 藏	Tibet	859			208	2089	3794	3794
陕 西	Shaanxi	6024	54	2870	5884	16493	21994	20555
甘 肃	Gansu	2941		2390	3652	10138	9714	9496
青 海	Qinghai	151	535	280	950	2369	6897	6839
宁 夏	Ningxia	736		826	512	2823	5432	5306
新 疆	Xinjiang	3884		4954	1612	11435	10158	9849

4-1 续表 11 continued

单位：人 (person)

地 区	Region	2.计算机服务业 2.Computer Services	3.软件业 3.Software Industry	(八)批发和零售业 VIII. Wholesale and Retail Trades	1.批发业 1.Wholesale Trade	2.零售业 2.Retail Trade	(九)住宿和餐饮业 IX. Hotels and Catering Services	1.住宿业 1.Hotels
总 计	**National Total**	**22211**	**8661**	**1607390**	**1114849**	**492541**	**566239**	**466638**
北 京	Beijing	7037	2390	47145	32602	14543	59497	55529
天 津	Tianjin	220	270	32237	17079	15158	6234	5378
河 北	Hebei	224	118	99580	56039	43541	29990	23699
山 西	Shanxi	1893	380	103309	81995	21314	21346	18408
内蒙古	Inner Mongolia	82	44	34411	26395	8016	11309	10917
辽 宁	Liaoning	890	344	38568	25418	13150	14836	11856
吉 林	Jilin	143	21	29722	24532	5190	12889	10906
黑龙江	Heilongjiang	1259	464	78140	47338	30802	17893	12235
上 海	Shanghai	972	1030	31847	17889	13958	17198	14255
江 苏	Jiangsu	968	36	51447	29113	22334	19330	17602
浙 江	Zhejiang	751	143	30035	24616	5419	23459	18826
安 徽	Anhui	11	26	62198	48946	13252	10568	8862
福 建	Fujian	424	132	43162	33440	9722	15714	13612
江 西	Jiangxi	544	25	51415	34910	16505	11187	9463
山 东	Shandong	319	243	105348	63338	42010	50277	32111
河 南	Henan	367	109	175833	119659	56174	39600	32559
湖 北	Hubei	343	34	55321	45683	9638	14688	13077
湖 南	Hunan	46	661	50753	36592	14161	24080	21006
广 东	Guangdong	1665	1024	90404	71521	18883	44973	31486
广 西	Guangxi	192	248	51345	32347	18998	19058	14556
海 南	Hainan	214	19	9589	6970	2619	8701	8268
重 庆	Chongqing	54	91	30482	17769	12713	7878	6653
四 川	Sichuan	423	83	67630	55965	11665	16576	14142
贵 州	Guizhou	1313	20	48425	39390	9035	8455	7148
云 南	Yunnan	170	243	39343	31776	7567	14787	13841
西 藏	Tibet			4912	2785	2127	3532	3532
陕 西	Shaanxi	1001	438	84047	53003	31044	16225	14385
甘 肃	Gansu	218		24687	13462	11225	9457	9216
青 海	Qinghai	33	25	8121	4654	3467	1684	1342
宁 夏	Ningxia	126		8499	5012	3487	1766	1634
新 疆	Xinjiang	309		19435	14611	4824	13052	10134

4-1 续表 12 continued

单位：人 (person)

地 区	Region	2.餐饮业 2.Catering Services	(十)金融业 X.Financial Intermediation	1.银行业 1.Bank	2.证券业 2.Security Activities	3.保险业 3.Insurance	4.其他金融活动 4.Other Financial Activities
总 计	**National Total**	**99601**	**1554155**	**1247467**	**12576**	**272414**	**21698**
北 京	Beijing	3968	20057	18830	742	445	40
天 津	Tianjin	856	23307	23058	3	7	239
河 北	Hebei	6291	35435	34828	148		459
山 西	Shanxi	2938	66740	54565	444	11052	679
内蒙古	Inner Mongolia	392	45055	35041	172	8983	859
辽 宁	Liaoning	2980	81589	63447	809	16110	1223
吉 林	Jilin	1983	47451	39995	118	6541	797
黑龙江	Heilongjiang	5658	46557	45827	73	167	490
上 海	Shanghai	2943	46761	40621	1616	3652	872
江 苏	Jiangsu	1728	87102	58772	582	24919	2829
浙 江	Zhejiang	4633	82217	71529	568	8388	1732
安 徽	Anhui	1706	58560	39252	271	18249	788
福 建	Fujian	2102	46111	34642	328	10354	787
江 西	Jiangxi	1724	44259	31562	310	12029	358
山 东	Shandong	18166	81989	59535	1450	20167	837
河 南	Henan	7041	83649	67891	398	14615	745
湖 北	Hubei	1611	76050	61687	189	13001	1173
湖 南	Hunan	3074	43533	37322	273	5369	569
广 东	Guangdong	13487	149162	121906	2825	22849	1582
广 西	Guangxi	4502	48262	37965	62	8565	1670
海 南	Hainan	433	8338	7504	98	648	88
重 庆	Chongqing	1225	25745	20212	44	5056	433
四 川	Sichuan	2434	89581	67376	249	21059	897
贵 州	Guizhou	1307	22660	20748		1667	245
云 南	Yunnan	946	38544	31349	115	6626	454
西 藏	Tibet		6458	6426			32
陕 西	Shaanxi	1840	58655	40442	558	17201	454
甘 肃	Gansu	241	30517	26450	49	3954	64
青 海	Qinghai	342	11115	9811	39	1075	190
宁 夏	Ningxia	132	14173	11569		2604	
新 疆	Xinjiang	2918	34523	27305	43	7062	113

4-1 续表 13 continued

单位：人 (person)

地 区	Region	(十一)房地产业 XI.Real Estate	#房地产开发经营 Development and Management of Real Estate	#物业管理 Property Management	#房地产中介服务 Agency Services for Real Estate	(十二)租赁和商务服务业 XII.Leasing and Business Services	1.租赁业 1.Leasing	2.商务服务业 2.Business Services
总 计	**National Total**	**435283**	**144555**	**166953**	**25008**	**1259144**	**8544**	**1250600**
北 京	Beijing	35607	3977	21232	559	204699	467	204232
天 津	Tianjin	7570	2571	4247		50877	311	50566
河 北	Hebei	17627	6544	6570	991	28769	148	28621
山 西	Shanxi	8382	3813	1937	932	31503	99	31404
内蒙古	Inner Mongolia	8310	1377	2714	750	19037	41	18996
辽 宁	Liaoning	26258	4727	10904	938	78444	72	78372
吉 林	Jilin	13410	2809	5173	956	24109	305	23804
黑龙江	Heilongjiang	23360	2300	13186	185	21042	62	20980
上 海	Shanghai	26558	8166	13233	302	90080		90080
江 苏	Jiangsu	15837	5388	4908	500	53612	727	52885
浙 江	Zhejiang	18245	3956	6206	270	77106	73	77033
安 徽	Anhui	11367	4073	3591	817	25588	67	25521
福 建	Fujian	17510	5282	8394	1211	33978	29	33949
江 西	Jiangxi	12276	6198	2253	1380	19460	804	18656
山 东	Shandong	24479	11748	8720	1140	48937	771	48166
河 南	Henan	17758	8587	2053	6677	49591	711	48880
湖 北	Hubei	17329	8739	5281	961	29281	238	29043
湖 南	Hunan	15679	7219	4048	1322	33687	855	32832
广 东	Guangdong	40248	9242	24630	1626	142571	74	142497
广 西	Guangxi	13604	6917	3012	680	36533	80	36453
海 南	Hainan	3749	1940	1077	156	7725	218	7507
重 庆	Chongqing	8850	5404	2037	150	16741	25	16716
四 川	Sichuan	11906	5871	1505	715	44149	368	43781
贵 州	Guizhou	7831	2880	1093	128	10931	61	10870
云 南	Yunnan	4334	1984	773	572	16237	54	16183
西 藏	Tibet	256	100	54		586		586
陕 西	Shaanxi	8880	3823	1762	541	20188	668	19520
甘 肃	Gansu	6722	5317	370	72	12915	11	12904
青 海	Qinghai	3141	448	2513	91	2629		2629
宁 夏	Ningxia	3077	2068	658	191	2074	28	2046
新 疆	Xinjiang	5123	1087	2819	195	26065	1177	24888

4-1 续表 14 continued

单位：人 (person)

地 区	Region	(十三)科学研究、技术服务和地质勘查业 XIII.Scientific Research, Technical Services and Geological Prospecting	1.研究与试验发展 1.Research and Experimental Development	自然科学研究与试验发展 Research and Experimental Development on Physical Science	工程和技术研究与试验发展 Research and Experimental Development on Engineering and Technical Research	农业科学研究与试验发展 Research and Experimental Development on Agricultural Science Research	医学研究与试验发展 Research and Experimental Development	社会人文科学研究与试验发展 Research and Experimental Development on Social Science and Humanities
总 计	**National Total**	**2015975**	**609330**	**135622**	**297677**	**101629**	**25280**	**49122**
北 京	Beijing	187550	104926	26772	59993	4571	4636	8954
天 津	Tianjin	41667	12456	5723	4087	857	1231	558
河 北	Hebei	73190	12271	1871	6899	2349	244	908
山 西	Shanxi	57907	19071	4098	9545	3225	614	1589
内蒙古	Inner Mongolia	39401	9378	426	3904	3017	385	1646
辽 宁	Liaoning	85129	22158	8143	8242	4347	200	1226
吉 林	Jilin	53239	15793	4848	4862	4050	620	1413
黑龙江	Heilongjiang	103940	15344	5010	4710	4407	82	1135
上 海	Shanghai	155337	40631	26956	9260	1720	1284	1411
江 苏	Jiangsu	68630	26285	5553	15171	3243	1693	625
浙 江	Zhejiang	62367	11747	2288	2554	4075	644	2186
安 徽	Anhui	52952	14338	3879	4641	2278	181	3359
福 建	Fujian	39752	7273	1537	1501	2174	263	1798
江 西	Jiangxi	49098	12518	4703	2792	3141	1323	559
山 东	Shandong	75107	16890	4296	6076	3142	1496	1880
河 南	Henan	101900	28497	2793	16491	6332	1061	1820
湖 北	Hubei	90230	25643	4147	15263	3680	1306	1247
湖 南	Hunan	60097	14141	1800	4390	6612	649	690
广 东	Guangdong	93172	18792	2420	8005	6655	596	1116
广 西	Guangxi	54676	15606	4043	1125	5355	1518	3565
海 南	Hainan	11341	5038	102	388	3849	39	660
重 庆	Chongqing	27524	8338	74	5098	1308	551	1307
四 川	Sichuan	118693	50619	3195	37733	4307	1416	3968
贵 州	Guizhou	32873	4436	919	931	2380	29	177
云 南	Yunnan	53625	15566	2417	5635	5639	693	1182
西 藏	Tibet	6022	1235	189	215	674		157
陕 西	Shaanxi	105667	53519	3973	44071	1350	2077	2048
甘 肃	Gansu	45980	12346	1243	7250	2945	365	543
青 海	Qinghai	16066	5746	562	4401	596		187
宁 夏	Ningxia	10552	2159	493	423	784	19	440
新 疆	Xinjiang	42291	6570	1149	2021	2567	65	768

4-1 续表 15 continued

单位：人 (person)

地 区	Region	2.专业技术服务业 Professional Technical Services	#气象服务 Weather Services	#地震服务 Earthquake Services	#海洋服务 Ocean Services	#测绘服务 Plotting Services	#技术检测 Technique Detection	#环境监测 Environmental Monitoring
总 计	**National Total**	**804269**	**51558**	**17384**	**6492**	**37007**	**154212**	**46178**
北 京	Beijing	58268	1876	1089	532	1845	15112	1006
天 津	Tianjin	25026	456	444	721	62	4302	428
河 北	Hebei	27837	1883	654	53	969	6858	1742
山 西	Shanxi	22903	1756	753		810	3692	2442
内蒙古	Inner Mongolia	15904	2368	601		852	3905	1729
辽 宁	Liaoning	39913	1710	456	282	1517	11755	3335
吉 林	Jilin	26627	1131	327		1343	6226	1690
黑龙江	Heilongjiang	23082	1553	272		2409	5552	1245
上 海	Shanghai	21861	512	16	694	429	4494	1625
江 苏	Jiangsu	27804	1496	582	175	1241	6276	3177
浙 江	Zhejiang	37968	2086	190	1561	2616	6757	2911
安 徽	Anhui	25155	1560	688		764	5130	2026
福 建	Fujian	24115	1411	335	117	1056	3477	1418
江 西	Jiangxi	14243	1725	157		649	3389	1009
山 东	Shandong	33127	1885	742	1210	1839	5881	1426
河 南	Henan	46407	2030	348		2189	11155	3659
湖 北	Hubei	49410	1650	519	115	1691	4725	2086
湖 南	Hunan	30017	1843	185		1961	3305	1130
广 东	Guangdong	59471	2491	443	864	2083	15223	2630
广 西	Guangxi	23815	2548	306	32	1449	3832	1216
海 南	Hainan	4982	275	219	136	309	734	392
重 庆	Chongqing	12305	743	8		1195	1732	450
四 川	Sichuan	46863	3202	2480		1414	5866	1666
贵 州	Guizhou	12465	1429	81		702	1106	493
云 南	Yunnan	20378	2101	1635		883	3079	1120
西 藏	Tibet	2648	1012	96			116	79
陕 西	Shaanxi	30960	2629	1954		2992	2919	1435
甘 肃	Gansu	12879	1645	743		289	2342	978
青 海	Qinghai	4983	1569	270		83	711	477
宁 夏	Ningxia	4470	571	322		261	1070	313
新 疆	Xinjiang	18383	2412	469		1105	3491	845

4-1 续表 16 continued

单位：人 (person)

地 区	Region	#工程技术与规划管理 Engineering Technic & Programming Management	3.科技交流和推广服务业 3.Services of Science and Technology Exchanges and Promotion	4.地质勘查业 4.Geological Prospecting	(十四)水利、环境和公共设施管理业 XIV. Management of Water Conservancy, Enviroment and Public Facilities	1.水利管理业 1.Management of Water Conservancy	2.环境管理业 2.Environmental Management	3.公共设施管理业 3.Management of Public Facilities
总 计	**National Total**	**456795**	**286142**	**316234**	**1727874**	**447841**	**800208**	**479825**
北 京	Beijing	34394	20265	4091	57180	7066	27866	22248
天 津	Tianjin	17146	2050	2135	32215	6439	12454	13322
河 北	Hebei	14865	3415	29667	83104	18325	30869	33910
山 西	Shanxi	11939	3557	12376	52376	16617	23162	12597
内蒙古	Inner Mongolia	6204	3532	10587	60445	16726	32001	11718
辽 宁	Liaoning	16914	11890	11168	108179	18133	54724	35322
吉 林	Jilin	15650	5417	5402	63726	17426	32248	14052
黑龙江	Heilongjiang	10862	4797	60717	78334	14732	45986	17616
上 海	Shanghai	9516	91372	1473	44794	4316	29459	11019
江 苏	Jiangsu	12886	6594	7947	86188	28134	32121	25933
浙 江	Zhejiang	21508	6757	5895	46579	7802	24501	14276
安 徽	Anhui	14406	5392	8067	57481	20081	25823	11577
福 建	Fujian	14206	4769	3595	36183	8042	18936	9205
江 西	Jiangxi	6498	2636	19701	45086	9453	20139	15494
山 东	Shandong	18328	7673	17417	102474	22648	44764	35062
河 南	Henan	27026	15055	11941	112570	33344	42846	36380
湖 北	Hubei	37061	8721	6456	77875	28598	31469	17808
湖 南	Hunan	19941	6986	8953	71221	18875	33827	18519
广 东	Guangdong	34369	5679	9230	100437	26115	49496	24826
广 西	Guangxi	12263	11482	3773	61482	12938	35960	12584
海 南	Hainan	2666	523	798	17546	3954	8980	4612
重 庆	Chongqing	8070	2782	4099	25858	3844	13118	8896
四 川	Sichuan	31913	7193	14018	73342	12923	41999	18420
贵 州	Guizhou	8150	9203	6769	27266	4943	14894	7429
云 南	Yunnan	10644	10177	7504	40390	11299	18012	11079
西 藏	Tibet	1337	391	1748	1880	266	1259	355
陕 西	Shaanxi	18587	7260	13928	56465	24622	19345	12498
甘 肃	Gansu	6762	10673	10082	36012	18650	8861	8501
青 海	Qinghai	1745	625	4712	8846	4885	3647	314
宁 夏	Ningxia	1148	1097	2826	18543	5862	7699	4982
新 疆	Xinjiang	9791	8179	9159	43797	20783	13743	9271

4-1 续表 17 continued

单位：人 (person)

地 区	Region	(十五)居民服务和其他服务业 XV.Services to Households and Other Services	1.居民服务业 1.Services to Households	2.其他服务业 2.Other Services	(十六)教育 XVI.Education	#初等教育 Junior Education	#中等教育 Secondary Education	#高等教育 Senior Education
总 计	**National Total**	**287749**	**178844**	**108905**	**14818651**	**5847866**	**6500322**	**1709007**
北 京	Beijing	14313	8438	5875	343206	57942	98011	142206
天 津	Tianjin	35862	3247	32615	166039	34662	56882	39132
河 北	Hebei	18010	3656	14354	824414	359955	370324	64857
山 西	Shanxi	4632	1888	2744	487900	212226	205787	43046
内蒙古	Inner Mongolia	20599	18917	1682	340786	145032	149235	29901
辽 宁	Liaoning	11985	7633	4352	495619	165198	220699	82272
吉 林	Jilin	9622	3663	5959	371821	162669	138597	53961
黑龙江	Heilongjiang	42094	40475	1619	439520	157049	189439	65071
上 海	Shanghai	9132	5239	3893	255594	42184	87655	80004
江 苏	Jiangsu	6875	5089	1786	821894	305336	368642	112070
浙 江	Zhejiang	5591	4203	1388	525678	179740	242748	72331
安 徽	Anhui	3398	2890	508	581735	259661	260060	47219
福 建	Fujian	9254	3707	5547	424990	169884	194688	40189
江 西	Jiangxi	3614	1530	2084	445454	215028	170384	45769
山 东	Shandong	24017	22713	1304	1024599	371503	511654	98048
河 南	Henan	8338	5976	2362	920668	309903	497232	61578
湖 北	Hubei	6907	3218	3689	627146	189608	293176	111460
湖 南	Hunan	5987	3727	2260	668394	261121	304224	75532
广 东	Guangdong	14575	10585	3990	1023516	449080	445202	96102
广 西	Guangxi	2125	1754	371	548079	246010	244494	35617
海 南	Hainan	286	227	59	97148	43736	37691	8584
重 庆	Chongqing	1482	956	526	323938	134897	137776	39261
四 川	Sichuan	5311	4673	638	808605	349504	354332	72861
贵 州	Guizhou	1802	1032	770	398588	214865	145072	21533
云 南	Yunnan	2356	1252	1104	499517	255219	179164	32069
西 藏	Tibet	44	24	20	37415	21241	12110	1630
陕 西	Shaanxi	8306	1973	6333	505233	196007	217122	68904
甘 肃	Gansu	3061	2416	645	336274	131941	162605	27521
青 海	Qinghai	5288	5166	122	67957	31532	27068	6717
宁 夏	Ningxia	231	213	18	76690	32775	31148	7064
新 疆	Xinjiang	2652	2364	288	330234	142358	147101	26498

4-1 续表 18 continued

单位：人 (person)

地 区	Region	(十七)卫生、社会保障和社会福利业 XVII.Health, Social Securities and Social Welfare	1.卫生 1.Health	2.社会保障业 2.Social Securities	3.社会福利业 3.Social Welfare	(十八)文化、体育和娱乐业 XVIII.Culture, Sports and Entertainment	1.新闻出版业 1.Journalism and Publishing Activities	2.广播、电视、电影和音像业 2.Broadcasting, Movies, Television and Audiovisual Activities
总 计	**National Total**	**5012411**	**4758212**	**141000**	**113199**	**1109034**	**251059**	**380377**
北 京	Beijing	161588	152150	3848	5590	113633	60653	21461
天 津	Tianjin	79726	69350	8173	2203	15969	3121	3308
河 北	Hebei	230003	218763	5019	6221	42840	7302	17301
山 西	Shanxi	127212	118394	5758	3060	44510	8575	16118
内蒙古	Inner Mongolia	99841	92744	4028	3069	32245	4665	12347
辽 宁	Liaoning	215583	200200	7278	8105	46288	9622	15085
吉 林	Jilin	132672	125449	3575	3648	32793	6726	10867
黑龙江	Heilongjiang	172065	162964	5077	4024	37545	6316	12322
上 海	Shanghai	137510	127797	4703	5010	35581	6169	8888
江 苏	Jiangsu	240731	226387	9438	4906	46177	8482	18864
浙 江	Zhejiang	234753	226526	3853	4374	46329	9582	16895
安 徽	Anhui	147584	141814	3027	2743	33906	5717	16260
福 建	Fujian	113794	106938	3846	3010	32520	4744	13059
江 西	Jiangxi	143760	136782	3977	3001	32086	6703	14002
山 东	Shandong	333390	321223	6915	5252	56130	11421	22262
河 南	Henan	336748	321993	8955	5800	61463	11752	23461
湖 北	Hubei	254728	243579	5644	5505	45451	8747	17631
湖 南	Hunan	238570	228011	6729	3830	39590	6571	17316
广 东	Guangdong	409966	391871	7591	10504	70184	18423	20308
广 西	Guangxi	190392	179750	7275	3367	27791	5350	7849
海 南	Hainan	29439	28196	591	652	7912	2539	3236
重 庆	Chongqing	88881	84918	1908	2055	19492	7513	5985
四 川	Sichuan	239510	227954	6525	5031	41100	6897	13771
贵 州	Guizhou	99534	97133	896	1505	17689	3194	7123
云 南	Yunnan	137503	131813	3518	2172	26137	3195	7146
西 藏	Tibet	13962	13506	8	448	5972	624	2881
陕 西	Shaanxi	142890	135486	4152	3252	35282	6538	10943
甘 肃	Gansu	86197	81180	3844	1173	24022	3171	9222
青 海	Qinghai	26124	24816	794	514	6401	763	2449
宁 夏	Ningxia	27718	26236	846	636	8346	1781	2679
新 疆	Xinjiang	120037	114289	3209	2539	23650	4203	9338

4-1 续表 19 continued

单位：人 (person)

地 区	Region	3.文化艺术业 3.Cultural and Art Activitries	4.体育 4.Sports Activities	5.娱乐业 5.Entertainment	(十九)公共管理和社会组织 XIX.Public Management and Social Organization	#中国共产党机关 Organs of Communist Party of China	#国家机构 Government Agencies	#人民政协和民主党派 People's Political Consultative Conference and Demoncratic Parties	#群众社团、社会团体和宗教组织 Non-Governmental Organizations, Social Organizations, and Religion Organizations
总 计	**National Total**	**377166**	**79279**	**21153**	**13288137**	**574759**	**12318891**	**95158**	**214465**
北 京	Beijing	22073	8253	1193	333411	10620	302826	2016	17949
天 津	Tianjin	6416	2680	444	136604	3534	130210	843	1857
河 北	Hebei	13147	3054	2036	744074	30516	688149	5443	8557
山 西	Shanxi	16963	2573	281	477967	18320	447493	3232	8922
内蒙古	Inner Mongolia	13471	1515	247	329096	16350	303220	3282	6244
辽 宁	Liaoning	17788	3323	470	491257	21079	439042	3209	8160
吉 林	Jilin	12353	2639	208	309125	12914	278134	2100	4934
黑龙江	Heilongjiang	13476	3429	2002	407891	13417	382501	2853	4968
上 海	Shanghai	11600	7736	1188	173914	2685	167143	862	2707
江 苏	Jiangsu	13780	3838	1213	608236	15121	569593	2610	7271
浙 江	Zhejiang	16762	2350	740	512834	18112	482837	3069	7661
安 徽	Anhui	9721	1801	407	443794	17802	413023	2716	6138
福 建	Fujian	11793	2761	163	295031	14840	271382	2523	6286
江 西	Jiangxi	9066	2238	77	413952	20491	380043	3315	9208
山 东	Shandong	18705	3141	601	1002122	37150	948165	4973	11744
河 南	Henan	23082	2317	851	982989	36170	917132	5347	12902
湖 北	Hubei	15706	2561	806	533579	13599	507751	3714	8515
湖 南	Hunan	13190	1821	692	673217	27333	635479	3591	6814
广 东	Guangdong	20715	8233	2505	904085	45276	840564	3564	13289
广 西	Guangxi	11827	2115	650	368077	16327	340076	2790	5447
海 南	Hainan	1861	154	122	89899	3757	80099	693	5350
重 庆	Chongqing	5396	426	172	226648	7185	215470	1609	2384
四 川	Sichuan	17383	2306	743	696129	33726	644797	7738	9868
贵 州	Guizhou	6027	1003	342	351233	16250	327165	3183	4635
云 南	Yunnan	12441	1268	2087	436899	22666	400528	5449	7093
西 藏	Tibet	2081	386		75096	7203	65335	941	1617
陕 西	Shaanxi	15927	1638	236	446296	32128	402550	5156	6445
甘 肃	Gansu	9690	1508	431	345874	29975	307685	3783	4431
青 海	Qinghai	2653	519	17	78944	5310	70967	1371	1296
宁 夏	Ningxia	3068	743	75	76090	3548	69565	874	1630
新 疆	Xinjiang	9005	950	154	323774	21355	289967	2309	10143

4-2 各地区分行业城镇集体单位就业人员数
Employed Persons in Urban Collective-owned Units by Sector and Region

单位：人 (person)

地 区	Region	城镇集体单位合计 Total	(一)企业 I.Enterprises	(二)事业 II.Institutions	(三)机关 III.Agencies and Organizations	(一)农、林、牧、渔业 I.Agriculture, Forestry, Animal Husbandry and Fishery	1.农业 1.Agriculture	2.林业 2.Forestry
总 计	**National Total**	**6618208**	**5667169**	**937455**	**13584**	**48526**	**7605**	**3496**
北 京	Beijing	149478	128992	20486		2950	1254	387
天 津	Tianjin	79029	72889	6140				
河 北	Hebei	283127	260995	21377	755	2219	34	25
山 西	Shanxi							
内蒙古	Inner Mongolia	279234	240893	37146	1195	918	98	74
		101131	84728	16403		1393	492	
辽 宁	Liaoning	335352	314277	20806	269	1964	68	143
吉 林	Jilin	148795	130178	18175	442	389	16	75
黑龙江	Heilongjiang	306025	295660	9851	514	757	593	15
上 海	Shanghai	114566	78226	35521	819	1160		396
江 苏	Jiangsu	340145	231964	107151	1030	4608	2436	12
浙 江	Zhejiang	265563	196150	69274	139	649	90	30
安 徽	Anhui	243975	191677	51474	824	911	55	
福 建	Fujian	176456	149636	26769	51	285	26	200
江 西	Jiangxi	152955	139146	13562	247	568	21	70
山 东	Shandong	560339	476525	81924	1890	4396	5	144
河 南	Henan	682953	513415	167936	1602	7059	803	247
湖 北	Hubei	250637	222412	27096	1129	2806	35	29
湖 南	Hunan	316212	285408	30804		2605	485	398
广 东	Guangdong	606423	563241	42824	358	1348	215	208
广 西	Guangxi	172792	165120	7630	42	200	4	49
海 南	Hainan	31276	25243	5974	59	810	453	304
重 庆	Chongqing	107318	89764	17502	52	1396	21	55
四 川	Sichuan	382367	314459	67783	125	6000	18	51
贵 州	Guizhou	79235	74434	4739	62	36		12
云 南	Yunnan	112044	107149	4364	531	516	98	226
西 藏	Tibet	5046	5038	4	4	29	25	
陕 西	Shaanxi	197816	178888	17549	1379	1373		150
甘 肃	Gansu	69359	65054	4305		176		68
青 海	Qinghai	21995	21157	838		464	60	128
宁 夏	Ningxia	8545	7970	575		48	39	
新 疆	Xinjiang	38020	36481	1473	66	493	161	

4-2 续表 1 continued

单位：人 (person)

地 区	Region	3.畜牧业 3.Animal Husbandry	4.渔业 4.Fishery	5.农、林、牧、渔服务业 5.Service in support of Agriculture, Forestry, Animal Husbandry and Fishery	(二)采矿业 II.Mining	1.煤炭开采和洗选业 1.Mining and Washing of Coal	2.石油和天然气开采业 2.Extraction of Petroleum and Natural Gas	3.黑色金属矿采选业 3.Mining of Ferrous Metal Ores
总 计	**National Total**	**2179**	**2217**	**33029**	**221751**	**159341**	**590**	**17933**
北 京	Beijing	603	82	624	1117	231		774
天 津	Tianjin				88			
河 北	Hebei	18		2142	296	114		182
山 西	Shanxi							
内蒙古	Inner Mongolia	46	8	692	32802	32344		245
		85		816	4464	1898		683
辽 宁	Liaoning	37	873	843	14053	4824		6465
吉 林	Jilin	8	65	225	3870	3071		59
黑龙江	Heilongjiang	96		53	16039	15561		
上 海	Shanghai	4		760				
江 苏	Jiangsu	350	215	1595	10469	7758		157
浙 江	Zhejiang	11	155	363	3579			
安 徽	Anhui		24	832	38948	38081		728
福 建	Fujian		23	36	1365	1005		43
江 西	Jiangxi	51	187	239	2591	2000		220
山 东	Shandong	114	283	3850	19018	8802		557
河 南	Henan	291	138	5580	14124	9492		256
湖 北	Hubei	8	16	2718	13794	4022		5617
湖 南	Hunan	90	89	1543	23750	19939		782
广 东	Guangdong	136	17	772	348			229
广 西	Guangxi		11	136	2274			249
海 南	Hainan	22	31		13			
重 庆	Chongqing			1320	4609	3344	26	140
四 川	Sichuan	9		5922	3263	2378		
贵 州	Guizhou	24			1553	1083		221
云 南	Yunnan	98		94	3233	576		130
西 藏	Tibet	4			43			
陕 西	Shaanxi			1223	3844	1740	550	
甘 肃	Gansu	35		73	1196	788		55
青 海	Qinghai	30		246	382			
宁 夏	Ningxia			9				
新 疆	Xinjiang	9		323	626	290	14	141

4-2 续表 2 continued

单位：人 (person)

地 区	Region	4.有色金属矿采选业 4.Mining of Non-ferrous Metal Ores	5.非金属矿采选业 5.Mining and Processing of Nonmetal Ores	6.其他采矿业 6.Mining of Other Ores	(三)制造业 III. Manufacturing	1.农副食品加工业 1.Processing of Food from Agricultural Products	2.食品制造业 2.Manufacture of Foods	3.饮料制造业 3.Manufacture of Beverage
总 计	**National Total**	**18401**	**24996**	**490**	**1651745**	**44497**	**32933**	**14694**
北 京	Beijing		112		29851	517	276	218
天 津	Tianjin		88		17812	47	555	166
河 北	Hebei				79922	1363	1364	635
山 西	Shanxi							
内蒙古	Inner Mongolia	37	176		68200	233	521	632
		1623	260		26215	324	204	258
辽 宁	Liaoning	1046	1718		144549	1814	239	530
吉 林	Jilin		314	426	52852	295	81	35
黑龙江	Heilongjiang	174	280	24	115511	807	202	1512
上 海	Shanghai				19933		503	84
江 苏	Jiangsu	23	2531		83082	333	410	184
浙 江	Zhejiang	28	3551		43130	309	268	287
安 徽	Anhui	39	100		22926	984	1691	90
福 建	Fujian	12	305		39458	325	1511	203
江 西	Jiangxi	225	123	23	21953	207	958	81
山 东	Shandong	7067	2592		185662	10036	1167	1293
河 南	Henan	36	4340		146155	14109	9137	1648
湖 北	Hubei	930	3225		56739	2498	862	2057
湖 南	Hunan	1512	1517		63211	1548	136	752
广 东	Guangdong	25	77	17	174954	3390	7854	555
广 西	Guangxi	1250	775		37455	430	1403	312
海 南	Hainan		13		2507	491	40	84
重 庆	Chongqing		1099		28400	1214	476	385
四 川	Sichuan	188	697		66993	1209	1183	293
贵 州	Guizhou		249		12498	153	89	273
云 南	Yunnan	2107	420		21972	436	1000	586
西 藏	Tibet		43		1843			7
陕 西	Shaanxi	1416	138		56475	1217	635	7
甘 肃	Gansu	353			18256	100	19	671
青 海	Qinghai	305	77		6894	20		54
宁 夏	Ningxia				1125			
新 疆	Xinjiang	5	176		5212	88	149	802

4-2 续表 3 continued

单位：人 (person)

地 区	Region	4.烟草制品业 4.Manufacture of Tobacco	5.纺织业 5.Manufacture of Textile	6.纺织服装、鞋、帽制造业 6.Manufacture of Textile Wearing Apparel, Footware and Caps	7.皮革、毛皮、羽毛(绒)及其制品业 7.Manufacture of Leather, Fur, Feather and Its Products	8.木材加工及木、竹、藤、棕、草制品业 8.Processing of Timbers, Manufacture of Wood, Bamboo, Rattan, Palm and Straw Products	9.家具制造业 9.Manufacture of Furniture	10.造纸及纸制品业 10.Manufacture of Paper and Paper Products
总 计	**National Total**	**3636**	**81195**	**76594**	**39632**	**28466**	**17666**	**34056**
北 京	Beijing		1179	2732	314	159	130	791
天 津	Tianjin		775	640	5	95	34	143
河 北	Hebei	306	4352	4382	219	54	2093	1349
山 西	Shanxi							
内蒙古	Inner Mongolia		937	3180	425	307	853	228
			91	614	68	2215	146	245
辽 宁	Liaoning	171	1723	3144	601	720	238	1402
吉 林	Jilin		269	1740	140	1472	440	425
黑龙江	Heilongjiang		2797	3769	2178	9685	5038	2428
上 海	Shanghai		797	2067	389	11	19	538
江 苏	Jiangsu		6347	3746	791	193	568	764
浙 江	Zhejiang	52	4698	2033	2664	331	30	944
安 徽	Anhui	1328	2202	815	10	199	187	483
福 建	Fujian	22	2240	3154	6777	622	653	2083
江 西	Jiangxi		532	231	261	807	97	109
山 东	Shandong		14084	12715	3634	4322	734	4326
河 南	Henan	1164	11794	3999	1364	2312	172	3068
湖 北	Hubei	221	4014	4787	44	316	1934	886
湖 南	Hunan		1114	1405	1048	1460	2302	1612
广 东	Guangdong	8	9152	15383	17437	665	586	5939
广 西	Guangxi		1430	1954	255	428	424	1260
海 南	Hainan		146	138		23	41	60
重 庆	Chongqing		2687	650	121	544	77	122
四 川	Sichuan	319	3326	559	280	360	35	1334
贵 州	Guizhou		124	394	42	185	259	406
云 南	Yunnan		1258	931	127	597	231	2363
西 藏	Tibet		67	141		82	87	
陕 西	Shaanxi	45	2750	968	267	279	182	350
甘 肃	Gansu		48	145	154	4	32	266
青 海	Qinghai		65	113		12		6
宁 夏	Ningxia						36	
新 疆	Xinjiang		197	65	17	7	8	126

4-2 续表 4 continued

单位：人 (person)

地 区	Region	11.印刷业和记录媒介的复制 11.Printing, Reproduction of Recording Media	12.文教体育用品制造业 12.Manufacture of Articles for Culture, Education and Sport Activities	13.石油加工、炼焦及核燃料加工业 13.Processing of Petroleum, Coking, Processing of Nuclear Fuel	14.化学原料及化学制品制造业 14.Manufacture of Chemical Raw Material and Chemical Products	15.医药制造业 15.Manufacture of Medicines	16.化学纤维制造业 16.Manufacture of Chemical Fiber
总 计	**National Total**	**48717**	**16242**	**23950**	**91901**	**26091**	**4114**
北 京	Beijing	3510	405	60	1323	153	40
天 津	Tianjin	418	180	196	3038	32	26
河 北	Hebei	2770	208	802	4228	1559	
山 西	Shanxi						
内蒙古	Inner Mongolia	1312	15	2983	4090	149	
		1306			890		
辽 宁	Liaoning	4000	260	10122	12780	981	2531
吉 林	Jilin	2447	15	220	3172	1131	
黑龙江	Heilongjiang	3858	1641	396	1668	2877	
上 海	Shanghai	722	453		297	336	218
江 苏	Jiangsu	1752	1161	723	6112	6189	365
浙 江	Zhejiang	822	16	48	2313	349	590
安 徽	Anhui	1250	1392		1157	511	
福 建	Fujian	1393	524		1117	290	
江 西	Jiangxi	429	18	439	431	13	
山 东	Shandong	2625	130	591	7739	1117	13
河 南	Henan	3680	334	3274	12140	2138	50
湖 北	Hubei	446	70		4367	624	208
湖 南	Hunan	1560	133	166	3043	101	
广 东	Guangdong	5172	8942		6128	2755	21
广 西	Guangxi	1021	46		3291	381	
海 南	Hainan	201			452	119	
重 庆	Chongqing	765	33		1893	190	
四 川	Sichuan	1743	7	30	6602	801	50
贵 州	Guizhou	1089	20		874	145	
云 南	Yunnan	1292	76		1082	405	2
西 藏	Tibet		32		20	216	
陕 西	Shaanxi	2169	14	500	816	2427	
甘 肃	Gansu	430	103	3377	308	95	
青 海	Qinghai	252		10	117		
宁 夏	Ningxia	128	14		26		
新 疆	Xinjiang	155		13	387	7	

4-2 续表 5 continued

单位：人 (person)

地 区	Region	17.橡胶制品业 17.Manufacture of Rubber	18.塑料制品业 18.Manufacture of Plastic	19.非金属矿物制品业 19.Manufacture of Non-metallic Mineral Products	20.黑色金属冶炼及压延加工业 20.Manufacture and Processing of Ferrous Metals	21.有色金属冶炼及压延加工业 21.Manufacture and Processing of Non-ferrous Metals	22.金属制品业 22.Manufacture of Metal Products
总 计	**National Total**	**25376**	**58828**	**158639**	**89487**	**33444**	**125392**
北 京	Beijing	38	1272	1889	106	522	2946
天 津	Tianjin	995	1843	286	68	311	1359
河 北	Hebei	2237	1883	5684	6462	313	8037
山 西	Shanxi						
内蒙古	Inner Mongolia	619	1399	5901	9354	427	7612
			192	3319	2943	1856	1548
辽 宁	Liaoning	2481	3546	12714	9799	5713	9626
吉 林	Jilin	1224	2194	3222	4101	202	1069
黑龙江	Heilongjiang	2207	5015	5845	1870	787	11182
上 海	Shanghai	135	1300	807	888	118	841
江 苏	Jiangsu	741	2916	3539	591	2811	5913
浙 江	Zhejiang	303	3573	3507	453	472	2691
安 徽	Anhui	53	703	2351	385	186	355
福 建	Fujian	640	2418	4886	1579	3	1736
江 西	Jiangxi	393	3614	3154	830	101	1845
山 东	Shandong	3961	3108	19695	13047	1365	8434
河 南	Henan	2044	2249	11059	8488	1873	10459
湖 北	Hubei	399	1060	8009	833	726	5948
湖 南	Hunan	2139	2145	19450	4927	2271	1113
广 东	Guangdong	2367	9271	9793	1759	68	10896
广 西	Guangxi	271	1279	9888	218	2633	5571
海 南	Hainan	172	37	35	26		99
重 庆	Chongqing	433	751	3052	536	36	1090
四 川	Sichuan	313	2075	6723	15203	296	7693
贵 州	Guizhou	279	181	3120	1335	259	470
云 南	Yunnan	145	1210	3537	1292	583	1206
西 藏	Tibet			787			
陕 西	Shaanxi	692	2211	1962	378	1047	13475
甘 肃	Gansu	95	229	1828	1282	5494	612
青 海	Qinghai		79	1566	185	2625	1347
宁 夏	Ningxia		469	62			69
新 疆	Xinjiang		606	969	549	346	150

4-2 续表 6 continued

单位：人 (person)

地 区	Region	23.通用设备制造业 23.Manufacture of General Purpose Machinery	24.专用设备制造业 24.Manufacture of Special Purpose Machinery	25.交通运输设备制造业 25.Manufacture of Transport Equipment	26.电气机械及器材制造业 26.Manufacture of Electrical Machinery and Equipment	27.通信设备、计算机及其他电子设备制造业 27.Manufacture of Communication Equipment, Computer and Other Electronic Equipment	28.仪器仪表及文化、办公用机械制造业 28.Manufacture of Measuring Instrument and Machinery for Cultural Activity and Office Work
总 计	**National Total**	**188635**	**69826**	**130305**	**89076**	**29633**	**26806**
北 京	Beijing	3247	1459	3038	1486	566	985
天 津	Tianjin	2034	1350	993	1162	348	556
河 北	Hebei	13242	4252	5748	3636	329	1654
山 西	Shanxi						
内蒙古	Inner Mongolia	7140	14719	2608	1716	70	137
		4111	211	1992	1076		26
辽 宁	Liaoning	20043	10008	19347	6290	651	1730
吉 林	Jilin	2641	1553	21755	1340	13	215
黑龙江	Heilongjiang	24116	4223	9527	8445	1137	1770
上 海	Shanghai	1580	1644	2299	2005	510	981
江 苏	Jiangsu	8163	2832	7181	10741	4153	1390
浙 江	Zhejiang	3877	1287	2124	3942	3186	1016
安 徽	Anhui	2246	975	758	884	229	3
福 建	Fujian	680	968	1406	1103	271	836
江 西	Jiangxi	1469	205	3885	248	436	495
山 东	Shandong	39590	5920	3256	10317	2300	868
河 南	Henan	11558	6769	10940	5342	727	853
湖 北	Hubei	6341	3743	4058	1078	14	137
湖 南	Hunan	4074	1227	3696	3503	144	945
广 东	Guangdong	2160	1892	3120	18766	13851	9933
广 西	Guangxi	495	908	1576	603	90	710
海 南	Hainan	13	18	32	20		
重 庆	Chongqing	1915	713	9122	696	206	386
四 川	Sichuan	8602	1066	3931	1921	198	391
贵 州	Guizhou	1030	94	1058	134		10
云 南	Yunnan	1602	284	538	588	10	74
西 藏	Tibet		12				
陕 西	Shaanxi	15364	1275	5613	835	194	663
甘 肃	Gansu	1042	77	185	953		42
青 海	Qinghai	50	12	239	56		
宁 夏	Ningxia	75	94		98		
新 疆	Xinjiang	135	36	280	92		

4-2 续表 7 continued

单位：人 (person)

地 区	Region	29.工艺品及其他制造业 29.Manufacture of Artwork, Other Manufacture	30.废弃资源和废旧材料回收加工业 30.Recycling and Disposal of Waste	(四)电力、燃气及水的生产和供应业 IV.Production and Distribution of Electricity, Gas and Water	1.电力、热力的生产和供应业 1.Production and Supply of Electric Power and Heat Power	2.燃气生产和供应业 2.Production and Distribution of Gas	3.水的生产和供应业 3.Production and Distribution of Water
总 计	**National Total**	**36491**	**5423**	**50541**	**30937**	**1671**	**17933**
北 京	Beijing	463	27	581	463	3	115
天 津	Tianjin	153	4	414	352		62
河 北	Hebei	486	275	480	434		46
山 西	Shanxi						
内蒙古	Inner Mongolia	266	367	2718	2186	308	224
		2243	337	584	110		474
辽 宁	Liaoning	1116	229	3756	2317	99	1340
吉 林	Jilin	103	1338	1320	698	391	231
黑龙江	Heilongjiang	450	81	1555	1213	6	336
上 海	Shanghai	374	17	494	494		
江 苏	Jiangsu	2440	33	2503	1155	23	1325
浙 江	Zhejiang	938	7	3086	1041	71	1974
安 徽	Anhui	202	1297	1043	1004	9	30
福 建	Fujian	2008	10	1723	1559	15	149
江 西	Jiangxi	659	6	290	39		251
山 东	Shandong	9198	77	1785	1597	16	172
河 南	Henan	3411		1445	505	231	709
湖 北	Hubei	382	677	1162	630		532
湖 南	Hunan	1197		1817	1064	5	748
广 东	Guangdong	6779	312	15780	8988	36	6756
广 西	Guangxi	550	28	196	4		192
海 南	Hainan	260		324	241	25	58
重 庆	Chongqing	153	154	1282	620	12	650
四 川	Sichuan	383	67	2432	1409	421	602
贵 州	Guizhou	475		848	579		269
云 南	Yunnan	468	49	957	665		292
西 藏	Tibet	386	6				
陕 西	Shaanxi	115	25	442	402		40
甘 肃	Gansu	665		549	311		238
青 海	Qinghai	86		579	561		18
宁 夏	Ningxia	54					
新 疆	Xinjiang	28		396	296		100

4-2 续表 8 continued

单位：人 (person)

地 区	Region	(五)建筑业 V.Construction	1.房屋和土木工程建筑业 1.Construction of Building and Civil Engineering	2.建筑安装业 2.Architectural Installation	3.建筑装饰业 3.Architectural Decoration	4.其他建筑业 4.Other Construction	(六)交通运输、仓储和邮政业 VI.Transport, Storage and Post	1.铁路运输业 1.Transport Via Railway
总 计	**National Total**	**1692028**	**1530302**	**124496**	**24845**	**12385**	**221973**	**29869**
北 京	Beijing	18241	13010	3597	1298	336	5736	40
天 津	Tianjin	12364	6087	5996	258	23	3839	689
河 北	Hebei	68377	63263	4717	273	124	6592	899
山 西	Shanxi	16565	15391	1150	24		3354	725
内蒙古	Inner Mongolia	30424	22253	6831	510	830	4761	46
辽 宁	Liaoning	65241	45024	17788	509	1920	9512	1239
吉 林	Jilin	26327	19620	6443	145	119	11104	10188
黑龙江	Heilongjiang	76779	63048	5834	7551	346	9351	914
上 海	Shanghai	3708	2881	436	313	78	6535	2414
江 苏	Jiangsu	54547	47502	6367	442	236	13363	2182
浙 江	Zhejiang	62841	60506	1316	951	68	10468	3847
安 徽	Anhui	58702	52137	5734	470	361	12215	223
福 建	Fujian	49355	46564	1330	931	530	5389	81
江 西	Jiangxi	75252	72000	1527	1181	544	6634	1547
山 东	Shandong	116714	102486	12881	732	615	10963	535
河 南	Henan	136093	123381	8172	2305	2235	17800	4119
湖 北	Hubei	85574	82338	2577	218	441	18219	7
湖 南	Hunan	125796	118902	5634	167	1093	15821	6
广 东	Guangdong	180520	173955	3777	2703	85	18255	85
广 西	Guangxi	65378	61691	2507	1041	139	9166	10
海 南	Hainan	10336	10014	282	40		724	
重 庆	Chongqing	37067	32583	2625	573	1286	3430	66
四 川	Sichuan	166307	160234	5173	840	60	9629	
贵 州	Guizhou	26375	24102	1587	436	250	1292	
云 南	Yunnan	33003	29327	2919	682	75	1912	
西 藏	Tibet	2555	2555				20	
陕 西	Shaanxi	51305	49481	1710	114		4163	7
甘 肃	Gansu	21540	19942	994	18	586	957	
青 海	Qinghai	7203	5805	1367	26	5	17	
宁 夏	Ningxia	2167	1669	498			18	
新 疆	Xinjiang	5372	2551	2727	94		734	

4-2 续表 9 continued

单位：人 (person)

地区	Region	2.道路运输业 2.Transport Via Road	3.城市公共交通业 3.Urban Public Traffic	4.水上运输业 4.Water Transport	5.航空运输业 5.Air Transport	6.管道运输业 6.Transport Via Pipeline	7.装卸搬运和其他运输服务业 7.Loading, Unloading Portage and Other Transport Services	8.仓储业 8.Storage
总 计	**National Total**	**77715**	**21204**	**30262**	**627**	**148**	**53161**	**7531**
北 京	Beijing	1390	3034				709	548
天 津	Tianjin	1660	588				579	323
河 北	Hebei	4159	415				1014	105
山 西	Shanxi							
内蒙古	Inner Mongolia	3127	244	5			711	543
		325					2304	
辽 宁	Liaoning	4082	346				3222	574
吉 林	Jilin	552	243				64	57
黑龙江	Heilongjiang	5061	153	30			3094	99
上 海	Shanghai	474	1365	48	543		1353	338
江 苏	Jiangsu	6278	149	2681			1519	255
浙 江	Zhejiang	2574	1184	722			1099	85
安 徽	Anhui	7350	979	2344			1319	
福 建	Fujian	1393	616	1510			1583	206
江 西	Jiangxi	737	655	1589	3		2103	
山 东	Shandong	4963	1270	724			1282	2189
河 南	Henan	6233	1071	2778			3164	435
湖 北	Hubei	2642	539	1952			13010	69
湖 南	Hunan	4827	311	3985			6588	104
广 东	Guangdong	5015	4888	5142	66		2162	897
广 西	Guangxi	3322	112	4846			814	62
海 南	Hainan	154	394	149			27	
重 庆	Chongqing	1133	53	385			1686	107
四 川	Sichuan	6879	512	1110		148	965	15
贵 州	Guizhou	172	36	201			872	
云 南	Yunnan	635	483		15		623	134
西 藏	Tibet	20						
陕 西	Shaanxi	1782	1547	61			605	161
甘 肃	Gansu	619					123	215
青 海	Qinghai		17					
宁 夏	Ningxia							
新 疆	Xinjiang	157					567	10

4-2 续表 10 continued

单位：人 (person)

地 区	Region	9.邮政业 9.Post	(七)信息传输、计算机服务和软件业 VII.Information Transmission, Computer Services and Software	1.电信和其他信息传输服务业 1.Telecom and Other Information Transmission Services	2.计算机服务业 2.Computer Services	3.软件业 3.Software Industry	(八)批发和零售业 VIII. Wholesale and Retail Trades	1.批发业 1.Wholesale Trade
总 计	**National Total**	**1456**	**7722**	**5839**	**1037**	**846**	**586385**	**269254**
北 京	Beijing	15	317	149	116	52	15947	7046
天 津	Tianjin		175	131	37	7	17790	12692
河 北	Hebei		131	86	45		41551	21416
山 西	Shanxi							
内蒙古	Inner Mongolia	85					34334	15316
							4293	1657
辽 宁	Liaoning	49	232	101	77	54	16476	8340
吉 林	Jilin		10		3	7	5311	2324
黑龙江	Heilongjiang		498	113	372	13	23135	7835
上 海	Shanghai		383	306	45	32	15478	7068
江 苏	Jiangsu	299	806	706	100		23814	10372
浙 江	Zhejiang	957	598	455		143	9904	5306
安 徽	Anhui		239	239			18542	11356
福 建	Fujian		255	33		222	16098	6648
江 西	Jiangxi		85	85			8976	2825
山 东	Shandong		1829	1700	32	97	55025	26085
河 南	Henan		736	611	26	99	94793	45407
湖 北	Hubei		12	9	3		13597	4526
湖 南	Hunan		191	179		12	9284	2928
广 东	Guangdong		675	618	49	8	41680	26080
广 西	Guangxi		84	51		33	17803	8083
海 南	Hainan		71	2	60	9	3379	1652
重 庆	Chongqing		151	151			6195	2386
四 川	Sichuan		18	11		7	19200	6508
贵 州	Guizhou	11	19	5	14		9631	3016
云 南	Yunnan	22	105	47	7	51	12742	4499
西 藏	Tibet						294	98
陕 西	Shaanxi		24	24			34679	7510
甘 肃	Gansu		63	12	51		6394	2551
青 海	Qinghai						1355	552
宁 夏	Ningxia	18					1052	455
新 疆	Xinjiang		15	15			7633	6717

4-2 续表 11 continued

单位：人　　　　(person)

地　区	Region	2.零售业 2.Retail Trade	(九)住宿和餐饮业 IX. Hotels and Catering Services	1.住宿业 1.Hotels	2.餐饮业 2.Catering Services	(十)金融业 X.Financial Intermediation	1.银行业 1.Bank	2.证券业 2.Security Activities
总　计	**National Total**	**317131**	**110416**	**73952**	**36464**	**600882**	**591609**	
北　京	Beijing	8901	9125	5599	3526	16		
天　津	Tianjin	5098	1692	1055	637	5608	5551	
河　北	Hebei	20135	4168	2400	1768	44503	44204	
山　西	Shanxi							
内蒙古	Inner Mongolia	19018	3699	2056	1643	35862	35856	
		2636	1971	1296	675	20564	20273	
辽　宁	Liaoning	8136	3079	2243	836	25703	25082	
吉　林	Jilin	2987	2048	1091	957	21166	21166	
黑龙江	Heilongjiang	15300	3486	3062	424	19349	19346	
上　海	Shanghai	8410	1580	297	1283	8		
江　苏	Jiangsu	13442	4466	3228	1238	23778	23756	
浙　江	Zhejiang	4598	7771	6386	1385	20956	20817	
安　徽	Anhui	7186	1198	396	802	21431	20046	
福　建	Fujian	9450	3610	1818	1792	13556	13215	
江　西	Jiangxi	6151	458	225	233	17753	17753	
山　东	Shandong	28940	8094	4768	3326	36911	36863	
河　南	Henan	49386	13631	9540	4091	50872	49736	
湖　北	Hubei	9071	2951	2395	556	21358	21355	
湖　南	Hunan	6356	3279	2411	868	30525	29612	
广　东	Guangdong	15600	13195	7709	5486	52731	49760	
广　西	Guangxi	9720	3118	2231	887	19922	19871	
海　南	Hainan	1727	1543	1209	334	2799	2799	
重　庆	Chongqing	3809	1728	1395	333	3433	3433	
四　川	Sichuan	12692	3647	2415	1232	35402	35402	
贵　州	Guizhou	6615	1001	757	244	12223	12219	
云　南	Yunnan	8243	4229	3722	507	17975	17751	
西　藏	Tibet	196	172	44	128			
陕　西	Shaanxi	27169	2578	1622	956	20034	19649	
甘　肃	Gansu	3843	671	621	50	11904	11652	
青　海	Qinghai	803	469	469		2806	2806	
宁　夏	Ningxia	597	245	45	200	3089	3089	
新　疆	Xinjiang	916	1514	1447	67	8645	8547	

4-2 续表 12 continued

单位：人 (person)

地 区	Region	3.保险业 3.Insurance	4.其他金融活动 4.Other Financial Activities	(十一)房地产业 XI.Real Estate	#房地产开发经营 Development and Management of Real Estate	#物业管理 Property Management	#房地产中介服务 Agency Services for Real Estate	(十二)租赁和商务服务业 XII.Leasing and Business Services	1.租赁业 1.Leasing
总 计	**National Total**	**1376**	**7838**	**73945**	**29963**	**28233**	**2432**	**331098**	**10028**
北 京	Beijing	4	12	8115	483	4800	169	21649	251
天 津	Tianjin		57	397	276	115		3408	7
河 北	Hebei		299	775	259	500		10257	314
山 西	Shanxi								
内蒙古	Inner Mongolia		6	1494	1004	186	171	29502	75
			291	72	40	32		4219	
辽 宁	Liaoning		621	2242	87	1263	147	21842	49
吉 林	Jilin			255	11	216	12	2391	20
黑龙江	Heilongjiang		3	3386	2532	831		9849	322
上 海	Shanghai		8	2301	486	1648	17	19499	36
江 苏	Jiangsu		22	2001	829	959	34	14777	139
浙 江	Zhejiang		139	2384	529	1513	48	27095	216
安 徽	Anhui	30	1355	917	494	330	11	14770	
福 建	Fujian	94	247	1858	381	1318	80	12946	40
江 西	Jiangxi			206	108	61	9	6855	2330
山 东	Shandong	48		7565	5294	1727	427	29427	1395
河 南	Henan	1069	8	3738	1646	1811	281	21159	3217
湖 北	Hubei		3	1353	1166	94		3721	
湖 南	Hunan	52	861	2696	1322	781		4727	640
广 东	Guangdong	10	2961	20593	7762	6579	258	34374	22
广 西	Guangxi	51		1386	782	298	76	7391	246
海 南	Hainan			1064	289	360	293	1015	8
重 庆	Chongqing			1428	887	492	10	987	271
四 川	Sichuan			1621	1457	154		6490	52
贵 州	Guizhou		4	2313	764	903	77	4802	282
云 南	Yunnan		224	991	155	365	179	6596	38
西 藏	Tibet							62	
陕 西	Shaanxi		385	1432	574	75	99	2127	18
甘 肃	Gansu	18	234	442	60	382		3236	34
青 海	Qinghai			191	26	165		827	6
宁 夏	Ningxia			88	74	14		370	
新 疆	Xinjiang		98	641	186	261	34	4728	

4-2 续表 13 continued

单位：人 (person)

地区	Region	2.商务服务业 2.Business Services	(十三)科学研究、技术服务和地质勘查业 XIII.Scientific Research, Technical Services and Geological Prospecting	1.研究与试验发展 1.Research and Experimental Development	自然科学研究与试验发展 Research and Experimental Development on Physical Science	工程和技术研究与试验发展 Research and Experimental Development on Engineering and Technical Research	农业科学研究与试验发展 Research and Experimental Development on Agricultural Science Research	医学研究与试验发展 Research and Experimental Development
总 计	**National Total**	**321070**	**34362**	**2624**	**307**	**1370**	**351**	**507**
北 京	Beijing	21398	4698	274	80	105	8	61
天 津	Tianjin	3401	504	6		6		
河 北	Hebei	9943	263					
山 西	Shanxi							
内蒙古	Inner Mongolia	29427	508	38				38
		4219	151					
辽 宁	Liaoning	21793	3296	175		170		
吉 林	Jilin	2371	668	33		13	20	
黑龙江	Heilongjiang	9527	892	12	4	8		
上 海	Shanghai	19463	1632	653		371	80	157
江 苏	Jiangsu	14638	1047	60	7	42		
浙 江	Zhejiang	26879	3346	40		28	12	
安 徽	Anhui	14770	541					
福 建	Fujian	12906	750	114		111		3
江 西	Jiangxi	4525	28					
山 东	Shandong	28032	2729	194	171	9	14	
河 南	Henan	17942	2680	101	13	16	4	60
湖 北	Hubei	3721	639	6			6	
湖 南	Hunan	4087	1102	34			34	
广 东	Guangdong	34352	3550	271	24	16	66	165
广 西	Guangxi	7145	661					
海 南	Hainan	1007	583	74		71		3
重 庆	Chongqing	716	378	78	8		70	
四 川	Sichuan	6438	870	194		171	23	
贵 州	Guizhou	4520	293	64		58	6	
云 南	Yunnan	6558	1404	30		2	8	20
西 藏	Tibet	62						
陕 西	Shaanxi	2109	463					
甘 肃	Gansu	3202	411	173		173		
青 海	Qinghai	821	54					
宁 夏	Ningxia	370	14					
新 疆	Xinjiang	4728	207					

4-2 续表 14 continued

单位：人 (person)

地 区	Region	社会人文科学研究与试验发展 Research and Experimental Development on Social Science and Humanities	2.专业技术服务业 Professional Technical Services	#气象服务 Weather Services	#地震服务 Earthquake Services	#海洋服务 Ocean Services	#测绘服务 Plotting Services	#技术检测 Technique Detection
总 计	**National Total**	**89**	**22668**	**58**	**22**	**41**	**1088**	**5041**
北 京	Beijing	20	2068				47	980
天 津	Tianjin		386			3		10
河 北	Hebei		188				32	23
山 西	Shanxi							
内蒙古	Inner Mongolia		304	8			14	63
			133				13	59
辽 宁	Liaoning	5	2814		9	17	43	292
吉 林	Jilin		459				19	12
黑龙江	Heilongjiang		724				16	8
上 海	Shanghai	45	565				3	188
江 苏	Jiangsu	11	760				67	192
浙 江	Zhejiang		2047			5	382	154
安 徽	Anhui		331				16	87
福 建	Fujian		600	38			33	64
江 西	Jiangxi		23					23
山 东	Shandong		2241				40	1672
河 南	Henan	8	1929				190	224
湖 北	Hubei		429				77	4
湖 南	Hunan		294	3				50
广 东	Guangdong		2898			16	42	452
广 西	Guangxi		646	5	13		37	94
海 南	Hainan		469					83
重 庆	Chongqing		238	4			10	38
四 川	Sichuan		369					14
贵 州	Guizhou		213					23
云 南	Yunnan		783					40
西 藏	Tibet							
陕 西	Shaanxi		262				7	25
甘 肃	Gansu		220					138
青 海	Qinghai		54					29
宁 夏	Ningxia		14					
新 疆	Xinjiang		207					

4-2 续表 15 continued

单位：人 (person)

地 区	Region	#环境监测 Environmental Monitoring	#工程技术与规划管理 Engineering Technic & Programming Management	3.科技交流和推广服务业 3.Services of Science and Technology Exchanges and Promotion	4.地质勘查业 4.Geological Prospecting	(十四)水利、环境和公共设施管理业 XIV.Management of Water Conservancy, Enviroment and Public Facilities	1.水利管理业 1.Management of Water Conservancy	2.环境管理业 2.Environmental Management
总 计	**National Total**	**429**	**12318**	**7624**	**1446**	**107962**	**8692**	**86438**
北 京	Beijing	4	734	2227	129	1618	90	562
天 津	Tianjin		107	89	23	490	122	368
河 北	Hebei		85	37	38	1674	471	842
山 西	Shanxi							
内蒙古	Inner Mongolia	15	156	51	115	3623	70	3381
			61	18		2770	62	2694
辽 宁	Liaoning	10	1307	287	20	2658	166	1521
吉 林	Jilin	17	352	176		7300	149	6936
黑龙江	Heilongjiang		580	119	37	3600	18	3227
上 海	Shanghai		242	414		4763	33	4132
江 苏	Jiangsu	3	412	227		17482	282	15320
浙 江	Zhejiang		1493	951	308	14118	577	12414
安 徽	Anhui		213	210		1279	52	590
福 建	Fujian	66	253	25	11	1350	286	696
江 西	Jiangxi			5		4803	32	4007
山 东	Shandong	30	437	177	117	3376	59	2935
河 南	Henan		1515	579	71	700	33	
湖 北	Hubei		326	204		4905	366	4317
湖 南	Hunan		190	283	491	4056	2127	1511
广 东	Guangdong	28	1806	381		13494	2432	9926
广 西	Guangxi		307	15		945	3	852
海 南	Hainan		280	40		476	143	333
重 庆	Chongqing		161	38	24	2078	157	1792
四 川	Sichuan	236	119	307		6260	660	5025
贵 州	Guizhou	20	64	6	10	929	94	754
云 南	Yunnan		604	539	52	1969	11	1699
西 藏	Tibet							
陕 西	Shaanxi		230	201		754	70	413
甘 肃	Gansu		82	18		147	127	
青 海	Qinghai		25			136		
宁 夏	Ningxia		14			157		157
新 疆	Xinjiang		163			52		34

4-2 续表 16 continued

单位：人 (person)

地 区	Region	3.公共设施管理业 3.Management of Public Facilities	(十五)居民服务和其他服务业 XV.Services to Households and Other Services	1.居民服务业 1.Services to Households	2.其他服务业 2.Other Services	(十六)教育 XVI.Education	#初等教育 Junior Education	#中等教育 Secondary Education
总 计	**National Total**	**12832**	**87662**	**35829**	**51833**	**245773**	**140354**	**56979**
北 京	Beijing	966	6892	2804	4088	9648	960	906
天 津	Tianjin		9542	1047	8495	1486		672
河 北	Hebei	361	2925	770	2155	1031		519
山 西	Shanxi							
内蒙古	Inner Mongolia	172	2380	646	1734	2606	393	1801
		14	2036	775	1261	252		128
辽 宁	Liaoning	971	3299	1742	1557	2104	408	163
吉 林	Jilin	215	1733	302	1431	705	407	78
黑龙江	Heilongjiang	355	13355	4499	8856	1540		36
上 海	Shanghai	598	9332	2652	6680	2622	66	848
江 苏	Jiangsu	1880	1503	927	576	7067	1805	1197
浙 江	Zhejiang	1127	2650	1719	931	10976	2299	3542
安 徽	Anhui	637	568	134	434	989	20	243
福 建	Fujian	368	1567	384	1183	2931	37	364
江 西	Jiangxi	764	537	151	386	49		1
山 东	Shandong	382	3492	997	2495	22168	12182	7486
河 南	Henan	667	3827	3458	369	149816	114265	28906
湖 北	Hubei	222	4007	1838	2169	8647	5829	1524
湖 南	Hunan	418	2278	738	1540	1486	50	461
广 东	Guangdong	1136	6361	4598	1763	8296	325	1098
广 西	Guangxi	90	2055	879	1176	2288	550	1138
海 南	Hainan		40	15	25	157	78	53
重 庆	Chongqing	129	328	61	267	413	117	97
四 川	Sichuan	575	2917	2156	761	595	132	339
贵 州	Guizhou	81	1247	379	868	3327	338	2877
云 南	Yunnan	259	901	511	390	1560	27	64
西 藏	Tibet		4	4				
陕 西	Shaanxi	271	1149	1012	137	2643	66	2283
甘 肃	Gansu	20	318	302	16	258		139
青 海	Qinghai	136	93	93		30		16
宁 夏	Ningxia		5	5				
新 疆	Xinjiang	18	321	231	90	83		

4-2 续表 17 continued

单位：人 (person)

地区	Region	#高等教育 Senior Education	(十七)卫生、社会保障和社会福利业 XVII.Health, Social Securities and Social Welfare	1.卫生 1.Health	2.社会保障业 2.Social Securities	3.社会福利业 3.Social Welfare	(十八)文化、体育和娱乐业 XVIII.Culture, Sports and Entertainment	1.新闻出版业 1.Journalism and Publishing Activities
总　计	**National Total**	**10141**	**498023**	**488015**	**2827**	**7181**	**23133**	**2174**
北　京	Beijing	291	9550	8610	30	910	1669	572
天　津	Tianjin		3009	2911	6	92	34	4
河　北	Hebei		15101	15064		37	1876	74
山　西	Shanxi							
内蒙古	Inner Mongolia	9	21615	21542	42	31	3090	300
		77	12181	12115		66	47	
辽　宁	Liaoning		13815	13249		566	313	46
吉　林	Jilin		10542	10067		475	218	147
黑龙江	Heilongjiang	1177	6392	6240	6	146	60	37
上　海	Shanghai		20996	18915	1071	1010	1381	
江　苏	Jiangsu	49	71419	70532	317	570	3400	
浙　江	Zhejiang	109	40142	38845	726	571	1028	12
安　徽	Anhui		44501	44420		81	1080	27
福　建	Fujian		23243	23135	5	103	531	4
江　西	Jiangxi		5298	5154	122	22	22	
山　东	Shandong	173	48149	47535	9	605	1268	
河　南	Henan	5850	15017	14707	19	291	1181	23
湖　北	Hubei	637	9914	9328	289	297	384	25
湖　南	Hunan	590	23031	22727	43	261	412	29
广　东	Guangdong	337	17603	16937	57	609	1412	356
广　西	Guangxi	291	590	588	2		184	
海　南	Hainan		4989	4989			389	281
重　庆	Chongqing	2	13489	13364		125	215	34
四　川	Sichuan		49624	49474	11	139	985	20
贵　州	Guizhou		643	643			54	
云　南	Yunnan	549	959	936		23	141	
西　藏	Tibet						24	
陕　西	Shaanxi		11695	11478	72	145	1451	
甘　肃	Gansu		2672	2672			138	64
青　海	Qinghai		362	362			119	119
宁　夏	Ningxia		153	153			14	
新　疆	Xinjiang		1329	1323		6	13	

4-2 续表 18 continued

单位：人 (person)

地区	Region	2.广播、电视、电影和音像业 2.Broadcasting, Movies, Television and Audiovisual Activities	3.文化艺术业 3.Cultural and Art Activitries	4.体育 4.Sports Activities	5.娱乐业 5.Entertainment	(十九)公共管理和社会组织 XIX.Public Management & Social Organization	#群众社团、社会团体和宗教组织 Non-Governmental Organizations, Social Organizations, and Religion Organizations
总计	**National Total**	**4442**	**13737**	**422**	**2358**	**24281**	**9279**
北京	Beijing	154	278	59	606	1758	1213
天津	Tianjin		1		29	377	
河北	Hebei	30	1685		87	986	
山西	Shanxi						
内蒙古	Inner Mongolia	141	2524		125	698	698
			31		16		
辽宁	Liaoning	21	238	5	3	1218	78
吉林	Jilin	29	23		19	586	3
黑龙江	Heilongjiang	15	8			491	11
上海	Shanghai	643	691	37	10	2761	530
江苏	Jiangsu	1035	2258	17	90	13	13
浙江	Zhejiang	53	786	21	156	842	156
安徽	Anhui	340	695	18		3175	411
福建	Fujian	25	204	19	279	186	186
江西	Jiangxi	11			11	597	347
山东	Shandong	538	670	30	30	1768	327
河南	Henan	811	267	31	49	2127	232
湖北	Hubei	108	212	39		855	584
湖南	Hunan	66	295	12	10	145	145
广东	Guangdong	206	319	23	508	1254	621
广西	Guangxi	42	19	3	120	1696	1696
海南	Hainan	16	92			57	57
重庆	Chongqing	10	171			311	311
四川	Sichuan	55	772	86	52	114	114
贵州	Guizhou	30	24			151	147
云南	Yunnan	39		22	80	879	180
西藏	Tibet		24				
陕西	Shaanxi		1383		68	1185	1185
甘肃	Gansu	7	67			31	14
青海	Qinghai					14	14
宁夏	Ningxia	14					
新疆	Xinjiang	3			10	6	6

4-3 各地区分行业其他单位就业人员数

Employed Persons in Units of Other Types of Ownership by Sector and Region

单位：人 (person)

地区	Region	其他单位合计 Total	(一)内资 I.Domestic Funded	1.股份合作 1.Cooperative Units	2.联营 2.Joint Ownership Units	#国有联营 State Joint Ownership Units	#集体联营 Collective Joint Ownership Units	3.有限责任公司 3.Limited Liability Corporations	#国有独资 State Funded Corporations
总计	**National Total**	**50836704**	**34618958**	**1643081**	**430749**	**143406**	**74548**	**21938133**	**3310006**
北京	Beijing	3675743	2613959	127638	22032	7171	1037	1948293	250313
天津	Tianjin	1052578	487374	8636	17751	3706	170	268845	86358
河北	Hebei	1379037	1128002	78176	13052	11816	33	613194	161846
山西	Shanxi	913483	818620	36098	4932	3757	268	614711	209808
内蒙古	Inner Mongolia	712166	669859	14482	2679	1766	161	455018	133743
辽宁	Liaoning	1734709	1188612	47287	14482	1764	341	803958	190791
吉林	Jilin	787282	687634	20468	2622	1185	571	380776	32520
黑龙江	Heilongjiang	1260799	1178239	219511	6954	565	224	500830	174648
上海	Shanghai	2250349	922492	37904	9408	3516	822	480235	34531
江苏	Jiangsu	3955887	2074044	64562	11602	2095	3176	955590	86075
浙江	Zhejiang	5134095	3284041	145932	19027	5800	4265	2368787	120080
安徽	Anhui	1195014	1040266	48274	9726	2001	212	675265	221136
福建	Fujian	2888218	1069397	72297	33231	8983	8085	609152	21524
江西	Jiangxi	772634	597783	32082	4593	621	106	363913	41652
山东	Shandong	4175403	2822773	151702	35467	23068	4917	1831104	190167
河南	Henan	2551711	2346286	95474	26036	2983	8960	1600369	221495
湖北	Hubei	1579944	1323533	45867	20569	7398	3779	818186	99218
湖南	Hunan	1571240	1377006	61128	13046	1269	7699	876039	129069
广东	Guangdong	5620915	1984907	103674	89743	30947	11042	1266258	224798
广西	Guangxi	773879	641304	16303	7014	2513	1406	411061	104102
海南	Hainan	187855	140428	5061	9726	2668	511	75104	7156
重庆	Chongqing	1111738	1014364	35807	19478	3303	11349	771818	82917
四川	Sichuan	1881522	1747432	83521	13575	3527	1257	1126690	78228
贵州	Guizhou	539570	512741	17531	5557	1239	1399	364194	122555
云南	Yunnan	1065023	1012843	23202	2737	1605	493	419360	49023
西藏	Tibet	8099	8099		500	13	334	3158	2417
陕西	Shaanxi	765452	707330	20444	7689	4894	811	520656	58919
甘肃	Gansu	402312	374342	10548	2431	477	199	250019	40052
青海	Qinghai	105252	98954	7278	765	36	386	60128	5812
宁夏	Ningxia	202802	190953	6415	686	78	309	141330	56951
新疆	Xinjiang	581993	555341	5779	3639	2642	226	364092	72102

4-3 续表 1 continued

单位：人 (person)

地 区	Region	4.股份有限公司 4.Share-holding Corporations Ltd	5.其他 5.Others	(二)港、澳、台商投资 II.Units with funds Entrepreneurs from Hong Kong, Macao and Taiwan	(三)外商投资 III.Foreign Funded Units	1.企业 1.Enterprises	2.事业 2.Institutions	(一)农、林、牧、渔业 I.Agriculture, Forestry, Animal Husbandry and Fishery	1.农业 1.Agriculture
总 计	**National Total**	**8400244**	**2206751**	**6787823**	**9429923**	**50529909**	**306795**	**131183**	**41107**
北 京	Beijing	462608	53388	334447	727337	3632615	43128	14626	4450
天 津	Tianjin	118002	74140	127318	437886	1052578		336	65
河 北	Hebei	362275	61305	91615	159420	1377915	1122	954	539
山 西	Shanxi	160680	2199	61028	33835	912899	584	502	296
内蒙古	Inner Mongolia	182699	14981	14023	28284	709479	2687	7923	2916
辽 宁	Liaoning	278317	44568	103305	442792	1726851	7858	6587	331
吉 林	Jilin	231412	52356	25277	74371	782624	4658	5405	542
黑龙江	Heilongjiang	429194	21750	29578	52982	1260523	276	11518	6052
上 海	Shanghai	368153	26792	359955	967902	2243265	7084	5555	638
江 苏	Jiangsu	564799	477491	601404	1280439	3933330	22557	4875	998
浙 江	Zhejiang	710791	39504	833444	1016610	5105965	28130	1420	453
安 徽	Anhui	264546	42455	66144	88604	1190858	4156	263	151
福 建	Fujian	236623	118094	1053492	765329	2878476	9742	6855	3064
江 西	Jiangxi	119669	77526	86669	88182	765796	6838	1946	394
山 东	Shandong	711453	93047	264549	1088081	4155193	20210	8372	1183
河 南	Henan	489453	134954	101157	104268	2518363	33348	10512	4388
湖 北	Hubei	372195	66716	73942	182469	1558664	21280	2730	90
湖 南	Hunan	390164	36629	97494	96740	1558496	12744	2429	648
广 东	Guangdong	478808	46424	2220787	1415221	5602315	18600	7542	1066
广 西	Guangxi	132072	74854	60234	72341	767340	6539	7086	3525
海 南	Hainan	46674	3863	19394	28033	183665	4190	1235	789
重 庆	Chongqing	174574	12687	23989	73385	1100274	11464	1951	788
四 川	Sichuan	446941	76705	45624	88466	1871404	10118	1397	145
贵 州	Guizhou	116196	9263	9555	17274	534723	4847	834	219
云 南	Yunnan	156276	411268	24189	27991	1060255	4768	5730	2645
西 藏	Tibet	1720	2721			8099		267	267
陕 西	Shaanxi	142285	16256	20025	38097	747848	17604	3382	
甘 肃	Gansu	19452	91892	23784	4186	401150	1162	1247	440
青 海	Qinghai	30409	374	1500	4798	105182	70	3518	3239
宁 夏	Ningxia	37745	4777	731	11118	202320	482	257	
新 疆	Xinjiang	164059	17772	13170	13482	581444	549	3929	786

4-3 续表 2 continued

单位：人 (person)

地　区	Region	2.林业 2.Forestry	3.畜牧业 3.Animal Husbandry	4.渔业 4.Fishery	5.农、林、牧、渔服务业 5.Service in support of Agriculture, Forestry, Animal Husbandry and Fishery	(二)采矿业 II.Mining	1.煤炭开采和洗选业 1.Mining and Washing of Coal	2.石油和天然气开采业 2.Extraction of Petroleum and Natural Gas	3.黑色金属矿采选业 3.Mining of Ferrous Metal Ores
总　计	**National Total**	**14624**	**41694**	**15154**	**18604**	**2753052**	**1976421**	**375217**	**95388**
北　京	Beijing	1108	8202	169	697	25722	17033	5194	2441
天　津	Tianjin		86	151	34	51375		42310	
河　北	Hebei	12	72	38	293	143230	119173	10139	7237
山　西	Shanxi	160	20		26	239885	234300	1065	2772
内蒙古	Inner Mongolia		4908	56	43	132597	97179	4426	7969
辽　宁	Liaoning	61	168	5828	199	113074	97713	1050	4172
吉　林	Jilin	4356	397		110	104228	16352	74577	7078
黑龙江	Heilongjiang	132	4857	346	131	406665	280885	118440	209
上　海	Shanghai	268	2941	1670	38	235			
江　苏	Jiangsu		831	908	2138	39862	24000	90	1020
浙　江	Zhejiang	120	432	308	107	10080	2055		1406
安　徽	Anhui	8	13		91	214586	193043		15970
福　建	Fujian	1722	541	464	1064	27608	18230		2220
江　西	Jiangxi	363	1084		105	30323	16113		1582
山　东	Shandong	38	868	793	5490	177059	150275	2491	2989
河　南	Henan	285	2095	1924	1820	343770	285220	30861	3905
湖　北	Hubei	113	1519	182	826	32918	9167		7744
湖　南	Hunan	117	25	1072	567	44839	28864	111	1735
广　东	Guangdong	855	4168	655	798	16826		1295	3842
广　西	Guangxi	1525	1718	29	289	27903	6393		1195
海　南	Hainan	50	55	221	120	816		542	
重　庆	Chongqing	113	913		137	54636	48451	4181	20
四　川	Sichuan	479	398	189	186	102094	79582	186	5607
贵　州	Guizhou	411	159		45	78603	69558	2	202
云　南	Yunnan	2148	583	14	340	71309	39620	175	6348
西　藏	Tibet					15			
陕　西	Shaanxi	45	3228	95	14	53848	26037	6355	2907
甘　肃	Gansu				807	51478	33832	10992	979
青　海	Qinghai		279			10516	5401		335
宁　夏	Ningxia	130			127	48111	47722	80	
新　疆	Xinjiang	5	1134	42	1962	98841	30223	60655	3504

4-3 续表 3 continued

单位：人 (person)

地 区	Region	4.有色金属矿采选业 4.Mining of Non-ferrous Metal Ores	5.非金属矿采选业 5.Mining and Processing of Nonmetal Ores	6.其他采矿业 6.Mining of Other Ores	(三)制造业 III. Manufacturing	1.农副食品加工业 1.Processing of Food from Agricultural Products	2.食品制造业 2.Manufacture of Foods	3.饮料制造业 3.Manufacture of Beverage
总 计	**National Total**	**177848**	**122750**	**5428**	**27836041**	**981909**	**661106**	**648872**
北 京	Beijing		1054		857984	27715	30729	18385
天 津	Tianjin		9062	3	607884	8479	15543	12266
河 北	Hebei	4427	2254		703193	25477	19891	17886
山 西	Shanxi	1244	504		454498	3062	6297	5019
内蒙古	Inner Mongolia	16321	6702		343780	19867	27378	17031
辽 宁	Liaoning	6064	3977	98	977713	37119	14950	15284
吉 林	Jilin	4757	1416	48	404548	33790	10192	18271
黑龙江	Heilongjiang	3966	3150	15	472486	42712	32111	20582
上 海	Shanghai		56	179	1256864	7053	34378	8566
江 苏	Jiangsu	1346	13297	109	2838474	45705	34013	43376
浙 江	Zhejiang	2744	3875		3086441	30842	37684	44471
安 徽	Anhui	2014	3559		523435	20243	20723	27382
福 建	Fujian	3359	3465	334	2144408	53317	49371	20073
江 西	Jiangxi	8384	3734	510	538810	15554	16340	8341
山 东	Shandong	8364	12937	3	2890951	215489	65647	63169
河 南	Henan	17162	2945	3677	1146656	84036	44661	31755
湖 北	Hubei	6879	9128		767943	21070	15994	36582
湖 南	Hunan	8333	5754	42	684747	27121	28580	12566
广 东	Guangdong	7778	3911		3870076	54255	64621	39071
广 西	Guangxi	17818	2334	163	377547	77252	7718	13687
海 南	Hainan	89	54	131	56864	11796	2864	5135
重 庆	Chongqing	27	1957		385405	9773	7773	11463
四 川	Sichuan	5245	11474		878433	32527	28947	80203
贵 州	Guizhou	757	8051	33	234694	5984	2227	6367
云 南	Yunnan	21788	3317	61	400845	36120	10092	29504
西 藏	Tibet		15		1963			110
陕 西	Shaanxi	17429	1100	20	421924	8091	14580	18271
甘 肃	Gansu	5415	260		155054	6298	4070	10970
青 海	Qinghai	2803	1977		56278	867	555	1091
宁 夏	Ningxia	309			91681	2718	3792	1786
新 疆	Xinjiang	3026	1431	2	204462	17577	9385	10209

4-3 续表 4 continued

单位：人 (person)

地区	Region	4.烟草制品业 4.Manufacture of Tobacco	5.纺织业 5.Manufacture of Textile	6.纺织服装、鞋、帽制造业 6.Manufacture of Textile Wearing Apparel, Footware and Caps	7.皮革、毛皮、羽毛(绒)及其制品业 7.Manufacture of Leather, Fur, Feather and Its Products	8.木材加工及木、竹、藤、棕、草制品业 8.Processing of Timbers, Manufacture of Wood, Bamboo, Rattan, Palm and Straw Products	9.家具制造业 9.Manufacture of Furniture
总 计	**National Total**	**36682**	**2222522**	**1933189**	**870818**	**238348**	**309339**
北 京	Beijing	25	23706	48900	2963	2783	14500
天 津	Tianjin		17289	21334	6447	2526	12885
河 北	Hebei		50587	10771	2935	2262	2174
山 西	Shanxi	1259	7881	1071	12		154
内蒙古	Inner Mongolia	1559	32278	1124	1600	2553	936
辽 宁	Liaoning	2074	30917	60973	9758	11679	15815
吉 林	Jilin	430	10557	7368	1338	16487	3794
黑龙江	Heilongjiang	2576	23163	1256	803	12999	9462
上 海	Shanghai	736	36516	78803	15381	7339	23192
江 苏	Jiangsu		310569	237893	43533	14315	16299
浙 江	Zhejiang	174	395479	370157	175182	29263	70634
安 徽	Anhui		42203	14727	5512	4233	956
福 建	Fujian	158	134321	467241	233164	37191	33744
江 西	Jiangxi		46506	34090	18673	11294	2973
山 东	Shandong	2328	495990	189439	97965	13528	23902
河 南	Henan	3376	111332	17267	8221	7606	2784
湖 北	Hubei	5917	55376	40185	4750	4418	3476
湖 南	Hunan	2227	39378	8011	14449	10144	3902
广 东	Guangdong	394	171598	301448	204270	17139	52567
广 西	Guangxi		22880	2685	3650	8700	1355
海 南	Hainan	487	5376	270	78	829	759
重 庆	Chongqing	3102	17496	3094	1617	1272	250
四 川	Sichuan	3796	59813	7181	15840	7000	9326
贵 州	Guizhou	847	3472	1492	9	1546	169
云 南	Yunnan	4298	10695	1121	676	9389	701
西 藏	Tibet						20
陕 西	Shaanxi	112	30116	3815	86	407	119
甘 肃	Gansu		7731	89	384	763	421
青 海	Qinghai		1033	78			10
宁 夏	Ningxia		1107	660	996		351
新 疆	Xinjiang	807	27157	646	526	683	1709

4-3 续表 5 continued

单位：人 (person)

地 区	Region	10.造纸及纸制品业 10.Manufacture of Paper and Paper Products	11.印刷业和记录媒介的复制 11.Printing, Reproduction of Recording Media	12.文教体育用品制造业 12.Manufacture of Articles for Culture, Education and Sport Activities	13.石油加工、炼焦及核燃料加工业 13.Processing of Petroleum, Coking, Processing of Nuclear Fuel	14.化学原料及化学制品制造业 14.Manufacture of Chemical Raw Material and Chemical Products	15.医药制造业 15.Manufacture of Medicines
总 计	**National Total**	**504702**	**257690**	**411501**	**409233**	**1641154**	**800277**
北 京	Beijing	8991	23840	8271	17688	33087	42389
天 津	Tianjin	6106	4096	9403	13937	34077	23649
河 北	Hebei	11996	6070	1532	10918	59125	29752
山 西	Shanxi	466	3086	1089	71081	74535	18680
内蒙古	Inner Mongolia	9089	1055	16	9537	31717	14057
辽 宁	Liaoning	8570	5284	3449	35301	64175	17240
吉 林	Jilin	6917	3222	198	3361	34722	33515
黑龙江	Heilongjiang	11237	2733	752	33224	31386	33487
上 海	Shanghai	9932	13405	26764	17241	51516	25328
江 苏	Jiangsu	44494	17565	36638	14682	162481	61142
浙 江	Zhejiang	60139	24791	43452	7974	122912	73736
安 徽	Anhui	7181	8469	2564	2039	36830	16035
福 建	Fujian	45475	10898	60293	2733	39558	10128
江 西	Jiangxi	6682	3108	10319	1426	20301	43547
山 东	Shandong	78134	14307	42400	52627	172661	61318
河 南	Henan	24083	7843	2768	14636	87462	46649
湖 北	Hubei	14460	12871	2241	2521	74467	28473
湖 南	Hunan	16946	6215	1467	18278	68345	19542
广 东	Guangdong	51196	47978	155809	18684	105535	51285
广 西	Guangxi	17376	3480	350	1070	35718	20025
海 南	Hainan	4451	612		601	3056	5568
重 庆	Chongqing	4108	6661	90	2940	31370	12848
四 川	Sichuan	19824	9640	697	2940	94550	40649
贵 州	Guizhou	1793	2195	665	2430	33412	16845
云 南	Yunnan	9830	9912	113	8050	49488	12577
西 藏	Tibet						45
陕 西	Shaanxi	7553	5851	161	3663	25907	29403
甘 肃	Gansu	1318	883		14919	10800	5420
青 海	Qinghai	228	165		50	9063	1242
宁 夏	Ningxia	12451	438		1420	11431	3932
新 疆	Xinjiang	3676	1017		23262	31467	1771

4-3 续表 6 continued

单位：人 (person)

地区	Region	16.化学纤维制造业 16.Manufacture of Chemical Fiber	17.橡胶制品业 17.Manufacture of Rubber	18.塑料制品业 18.Manufacture of Plastic	19.非金属矿物制品业 19.Manufacture and Non-metallic Mineral Products	20.黑色金属冶炼及压延加工业 20.Manufacture and Processing of Ferrous Metals	21.有色金属冶炼及压延加工业 21.Manufacture and Processing of Non-ferrous Metals
总 计	**National Total**	**193287**	**383832**	**709241**	**1490789**	**1150139**	**600716**
北 京	Beijing	834	7475	17075	55065	36810	4792
天 津	Tianjin	611	11237	23910	12334	10157	2683
河 北	Hebei	1087	10856	14235	74212	120248	8766
山 西	Shanxi	1066	2744	979	27890	63532	33645
内蒙古	Inner Mongolia		334	840	23892	68637	22040
辽 宁	Liaoning	6485	14112	17412	39033	50842	21909
吉 林	Jilin	9588	1907	7239	25913	28895	7820
黑龙江	Heilongjiang	921	5769	6654	28246	15834	670
上 海	Shanghai	1497	20781	59534	28979	36660	8044
江 苏	Jiangsu	19309	34054	52727	80760	65855	24026
浙 江	Zhejiang	61394	44827	98857	83590	35640	34409
安 徽	Anhui	3971	16816	11531	27118	58880	7764
福 建	Fujian	13041	48382	101519	106778	28429	18147
江 西	Jiangxi	5976	3643	4440	48983	55197	19525
山 东	Shandong	13273	63074	43793	144074	105974	20032
河 南	Henan	17328	17159	19547	123128	79709	67901
湖 北	Hubei	6121	4082	15611	46132	13431	12912
湖 南	Hunan	3851	4274	9520	65984	20033	49349
广 东	Guangdong	11224	45951	150674	134401	41131	31930
广 西	Guangxi	95	426	7689	34106	20682	12112
海 南	Hainan	1285	882	1169	1483	492	135
重 庆	Chongqing	1380	4411	4772	34934	6771	13476
四 川	Sichuan	10072	5445	15304	101204	53316	22586
贵 州	Guizhou		7173	2598	21733	38562	23000
云 南	Yunnan	333	1179	5217	42292	35906	67819
西 藏	Tibet				1751		
陕 西	Shaanxi		884	3409	21610	20223	18541
甘 肃	Gansu		229	3331	20515	5875	17907
青 海	Qinghai		73		6184	11053	15851
宁 夏	Ningxia		4012	2342	6554	2940	8620
新 疆	Xinjiang	2545	1641	7313	21911	18425	4305

4-3 续表 7 continued

单位：人 (person)

地 区	Region	22.金属制品业 22.Manufacture of Metal Products	23.通用设备制造业 23.Manufacture of General Purpose Machinery	24.专用设备制造业 24.Manufacture of Special Purpose Machinery	25.交通运输设备制造业 25.Manufacture of Transport Equipment	26.电气机械及器材制造业 26.Manufacture of Electrical Machinery and Equipment	27.通信设备、计算机及其他电子设备制造业 27.Manufacture of Communication Equipment, Computer and Other Electronic Equipment
总 计	**National Total**	**873711**	**1529939**	**1293751**	**1947623**	**1734446**	**2893379**
北 京	Beijing	32042	56637	66452	87051	42372	110239
天 津	Tianjin	23096	36646	28673	80137	40834	123876
河 北	Hebei	22688	42742	34027	62892	31291	12545
山 西	Shanxi	2860	16299	86153	14085	6084	771
内蒙古	Inner Mongolia	3565	8797	33586	7859	1745	1659
辽 宁	Liaoning	40002	105629	73411	121367	62049	66811
吉 林	Jilin	4483	10654	16396	86194	7933	5695
黑龙江	Heilongjiang	6583	72383	21870	12522	21387	6279
上 海	Shanghai	52190	82701	63390	106570	90862	266200
江 苏	Jiangsu	101406	208413	116678	136871	234900	581462
浙 江	Zhejiang	120595	219199	100826	170564	312545	191097
安 徽	Anhui	13864	38322	20279	52243	42220	15374
福 建	Fujian	57146	35332	46859	60764	88853	146056
江 西	Jiangxi	9115	15837	12343	36836	35015	27411
山 东	Shandong	74090	159425	136638	160030	111633	184699
河 南	Henan	21456	66423	91259	52754	37304	17438
湖 北	Hubei	24540	56004	19954	155700	36672	37355
湖 南	Hunan	10712	42230	66602	58168	40843	25972
广 东	Guangdong	174412	80977	127470	169344	379010	949872
广 西	Guangxi	5339	18703	9874	29872	8370	9555
海 南	Hainan	738	67	792	4662	1440	1451
重 庆	Chongqing	12347	22616	15106	120380	19727	4801
四 川	Sichuan	22769	64857	37743	40311	32495	52828
贵 州	Guizhou	13527	7277	881	27035	2949	7056
云 南	Yunnan	4748	13265	13728	9900	6359	1564
西 藏	Tibet						
陕 西	Shaanxi	7148	25180	33597	75993	24155	33530
甘 肃	Gansu	2433	5767	10692	4270	8282	8640
青 海	Qinghai	2225	3748	865	449	467	
宁 夏	Ningxia	5048	10534	5588	589	2287	
新 疆	Xinjiang	2544	3275	2019	2211	4363	3143

4-3 续表 8 continued

单位：人 (person)

地 区	Region	28.仪器仪表及文化、办公用机械制造业 28.Manufacture of Measuring Instrument and Machinery for Cultural Activity and Office Work	29.工艺品及其他制造业 29.Manufacture of Artwork, Other Manufacture	30.废弃资源和废旧材料回收加工业 30.Recycling and Disposal of Waste	(四)电力、燃气及水的生产和供应业 IV.Production and Distribution of Electricity, Gas and Water	1.电力、热力的生产和供应业 1.Production and Supply of Electric Power and Heat Power	2.燃气生产和供应业 2.Production and Distribution of Gas	3.水的生产和供应业 3.Production and Distribution of Water
总 计	**National Total**	**563683**	**524482**	**19681**	**983799**	**787209**	**86072**	**110518**
北 京	Beijing	26102	10435	631	54489	41171	7261	6057
天 津	Tianjin	12552	12786	315	12108	7554	852	3702
河 北	Hebei	6604	9117	507	32711	29271	2038	1402
山 西	Shanxi	1580	3033	85	31150	27934	1767	1449
内蒙古	Inner Mongolia	153	864	12	30197	28146		2051
辽 宁	Liaoning	17966	7702	395	60793	51227	5687	3879
吉 林	Jilin	5960	1323	386	25560	21517	2750	1293
黑龙江	Heilongjiang	10310	4525	50	32069	29144	920	2005
上 海	Shanghai	69021	13470	815	15153	11872	736	2545
江 苏	Jiangsu	76495	20858	1955	58664	38883	9797	9984
浙 江	Zhejiang	58951	62154	4903	40966	28562	3244	9160
安 徽	Anhui	3695	2032	229	31729	24681	2795	4253
福 建	Fujian	58668	135813	956	36829	32264	1022	3543
江 西	Jiangxi	3359	21876	100	21183	18449	977	1757
山 东	Shandong	18716	66316	280	51944	39285	6205	6454
河 南	Henan	16658	23847	266	68488	52963	8179	7346
湖 北	Hubei	9351	2380	4897	31853	21757	2800	7296
湖 南	Hunan	5971	3697	370	36004	29788	2594	3622
广 东	Guangdong	127882	108307	1641	55611	39753	6712	9146
广 西	Guangxi	730	4015	33	15504	13191	508	1805
海 南	Hainan	151	196	39	3605	1159	336	2110
重 庆	Chongqing	9342	1405	80	38710	33761	1554	3395
四 川	Sichuan	5332	1150	88	70566	53071	9655	7840
贵 州	Guizhou	1926	1414	110	10921	8082	2353	486
云 南	Yunnan	4462	1434	73	34852	31178	553	3121
西 藏	Tibet		37					
陕 西	Shaanxi	8492	885	142	20389	16111	3290	988
甘 肃	Gansu	1116	1861	70	11481	10706	81	694
青 海	Qinghai	32	696	253	1496	1076	216	204
宁 夏	Ningxia	1957	128		13483	12233	442	808
新 疆	Xinjiang	149	726		35291	32420	748	2123

4-3 续表 9 continued

单位：人 (person)

地区	Region	(五)建筑业 V.Construction	1.房屋和土木工程建筑业 1.Construction of Building and Civil Engineering	2.建筑安装业 2.Architectural Installation	3.建筑装饰业 3.Architectural Decoration	4.其他建筑业 4.Other Construction	(六)交通运输、仓储和邮政业 VI.Transport, Storage and Post	1.铁路运输业 1.Transport Via Railway
总计	**National Total**	**6356450**	**5527036**	**467548**	**211418**	**150448**	**1805687**	**88101**
北京	Beijing	264764	194849	36119	26220	7576	342951	39542
天津	Tianjin	69285	47517	13563	3227	4978	55603	895
河北	Hebei	156614	147029	6830	1349	1406	30411	1841
山西	Shanxi	51704	44094	4894	1449	1267	21136	593
内蒙古	Inner Mongolia	90640	86511	2426	488	1215	14220	284
辽宁	Liaoning	125554	100705	18002	5586	1261	64942	2434
吉林	Jilin	65498	52307	9392	2974	825	27754	416
黑龙江	Heilongjiang	98695	77992	14306	5520	877	15088	160
上海	Shanghai	62991	48249	10622	2891	1229	209598	43
江苏	Jiangsu	279572	236581	27658	9138	6195	121664	1643
浙江	Zhejiang	1103761	1027478	29136	17974	29173	87610	3142
安徽	Anhui	202628	168951	21839	7973	3865	34075	3181
福建	Fujian	312276	275643	14815	11085	10733	31351	165
江西	Jiangxi	56956	48514	6163	1744	535	10748	
山东	Shandong	359761	320375	26252	8935	4199	87642	
河南	Henan	493837	416481	47505	15250	14601	44383	281
湖北	Hubei	368573	315613	31548	7839	13573	63402	613
湖南	Hunan	397649	334691	31395	7642	23921	36292	2756
广东	Guangdong	278576	211446	34084	31154	1892	239840	22938
广西	Guangxi	130083	117129	9844	1311	1799	41829	4450
海南	Hainan	7626	5288	647	1519	172	18755	2318
重庆	Chongqing	306538	280400	13022	8113	5003	41098	47
四川	Sichuan	509099	465354	20921	16015	6809	53204	141
贵州	Guizhou	57114	50951	2622	2311	1230	10473	103
云南	Yunnan	259486	234763	9716	11327	3680	38281	115
西藏	Tibet	1399	1399				89	
陕西	Shaanxi	51595	41918	7971	609	1097	15291	
甘肃	Gansu	84468	79076	4187	821	384	15990	
青海	Qinghai	9573	8439	348	161	625	5583	
宁夏	Ningxia	12930	10796	1694	395	45	2198	
新疆	Xinjiang	87205	76497	10027	398	283	24186	

4-3 续表 10 continued

单位：人 (person)

地 区	Region	2.道路运输业 2.Transport Via Road	3.城市公共交通业 3.Urban Public Traffic	4.水上运输业 4.Water Transport	5.航空运输业 5.Air Transport	6.管道运输业 6.Transport Via Pipeline	7.装卸搬运和其他运输服务业 7.Loading, Unloading Portage and Other Transport Services	8.仓储业 8.Storage
总 计	**National Total**	**534487**	**576592**	**228607**	**136249**	**6914**	**136600**	**68702**
北 京	Beijing	35856	177917	62	36168	1857	26503	4596
天 津	Tianjin	6819	5327	11239	1106	113	22429	7675
河 北	Hebei	13928	2790	7755	1023	631	1191	1171
山 西	Shanxi	9957	8007		2123		14	442
内蒙古	Inner Mongolia	6078	6687	10	151		821	189
辽 宁	Liaoning	13195	21011	17585	2873	878	4681	2039
吉 林	Jilin	10758	10966	20	142	1143	639	3655
黑龙江	Heilongjiang	7529	3502	37	1414		1688	758
上 海	Shanghai	16480	115339	28545	24065		14789	9202
江 苏	Jiangsu	47516	18935	40307	2465	203	6642	3639
浙 江	Zhejiang	45825	6607	14276	3650		8536	4752
安 徽	Anhui	13053	12568	3091	1165		341	676
福 建	Fujian	8874	5718	4631	2352		7457	2150
江 西	Jiangxi	8913	534		1145		28	128
山 东	Shandong	38323	17826	16781	5416	253	3784	5045
河 南	Henan	32489	8520	90	12		1340	1606
湖 北	Hubei	17030	23289	9180	6189	418	3970	2713
湖 南	Hunan	18452	9917	333	2265		2155	198
广 东	Guangdong	67954	41067	56858	16767	162	19741	13630
广 西	Guangxi	24638	9071	2354	12	61	396	824
海 南	Hainan	691	961	4018	10247		454	24
重 庆	Chongqing	18658	8562	10438	1031		2018	338
四 川	Sichuan	31810	14999	747	3419	605	954	529
贵 州	Guizhou	4481	3556	51	460	6	789	155
云 南	Yunnan	14791	10931	172	5928		4904	1176
西 藏	Tibet	89						
陕 西	Shaanxi	4956	5431		1286	54	145	388
甘 肃	Gansu	5282	10521					187
青 海	Qinghai	652	4574					357
宁 夏	Ningxia	2094	53		51			
新 疆	Xinjiang	7316	11406	27	3324	530	191	460

4-3 续表 11 continued

单位：人 (person)

地 区	Region	9.邮政业 9.Post	(七)信息传输、计算机服务和软件业 VII.Information Transmission, Computer Services and Software	1.电信和其他信息传输服务业 1.Telecom and Other Information Transmission Services	2.计算机服务业 2.Computer Services	3.软件业 3.Software Industry	(八)批发和零售业 VIII. Wholesale and Retail Trades	1.批发业 1.Wholesale Trade
总 计	**National Total**	**29435**	**957087**	**510043**	**129997**	**317047**	**2949755**	**1202655**
北 京	Beijing	20450	320399	65214	81909	173276	373326	170543
天 津	Tianjin		20887	11856	2866	6165	85309	36759
河 北	Hebei	81	26913	26084	263	566	90559	33465
山 西	Shanxi		11171	10753	154	264	40991	17853
内蒙古	Inner Mongolia		4745	4533	61	151	29570	8451
辽 宁	Liaoning	246	39162	18378	1370	19414	99745	36952
吉 林	Jilin	15	11444	6443	409	4592	49421	17173
黑龙江	Heilongjiang		17574	14591	1187	1796	91844	37434
上 海	Shanghai	1135	40341	14229	6630	19482	193791	83798
江 苏	Jiangsu	314	46706	36129	1905	8672	197342	71408
浙 江	Zhejiang	822	70674	50055	3848	16771	206889	93830
安 徽	Anhui		12407	10813	203	1391	56877	23425
福 建	Fujian	4	23609	19772	1300	2537	64123	30940
江 西	Jiangxi		10103	8220	1164	719	28249	10243
山 东	Shandong	214	29059	21952	1100	6007	205396	67898
河 南	Henan	45	14603	11794	870	1939	139473	47054
湖 北	Hubei		17495	12872	1631	2992	123410	32730
湖 南	Hunan	216	25199	21466	310	3423	89989	23358
广 东	Guangdong	723	105538	53395	14791	37352	276291	138727
广 西	Guangxi	23	14056	13429	132	495	49012	22132
海 南	Hainan	42	4073	3270	458	345	15394	8977
重 庆	Chongqing	6	12071	10070	1133	868	74511	31141
四 川	Sichuan		14857	12587	1543	727	95242	40578
贵 州	Guizhou	872	14325	13063	760	502	39932	17101
云 南	Yunnan	264	17807	15015	1528	1264	86955	36026
西 藏	Tibet						592	230
陕 西	Shaanxi	3031	15119	8668	2150	4301	63219	22700
甘 肃	Gansu		5673	5293	123	257	29229	12807
青 海	Qinghai		1328	1312	12	4	6383	2968
宁 夏	Ningxia		995	828	53	114	7824	2277
新 疆	Xinjiang	932	8754	7959	134	661	38867	23677

4-3 续表 12 continued

单位：人 (person)

地 区	Region	2.零售业 2.Retail Trade	(九)住宿和餐饮业 IX. Hotels and Catering Services	1.住宿业 1.Hotels	2.餐饮业 2.Catering Serveces	(十)金融业 X.Financial Intermediation	1.银行业 1.Bank
总 计	**National Total**	**1747100**	**1255818**	**676604**	**579214**	**2020466**	**814527**
北 京	Beijing	202783	191213	90387	100826	206752	85947
天 津	Tianjin	48550	29192	8530	20662	32815	8184
河 北	Hebei	57094	13590	6123	7467	141605	60213
山 西	Shanxi	23138	16009	6867	9142	36375	12321
内蒙古	Inner Mongolia	21119	11271	7085	4186	24615	12008
辽 宁	Liaoning	62793	47471	26257	21214	99177	40137
吉 林	Jilin	32248	14459	7314	7145	24465	11579
黑龙江	Heilongjiang	54410	10511	4986	5525	55886	20811
上 海	Shanghai	109993	79691	30560	49131	159777	61662
江 苏	Jiangsu	125934	75024	40117	34907	139586	59962
浙 江	Zhejiang	113059	111895	69166	42729	151587	74078
安 徽	Anhui	33452	19205	13141	6064	50875	20944
福 建	Fujian	33183	36942	24147	12795	49905	25226
江 西	Jiangxi	18006	7401	5733	1668	27023	15154
山 东	Shandong	137498	56892	26566	30326	174592	74918
河 南	Henan	92419	37482	23216	14266	80385	27205
湖 北	Hubei	90680	45513	19768	25745	43977	13980
湖 南	Hunan	66631	51760	31064	20696	89539	30095
广 东	Guangdong	137564	183113	82189	100924	152937	58602
广 西	Guangxi	26880	22451	15733	6718	19671	6626
海 南	Hainan	6417	27801	24626	3175	8296	5649
重 庆	Chongqing	43370	27034	15314	11720	61622	19547
四 川	Sichuan	54664	29638	19125	10513	54450	15774
贵 州	Guizhou	22831	13904	8637	5267	21882	10517
云 南	Yunnan	50929	39035	32727	6308	27540	15971
西 藏	Tibet	362	17		17	1146	
陕 西	Shaanxi	40519	29218	15179	14039	26986	8603
甘 肃	Gansu	16422	9454	7459	1995	24438	9757
青 海	Qinghai	3415	1648	1243	405	2319	304
宁 夏	Ningxia	5547	3586	2234	1352	9121	3346
新 疆	Xinjiang	15190	13398	11111	2287	21122	5407

4-3 续表 13 continued

单位：人 (person)

地 区	Region	2.证券业 2.Security Activities	3.保险业 3.Insurance	4.其他金融活动 4.Other Financial Activities	(十一)房地产业 XI.Real Estate	#房地产开发经营 Development and Management of Real Estate	#物业管理 Property Management	#房地产中介服务 Agency Services for Real Estate
总 计	**National Total**	**84394**	**1091514**	**30031**	**1217552**	**595328**	**516051**	**57415**
北 京	Beijing	15506	91360	13939	244575	67878	142577	13207
天 津	Tianjin	1033	23363	235	23146	9228	12588	918
河 北	Hebei	1592	79513	287	13731	8817	2558	19
山 西	Shanxi	1192	22743	119	4812	3277	1401	33
内蒙古	Inner Mongolia	328	12146	133	6685	4983	1536	63
辽 宁	Liaoning	1683	56695	662	36943	15624	18690	1533
吉 林	Jilin	1239	11486	161	20020	10035	8885	647
黑龙江	Heilongjiang	546	34019	510	16879	9048	7330	134
上 海	Shanghai	11640	83254	3221	77779	18263	45366	13435
江 苏	Jiangsu	5680	73373	571	41802	27128	12599	546
浙 江	Zhejiang	5738	70576	1195	72430	35388	34082	1714
安 徽	Anhui	1692	28127	112	21061	12539	6879	197
福 建	Fujian	1745	22700	234	52984	37142	14739	439
江 西	Jiangxi	1504	10319	46	8284	7914	341	
山 东	Shandong	1345	97753	576	52063	38530	12128	792
河 南	Henan	1624	50906	650	47697	36557	7860	3280
湖 北	Hubei	3559	25584	854	28294	22174	5280	561
湖 南	Hunan	1208	57616	620	59124	50228	8096	383
广 东	Guangdong	15360	76214	2761	180045	44261	112975	12217
广 西	Guangxi	1181	11628	236	20898	11881	8217	134
海 南	Hainan	407	2114	126	17201	8070	8408	181
重 庆	Chongqing	3607	37878	590	35856	22436	9048	3142
四 川	Sichuan	2212	35639	825	37391	33317	3578	280
贵 州	Guizhou	812	10161	392	22049	13261	7432	574
云 南	Yunnan	768	10495	306	27738	15258	9714	1920
西 藏	Tibet	466	680		45		45	
陕 西	Shaanxi	186	18110	87	19202	16865	1661	300
甘 肃	Gansu		14681		7265	4871	2323	43
青 海	Qinghai		1978	37	2538	1456	983	86
宁 夏	Ningxia		5531	244	4288	1796	2156	249
新 疆	Xinjiang	541	14872	302	14727	7103	6576	388

4-3 续表 14 continued

单位：人 (person)

地 区	Region	(十二)租赁和商务服务业 XII.Leasing and Business Services	1.租赁业 1.Leasing	2.商务服务业 2.Business Services	(十三)科学研究、技术服务和地质勘查业 XIII.Scientific Research, Technical Services and Geological Prospecting	1.研究与试验发展 1.Research and Experimental Development	自然科学研究与试验发展 Research and Experimental Development on Physical Science	工程和技术研究与试验发展 Research and Experimental Development on Engineering and Technical Research
总 计	**National Total**	**1156689**	**23305**	**1133384**	**520112**	**55207**	**5201**	**36078**
北 京	Beijing	401751	4279	397472	208734	20754	1383	11979
天 津	Tianjin	19005	467	18538	21671	1956	908	422
河 北	Hebei	8604	210	8394	8279	247		247
山 西	Shanxi	1971	63	1908	542	16		10
内蒙古	Inner Mongolia	6692	21	6671	2133	5		5
辽 宁	Liaoning	19926	225	19701	13324	2688	406	2093
吉 林	Jilin	9398	253	9145	8682	970	152	405
黑龙江	Heilongjiang	11518	201	11317	7547	494	170	59
上 海	Shanghai	73841	5586	68255	24333	3006	370	2140
江 苏	Jiangsu	41684	337	41347	24191	4115	615	3086
浙 江	Zhejiang	99952	365	99587	30032	1675	11	1145
安 徽	Anhui	11219	238	10981	2841	506		493
福 建	Fujian	63045	105	62940	4926	566		556
江 西	Jiangxi	18386	92	18294	218	5		
山 东	Shandong	34227	1085	33142	11081	797	194	419
河 南	Henan	53071	1114	51957	14889	1367	53	1070
湖 北	Hubei	14897	778	14119	9824	536	27	485
湖 南	Hunan	18926	117	18809	6828	186		93
广 东	Guangdong	92457	1490	90967	54062	7390	267	6173
广 西	Guangxi	26421	342	26079	4260	400	287	47
海 南	Hainan	11083	503	10580	3023	569	96	15
重 庆	Chongqing	23780	3043	20737	25012	512	61	105
四 川	Sichuan	12030	566	11464	5327	1967		1601
贵 州	Guizhou	15781	483	15298	5061	282	5	69
云 南	Yunnan	27143	744	26399	5891	848	171	570
西 藏	Tibet	112		112				
陕 西	Shaanxi	7677	101	7576	9270	2717		2195
甘 肃	Gansu	3011	181	2830	2209	484		480
青 海	Qinghai	1752	163	1589	1217	73		73
宁 夏	Ningxia	5747		5747	1351			
新 疆	Xinjiang	21582	153	21429	3354	76	25	43

4-3 续表 15 continued

单位：人 (person)

地区	Region	农业科学研究与试验发展 Research and Experimental Development on Agricultural Science Research	医学研究与试验发展 Research and Experimental Development	社会人文科学研究与试验发展 Research and Experimental Development on Social Science and Humanities	2.专业技术服务业 Professional Technical Services	#气象服务 Weather Services	#地震服务 Earthquake Services
总 计	**National Total**	**1904**	**10695**	**1329**	**316099**	**1255**	**372**
北 京	Beijing	517	6756	119	85961	130	160
天 津	Tianjin		607	19	18300	8	
河 北	Hebei				7865		
山 西	Shanxi		6		490		
内蒙古	Inner Mongolia				2016	16	157
辽 宁	Liaoning	73	86	30	9117	5	
吉 林	Jilin	75	338		7159		
黑龙江	Heilongjiang	120	58	87	5553	147	3
上 海	Shanghai		496		17637	50	
江 苏	Jiangsu	35	379		18544	18	
浙 江	Zhejiang	225	294		23880	64	
安 徽	Anhui		3	10	1977		
福 建	Fujian		10		3987		
江 西	Jiangxi	5			197		
山 东	Shandong	81	102	1	9299	184	17
河 南	Henan	118	57	69	8766	47	31
湖 北	Hubei		24		7517	45	
湖 南	Hunan	69	24		6278	62	
广 东	Guangdong	353	585	12	40775	55	
广 西	Guangxi	6	60		3646		
海 南	Hainan	54	170	234	2065		
重 庆	Chongqing	43	125	178	13565		
四 川	Sichuan			366	3104	8	
贵 州	Guizhou		4	204	4506	6	
云 南	Yunnan	73	34		4017	7	
西 藏	Tibet						
陕 西	Shaanxi	45	477		3997	170	
甘 肃	Gansu	4			1363	205	4
青 海	Qinghai				392		
宁 夏	Ningxia				1351		
新 疆	Xinjiang	8			2775	28	

4-3 续表 16 continued

单位：人 (person)

地 区	Region	#海洋服务 Ocean Services	#测绘服务 Plotting Services	#技术检测 Technique Detection	#环境监测 Environmental Monitoring	#工程技术与规划管理 Engineering Technic & Programming Management	3.科技交流和推广服务业 3.Services of Science and Technology Exchanges and Promotion	4.地质勘查业 4.Geological Prospecting
总 计	**National Total**	**589**	**3950**	**23246**	**1180**	**227374**	**117405**	**31401**
北 京	Beijing	20	990	6317	506	67511	78640	23379
天 津	Tianjin	240	75	744	5	6009	1375	40
河 北	Hebei			164		3086	109	58
山 西	Shanxi					468	36	
内蒙古	Inner Mongolia		52	85		1635	112	
辽 宁	Liaoning		150	841	24	6432	1417	102
吉 林	Jilin		157	253	21	5555	489	64
黑龙江	Heilongjiang		131	511		3195	1357	143
上 海	Shanghai		143	981	9	13061	3690	
江 苏	Jiangsu		1045	1251	9	14951	1513	19
浙 江	Zhejiang		314	1884	14	20119	4015	462
安 徽	Anhui		35	132	11	1672	358	
福 建	Fujian	4	20	112		2746	292	81
江 西	Jiangxi	5		25	38	97	16	
山 东	Shandong	42	31	264		8409	953	32
河 南	Henan		147	533	113	7895	1990	2766
湖 北	Hubei		27	1499	28	4278	1647	124
湖 南	Hunan			680	7	3735	270	94
广 东	Guangdong	278	175	5103	137	25256	5833	64
广 西	Guangxi		19	114	131	2875	206	8
海 南	Hainan			204		1822	180	209
重 庆	Chongqing		153	117	61	10269	10021	914
四 川	Sichuan		44	195		2857	163	93
贵 州	Guizhou		34	532	13	3125	152	121
云 南	Yunnan		190	262		3292	762	264
西 藏	Tibet							
陕 西	Shaanxi			42	32	2117	1007	1549
甘 肃	Gansu					1154	350	12
青 海	Qinghai			31	21	340	26	726
宁 夏	Ningxia					1201		
新 疆	Xinjiang		18	370		2212	426	77

4-3 续表 17 continued

单位：人 (person)

地 区	Region	(十四)水利、环境和公共设施管理业 XIV.Management of Water Conservancy, Enviroment and Public Facilities	1.水利管理业 1.Management of Water Conservancy	2.环境管理业 2.Environmental Management	3.公共设施管理业 3.Management of Public Facilities	(十五)居民服务和其他服务业 XV.Services to Households and Other Services	1.居民服务业 1.Services to Households	2.其他服务业 2.Other Services
总 计	**National Total**	**137076**	**5860**	**37761**	**93455**	**189895**	**76836**	**113059**
北 京	Beijing	22400	848	10090	11462	45144	14537	30607
天 津	Tianjin	3023		844	2179	17627	1410	16217
河 北	Hebei	3754		2357	1397	838	641	197
山 西	Shanxi	190	4	142	44	614	473	141
内蒙古	Inner Mongolia	1872	330	420	1122	1113	698	415
辽 宁	Liaoning	3366	2	1510	1854	4828	2326	2502
吉 林	Jilin	3931	237	620	3074	1376	421	955
黑龙江	Heilongjiang	3535	460	2568	507	2427	904	1523
上 海	Shanghai	7544	68	2712	4764	21850	7431	14419
江 苏	Jiangsu	8075	762	1406	5907	2428	1162	1266
浙 江	Zhejiang	12830	689	2478	9663	4292	2777	1515
安 徽	Anhui	4734	201	69	4464	748	514	234
福 建	Fujian	4353	182	1241	2930	4081	3149	932
江 西	Jiangxi	1206	15	241	950	726	232	494
山 东	Shandong	7611	522	2004	5085	7039	1617	5422
河 南	Ilenan	2779	96	471	2212	4509	3323	1186
湖 北	Hubei	1466	170	203	1093	3922	1509	2413
湖 南	Hunan	4349	166	94	4089	3033	2122	911
广 东	Guangdong	18733	94	4141	14498	33468	13959	19509
广 西	Guangxi	1566		242	1324	2534	1156	1378
海 南	Hainan	2443	44	398	2001	816	641	175
重 庆	Chongqing	3435	327	617	2491	5400	1253	4147
四 川	Sichuan	3078	33	936	2109	3493	2225	1268
贵 州	Guizhou	1156	159	444	553	4432	3282	1150
云 南	Yunnan	4456	20	1326	3110	2808	1507	1301
西 藏	Tibet							
陕 西	Shaanxi	2634	13	37	2584	8668	7065	1603
甘 肃	Gansu					131	9	122
青 海	Qinghai	363	280		83	404	315	89
宁 夏	Ningxia	369	116		253	175	87	88
新 疆	Xinjiang	1825	22	150	1653	971	91	880

4-3 续表 18 continued

单位：人 (person)

地 区	Region	(十六)教育 XVI.Education	#初等教育 Junior Education	#中等教育 Secondary Education	#高等教育 Senior Education	(十七)卫生、社会保障和社会福利业 XVII.Health, Social Securities and Social Welfare	1.卫生 1.Health	2.社会保障业 2.Social Securities	3.社会福利业 3.Social Welfare
总 计	**National Total**	**275475**	**31784**	**92638**	**58817**	**125641**	**116990**	**4923**	**3728**
北 京	Beijing	46508	2388	6409	6855	15684	14925	78	681
天 津	Tianjin	369		138		666	567	99	
河 北	Hebei	1228	216	53	703	793	793		
山 西	Shanxi	791		254		830	661		169
内蒙古	Inner Mongolia	2620	652	1325	90	1225	1196		29
辽 宁	Liaoning	5058	174	1544	752	13449	13216	47	186
吉 林	Jilin	4470	112	883	2545	2377	2004	58	315
黑龙江	Heilongjiang	1644	180	798		4220	3996	168	56
上 海	Shanghai	12819	678	1192	5812	1147	1032	30	85
江 苏	Jiangsu	14163	1508	8718	2509	17469	17047	366	56
浙 江	Zhejiang	22829	3937	11535	2390	5744	5263	186	295
安 徽	Anhui	4042	354	2353	113	3915	3879	36	
福 建	Fujian	15061	376	5419	2055	5096	5041	55	
江 西	Jiangxi	5828	1921	3585	38	2502	2502		
山 东	Shandong	11640	1829	5331	1880	6251	6046	26	179
河 南	Henan	27318	7277	9415	5842	9929	9538	96	295
湖 北	Hubei	9313		2764	5065	2610	2530	70	10
湖 南	Hunan	13300	1289	6975	3421	3084	3011	33	40
广 东	Guangdong	25399	3567	6811	1708	12734	9051	2898	785
广 西	Guangxi	7588	1272	2827	2231	2505	2371		134
海 南	Hainan	4611	1046	2211	677	420	416	4	
重 庆	Chongqing	9654	440	2327	4798	706	552	30	124
四 川	Sichuan	6686	283	4730	508	3239	3234		5
贵 州	Guizhou	4167	563	1051	135	2442	2380		62
云 南	Yunnan	5363	852	1139	973	3565	3379	50	136
西 藏	Tibet								
陕 西	Shaanxi	9812	311	1920	7034	1929	1336	593	
甘 肃	Gansu	308		237		140	140		
青 海	Qinghai	46				228	228		
宁 夏	Ningxia	612			482	23	23		
新 疆	Xinjiang	2228	559	694	201	719	633		86

4-3 续表 19 continued

单位：人 (person)

地 区	Region	(十八)文化、体育和娱乐业 XVIII.Culture, Sports and Entertainment	1.新闻出版业 1.Journalism and Publishing Activities	2.广播、电视、电影和音像业 2.Broadcasting, Movies, Television and Audiovisual Activities	3.文化艺术业 3.Cultural and Art Activitries	4.体育 4.Sports Activities	5.娱乐业 5.Entertainment	(十九)公共管理和社会组织 XIX.Public Management and Social Organization	#群众社团、社会团体和宗教组织 Non-Governmental Organizations, Social Organizations, and Religion Organizations
总 计	**National Total**	**127425**	**21129**	**26092**	**9992**	**10036**	**60176**	**37501**	**23924**
北 京	Beijing	33724	4255	6233	4680	2772	15784	4997	4741
天 津	Tianjin	1744	4	88		313	1339	533	13
河 北	Hebei	2030		719	10	104	1197		
山 西	Shanxi	290	31	222	24		13	22	22
内蒙古	Inner Mongolia	268	17	113			138		
辽 宁	Liaoning	3273	178	725	47	84	2239	324	245
吉 林	Jilin	4229	3013	263	128	302	523	17	17
黑龙江	Heilongjiang	604		40	84		480	89	
上 海	Shanghai	6971	1844	2881	77		2169	69	42
江 苏	Jiangsu	4306	1490	1176	311	110	1219		
浙 江	Zhejiang	4339	549	649	590	218	2333	10324	608
安 徽	Anhui	374	44	202	57	41	30		
福 建	Fujian	4513	122	730	160	343	3158	253	253
江 西	Jiangxi	614		208	101	24	281	2128	2128
山 东	Shandong	2670	8	468	150	43	2001	1153	551
河 南	Henan	8993	7008	436	759	56	734	2937	1131
湖 北	Hubei	2674	146	1332	161	464	571	9130	9130
湖 南	Hunan	3868	118	1428	227	572	1523	281	281
广 东	Guangdong	17461	925	1118	312	2472	12634	206	206
广 西	Guangxi	2904	17	33	937	193	1724	61	61
海 南	Hainan	3404	69	1048	45	131	2111	389	389
重 庆	Chongqing	4164	714	1084	601	148	1617	155	155
四 川	Sichuan	1290		777		130	383	8	8
贵 州	Guizhou	1268	143	119	51	163	792	532	137
云 南	Yunnan	5239	14	845	183	1030	3167	980	948
西 藏	Tibet							2454	2454
陕 西	Shaanxi	5272	27	3125	138	317	1665	17	17
甘 肃	Gansu	294	20		125	6	143	442	387
青 海	Qinghai	62			34		28		
宁 夏	Ningxia	51		22			29		
新 疆	Xinjiang	532	373	8			151		

第五部分

Chapter Five

2008 年全国户籍统计人口数据

Data from Household Registration in 2008

5-1 各地区总户数、总人口

Households and Population by Region

地 区	Region	总户数 (户) Number of Households (household)	总人口 (人) Total Population (person)	男 Male	女 Female	平均每户人数 (人/户) Average Family Size (person/household)	性别比 (女=100) Sex Ratio (Female=100)
全 国	**National Total**	**403844456**	**1321307634**	**679823035**	**641484599**	**3.27**	**105.98**
北 京	Beijing	4811849	12322800	6210819	6111981	2.56	101.62
天 津	Tianjin	3377256	9742742	4905862	4836880	2.88	101.43
河 北	Hebei	20953575	71378551	36349192	35029359	3.41	103.77
山 西	Shanxi	11183139	34286663	17620778	16665885	3.07	105.73
内蒙古	Inner Mongolia	8118373	24360384	12485418	11874966	3.00	105.14
辽 宁	Liaoning	14527033	42461372	21468795	20992577	2.92	102.27
吉 林	Jilin	9042059	27105645	13728436	13377209	3.00	102.63
黑龙江	Heilongjiang	13257179	38306706	19419732	18886974	2.89	102.82
上 海	Shanghai	5066360	13910427	6955746	6954681	2.75	100.02
江 苏	Jiangsu	23991492	73886329	37503827	36382502	3.08	103.08
浙 江	Zhejiang	15956979	46878482	23889799	22988683	2.94	103.92
安 徽	Anhui	19995220	67408459	35026161	32382298	3.37	108.16
福 建	Fujian	9853412	34771397	17896483	16874914	3.53	106.05
江 西	Jiangxi	13579214	45822407	24028031	21794376	3.37	110.25
山 东	Shandong	29129167	93927068	47607138	46319930	3.22	102.78
河 南	Henan	29105664	105153572	54332289	50821283	3.61	106.91
湖 北	Hubei	19386754	61107908	31674480	29433428	3.15	107.61
湖 南	Hunan	21657172	69453489	36126505	33326984	3.21	108.40
广 东	Guangdong	22185952	82670885	42632391	40038494	3.73	106.48
广 西	Guangxi	14587674	51401705	27069779	24331926	3.52	111.25
海 南	Hainan	2334889	8647252	4517972	4129280	3.70	109.41
重 庆	Chongqing	10801453	32570470	16905576	15664894	3.02	107.92
四 川	Sichuan	28596158	89077872	46076539	43001333	3.12	107.15
贵 州	Guizhou	10847950	40367525	21013072	19354453	3.72	108.57
云 南	Yunnan	12529702	44176346	22798132	21378214	3.53	106.64
西 藏	Tibet	674644	2813379	1414129	1399250	4.17	101.06
陕 西	Shaanxi	11403757	38139167	19773641	18365526	3.34	107.67
甘 肃	Gansu	7374145	26776174	13838750	12937424	3.63	106.97
青 海	Qinghai	1508879	5317512	2713723	2603789	3.52	104.22
宁 夏	Ningxia	1883218	6245169	3191599	3053570	3.32	104.52
新 疆	Xinjiang	6124138	20819777	10648241	10171536	3.40	104.69

5-2 各地区市总户数、总人口

Households and Population in Cities by Region

地 区	Region	总户数 (户) Number of Households (household)	总人口 (人) Total Population (person)	男 Male	女 Female	平均每户人数 (人/户) Average Family Size (person/household)	性别比 (女=100) Sex Ratio (Female=100)
全 国	**National Total**	**192388554**	**611936748**	**312741436**	**299195312**	**3.18**	**104.53**
北 京	Beijing	4322089	11292106	5697713	5594393	2.61	101.85
天 津	Tianjin	2745969	7811007	3928900	3882107	2.84	101.21
河 北	Hebei	7501899	25427940	12876744	12551196	3.39	102.59
山 西	Shanxi	4187493	13169164	6775693	6393471	3.14	105.98
内蒙古	Inner Mongolia	2788542	8446957	4280698	4166259	3.03	102.75
辽 宁	Liaoning	10278502	29775338	15004094	14771244	2.90	101.58
吉 林	Jilin	5976211	18208646	9194760	9013886	3.05	102.01
黑龙江	Heilongjiang	7837862	22708222	11478014	11230208	2.90	102.21
上 海	Shanghai	4705878	12981025	6521262	6459763	2.76	100.95
江 苏	Jiangsu	16579446	49271355	24873706	24397649	2.97	101.95
浙 江	Zhejiang	10564450	31116002	15785830	15330172	2.95	102.97
安 徽	Anhui	6543396	21630252	11177079	10453173	3.31	106.93
福 建	Fujian	4937696	17358533	8883335	8475198	3.52	104.82
江 西	Jiangxi	4404020	14987640	7855623	7132017	3.40	110.15
山 东	Shandong	16628037	52816832	26730315	26086517	3.18	102.47
河 南	Henan	9848292	34546991	17708737	16838254	3.51	105.17
湖 北	Hubei	12204850	39034186	20151964	18882222	3.20	106.72
湖 南	Hunan	7349123	23139084	11970833	11168251	3.15	107.19
广 东	Guangdong	14927518	54460088	28073029	26387059	3.65	106.39
广 西	Guangxi	5003830	17496031	9188208	8307823	3.50	110.60
海 南	Hainan	1347415	5131067	2658320	2472747	3.81	107.50
重 庆	Chongqing	5181367	15109865	7765626	7344239	2.92	105.74
四 川	Sichuan	10669733	32532069	16689219	15842850	3.05	105.34
贵 州	Guizhou	2718325	9958227	5129594	4828633	3.66	106.23
云 南	Yunnan	3034915	9970757	5111836	4858921	3.29	105.21
西 藏	Tibet	82518	277006	136849	140157	3.36	97.64
陕 西	Shaanxi	3818983	13045661	6703949	6341712	3.42	105.71
甘 肃	Gansu	2457359	8420723	4347997	4072726	3.43	106.76
青 海	Qinghai	313054	1005747	505015	500732	3.21	100.86
宁 夏	Ningxia	919207	2957895	1506762	1451133	3.22	103.83
新 疆	Xinjiang	2510575	7850332	4029732	3820600	3.13	105.47

5-3 各地区县总户数、总人口
Households and Population in Counties by Region

地　区	Region	总户数 (户) Number of Households (household)	总人口 (人) Total Population (person)	男 Male	女 Female	平均每户人数 (人/户) Average Family Size (person/household)	性别比 (女=100) Sex Ratio (Female=100)
全　国	National Total	**194983671**	**681216356**	**353181136**	**328035220**	**3.49**	**107.67**
北　京	Beijing	314408	707538	356984	350554	2.25	101.83
天　津	Tianjin	538906	1711786	871542	840244	3.18	103.72
河　北	Hebei	12652345	43963255	22466569	21496686	3.47	104.51
山　西	Shanxi	6327427	20229669	10457666	9772003	3.20	107.02
内蒙古	Inner Mongolia	4785455	15376233	7946507	7429726	3.21	106.96
辽　宁	Liaoning	3913201	12328195	6320704	6007491	3.15	105.21
吉　林	Jilin	2662559	8586477	4396137	4190340	3.22	104.91
黑龙江	Heilongjiang	4859627	15209854	7777294	7432560	3.13	104.64
上　海	Shanghai	289528	699802	345343	354459	2.42	97.43
江　苏	Jiangsu	7322350	23905879	12278698	11627181	3.26	105.60
浙　江	Zhejiang	5000851	15178291	7863906	7314385	3.04	107.51
安　徽	Anhui	12448916	44304253	23117402	21186851	3.56	109.11
福　建	Fujian	4627565	16732958	8675084	8057874	3.62	107.66
江　西	Jiangxi	8356893	29583236	15502108	14081128	3.54	110.09
山　东	Shandong	11721248	40006658	20339714	19666944	3.41	103.42
河　南	Henan	18047979	67244046	34889060	32354986	3.73	107.83
湖　北	Hubei	6423506	21349638	11145232	10204406	3.32	109.22
湖　南	Hunan	13419491	44874287	23463408	21410879	3.34	109.59
广　东	Guangdong	6471386	26027018	13467289	12559729	4.02	107.23
广　西	Guangxi	8737063	32246260	16997462	15248798	3.69	111.47
海　南	Hainan	808249	3203291	1697548	1505743	3.96	112.74
重　庆	Chongqing	5125201	16878827	8862080	8016747	3.29	110.54
四　川	Sichuan	16595224	54693155	28513833	26179322	3.30	108.92
贵　州	Guizhou	7555466	29260875	15293601	13967274	3.87	109.50
云　南	Yunnan	8799554	33186732	17173739	16012993	3.77	107.25
西　藏	Tibet	514261	2408800	1208270	1200530	4.68	100.64
陕　西	Shaanxi	6999779	24340098	12698775	11641323	3.48	109.08
甘　肃	Gansu	4515060	17711750	9186092	8525658	3.92	107.75
青　海	Qinghai	1070488	4097717	2106069	1991648	3.83	105.75
宁　夏	Ningxia	821531	3049776	1568633	1481143	3.71	105.91
新　疆	Xinjiang	3258154	12120002	6194387	5925615	3.72	104.54

5-4 各地区镇总户数、总人口

Households and Population in Towns by Region

地　区	Region	总户数（户）Number of Households (household)	总人口（人）Total Population (person)	男 Male	女 Female	平均每户人数（人/户）Average Family Size (person/household)	性别比（女=100）Sex Ratio (Female=100)
全　国	**National Total**	**232811494**	**766004222**	**394916601**	**371087621**	**3.29**	**106.42**
北　京	Beijing	1757879	3810611	1904827	1905784	2.17	99.95
天　津	Tianjin	1272471	3800852	1919454	1881398	2.99	102.02
河　北	Hebei	11163696	37070389	18899419	18170970	3.32	104.01
山　西	Shanxi	5535936	16355463	8428167	7927296	2.95	106.32
内蒙古	Inner Mongolia	5077749	15216932	7835862	7381070	3.00	106.16
辽　宁	Liaoning	5589486	17137018	8742631	8394387	3.07	104.15
吉　林	Jilin	4438315	13750957	7024603	6726354	3.10	104.43
黑龙江	Heilongjiang	5721074	16789418	8539939	8249479	2.93	103.52
上　海	Shanghai	2240089	5941545	2956422	2985123	2.65	99.04
江　苏	Jiangsu	17843224	54755249	27787673	26967576	3.07	103.04
浙　江	Zhejiang	9468044	28083625	14319313	13764312	2.97	104.03
安　徽	Anhui	13636552	46483680	24175886	22307794	3.41	108.37
福　建	Fujian	6144243	22198629	11421213	10777416	3.61	105.97
江　西	Jiangxi	8166003	27233781	14308840	12924941	3.34	110.71
山　东	Shandong	17855930	58771100	29834363	28936737	3.29	103.10
河　南	Henan	12981872	46270719	23956739	22313980	3.56	107.36
湖　北	Hubei	11242888	36885973	19159727	17726246	3.28	108.09
湖　南	Hunan	12737867	40903435	21296676	19606759	3.21	108.62
广　东	Guangdong	15455050	60717340	31333183	29384157	3.93	106.63
广　西	Guangxi	10561342	37006471	19580959	17425512	3.50	112.37
海　南	Hainan	1522758	5987221	3124108	2863113	3.93	109.12
重　庆	Chongqing	6845407	20912351	10925529	9986822	3.05	109.40
四　川	Sichuan	18023522	54671879	28242452	26429427	3.03	106.86
贵　州	Guizhou	6218278	22782523	11829816	10952707	3.66	108.01
云　南	Yunnan	7268551	25153572	12897236	12256336	3.46	105.23
西　藏	Tibet	218625	803387	403620	399767	3.67	100.96
陕　西	Shaanxi	6684910	21993708	11449733	10543975	3.29	108.59
甘　肃	Gansu	3512315	12541782	6490543	6051239	3.57	107.26
青　海	Qinghai	799470	2744197	1405131	1339066	3.43	104.93
宁　夏	Ningxia	992041	3272258	1676106	1596152	3.30	105.01
新　疆	Xinjiang	1835907	5958157	3046431	2911726	3.25	104.63

5-5 各地区非农业、农业人口

Non-agricultural and Agricultural Population by Region

单位：人 (person)

地　区	Region	总人口 Total Population	非农业人口 Non-agricultural		农业人口 Agricultural	
			人口数 Population	比重(%) Proportion	人口数 Population	比重(%) Proportion
全　国	**National Total**	**1321307634**	**439714093**	**33.28**	**881593541**	**66.72**
北　京	Beijing	12322800	9527341	77.31	2795459	22.69
天　津	Tianjin	9742742	5897405	60.53	3845337	39.47
河　北	Hebei	71378551	22093878	30.95	49284673	69.05
山　西	Shanxi	34286663	11035002	32.18	23251661	67.82
内蒙古	Inner Mongolia	24360384	9859765	40.47	14500619	59.53
辽　宁	Liaoning	42461372	21198450	49.92	21262922	50.08
吉　林	Jilin	27105645	12248079	45.19	14857566	54.81
黑龙江	Heilongjiang	38306706	18482585	48.25	19824121	51.75
上　海	Shanghai	13910427	12165550	87.46	1744877	12.54
江　苏	Jiangsu	73886329	34916842	47.26	38969487	52.74
浙　江	Zhejiang	46878482	13954820	29.77	32923662	70.23
安　徽	Anhui	67408459	14983395	22.23	52425064	77.77
福　建	Fujian	34771397	11597286	33.35	23174111	66.65
江　西	Jiangxi	45822407	12488088	27.25	33334319	72.75
山　东	Shandong	93927068	35323652	37.61	58603416	62.39
河　南	Henan	105153572	22918123	21.79	82235449	78.21
湖　北	Hubei	61107908	23709745	38.80	37398163	61.20
湖　南	Hunan	69453489	15525661	22.35	53927828	77.65
广　东	Guangdong	82670885	42977828	51.99	39693057	48.01
广　西	Guangxi	51401705	9640655	18.76	41761050	81.24
海　南	Hainan	8647252	3349621	38.74	5297631	61.26
重　庆	Chongqing	32570470	9073783	27.86	23496687	72.14
四　川	Sichuan	89077872	22033565	24.74	67044307	75.26
贵　州	Guizhou	40367525	6510948	16.13	33856577	83.87
云　南	Yunnan	44176346	7388160	16.72	36788186	83.28
西　藏	Tibet	2813379	491788	17.48	2321591	82.52
陕　西	Shaanxi	38139167	10678825	28.00	27460342	72.00
甘　肃	Gansu	26776174	6719737	25.10	20056437	74.90
青　海	Qinghai	5317512	1601400	30.12	3716112	69.88
宁　夏	Ningxia	6245169	2314560	37.06	3930609	62.94
新　疆	Xinjiang	20819777	9007556	43.26	11812221	56.74

5-6 各地区市非农业、农业人口
Non-agricultural and Agricultural Population in Cities by Region

单位：人 (person)

地 区	Region	总人口 Total Population	非农业人口 Non-agricultural 人口数 Population	非农业人口 Non-agricultural 比重(%) Proportion	农业人口 Agricultural 人口数 Population	农业人口 Agricultural 比重(%) Proportion
全 国	**National Total**	**611936748**	**308803236**	**50.46**	**303133512**	**49.54**
北 京	Beijing	11292106	8810284	78.02	2481822	21.98
天 津	Tianjin	7811007	5411907	69.29	2399100	30.71
河 北	Hebei	25427940	13260047	52.15	12167893	47.85
山 西	Shanxi	13169164	7275420	55.25	5893744	44.75
内蒙古	Inner Mongolia	8446957	5865418	69.44	2581539	30.56
辽 宁	Liaoning	29775338	18044389	60.60	11730949	39.40
吉 林	Jilin	18208646	9656054	53.03	8552592	46.97
黑龙江	Heilongjiang	22708222	13540101	59.63	9168121	40.37
上 海	Shanghai	12981025	11511877	88.68	1469148	11.32
江 苏	Jiangsu	49271355	25766902	52.30	23504453	47.70
浙 江	Zhejiang	31116002	10183477	32.73	20932525	67.27
安 徽	Anhui	21630252	9072963	41.95	12557289	58.05
福 建	Fujian	17358533	7394915	42.60	9963618	57.40
江 西	Jiangxi	14987640	6300819	42.04	8686821	57.96
山 东	Shandong	52816832	26018528	49.26	26798304	50.74
河 南	Henan	34546991	13927868	40.32	20619123	59.68
湖 北	Hubei	39034186	19089245	48.90	19944941	51.10
湖 南	Hunan	23139084	9724710	42.03	13414374	57.97
广 东	Guangdong	54460088	35845918	65.82	18614170	34.18
广 西	Guangxi	17496031	5496930	31.42	11999101	68.58
海 南	Hainan	5131067	2154808	42.00	2976259	58.00
重 庆	Chongqing	15109865	5966863	39.49	9143002	60.51
四 川	Sichuan	32532069	12261027	37.69	20271042	62.31
贵 州	Guizhou	9958227	3666457	36.82	6291770	63.18
云 南	Yunnan	9970757	3791536	38.03	6179221	61.97
西 藏	Tibet	277006	197408	71.26	79598	28.74
陕 西	Shaanxi	13045661	6525373	50.02	6520288	49.98
甘 肃	Gansu	8420723	4208782	49.98	4211941	50.02
青 海	Qinghai	1005747	839451	83.47	166296	16.53
宁 夏	Ningxia	2957895	1654637	55.94	1303258	44.06
新 疆	Xinjiang	7850332	5339122	68.01	2511210	31.99

5-7 各地区县非农业、农业人口

Non-agricultural and Agricultural Population in Counties by Region

单位：人 (person)

地区	Region	总人口 Total Population	非农业人口 Non-agricultural		农业人口 Agricultural	
			人口数 Population	比重(%) Proportion	人口数 Population	比重(%) Proportion
全 国	**National Total**	**681216356**	**111907503**	**16.43**	**569308853**	**83.57**
北 京	Beijing	707538	260963	36.88	446575	63.12
天 津	Tianjin	1711786	310199	18.12	1401587	81.88
河 北	Hebei	43963255	7825328	17.80	36137927	82.20
山 西	Shanxi	20229669	3196079	15.80	17033590	84.20
内蒙古	Inner Mongolia	15376233	3661310	23.81	11714923	76.19
辽 宁	Liaoning	12328195	2523304	20.47	9804891	79.53
吉 林	Jilin	8586477	2431734	28.32	6154743	71.68
黑龙江	Heilongjiang	15209854	4763451	31.32	10446403	68.68
上 海	Shanghai	699802	221122	31.60	478680	68.40
江 苏	Jiangsu	23905879	6746951	28.22	17158928	71.78
浙 江	Zhejiang	15178291	2938176	19.36	12240115	80.64
安 徽	Anhui	44304253	5259248	11.87	39045005	88.13
福 建	Fujian	16732958	3532586	21.11	13200372	78.89
江 西	Jiangxi	29583236	5486716	18.55	24096520	81.45
山 东	Shandong	40006658	6258798	15.64	33747860	84.36
河 南	Henan	67244046	7759758	11.54	59484288	88.46
湖 北	Hubei	21349638	4310621	20.19	17039017	79.81
湖 南	Hunan	44874287	6043697	13.47	38830590	86.53
广 东	Guangdong	26027018	5648284	21.70	20378734	78.30
广 西	Guangxi	32246260	4395563	13.63	27850697	86.37
海 南	Hainan	3203291	1058803	33.05	2144488	66.95
重 庆	Chongqing	16878827	2487388	14.74	14391439	85.26
四 川	Sichuan	54693155	8446799	15.44	46246356	84.56
贵 州	Guizhou	29260875	2601820	8.89	26659055	91.11
云 南	Yunnan	33186732	3361080	10.13	29825652	89.87
西 藏	Tibet	2408800	242665	10.07	2166135	89.93
陕 西	Shaanxi	24340098	3582442	14.72	20757656	85.28
甘 肃	Gansu	17711750	2010952	11.35	15700798	88.65
青 海	Qinghai	4097717	687780	16.78	3409937	83.22
宁 夏	Ningxia	3049776	532701	17.47	2517075	82.53
新 疆	Xinjiang	12120002	3321185	27.40	8798817	72.60

5-8 各地区镇非农业、农业人口

Non-agricultural and Agricultural Population in Towns by Region

单位：人 (person)

地 区	Region	总人口 Total Population	非农业人口 Non-agricultural		农业人口 Agricultural	
			人口数 Population	比重(%) Proportion	人口数 Population	比重(%) Proportion
全 国	National Total	**766004222**	**175738409**	**22.94**	**590265813**	**77.06**
北 京	Beijing	3810611	1406041	36.90	2404570	63.10
天 津	Tianjin	3800852	736745	19.38	3064107	80.62
河 北	Hebei	37070389	10392277	28.03	26678112	71.97
山 西	Shanxi	16355463	3605611	22.05	12749852	77.95
内蒙古	Inner Mongolia	15216932	4469485	29.37	10747447	70.63
辽 宁	Liaoning	17137018	3600608	21.01	13536410	78.99
吉 林	Jilin	13750957	3600025	26.18	10150932	73.82
黑龙江	Heilongjiang	16789418	5741602	34.20	11047816	65.80
上 海	Shanghai	5941545	4297571	72.33	1643974	27.67
江 苏	Jiangsu	54755249	20005621	36.54	34749628	63.46
浙 江	Zhejiang	28083625	4663530	16.61	23420095	83.39
安 徽	Anhui	46483680	6741161	14.50	39742519	85.50
福 建	Fujian	22198629	4816116	21.70	17382513	78.30
江 西	Jiangxi	27233781	6344784	23.30	20888997	76.70
山 东	Shandong	58771100	9656911	16.43	49114189	83.57
河 南	Henan	46270719	8534107	18.44	37736612	81.56
湖 北	Hubei	36885973	7716994	20.92	29168979	79.08
湖 南	Hunan	40903435	6909926	16.89	33993509	83.11
广 东	Guangdong	60717340	21386913	35.22	39330427	64.78
广 西	Guangxi	37006471	5558681	15.02	31447790	84.98
海 南	Hainan	5987221	1331005	22.23	4656216	77.77
重 庆	Chongqing	20912351	3238960	15.49	17673391	84.51
四 川	Sichuan	54671879	11967062	21.89	42704817	78.11
贵 州	Guizhou	22782523	3088966	13.56	19693557	86.44
云 南	Yunnan	25153572	4016746	15.97	21136826	84.03
西 藏	Tibet	803387	207469	25.82	595918	74.18
陕 西	Shaanxi	21993708	4279876	19.46	17713832	80.54
甘 肃	Gansu	12541782	2697202	21.51	9844580	78.49
青 海	Qinghai	2744197	743926	27.11	2000271	72.89
宁 夏	Ningxia	3272258	993712	30.37	2278546	69.63
新 疆	Xinjiang	5958157	2988776	50.16	2969381	49.84

5-9 按总人口排序的市及人口数

Cities and Population by Size of Total Population

单位：人 (person)

组 别 城市个数	Group City	人 数 Population	组 别 城市个数	Group City	人 数 Population
全 国	**National Total**	**625635416**	枣庄市	Zaozhuang	2173971
400万以上	**over 4 million**	**98094054**	贵阳市	Guiyang	2166495
重庆市	Chongqing	15345025	莆田市	Putian	2109138
上海市	Shanghai	13216995	兰州市	Lanzhou	2100012
北京市	Beijing	11611274	合肥市	Hefei	2034871
武汉市	Wuhan	8332425	阜阳市	Fuyang	2010789
天津市	Tianjin	7991134	**100万—200万**	**from 1 million to 2 million**	**197596806**
广州市	Guangzhou	6458299	临沂市	Linyi	1977050
西安市	Xi'an	5547273	南充市	Nanchong	1924945
南京市	Nanjing	5412436	徐州市	Xuzhou	1899300
成都市	Chengdu	5101634	福州市	Fuzhou	1866815
沈阳市	Shenyang	5090224	贵港市	Guigang	1842401
汕头市	Shantou	4993016	六安市	Liuan	1841302
哈尔滨市	Harbin	4751298	吉林市	Jilin	1830116
杭州市	Hangzhou	4243021	南阳市	Nanyang	1822224
200万—400万	**from 2 million to 4 million**	**73566584**	宿州市	Suzhou	1806372
佛山市	Foshan	3643368	烟台市	Yantai	1793949
长春市	Changchun	3608614	桂平市	Guiping	1790038
济南市	Jinan	3502336	东莞市	Dongguan	1748658
唐山市	Tangshan	3055280	厦门市	Xiamen	1736710
大连市	Dalian	2983114	潍坊市	Weifang	1721087
太原市	Taiyuan	2812948	陆丰市	Lufeng	1712031
淄博市	Zibo	2781712	商丘市	Shangqiu	1702192
淮安市	Huaian	2779374	邳州市	Pizhou	1696985
郑州市	Zhengzhou	2767523	高州市	Gaozhou	1676769
青岛市	Qingdao	2762474	邓州市	Dengzhou	1669947
南宁市	Nanning	2638873	淮南市	Huainan	1667054
昆明市	Kunming	2414099	滕州市	Tengzhou	1658409
石家庄市	Shijiazhuang	2407195	天门市	Tianmen	1647941
苏州市	Suzhou	2382110	随州市	Suizhou	1625769
无锡市	Wuxi	2374192	盐城市	Yancheng	1618573
长沙市	Changsha	2365801	廉江市	Lianjiang	1618487
深圳市	Shenzhen	2324894	雷州市	Leizhou	1615390
乌鲁木齐市	Urumqi	2269418	泰安市	Taian	1600614
常州市	Changzhou	2258607	洛阳市	Luoyang	1583599
普宁市	Puning	2239147	宿迁市	Suqian	1579954
南昌市	Nanchang	2203673	海口市	Haikou	1558214
宁波市	Ningbo	2201248	化州市	Huazhou	1557912
襄樊市	Xiangfan	2195308	亳州市	Bozhou	1555336

5-9 续表 1 continued

单位：人 (person)

组　别 城市个数	Group City	人　数 Population	组　别 城市个数	Group City	人　数 Population
兴化市	Xinghua	1544313	项城市	Xiangcheng	1287688
大同市	Datong	1533672	天水市	Tianshui	1271346
台州市	Taizhou	1527510	泰兴市	Taixing	1262862
仙桃市	Xiantao	1506662	莱芜市	Laiwu	1259572
自贡市	Zigong	1496992	惠州市	Huizhou	1259545
南安市	Nan'an	1496702	广安市	Guang'an	1256308
遂宁市	Suining	1496646	福清市	Fuqing	1248341
湛江市	Zhanjiang	1495283	宜昌市	Yichang	1244220
包头市	Baotou	1489240	通州市	Tongzhou	1242680
菏泽市	Heze	1479664	禹州市	Yuzhou	1238770
永城市	Yongcheng	1474232	日照市	Rizhao	1224358
鞍山市	Anshan	1473422	乐清市	Yueqing	1209053
邯郸市	Handan	1466684	绵阳市	Mianyang	1204504
中山市	Zhongshan	1464343	赤峰市	Chifeng	1203009
简阳市	Jianyang	1451298	江阴市	Jiangyin	1200020
泸州市	Luzhou	1446519	定州市	Dingzhou	1192943
宣威市	Xuanwei	1442484	扬州市	Yangzhou	1186038
温州市	Wenzhou	1438243	温岭市	Wenling	1175783
信阳市	Xinyang	1435556	瑞安市	Ruian	1175167
齐齐哈尔市	Qiqihar	1424988	麻城市	Macheng	1168516
内江市	Neijiang	1412620	呼和浩特市	Hohhot	1167127
如皋市	Rugao	1409185	罗定市	Luoding	1160691
常德市	Changde	1402290	乐山市	Leshan	1152918
抚顺市	Fushun	1396001	临海市	Linhai	1146587
宝鸡市	Baoji	1391465	东台市	Dongtai	1146035
毕节市	Bijie	1387436	兴宁市	Xingning	1145635
浏阳市	Liuyang	1380303	涟源市	Lianyuan	1144773
新泰市	Xintai	1377626	海城市	Haicheng	1142769
漯河市	Luohe	1372483	邹城市	Zoucheng	1141417
平度市	Pingdu	1369675	永州市	Yongzhou	1129338
江门市	Jiangmen	1365841	荆州市	Jingzhou	1128335
巴中市	Bazhong	1354379	即墨市	Jimo	1121332
信宜市	Xinyi	1350051	六盘水市	Liupanshui	1118963
丰城市	Fengcheng	1345125	启东市	Qidong	1114111
钦州市	Qinzhou	1315967	枣阳市	Zaoyang	1106452
耒阳市	Leiyang	1313808	汉川市	Hanchuan	1105819
北流市	Beiliu	1309639	抚州市	Fuzhou	1099999
大庆市	Daqing	1307404	阳春市	Yangchun	1099750
益阳市	Yiyang	1307061	济宁市	Jining	1098576
榆树市	Yushu	1289238	英德市	Yingde	1094454
茂名市	Maoming	1289107	湖州市	Huzhou	1085173

5-9 续表 2 continued

单位：人 (person)

组　别 城市个数	Group City	人　数 Population	组　别 城市个数	Group City	人　数 Population
淮北市	Huaibei	1083774	肥城市	Feicheng	971184
诸城市	Zhucheng	1078838	衡阳市	Hengyang	961360
公主岭市	Gongzhuling	1078412	玉林市	Yulin	958832
资阳市	Ziyang	1077671	渭南市	Weinan	957885
吴川市	Wuchuan	1069371	本溪市	Benxi	957314
江都市	Jiangdu	1068432	孝感市	Xiaogan	938727
鄂州市	Ezhou	1068212	广水市	Guangshui	935344
宜兴市	Yixing	1067790	大冶市	Daye	933884
安阳市	Anyang	1067491	肇东市	Zhaodong	933664
常熟市	Changshu	1065018	安丘市	Anqiu	930242
诸暨市	Zhuji	1064181	锦州市	Jinzhou	928590
岳阳市	Yueyang	1062941	广元市	Guangyuan	926549
保定市	Baoding	1055291	蚌埠市	Bengbu	925058
晋江市	Jinjiang	1050449	洪湖市	Honghu	924875
聊城市	Liaocheng	1044494	金华市	Jinhua	923831
咸阳市	Xianyang	1044184	庄河市	Zhuanghe	922876
钟祥市	Zhongxiang	1040304	湘乡市	Xiangxiang	915541
来宾市	Laibin	1036869	韶关市	Shaoguan	914839
林州市	Linzhou	1035260	芜湖市	Wuhu	904972
宜春市	Yichun	1032303	青州市	Qingzhou	903346
醴陵市	Liling	1032285	张家港市	Zhangjiagang	898430
慈溪市	Cixi	1031220	绥化市	Suihua	896954
儋州市	Danzhou	1030695	常宁市	Changning	896397
柳州市	Liuzhou	1028232	张家口市	Zhangjiakou	890914
泉州市	Quanzhou	1027050	姜堰市	Jiangyan	889190
汝州市	Ruzhou	1026310	银川市	Yinchuan	888390
瓦房店市	Wafangdian	1026160	利川市	Lichuan	884739
寿光市	Shouguang	1025211	鸡西市	Jixi	884616
章丘市	Zhangqiu	1008335	营口市	Yingkou	883176
平顶山市	Pingdingshan	1007059	西宁市	Xining	882839
武威市	Wuwei	1006922	江油市	Jiangyou	882789
新乡市	Xinxiang	1006818	保山市	Baoshan	881419
潜江市	Qianjiang	1006554	高密市	Gaomi	879583
新沂市	Xinyi	1003117	巢湖市	Chaohu	877546
海门市	Haimen	1001276	阆中市	Langzhong	877349
80万—100万	**from 800 thousand to 1 million**	**72790250**	南通市	Nantong	875193
珠海市	Zhuhai	994808	莱阳市	Laiyang	875167
安康市	Ankang	988770	岑溪市	Cenxi	861970
贺州市	Hezhou	985228	莱州市	Laizhou	859056
台山市	Taishan	984383	新密市	Xinmi	857957
葫芦岛市	Huludao	983167	偃师市	Yanshi	857209
五常市	Wuchang	981972	宣城市	Xuancheng	851412

5-9 续表 3 continued

单位：人 (person)

组　别 城市个数	Group City	人　数 Population	组　别 城市个数	Group City	人　数 Population
眉山市	Meishan	849304	宜宾市	Yibin	796190
开封市	Kaifeng	847979	吴江市	Wujiang	795254
萍乡市	Pingxiang	845860	牡丹江市	Mudanjiang	794040
乐平市	Leping	845848	兴义市	Xingyi	784011
松滋市	Songzi	844532	阜新市	Fuxin	778852
安顺市	Anshun	843423	溧阳市	Liyang	778318
海伦市	Hailun	842422	武冈市	Wugang	777716
遵义市	Zunyi	842063	上虞市	Shangyu	773050
胶南市	Jiaonan	833837	界首市	Jieshou	771877
东营市	Dongying	831396	丹东市	Dandong	768771
余姚市	Yuyao	831062	藁城市	Gaocheng	764054
新余市	Xinyu	830950	桂林市	Guilin	759275
焦作市	Jiaozuo	828774	武穴市	Wuxue	756177
普兰店市	Pulandian	827585	武安市	Wuan	755634
德惠市	Dehui	827042	铜川市	Tongchuan	755232
增城市	Zengcheng	826606	沅江市	Yuanjiang	753060
嘉兴市	Jiaxing	825514	桐城市	Tongcheng	751044
高邮市	Gaoyou	824010	长葛市	Changge	751019
佳木斯市	Kiamusze	823970	镇江市	Zhenjiang	749040
通辽市	Tongliao	822872	高要市	Gaoyao	745380
临汾市	Linfen	822348	灵宝市	Lingbao	742730
任丘市	Renqiu	819161	安庆市	Anqing	742561
衢州市	Quzhou	818330	汨罗市	Miluo	740123
双城市	Shuangcheng	818170	临清市	Linqing	737715
秦皇岛市	Qinhuangdao	818113	讷河市	Nehe	736167
巩义市	Gongyi	812733	嵊州市	Shengzhou	734175
东阳市	Dongyang	812609	盖州市	Gaizhou	731885
伊春市	Yichun	810904	莱西市	Laixi	731812
辉县市	Huixian	809470	辽阳市	Liaoyang	726151
连云港市	Lianyungang	808784	大丰市	Dafeng	724502
高安市	Gaoan	808568	义乌市	Yiwu	723889
丹阳市	Danyang	806463	大石桥市	Dashiqiao	722977
昭通市	Zhaotong	805441	长治市	Changzhi	716910
龙海市	Longhai	803919	遵化市	Zunhua	715465
廊坊市	Langfang	800652	湘潭市	Xiangtan	713867
50万—80万	**from 500 thousand to 800 thousand**	**121305005**	迁安市	Qian'an	709845
南康市	Nankang	799931	九台市	Jiutai	709030
彭州市	Pengzhou	799640	荆门市	Jingmen	706987
河间市	Hejian	798335	新民市	Xinmin	699676
恩施市	Enshi	796967	舟山市	Zhoushan	695793
株洲市	Zhuzhou	796582	郴州市	Chenzhou	694149
胶州市	Jiaozhou	796517	攀枝花市	Panzhihua	691685

5-9 续表 4 continued

单位：人 (person)

组 别 城市个数	Group City	人 数 Population	组 别 城市个数	Group City	人 数 Population
昆山市	Kunshan	690435	黄石市	Huangshi	637321
揭阳市	Jieyang	689114	曲阜市	Qufu	637270
曲靖市	Qujing	689012	龙口市	Longkou	633752
开平市	Kaiping	685075	东港市	Donggang	632926
乐陵市	Laoling	683297	朔州市	Shuozhou	632136
阳泉市	Yangquan	680195	滨州市	Binzhou	631594
济源市	Jiyuan	679573	石河子市	Shihezi	631577
鹤岗市	Hegang	679488	马鞍山市	Maanshan	630808
登封市	Dengfeng	676328	安陆市	Anlu	629221
新郑市	Xinzheng	674418	天长市	Tianchang	628763
长乐市	Changle	670256	栖霞市	Qixia	628380
崇州市	Chongzhou	670240	涿州市	Zhuozhou	627998
桐乡市	Tongxiang	668643	昌邑市	Changyi	624630
荣成市	Rongcheng	667472	兖州市	Yanzhou	622488
海阳市	Haiyang	666754	梅河口市	Meihekou	618763
靖江市	Jingjiang	665526	尚志市	Shangzhi	615849
应城市	Yingcheng	664647	辛集市	Xinji	614281
邵阳市	Shaoyang	664057	大理市	Dali	613741
阳江市	Yangjiang	662090	都江堰市	Dujiangyan	611831
舒兰市	Shulan	661432	四平市	Siping	608928
濮阳市	Puyang	659450	西昌市	Xichang	608339
石首市	Shishou	657776	九江市	Jiujiang	604455
运城市	Yuncheng	657495	盘锦市	Panjin	600751
兰溪市	Lanxi	657008	万源市	Wanyuan	600436
德阳市	Deyang	656946	仪征市	Yizheng	599798
邛崃市	Qionglai	656143	高碑店市	Gaobeidian	597644
池州市	Chizhou	654393	广汉市	Guanghan	597483
明光市	Mingguang	651889	北票市	Beipiao	596810
海宁市	Haining	650874	咸宁市	Xianning	595177
绍兴市	Shaoxing	649022	德州市	Dezhou	594576
泰州市	Taizhou	646988	白山市	Baishan	593225
凌源市	Lingyuan	644592	北海市	Beihai	593013
福安市	Fuan	643636	开原市	Kaiyuan	592128
瑞金市	Ruijin	643630	朝阳市	Chaoyang	591790
富阳市	Fuyang	643385	万宁市	Wanning	590994
宜州市	Yizhou	643184	霸州市	Bazhou	589459
文登市	Wendeng	641740	江山市	Jiangshan	589447
驻马店市	Zhumadian	640921	风城市	Fengcheng	587461
荥阳市	Xingyang	640023	贵溪市	Guixi	585350
威海市	Weihai	639436	邢台市	Xingtai	584660
仁怀市	Renhuai	638168	兴平市	Xingping	584369
赣州市	Ganzhou	637635	晋中市	Jinzhong	582958

5-9 续表 5 continued

单位：人 (person)

组 别 城市个数	Group City	人 数 Population	组 别 城市个数	Group City	人 数 Population
句容市	Jurong	578214	张掖市	Zhangye	516338
泊头市	Botou	575312	黄骅市	Huanghua	515443
凌海市	Linghai	574898	灯塔市	Dengta	514487
乳山市	Rushan	573659	绵竹市	Mianzhu	513479
福鼎市	Fuding	573389	建德市	Jiande	513154
文昌市	Wenchang	570795	赤壁市	Chibi	512600
深州市	Shenzhou	570261	白城市	Baicheng	508612
陇南市	Longnan	569676	防城港市	Fangchenggang	507423
招远市	Zhaoyuan	568789	楚雄市	Chuxiong	506271
永康市	Yongkang	564629	张家界市	Zhangjiajie	504174
宜城市	Yicheng	564539	洪江市	Hongjiang	503529
临河市	Linhe	557689	临湘市	Linxiang	502112
鹤壁市	Hebi	557320	肇庆市	Zhaoqing	501500
从化市	Conghua	556790	清镇市	Qingzhen	501079
清远市	Qingyuan	556442	双鸭山市	Shuangyashan	500878
兴城市	Xingcheng	554272	平凉市	Pingliang	500861
金坛市	Jintan	550430	恩平市	Enping	500683
漳州市	Zhangzhou	546039	枝江市	Zhijiang	500651
商洛市	Shangluo	545971	**30万—50万**	**from 300 thousand to 500 thousand**	**47912525**
三亚市	Sanya	545817	汕尾市	Shanwei	499195
汉中市	Hanzhong	544115	榆林市	Yulin	498258
松原市	Songyuan	542535	丹江口市	Danjiangkou	497289
磐石市	Panshi	541715	梧州市	Wuzhou	497178
樟树市	Zhangshu	539756	卫辉市	Weihui	494542
七台河市	Qitaihe	534656	白银市	Baiyin	493903
吉安市	Ji'an	533330	南平市	Nanping	491497
老河口市	Laohekou	529000	沁阳市	Qinyang	488813
北镇市	Beizhen	528630	沙河市	Shahe	487504
滁州市	Chuzhou	528486	当阳市	Dangyang	486873
晋州市	Jinzhou	528270	库尔勒市	Korla	485131
建瓯市	Jian'ou	527377	平湖市	Pinghu	484395
临安市	Lin'an	526472	敦化市	Dunhua	483867
乐昌市	Lechang	524664	琼海市	Qionghai	482491
十堰市	Shiyan	523644	都匀市	Duyun	482471
承德市	Chengde	523556	奉化市	Fenghua	481621
忻州市	Xinzhou	523411	凯里市	Kaili	481532
连州市	Lianzhou	522072	原平市	Yuanping	479715
沧州市	Cangzhou	520644	衡水市	Hengshui	477710
三河市	Sanhe	520328	辽源市	Liaoyuan	477321
周口市	Zhoukou	518827	新乐市	Xinle	477155
安达市	Anda	518280	龙岩市	Longyan	476552
禹城市	Yucheng	518006	高平市	Gaoping	475782

5-9 续表 6 continued

单位：人 (person)

组 别 城市个数	Group City	人 数 Population	组 别 城市个数	Group City	人 数 Population
北安市	Beian	469302	许昌市	Xuchang	408058
南宫市	Nangong	468090	安国市	Anguo	406581
太仓市	Taicang	466283	介休市	Jiexiu	396679
定西市	Dingxi	465664	宜都市	Yidu	394596
阿克苏市	Aksu	464955	韩城市	Hancheng	392821
南雄市	Nanxiong	464126	中卫市	Zhongwei	390326
富锦市	Fujin	464068	景洪市	Jinghong	390311
孝义市	Xiaoyi	461944	上饶市	Shangrao	390060
桦甸市	Huadian	456414	个旧市	Gejiu	389952
景德镇市	Jingdezhen	455721	铁力市	Tieli	389260
蛟河市	Jiaohe	453859	河津市	Hejin	385492
通化市	Tonghua	452669	宁国市	Ningguo	383788
伊宁市	Yining	452030	丽水市	Lishui	382739
石嘴山市	Shizuishan	451537	牙克石市	Yakeshi	378747
喀什市	Kashar	450633	孟州市	Mengzhou	377425
蓬莱市	Penglai	447926	鹿泉市	Luquan	375713
铁岭市	Tieling	445966	铜仁市	Tongren	373835
娄底市	Loudi	445542	吴忠市	Wuzhong	373580
延吉市	Yanji	443018	资兴市	Zixing	372971
延安市	Yan'an	442040	五大连池市	Wudalianchi	368229
乌海市	Wuhai	440860	冀州市	Jizhou	367292
铜陵市	Tongling	440782	黄冈市	Huanggang	365765
哈密市	Hami	439868	酒泉市	Jiuquan	364222
宁安市	Ning'an	439273	鹤山市	Heshan	363359
瑞昌市	Ruichang	438538	昌吉市	Changji	360624
宁德市	Ningde	437913	潞西市	Luxi	358999
四会市	Sihui	437067	冷水江市	Lengshuijiang	358305
洮南市	Taonan	436829	华蓥市	Huaying	357197
峨眉山市	Emeishan	436403	怀化市	Huaihua	352386
固原市	Guyuan	434830	雅安市	Yaan	352068
黄山市	Huangshan	434685	庆阳市	Qingyang	350394
密山市	Mishan	433460	崇左市	Chongzuo	350130
什邡市	Shifang	432803	潮州市	Chaozhou	348589
扎兰屯市	Zhalantun	432354	百色市	Baise	342835
永济市	Yongji	431775	丰镇市	Fengzhen	340698
海林市	Hailin	428652	建阳市	Jianyang	339239
东方市	Dongfang	427232	晋城市	Jincheng	335830
大安市	Da'an	420884	舞钢市	Wugang	329731
玉溪市	Yuxi	416693	河池市	Hechi	326872
达州市	Dazhou	416189	穆棱市	Muling	326069
双辽市	Shuangliao	415911	永安市	Yong'an	320707
汾阳市	Fenyang	414583	福泉市	Fuquan	316733

5-9 续表 7 continued

单位：人 (person)

组　别 城市个数	Group City	人　数 Population	组　别 城市个数	Group City	人　数 Population
乌兰浩特市	Wulanhot	315492	潞城市	Lucheng	220751
德兴市	Dexing	314683	乌苏市	Wusu	219301
石狮市	Shishi	313488	古交市	Gujiao	216964
梅州市	Meizhou	312864	普洱市	Puer	215321
奎屯市	Kuitun	309485	拉萨市	Lhasa	207500
霍州市	Huozhou	302962	鹰潭市	Yingtan	204882
邵武市	Shaowu	301937	和龙市	Helong	204044
乌兰察布市	Ulanqab	301875	金昌市	Jinchang	201005
赤水市	Chishui	300363	黑河市	Heihe	191830
10万—30万	**from 100 thousand to 300 thousand**	**13816018**	嘉峪关市	Jiayuguan	185890
河源市	Heyuan	297434	临江市	Linjiang	173789
虎林市	Hulin	293918	同江市	Tongjiang	173684
云浮市	Yunfu	292229	阿拉尔市	Alar	172747
吉首市	Jishou	291784	阜康市	Fukang	169391
临沧市	Lincang	291179	玉门市	Yumen	169209
三门峡市	Sanmenxia	289857	义马市	Yima	166842
和田市	Hotan	285420	锡林浩特市	Xilinhot	166485
龙泉市	Longquan	284513	塔城市	Tacheng	165376
三明市	Sanming	283752	满洲里市	Manzhouli	165362
扬中市	Yangzhong	274895	根河市	Genhe	163130
漳平市	Zhangping	274516	井冈山市	Jinggangshan	157044
克拉玛依市	Karamay	272746	丽江市	Lijiang	153272
吐鲁番市	Turpan	271715	图木舒克市	Tumushuke	152204
吕梁市	Lvliang	270035	敦煌市	Dunhuang	140413
开远市	Kaiyuan	267780	合山市	Heshan	139009
青铜峡市	Qingtongxia	267575	图们市	Tumen	130900
呼伦贝尔市	Hulunbuir	265745	瑞丽市	Ruili	122448
安宁市	Anning	265470	东兴市	Dongxing	119782
津市市	Jinshi	264007	格尔木市	Golmud	119776
博乐市	Bole	262568	五指山市	Wuzhishan	113837
华阴市	Huayin	260637	凭祥市	Pingxiang	108944
鄂尔多斯市	Erdos	248311	日喀则市	Shigatse	105206
侯马市	Houma	242914	韶山市	Shaoshan	104404
调兵山市	Diaobingshan	241551	**10万以下**	**below 100 thousand**	**554174**
龙井市	Longjing	238434	合作市	Hezuo	90700
灵武市	Lingwu	234087	五家渠市	Wujiaqu	89703
阿图什市	Artux	233895	额尔古纳市	Erguna	85265
阿勒泰市	Altai	231034	霍林郭勒市	Huolingol	81581
武夷山市	Wuyishan	226722	德令哈市	Delingha	70072
集安市	Ji'an	225679	绥芬河市	Suifenhe	63349
临夏市	Linxia	223534	阿尔山市	Arxan	47865
珲春市	Hunchun	221340	二连浩特市	Erlianhot	25639

5-10 按非农业人口排序的市及人口数

Cities and Population by Size of Non-agricultural Population

单位：人 (person)

组 别 城市名称	Group City	人 数 Population
全 国	**National Total**	**321572781**
400万以上	**over 4 million**	**65988128**
上海市	Shanghai	11922373
北京市	Beijing	9248576
武汉市	Wuhan	8274825
广州市	Guangzhou	6458299
重庆市	Chongqing	6377667
天津市	Tianjin	5562309
汕头市	Shantou	4993016
南京市	Nanjing	4907089
沈阳市	Shenyang	4197550
成都市	Chengdu	4046424
200万—400万	**from 2 million to 4 million**	**36158853**
佛山市	Foshan	3643368
济南市	Jinan	3502336
哈尔滨市	Harbin	3433918
西安市	Xi'an	3351903
杭州市	Hangzhou	2851117
青岛市	Qingdao	2762474
大连市	Dalian	2649755
长春市	Changchun	2562811
石家庄市	Shijiazhuang	2407195
太原市	Taiyuan	2356763
深圳市	Shenzhen	2324894
无锡市	Wuxi	2238105
郑州市	Zhengzhou	2074214
100万—200万	**from 1 million to 2 million**	**46833082**
兰州市	Lanzhou	1872494
长沙市	Changsha	1865791
昆明市	Kunming	1808458
唐山市	Tangshan	1772003
南昌市	Nanchang	1734771
乌鲁木齐市	Urumqi	1732811
合肥市	Hefei	1715836
徐州市	Xuzhou	1635107
苏州市	Suzhou	1580604
淄博市	Zibo	1570457
贵阳市	Guiyang	1570281
福州市	Fuzhou	1565430
湛江市	Zhanjiang	1495283
临沂市	Linyi	1406661
江门市	Jiangmen	1365841
南宁市	Nanning	1355444
宁波市	Ningbo	1320746
鞍山市	Anshan	1300988
茂名市	Maoming	1289107
吉林市	Jilin	1287749
烟台市	Yantai	1281444
邯郸市	Handan	1266251
惠州市	Huizhou	1259545
抚顺市	Fushun	1252542
潍坊市	Weifang	1249107
包头市	Baotou	1228362
大同市	Datong	1189371
宿迁市	Suqian	1186723
厦门市	Xiamen	1185769
常州市	Changzhou	1182804
洛阳市	Luoyang	1136894
齐齐哈尔市	Qiqihar	1117597
大庆市	Daqing	1050811
80万—100万	**from 800 thousand to 1 million**	**16380360**
珠海市	Zhuhai	994808
淮南市	Huainan	972073
聊城市	Liaocheng	970235
扬州市	Yangzhou	943014
海口市	Haikou	941271
大冶市	Daye	931089
保定市	Baoding	927089
淮安市	Huai'an	923296
韶关市	Shaoguan	914839
商丘市	Shangqiu	910425
柳州市	Liuzhou	907649
芜湖市	Wuhu	904972
襄樊市	Xiangfan	891905
呼和浩特市	Hohhot	886692
南通市	Nantong	875087
本溪市	Benxi	840365
枣庄市	Zaozhuang	827438

5-10 续表 1 continued

单位：人 (person)

组 别 城市名称	Group City	人 数 Population	组 别 城市名称	Group City	人 数 Population
秦皇岛市	Qinhuangdao	818113	岳阳市	Yueyang	624038
50万—80万	**from 500 thousand to 800 thousand**	**43271615**	鹤岗市	Hegang	610373
盐城市	Yancheng	789229	辽阳市	Liaoyang	606556
淮北市	Huaibei	779786	佳木斯市	Kiamusze	605656
伊春市	Yichun	778999	日照市	Rizhao	605250
平顶山市	Pingdingshan	777343	丹东市	Dandong	600872
中山市	Zhongshan	772615	开封市	Kaifeng	597217
东莞市	Dongguan	763555	株洲市	Zhuzhou	594101
银川市	Yinchuan	763064	镇江市	Zhenjiang	587739
锦州市	Jinzhou	750642	邢台市	Xingtai	584660
张家口市	Zhangjiakou	744330	南充市	Nanchong	581230
新乡市	Xinxiang	735796	湘潭市	Xiangtan	579223
鸡西市	Jixi	733027	济宁市	Jining	569449
西宁市	Xining	732326	南阳市	Nanyang	564569
宜昌市	Yichang	719279	长治市	Changzhi	561335
安阳市	Anyang	710138	清远市	Qingyuan	556442
营口市	Yingkou	693672	四平市	Siping	552271
昆山市	Kunshan	690435	盘锦市	Panjin	546307
阜新市	Fuxin	690056	石河子市	Danhezi	545349
揭阳市	Jieyang	689114	阳泉市	Yangquan	544609
菏泽市	Heze	686103	葫芦岛市	Huludao	540886
衡阳市	Hengyang	675263	赤峰市	Chifeng	540597
温州市	Wenzhou	667494	攀枝花市	Panzhihua	537491
牡丹江市	Mudanjiang	665038	宜兴市	Yixing	529344
泰安市	Taian	662762	常德市	Changde	519814
普宁市	Puning	662673	马鞍山市	Maanshan	518209
阳江市	Yangjiang	662090	丰城市	Fengcheng	517946
陆丰市	Lufeng	658165	常熟市	Changshu	504746
蚌埠市	Bengbu	654971	肇庆市	Zhaoqing	501500
焦作市	Jiaozuo	647568	**30万—50万**	**from 300 thousand to 500 thousand**	**47094894**
宝鸡市	Baoji	647013	汕尾市	Shanwei	499195
绵阳市	Mianyang	644763	莱芜市	Laiwu	495210
荆州市	Jingzhou	642563	滨州市	Binzhou	494329
桂林市	Guilin	637034	即墨市	Jimo	490043
自贡市	Zigong	636366	如皋市	Rugao	490015
黄石市	Huangshi	635698	沧州市	Cangzhou	485296
东营市	Dongying	632946	江阴市	Jiangyin	484035
连云港市	Lianyungang	632188	高州市	Gaozhou	480562
天水市	Tianshui	626887	威海市	Weihai	478605
泉州市	Quanzhou	626530	寿光市	Shouguang	478199
咸阳市	Xianyang	626315	阜阳市	Fuyang	477786

5-10 续表 2 continued

单位：人 (person)

组　别 城市名称	Group City	人　数 Population	组　别 城市名称	Group City	人　数 Population
十堰市	Shiyan	476730	新泰市	Xintai	397096
诸城市	Zhucheng	476698	通化市	Tonghua	395029
海门市	Haimen	476072	安丘市	Anqiu	391439
廊坊市	Langfang	475783	铜陵市	Tongling	389979
九江市	Jiujiang	474308	渭南市	Weinan	389269
白山市	Baishan	471946	铜川市	Tongchuan	388289
绍兴市	Shaoxing	470006	胶南市	Jiaonan	387909
乐山市	Leshan	469203	罗定市	Luoding	387280
通州市	Tongzhou	467835	辽源市	Liaoyuan	386092
安庆市	Anqing	467272	赣州市	Ganzhou	385040
泸州市	Luzhou	466806	遂宁市	Suining	383703
泰兴市	Taixing	462440	辉县市	Huixian	377266
漯河市	Luohe	461425	鹤壁市	Hebi	373930
双鸭山市	Shuangyashan	456606	南安市	Nan'an	373437
通辽市	Tongliao	446691	七台河市	Qitaihe	372929
六盘水市	Liupanshui	443681	临汾市	Linfen	372077
萍乡市	Pingxiang	441268	承德市	Chengde	372068
乌海市	Wuhai	440860	晋江市	Jinjiang	371552
信阳市	Xinyang	439968	景德镇市	Jingdezhen	370210
张家港市	Zhangjiagang	435474	黄冈市	Huanggang	365765
邳州市	Pizhou	432496	任丘市	Renqiu	365278
平度市	Pingdu	430677	石嘴山市	Shizuishan	364946
泰州市	Taizhou	429413	牙克石市	Yakeshi	364436
湖州市	Huzhou	428834	宜宾市	Yibin	363651
遵义市	Zunyi	427835	铁岭市	Tieling	362792
濮阳市	Puyang	421342	莱州市	Laizhou	358942
嘉兴市	Jiaxing	420275	福清市	Fuqing	357209
德州市	Dezhou	418111	荆门市	Jingmen	354752
东台市	Dongtai	417758	漳州市	Zhangzhou	354739
滕州市	Tengzhou	415902	廉江市	Lianjiang	351982
儋州市	Danzhou	413306	信宜市	Xinyi	349699
莆田市	Putian	411166	潮州市	Chaozhou	348589
鄂州市	Ezhou	409872	内江市	Neijiang	348281
仙桃市	Xiantao	409232	朝阳市	Chaoyang	348063
章丘市	Zhangqiu	408649	孝感市	Xiaogan	341463
江都市	Jiangdu	408266	增城市	Zengcheng	340321
许昌市	Xuchang	408058	德阳市	Deyang	339938
邵阳市	Shaoyang	406567	益阳市	Yiyang	339302
宿州市	Suzhou	406373	松原市	Songyuan	338424
邹城市	Zoucheng	400090	六安市	Liuan	336405
延吉市	Yanji	399348	瓦房店市	Wafangdian	335599

5-10 续表 3 continued

单位：人 (person)

组 别 城市名称	Group City	人 数 Population	组 别 城市名称	Group City	人 数 Population
郴州市	Chenzhou	332544	兴化市	Xinghua	286927
随州市	Suizhou	329104	白城市	Baicheng	286572
新余市	Xinyu	328728	贵港市	Guigang	285614
抚州市	Fuzhou	328404	溧阳市	Liyang	283659
公主岭市	Gongzhuling	325826	铁力市	Tieli	280398
永州市	Yongzhou	325755	北海市	Beihai	279794
荣成市	Rongcheng	321499	娄底市	Loudi	278711
衡水市	Hengshui	321466	高密市	Gaomi	278476
兴宁市	Xingning	321131	奎屯市	Kuitun	278320
莱西市	Laixi	317164	定州市	Dingzhou	277925
白银市	Baiyin	315506	驻马店市	Zhumadian	275346
广元市	Guangyuan	314919	北安市	Beian	275007
金华市	Jinhua	314838	三亚市	Sanya	275002
龙岩市	Longyan	313454	舟山市	Zhoushan	274858
梅州市	Meizhou	312864	高邮市	Gaoyou	274552
金坛市	Jintan	310794	晋城市	Jincheng	273071
晋中市	Jinzhong	310428	句容市	Jurong	271839
眉山市	Meishan	310232	肥城市	Feicheng	270666
库尔勒市	Korla	309988	肇东市	Zhaodong	270490
姜堰市	Jiangyan	306437	宜春市	Yichun	270397
潜江市	Qianjiang	306390	衢州市	Quzhou	270045
伊宁市	Yining	305591	吴江市	Wujiang	269979
台州市	Taizhou	305257	克拉玛依市	Karamay	268267
吴川市	Wuchuan	304300	台山市	Taishan	268083
临清市	Linqing	303142	敦化市	Dunhua	267194
雷州市	Leizhou	302864	喀什市	Kashar	264387
靖江市	Jingjiang	301648	南平市	Nanping	261422
青州市	Qingzhou	301534	桐乡市	Tongxiang	261327
10万—30万	**from 100 thousand to 300 thousand**	**61311330**	武穴市	Wuxue	261298
阳春市	Yangchun	298389	达州市	Dazhou	260922
河源市	Heyuan	297434	梅河口市	Meihekou	260114
老河口市	Laohekou	297275	天门市	Tianmen	260012
麻城市	Macheng	295176	昌邑市	Changyi	259503
龙口市	Longkou	294622	乌兰察布市	Ulanqab	258015
胶州市	Jiaozhou	294113	彭州市	Pengzhou	256398
莱阳市	Laiyang	293648	济源市	Jiyuan	255722
海城市	Haicheng	293044	巴中市	Bazhong	255465
哈密市	Hami	292569	大丰市	Dafeng	255053
云浮市	Yunfu	292229	曲靖市	Qujing	254743
绥化市	Suihua	289482	周口市	Zhoukou	251476
梧州市	Wuzhou	287978	临河市	Linhe	251149

5-10 续表 4 continued

单位：人 (person)

组 别 城市名称	Group City	人 数 Population	组 别 城市名称	Group City	人 数 Population
文登市	Wendeng	250780	玉林市	Yulin	219364
汉中市	Hanzhong	250611	安康市	Ankang	216571
广安市	Guang'an	250576	大理市	Dali	216276
阿克苏市	Arksu	250462	三明市	Sanming	215821
汉川市	Hanchuan	250335	个旧市	Gejiu	215407
海林市	Meilin	249868	藁城市	Gaocheng	214455
化州市	Huazhou	249468	四会市	Sihui	212986
呼伦贝尔市	Hulunbuir	249443	孝义市	Xiaoyi	212888
咸宁市	Xianning	248672	耒阳市	Leiyang	211772
滁州市	Chuzhou	248121	钦州市	Qinzhou	211453
乐昌市	Lechang	247700	瑞安市	Rui'an	210141
江油市	Jiangyou	247165	资阳市	Ziyang	208996
武安市	Wu'an	245782	大石桥市	Dashiqiao	208663
开平市	Kaiping	244858	上饶市	Shangrao	208207
从化市	Conghua	243119	丹江口市	Danjiangkou	207650
吉安市	Ji'an	243032	北票市	Beipiao	207174
霸州市	Bazhou	243020	海阳市	Haiyang	206010
尚志市	Shangzhi	241810	亳州市	Bozhou	205624
上虞市	Shangyu	241779	恩施市	Enshi	203386
辛集市	Xinji	238450	太仓市	Taicang	203063
长乐市	Changle	238343	五大连池市	Wudalianchi	202958
怀化市	Huaihua	237306	登封市	Dengfeng	201587
运城市	Yuncheng	236732	英德市	Yingde	201043
普兰店市	Pulandian	236429	丹阳市	Danyang	200338
乌兰浩特市	Wulanhot	236383	榆树市	Yushu	199378
宜城市	Yicheng	231534	韩城市	Hancheng	199067
平湖市	Pinghu	230891	禹州市	Yuzhou	198610
仪征市	Yizheng	229855	西昌市	Xichang	198410
巢湖市	Chaohu	228702	高安市	Gaoan	198213
昌吉市	Changji	227670	黄山市	Huangshan	198203
海宁市	Haining	225562	舒兰市	Shulan	198073
三门峡市	Sanmenxia	224405	福鼎市	Fuding	197896
启东市	Qidong	223929	永城市	Yongcheng	197139
安顺市	Anshun	223376	阆中市	Langzhong	196315
五常市	Wuchang	223281	桦甸市	Huadian	194506
项城市	Xiangcheng	222904	新沂市	Xinyi	194231
义乌市	Yiwu	222337	朔州市	Shuozhou	193799
延安市	Yan'an	221386	忻州市	Xinzhou	193505
简阳市	Jianyang	220449	温岭市	Wenling	193445
武威市	Wuwei	219819	安达市	Anda	193360
钟祥市	Zhongxiang	219416	乐平市	Leping	191798

5-10 续表 5 continued

单位：人 (person)

组 别 城市名称	Group City	人 数 Population	组 别 城市名称	Group City	人 数 Population
沅江市	Yuanjiang	191735	海伦市	Hailun	171563
招远市	Zhaoyuan	191366	鄂尔多斯市	Erdos	171355
张掖市	Zhangye	190841	兖州市	Yanzhou	170919
涿州市	Zhuozhou	190203	双城市	Shuangcheng	169589
新密市	Xinmi	188027	永安市	Yong'an	169260
庄河市	Zhuanghe	187994	扎兰屯市	Zhalantun	168588
冷水江市	Lengshuijiang	187764	都江堰市	Dujiangyan	168438
虎林市	Hulin	186930	常宁市	Changning	167942
邛崃市	Qionglai	186463	宣城市	Xuancheng	167460
泊头市	Botou	186084	桂平市	Guiping	167391
枣阳市	Zaoyang	185482	邓州市	Dengzhou	167099
汨罗市	Miluo	183804	来宾市	Laibin	167097
富锦市	Fujin	182777	嘉峪关市	Jiayuguan	165184
密山市	Mishan	182520	满洲里市	Manzhouli	165180
拉萨市	Lhasa	182207	天长市	Tianchang	165127
九台市	Jiutai	181186	平凉市	Pingliang	164701
福安市	Fuan	181165	禹城市	Yucheng	164632
盖州市	Gaizhou	180767	峨眉山市	Emeishan	164400
曲阜市	Qufu	179689	涟源市	Lianyuan	163759
吴忠市	Wuzhong	179688	建瓯市	Jian'ou	163452
乐陵市	Laoling	179526	根河市	Genhe	163058
三河市	Sanhe	179522	黄骅市	Huanghua	163036
凤城市	Fengcheng	179146	赤壁市	Chibi	162295
余姚市	Yuyao	179085	长葛市	Changge	161615
凯里市	Kaili	179041	新郑市	Xinzheng	160638
调兵山市	Diaobingshan	178936	樟树市	Zhangshu	160292
慈溪市	Cixi	177885	应城市	Yingcheng	160217
万宁市	Wanning	177736	龙海市	Longhai	159399
广水市	Guangshui	177160	巩义市	Gongyi	158874
榆林市	Yulin	177107	珲春市	Hunchun	158078
洪湖市	Honghu	176480	商洛市	Shangluo	157899
防城港市	Fangchenggang	175915	博乐市	Bole	157589
蓬莱市	Penglai	175864	诸暨市	Zhuji	157512
磐石市	Panshi	175589	石首市	Shishou	157430
恩平市	Enping	174498	松滋市	Songzi	157233
崇州市	Chongzhou	174146	景洪市	Jinghong	156964
林州市	Linzhou	173988	乳山市	Rushan	156898
毕节市	Bijie	173031	广汉市	Guanghan	156625
河间市	Hejian	172863	嵊州市	Shengzhou	156102
都匀市	Duyun	172841	贺州市	Hezhou	154954
蛟河市	Jiaohe	172782	张家界市	Zhangjiajie	154644

5-10 续表 6 continued

单位：人 (person)

组　别 城市名称	Group City	人　数 Population	组　别 城市名称	Group City	人　数 Population
金昌市	Jinchang	154549	黑河市	Heihe	134401
洮南市	Taonan	153824	兴城市	Xingcheng	133913
楚雄市	Chuxiong	153126	迁安市	Qian'an	133315
吕梁市	Lvliang	152805	义马市	Yima	132721
宁安市	Ning'an	152604	东港市	Donggang	132704
浏阳市	Liuyang	152547	邵武市	Shaowu	132623
栖霞市	Qixia	152200	南康市	Nankang	131860
醴陵市	Liling	151562	铜仁市	Tongren	131219
临海市	Linhai	150605	临湘市	Linxiang	131197
阿勒泰市	Altai	150096	侯马市	Houma	130234
琼海市	Qionghai	148102	资兴市	Zixing	130039
大安市	Daan	147696	湘乡市	Xiangxiang	129145
雅安市	Yaan	147184	吉首市	Jishou	128195
德惠市	Dehui	146937	富阳市	Fuyang	128081
界首市	Jieshou	146011	原平市	Yuanping	127568
鹤山市	Heshan	144437	保山市	Baoshan	127486
锡林浩特市	Xilinhot	143951	和龙市	Helong	127410
华阴市	Huayin	143697	陇南市	Longnan	127388
兴义市	Xingyi	143429	建德市	Jiande	127261
东阳市	Dongyang	143273	丽水市	Lishui	126461
宣威市	Xuanwei	143084	百色市	Baise	126168
鹰潭市	Yingtan	142446	兰溪市	Lanxi	126063
双辽市	Shuangliao	142079	乐清市	Yueqing	124897
开原市	Kaiyuan	141472	德兴市	Dexing	124854
古交市	Gujiao	141385	和田市	Hotan	124404
新民市	Xinmin	141158	当阳市	Dangyang	124169
宁德市	Ningde	140530	建阳市	Jianyang	123817
安宁市	Anning	140506	瑞金市	Ruijin	123746
酒泉市	Jiuquan	139686	文昌市	Wenchang	123663
池州市	Chizhou	139573	新乐市	Xinle	122768
玉溪市	Yuxi	139462	明光市	Mingguang	122613
龙井市	Longjing	139176	凌海市	Linghai	122489
讷河市	Nehe	137390	高碑店市	Gaobeidian	122234
岑溪市	Cenxi	137325	灵宝市	Lingbao	122163
枝江市	Zhijiang	137221	洪江市	Hongjiang	122126
图木舒克市	Tumushuke	137209	临夏市	Linxia	121582
凌源市	Lingyuan	137193	昭通市	Zhaotong	120863
北流市	Beiliu	137178	卫辉市	Weihui	120637
中卫市	Zhongwei	136375	兴平市	Xingping	120379
利川市	Lichuan	136267	阿拉尔市	Alar	119465
穆棱市	Muling	135637	高要市	Gaoyao	118385

5-10 续表 7 continued

单位：人 (person)

组别 城市名称	Group City	人数 Population	组别 城市名称	Group City	人数 Population
贵溪市	Guixi	117906	沁阳市	Qinyang	94116
沙河市	Shahe	116792	普洱市	Puer	91810
南雄市	Nanxiong	116296	晋州市	Jinzhou	91083
河池市	Hechi	116264	鹿泉市	Luquan	90482
宜都市	Yidu	116216	连州市	Lianzhou	89920
霍州市	Huozhou	116214	永济市	Yongji	88711
介休市	Jiexiu	115368	崇左市	Chongzuo	88350
绵竹市	Mianzhu	115030	定西市	Dingxi	88195
瑞昌市	Ruichang	114468	漳平市	Zhangping	87523
津市市	Jinshi	114186	五家渠市	Wujiaqu	86982
桐城市	Tongcheng	112444	吐鲁番市	Turpan	86197
安陆市	Anlu	112291	汾阳市	Fenyang	86015
东方市	Dongfang	111992	仁怀市	Renhuai	84077
汝州市	Ruzhou	111752	玉门市	Yumen	84054
北镇市	Beizhen	111536	南宫市	Nangong	83333
荥阳市	Xingyang	111254	集安市	Ji'an	80871
临安市	Lin'an	110873	青铜峡市	Qingtongxia	79821
固原市	Guyuan	109890	潞西市	Luxi	79724
灵武市	Lingwu	109272	霍林郭勒市	Huolinguole	78892
临江市	Linjiang	108831	乌苏市	Wusu	78387
开远市	Kaiyuan	107720	额尔古纳市	Erguna	77634
遵化市	Zunhua	107069	宁国市	Ningguo	77597
偃师市	Yanshi	106983	阿图什市	Artux	76503
清镇市	Qingzhen	106650	扬中市	Yangzhong	74310
图们市	Tumen	105810	高平市	Gaoping	72981
奉化市	Fenghua	105309	赤水市	Chishui	72215
塔城市	Tacheng	105066	冀州市	Jizhou	70332
宜州市	Yizhou	104039	丽江市	Lijiang	69334
武夷山市	Wuyishan	103864	福泉市	Fuquan	61994
庆阳市	Qingyang	103529	合山市	Heshan	59151
河津市	Hejin	101359	孟州市	Mengzhou	58268
舞钢市	Wugang	101345	临沧市	Lincang	57048
10万以下	**below 100 thousand**	**4534519**	五指山市	Wuzhishan	56074
同江市	Tongjiang	99994	合作市	Hezuo	53168
武冈市	Wugang	98699	绥芬河市	Suifenhe	53029
江山市	Jiangshan	98688	阿尔山市	Arxan	47865
华蓥市	Huaying	98583	瑞丽市	Ruili	47220
安国市	Anguo	98244	东兴市	Dongxing	45441
深州市	Shenzhou	97760	潞城市	Lucheng	45310
万源市	Wanyuan	97184	龙泉市	Longquan	43251
石狮市	Shishi	97020	井冈山市	Jinggangshan	42382
灯塔市	Dengta	96818	德令哈市	Delingha	41771
永康市	Yongkang	96483	敦煌市	Dunhuang	40405
阜康市	Fukang	96397	日喀则市	Shigatse	38214
丰镇市	Fengzhen	95590	凭祥市	Pingxiang	32367
格尔木市	Golmud	95308	二连浩特市	Erenhot	23990
什邡市	Shifang	95059	韶山市	Shaoshan	16295

第六部分

Chapter Six

2008 年全国计划生育统计人口数据

Data from Family Planning Statistics in 2008

6-1 各地区分孩次计划生育率与上年同期比较

Family Planning Rate Compared with That of Last Year by Birth Order and Region

单位：% (%)

地区	Region	计生率 Family Planning Rate	与上年对比 Compared with That of Last Year	一孩计生率 Family Planning Rate of First Birth	与上年对比 Compared with That of Last Year	二孩计生率 Family Planning Rate of Second Birth	与上年对比 Compared with That of Last Year	多孩计生率 Family Planning Rate of Third Birth & Over	与上年对比 Compared with That of Last Year
全 国	**National**	**92.53**	**-0.17**	**98.42**	**-0.34**	**80.07**	**0.19**	**41.00**	**-0.22**
北 京	Beijing	95.60	-0.27	99.10	-0.10	76.41	0.33	23.25	0.54
天 津	Tianjin	99.05	0.03	99.98	0.01	95.03	-0.13		
河 北	Hebei	91.74	-0.25	99.20	0.12	77.25	-2.22	39.87	2.03
山 西	Shanxi	89.21	2.06	99.85	0.48	65.97	4.72	45.59	12.80
内蒙古	Inner Mongolia	[illegible].96	-0.47	99.09	-0.16	91.12	-1.10	77.03	1.92
辽 宁	Liaoning	98.37	-0.62	99.56	-0.25	95.70	-1.25	44.10	-12.75
吉 林	Jilin	90.13	-3.68	91.70	-4.79	86.92	-0.73	26.45	-3.25
黑龙江	Heilongjiang	97.52	2.23	99.94	2.74	90.02	0.49	20.94	-3.38
上 海	Shanghai	96.02	-0.02	98.19	-0.08	89.19	1.01	40.61	-2.58
江 苏	Jiangsu	96.83		98.85	-0.29	83.93	2.35	85.71	6.34
浙 江	Zhejiang	93.24	-1.90	98.57	-0.35	82.12	-3.57	26.20	-11.10
安 徽	Anhui	86.47	-4.69	91.03	-5.54	78.35	-2.71	0.28	0.28
福 建	Fujian	93.82	0.84	98.32	0.22	83.59	2.68	32.05	3.27
江 西	Jiangxi	85.10	-0.06	100.00	1.55	62.33	-2.77	7.48	-1.78
山 东	Shandong	96.00	-2.83	99.68	-0.27	87.92	-8.44		
河 南	Henan	96.07	-0.86	99.81	0.12	83.87	-3.42	98.85	0.44
湖 北	Hubei	92.87	-3.35	98.50	-1.29	75.10	-10.21	27.78	-31.18
湖 南	Hunan	93.57	-1.71	98.39	-0.92	85.17	-0.86	0.83	-0.33
广 东	Guangdong	92.51	2.15	99.13	0.22	75.50	4.82	24.53	9.83
广 西	Guangxi	84.95	4.01	97.26	1.85	69.19	4.98	4.16	1.29
海 南	Hainan	90.81	-3.20	99.61	1.51	92.46	-3.11	24.11	-16.48
重 庆	Chongqing	85.04	9.39	99.90	1.22	61.58	17.05	13.68	1.46
四 川	Sichuan	88.09	0.18	99.41	0.05	57.75	-0.10	54.73	0.52
贵 州	Guizhou	92.21	2.17	93.89	-2.79	92.86	8.37	17.36	5.55
云 南	Yunnan	94.00	-2.43	97.06	-1.28	93.41	-1.63	16.70	-18.78
西 藏	Tibet								
陕 西	Shaanxi	98.26	0.23	99.14	-0.48	95.34	2.22	74.16	12.10
甘 肃	Gansu	90.07	1.12	99.09	0.05	76.69	1.85	53.00	12.12
青 海	Qinghai	98.16	3.85	99.78	1.43	97.01	7.11	86.89	10.14
宁 夏	Ningxia	91.26	-0.29	99.52	-0.10	81.47	-2.23	59.68	6.69
新 疆	Xinjiang	99.82	-0.02	99.98		99.89	0.03	99.01	-0.17

6-2 各地区已婚育龄妇女领证情况及避孕率与上年同期比较

Married Women at Childbearing Ages with One-child Certificate and Contraception Rate Compared with That of Last Year by Region

单位：人、%　　(person,%)

地　区	Region	已婚育龄妇女人数 Married Women at Childbearing Ages	与上年对比 Compared with That of Last Year	领证人数 Number of Women with Certificates	与上年对比 Compared with That of Last Year	领证率 Proportion	与上年对比 Compared with That of Last Year	已婚育龄妇女避孕率 Contraception Rate of Married Women at Childbearing Ages	与上年对比 Compared with That of Last Year
全　国	**National**	**265584578**	**4798032**	**62984357**	**4685474**	**23.72**	**1.36**	**89.33**	**-0.41**
北　京	Beijing	2677739	139207	890151	-41423	33.24	-3.45	86.78	-0.98
天　津	Tianjin	1843801	6320	617894	43320	33.51	2.24	90.33	4.53
河　北	Hebei	13869125	63187	2300399	123329	16.59	0.82	90.33	0.04
山　西	Shanxi	6539518	43507	831567	24113	12.72	0.29	90.04	0.55
内蒙古	Inner Mongolia	5228850	60458	764743	-11813	14.63	-0.40	91.66	0.20
辽　宁	Liaoning	8224660	-28698	3010290	-27678	36.60	-0.21	89.28	-0.25
吉　林	Jilin	5558787	-55665	1371517	-255051	24.67	-4.30	91.51	0.16
黑龙江	Heilongjiang	7700553	-131291	3536030	23200	45.92	1.07	92.57	-0.64
上　海	Shanghai	3483268	102397	752989	-18511	21.62	-1.20	83.29	-2.96
江　苏	Jiangsu	15525519	110564	5680344	848065	36.59	5.24	90.91	0.38
浙　江	Zhejiang	10072934	-73745	2896910	90815	28.76	1.10	89.70	-0.50
安　徽	Anhui	14778677	855721	2102014	157078	14.22	0.25	88.67	-2.63
福　建	Fujian	7834454	128070	1812121	65744	23.13	0.47	82.57	-1.44
江　西	Jiangxi	9468358	250598	1971956	169488	20.83	1.27	93.86	0.08
山　东	Shandong	18871650	129134	7388401	-84615	39.15	-0.72	90.33	0.32
河　南	Henan	20933135	452888	3049631	150819	14.57	0.41	88.84	-1.80
湖　北	Hubei	11696381	123122	1863078	141393	15.93	1.05	89.50	0.02
湖　南	Hunan	13868876	269997	2164670	233423	15.61	1.41	91.83	-0.35
广　东	Guangdong	20820395	3383302	2259000	97384	10.85	-1.55	87.63	-0.27
广　西	Guangxi	9396087	117133	910348	127189	9.69	1.25	86.24	0.27
海　南	Hainan	1550565	21509	53538	-2262	3.45	-0.20	81.58	-1.18
重　庆	Chongqing	5024949	-1354239	4614275	2625511	91.83	60.65	90.62	-0.27
四　川	Sichuan	17314425	175044	7355546	105422	42.48	0.18	89.96	0.05
贵　州	Guizhou	5967612	-333338	467337	-190424	7.83	-2.61	90.61	0.48
云　南	Yunnan	8421227	119584	1436869	42916	17.06	0.27	87.49	-0.58
西　藏	Tibet	708263	17478	52102	1004	7.36	-0.04	74.65	-0.85
陕　西	Shaanxi	6652125	-40843	1072006	44377	16.12	0.76	91.18	-0.49
甘　肃	Gansu	5316259	57128	680569	38841	12.80	0.60	89.04	-0.15
青　海	Qinghai	1116437	3939	114516	-2387	10.26	-0.25	86.47	-0.83
宁　夏	Ningxia	1219697	27236	118034	-3167	9.68	-0.49	90.50	-0.29
新　疆	Xinjiang	3900252	158328	845512	169374	21.68	3.61	82.41	0.71

6-3 各地区采用各种节育措施人数

Contraception User by Method and Region

单位：人 (person)

地　区	Region	合计 Total	男性绝育 Male Sterilization	女性绝育 Female Sterilization	宫内节育器 IUD	皮下埋植 Implant	口服及注射避孕药 Pill/Injection	避孕套 Condom	外用药 Diaphragm	其他 Others
全　国	**National**	**237243360**	**13521952**	**75015267**	**125663683**	**744945**	**2633978**	**18787419**	**466857**	**409259**
北　京	Beijing	2323641	6620	100137	955819	4873	88710	1145368	7872	14242
天　津	Tianjin	1665549	2618	144863	922678	2719	34747	550852	4008	3064
河　北	Hebei	12528215	652525	4582009	6331824	16117	101546	815247	8683	20264
山　西	Shanxi	5887914	35077	2598407	3123363	12541	54709	47810	7120	8887
内蒙古	Inner Mongolia	4792949	8922	1223614	3027481	18245	49196	462359	1324	1808
辽　宁	Liaoning	7342669	1601	561640	5852304	18140	71574	820312	13227	3871
吉　林	Jilin	5086731	486	767980	3808944	27940	43726	430549	3587	3519
黑龙江	Heilongjiang	7128479	2761	1184870	5411185	17275	55204	440646	6908	9630
上　海	Shanghai	2901056	10713	80378	1880735	4861	102859	739081	14579	67850
江　苏	Jiangsu	14114490	324338	2209104	9905783	20218	243078	1361827	45417	4725
浙　江	Zhejiang	9035574	40669	2534445	4898112	14598	121482	1394959	19827	11482
安　徽	Anhui	13103670	407532	6125702	5925018	40004	134455	439414	2717	28828
福　建	Fujian	6468944	406624	2935997	2675668	16720	22252	401203	2596	7884
江　西	Jiangxi	8886985	30942	4967131	3311866	9689	53811	485996	19214	8336
山　东	Shandong	17045941	1725048	3571272	9786609	53803	26496	1869414	9373	3926
河　南	Henan	18597947	2294290	8007050	7332042	72548	73089	779531	20547	18850
湖　北	Hubei	10467991	429834	3755642	5443642	30022	209471	588666	10714	
湖　南	Hunan	12736266	547583	5428056	5516466	34232	34194	1134200	40675	860
广　东	Guangdong	18244845	1777327	7656197	6586388	11074	118462	2039071	23668	32658
广　西	Guangxi	8103032	911850	3122800	3480425	6647	150140	360896	64884	5390
海　南	Hainan	1265000	15469	735376	455503	706	3969	49238	2947	1792
重　庆	Chongqing	4553589	584718	160727	3475200	14647	66215	244198	7183	701
四　川	Sichuan	15576040	1967982	575078	11779548	102291	200396	820080	23788	106877
贵　州	Guizhou	5407036	860102	2682011	1742770	15911	7629	89776	2342	6495
云　南	Yunnan	7368107	297574	2151119	4482675	21569	150409	238493	14830	11438
西　藏	Tibet	528741	107	56880	151690	70642	168592	55052	21720	4058
陕　西	Shaanxi	6065235	152830	2963328	2561890	33665	86700	247285	17355	2182
甘　肃	Gansu	4733495	5903	3073130	1475727	27492	30954	107639	10456	2194
青　海	Qinghai	965330	1190	409312	453955	5038	41861	47441	5358	1175
宁　夏	Ningxia	1103869	398	388389	541252	6460	33910	130813	1762	885
新　疆	Xinjiang	3214030	18319	262623	2367121	14258	54142	450003	32176	15388

6-4 各地区采用各种节育措施人数与上年同期比较

Contraception User Compared with That of Last Year by Method and Region

单位：人 (person)

地区	Region	合计 Total	男性绝育 Male Sterilization	女性绝育 Female Sterilization	宫内节育器 IUD	皮下埋植 Implant	口服及注射避孕药 Pill/Injection	避孕套 Condom	外用药 Diaphragm	其他 Others
全国	**National**	**3214972**	**-843230**	**-465593**	**3278019**	**-23754**	**-226412**	**1508948**	**-23316**	**10310**
北京	Beijing	96003	1086	6025	-31492	393	-3578	118832	1677	3060
天津	Tianjin	88877	-454	-12609	49708	-116	-1075	53676	-111	-142
河北	Hebei	63195	-40725	-229390	319116	888	-16694	30986	-1003	17
山西	Shanxi	75082	836	21913	69681	-395	-9920	-1996	-3391	-1646
内蒙古	Inner Mongolia	65804	-519	-64084	86077	-1041	-3600	49066	-107	12
辽宁	Liaoning	-46454	-356	-73841	4794	-2157	-6964	31093	290	687
吉林	Jilin	-41687	86	-82869	88511	-3916	-9253	-34092	-278	124
黑龙江	Heilongjiang	-171515	-558	-169418	8051	-3157	-8072	-12	-424	2075
上海	Shanghai	-14640	3344	-2985	-111560	975	8784	80084	-3644	10362
江苏	Jiangsu	159834	-24890	-112227	162347	-1711	-34137	171880	-854	-574
浙江	Zhejiang	-116537	-4475	-156080	-39705	-869	-18681	101920	-915	2268
安徽	Anhui	392577	-12732	145823	196836	3066	-447	62297	-544	-1722
福建	Fujian	-5525	-13296	-51437	113915	-486	-41326	6435	-17474	-1856
江西	Jiangxi	242677	-1406	109046	136864	-760	-5925	8227	-191	-3178
山东	Shandong	176063	-33689	-25572	168930	-6037	-8041	84970	-2537	-1961
河南	Henan	34289	-194558	-188089	412456	3095	360	-3103	2605	1523
湖北	Hubei	113031	-23330	-115443	239636	-93	-13691	26936	-984	
湖南	Hunan	200868	-41580	18178	94954	-2959	-3898	127670	8532	-29
广东	Guangdong	2918566	96543	764568	1520333	3230	38505	484460	5651	5276
广西	Guangxi	126515	-17432	29756	125438	-769	-9172	-2185	1185	-306
海南	Hainan	-517	-1198	-3986	9396	-109	-504	-3548	-49	-519
重庆	Chongqing	-1000000	-256330	-48699	-855798	-5605	-18366	-57013	-2727	-68
四川	Sichuan	165841	-166571	-24353	278911	584	-5037	81082	2049	-824
贵州	Guizhou	-271763	-81737	-97671	-65266	-4923	-12132	-4882	-4374	-778
云南	Yunnan	56390	-12882	8640	58257	971	-9028	13604	-2949	-223
西藏	Tibet	7203	-67	3054	-15211	5451	4839	7837	901	399
陕西	Shaanxi	-70199	-15843	-107948	64303	-3194	-14558	9320.01	-2569	290
甘肃	Gansu	43191	-239	-7520	47079	-3328	-2222	8628	577	216
青海	Qinghai	-5775	-194	-1181	9962	116	-14551	1625	-660	-892
宁夏	Ningxia	21193	-14	5127	6864	-17	-2574	12391	-54	-530
新疆	Xinjiang	156991	-50	-2321	124632	-881	-5454	42760	-944	-751

6-5 各地区采取各种避孕措施分布

Distribution of Contraception Method by Region

单位：% (%)

地 区	Region	男性绝育 Male Sterilization	女性绝育 Female Sterilization	宫内节育器 IUD	皮下埋植 Implant	口服及注射避孕药 Pill/Injection	避孕套 Condom	外用药 Diaphragm	其他 Others
全 国	**National**	**5.70**	**31.62**	**52.97**	**0.31**	**1.11**	**7.92**	**0.20**	**0.17**
北 京	Beijing	0.28	4.31	41.13	0.21	3.82	49.29	0.34	0.61
天 津	Tianjin	0.16	8.70	55.40	0.16	2.09	33.07	0.24	0.18
河 北	Hebei	5.21	36.57	50.54	0.13	0.81	6.51	0.07	0.16
山 西	Shanxi	0.60	44.13	53.05	0.21	0.93	0.81	0.12	0.15
内蒙古	Inner Mongolia	0.19	25.53	63.17	0.38	1.03	9.65	0.03	0.04
辽 宁	Liaoning	0.02	7.65	79.70	0.25	0.97	11.17	0.18	0.05
吉 林	Jilin	0.01	15.10	74.88	0.55	0.86	8.46	0.07	0.07
黑龙江	Heilongjiang	0.04	16.62	75.91	0.24	0.77	6.18	0.10	0.14
上 海	Shanghai	0.37	2.77	64.83	0.17	3.55	25.48	0.50	2.34
江 苏	Jiangsu	2.30	15.65	70.18	0.14	1.72	9.65	0.32	0.03
浙 江	Zhejiang	0.45	28.05	54.21	0.16	1.34	15.44	0.22	0.13
安 徽	Anhui	3.11	46.75	45.22	0.31	1.03	3.35	0.02	0.22
福 建	Fujian	6.29	45.39	41.36	0.26	0.34	6.20	0.04	0.12
江 西	Jiangxi	0.35	55.89	37.27	0.11	0.61	5.47	0.22	0.09
山 东	Shandong	10.12	20.95	57.41	0.32	0.16	10.97	0.05	0.02
河 南	Henan	12.34	43.05	39.42	0.39	0.39	4.19	0.11	0.10
湖 北	Hubei	4.11	35.88	52.00	0.29	2.00	5.62	0.10	
湖 南	Hunan	4.30	42.62	43.31	0.27	0.27	8.91	0.32	0.01
广 东	Guangdong	9.74	41.96	36.10	0.06	0.65	11.18	0.13	0.18
广 西	Guangxi	11.25	38.54	42.95	0.08	1.85	4.45	0.80	0.07
海 南	Hainan	1.22	58.13	36.01	0.06	0.31	3.89	0.23	0.14
重 庆	Chongqing	12.84	3.53	76.32	0.32	1.45	5.36	0.16	0.02
四 川	Sichuan	12.63	3.69	75.63	0.66	1.29	5.27	0.15	0.69
贵 州	Guizhou	15.91	49.60	32.23	0.29	0.14	1.66	0.04	0.12
云 南	Yunnan	4.04	29.20	60.84	0.29	2.04	3.24	0.20	0.16
西 藏	Tibet	0.02	10.76	28.69	13.36	31.89	10.41	4.11	0.77
陕 西	Shaanxi	2.52	48.86	42.24	0.56	1.43	4.08	0.29	0.04
甘 肃	Gansu	0.12	64.92	31.18	0.58	0.65	2.27	0.22	0.05
青 海	Qinghai	0.12	42.40	47.03	0.52	4.34	4.91	0.56	0.12
宁 夏	Ningxia	0.04	35.18	49.03	0.59	3.07	11.85	0.16	0.08
新 疆	Xinjiang	0.57	8.17	73.65	0.44	1.68	14.00	1.00	0.48

6-6 各地区采取各种避孕措施分布与上年同期对比

Distribution of Contraception Method Compared with That of Last Year by Region

单位：% (%)

地 区	Region	男性绝育 Male Sterilization	女性绝育 Female Sterilization	宫内节育器 IUD	皮下埋植 Implant	口服及注射避孕药 Pill/Injection	避孕套 Condom	外用药 Diaphragm	其他 Others
全 国	**National**	**-0.44**	**-0.63**	**0.67**	**-0.01**	**-0.11**	**0.54**	**-0.01**	
北 京	Beijing	**0.04**	**0.08**	**-3.19**	**0.01**	**-0.33**	**3.21**	**0.06**	**0.11**
天 津	Tianjin	-0.04	-1.29	0.03	-0.02	-0.19	1.54	-0.02	-0.02
河 北	Hebei	-0.35	-2.03	2.30	0.01	-0.14	0.22	-0.01	
山 西	Shanxi	0.01	-0.19	0.51	-0.01	-0.18	-0.04	-0.06	-0.03
内蒙古	Inner Mongolia	-0.01	-1.71	0.94	-0.03	-0.09	0.90		
辽 宁	Liaoning		-0.95	0.57	-0.03	-0.09	0.49	0.01	0.01
吉 林	Jilin		-1.49	2.33	-0.07	-0.17	-0.60		
黑龙江	Heilongjiang	-0.01	-1.93	1.89	-0.04	-0.09	0.15		0.03
上 海	Shanghai	0.12	-0.09	-3.50	0.03	0.32	2.87	-0.12	0.37
江 苏	Jiangsu	-0.20	-0.98	0.36	-0.01	-0.26	1.12	-0.01	
浙 江	Zhejiang	-0.04	-1.35	0.26	-0.01	-0.19	1.31	-0.01	0.03
安 徽	Anhui	-0.20	-0.30	0.15	0.01	-0.04	0.39		-0.02
福 建	Fujian	-0.20	-0.76	1.79	-0.01	-0.64	0.10	-0.27	-0.03
江 西	Jiangxi	-0.03	-0.31	0.54	-0.01	-0.09	-0.06	-0.01	-0.04
山 东	Shandong	-0.31	-0.37	0.40	-0.04	-0.05	0.39	-0.02	-0.01
河 南	Henan	-1.07	-1.09	2.15	0.02		-0.02	0.01	0.01
湖 北	Hubei	-0.27	-1.51	1.75		-0.15	0.20	-0.01	
湖 南	Hunan	-0.40	-0.54	0.06	-0.03	-0.04	0.88	0.06	
广 东	Guangdong	-1.23	-3.00	3.05	0.01	0.13	1.03	0.01	
广 西	Guangxi	-0.40	-0.24	0.89	-0.01	-0.14	-0.10		
海 南	Hainan	-0.09	-0.29	0.76	-0.01	-0.04	-0.28		-0.04
重 庆	Chongqing	-1.66	-0.08	1.62	-0.03		0.17	-0.01	
四 川	Sichuan	-1.22	-0.20	1.00		-0.05	0.47	0.01	-0.01
贵 州	Guizhou	-0.68	0.65	0.39	-0.07	-0.21	-0.01	-0.07	-0.01
云 南	Yunnan	-0.21	-0.11	0.33	0.01	-0.14	0.16	-0.04	
西 藏	Tibet	-0.01	0.44	-3.31	0.86	0.49	1.36	0.12	0.07
陕 西	Shaanxi	-0.23	-1.20	1.53	-0.05	-0.22	0.20	-0.04	0.01
甘 肃	Gansu	-0.01	-0.76	0.72	-0.08	-0.05	0.16	0.01	
青 海	Qinghai	-0.02	0.13	1.31	0.02	-1.47	0.20	-0.06	-0.09
宁 夏	Ningxia		-0.22	-0.33	-0.01	-0.30	0.91	-0.01	-0.05
新 疆	Xinjiang	-0.03	-0.50	0.29	-0.05	-0.26	0.68	-0.08	-0.05

6-7 各地区实施各种节育手术的例数

Number of Birth Control Operations by Region

单位：例 (case)

地区	Region	合计 Total	男性绝育 Male Sterilization	女性绝育 Female Sterilization	放置宫内节育器 Place IUD	取出宫内节育器 Take Out IUD	人工流产 Induced	皮下埋植 Implant
全　国	**National**	**16395699**	**251459**	**2101081**	**10252184**	**2161819**	**1561596**	**67560**
北　京	Beijing	**50730**	**42**	**494**	**16303**	15477	17856	558
天　津	Tianjin	55052	1	615	35670	9784	8959	23
河　北	Hebei	1058538	13154	82641	746831	109039	104675	2198
山　西	Shanxi	317371	403	47429	245979	17901	5587	72
内蒙古	Inner Mongolia	299128	102	14155	211082	58626	13680	1483
辽　宁	Liaoning	366734	6	758	202526	105636	55804	2004
吉　林	Jilin	272466	20	3267	193579	28917	44908	1775
黑龙江	Heilongjiang	192919	15	2296	153927	26274	9733	674
上　海	Shanghai	298920		3802	68263	132494	93776	585
江　苏	Jiangsu	1059523	1264	23613	621373	238458	173335	1480
浙　江	Zhejiang	574163	381	53530	306409	119000	93330	1513
安　徽	Anhui	985945	7102	200162	572567	73919	125292	6903
福　建	Fujian	570721	10904	92531	347592	64071	53616	2007
江　西	Jiangxi	745002	406	214387	432449	31767	65331	662
山　东	Shandong	1279855	54612	134639	850215	157259	79408	3722
河　南	Henan	1141502	32961	166178	734761	142446	60795	4361
湖　北	Hubei	680132	5797	72480	490126	49202	60252	2275
湖　南	Hunan	892158	3602	197926	503480	95252	89316	2582
广　东	Guangdong	1194665	43163	220695	706241	131718	91741	1107
广　西	Guangxi	760905	32785	149562	452262	66355	59559	382
海　南	Hainan	81507	314	32718	43312	2494	2659	10
重　庆	Chongqing	288012	838	1338	250361	12048	22621	806
四　川	Sichuan	855028	4895	14510	656245	80492	88908	9978
贵　州	Guizhou	481955	31306	119493	278089	29441	21102	2524
云　南	Yunnan	670177	6925	71830	405027	131218	51451	3726
西　藏	Tibet	16547		1543	7246	2305	2409	3044
陕　西	Shaanxi	349615	388	54287	223197	56862	10867	4014
甘　肃	Gansu	327462	36	89814	165887	55816	11867	4042
青　海	Qinghai	58162	1	11156	34961	8446	2800	798
宁　夏	Ningxia	95606	2	17274	50700	21825	5109	696
新　疆	Xinjiang	375199	34	5958	245524	87277	34850	1556

6-8 各地区实施各种节育手术例数与上年同期对比

Number of Birth Control Operations Compared with That of Last Year by Region

单位：例 (case)

地 区	Region	合计 Total	男性绝育 Male Sterilization	女性绝育 Female Sterilization	放置宫内节育器 Place IUD	取出宫内节育器 Take Out IUD	人工流产 Induced	皮下埋植 Implant
全 国	**National**	**-209374**	**-15042**	**-140553**	**-24278**	**15047**	**-13449**	**-31099**
北 京	Beijing	**-3440**	**-4152**	**-1271**	**2157**	**-534**	**691**	**-331**
天 津	Tianjin	554	-2	-280	2704	-975	-891	-2
河 北	Hebei	22014	-2560	-9540	-14992	9550	39754	-198
山 西	Shanxi	-73312	11	-12914	-59164	144	-1326	-63
内蒙古	Inner Mongolia	-13483	-4	-1188	-4412	-5281	-1872	-726
辽 宁	Liaoning	-13351	1	-51	-5936	-3358	-4078	71
吉 林	Jilin	19362	12	-178	18429	-11834	13447	-514
黑龙江	Heilongjiang	-15833	12	-43	-7835	-4170	-3500	-297
上 海	Shanghai	-7690		485	-2899	2001	-7229	-48
江 苏	Jiangsu	2608	-384	-4230	16209	-6784	-2174	-29
浙 江	Zhejiang	-59745	-89	129	-54770	-1535	-2844	-636
安 徽	Anhui	24366	123	-7707	24683	-2988	11186	-931
福 建	Fujian	17274	-2330	2570	18056	20	-718	-324
江 西	Jiangxi	31521	-50	10130	21619	-7120	7212	-270
山 东	Shandong	218234	24958	45883	149609	-16657	15824	-1383
河 南	Henan	-5250	-1624	-29852	-20952	68446	-16723	-4545
湖 北	Hubei	695	-1743	-10538	20965	-5611	-1070	-1308
湖 南	Hunan	-46143	190	14014	-54688	4051	-8793	-917
广 东	Guangdong	-120577	-7189	-30009	-71024	4540	-16718	-177
广 西	Guangxi	-113862	-8445	-68104	-1088	-16443	-19167	-615
海 南	Hainan	7412	11	-246	9433	-974	-797	-15
重 庆	Chongqing	-83891	-2568	-374	-79246	-1084	-727	108
四 川	Sichuan	9772	-4892	-2771	37489	-6371	-8666	-5017
贵 州	Guizhou	-14501	-705	-7243	-5595	983	-1283	-658
云 南	Yunnan	17748	-3106	-7883	15334	14534	-1443	312
西 藏	Tibet	-8512	-3	-159	582	391	-471	-8852
陕 西	Shaanxi	-30650	-429	-14167	-10564	-2605	-949	-1936
甘 肃	Gansu	31081	-59	-3119	25070	11298	-724	-1385
青 海	Qinghai	164	-26	-766	428	635	-207	100
宁 夏	Ningxia	-10074	1	-944	-7122	-1558	-344	-107
新 疆	Xinjiang	8135	-1	-187	13242	-5664	1151	-406

第七部分

Chapter Seven

世界部分国家及地区人口和就业统计数据

Population and Employment Data of Selected Countries and Territories of the World

一、世界部分国家人口和就业统计数据

I.Population and Employment Data of Selected Countries of the World

7-1 年中人口数

Population (mid-year)

单位：百万人 (millions)

国家	Country	2003	2004	2005	2006	2007	2008
世界总计	**Total**	**6211.1**	**6377.6**	**6464.7**	**6540.3**	**6615.9**	**6749.7**
亚洲	**Asia**						
中国	China	1304.2	1313.3	1315.8	1323.6	1331.4	1336.3
阿富汗	Afghanistan	23.9	24.9	29.9	31.1	32.3	28.2
孟加拉国	Bangladeshi	146.7	149.7	141.8	144.4	147.1	161.3
缅甸	Burma	49.5	50.1	50.5	51.0		49.2
柬埔寨	Cambodia	14.1	14.6	14.1	14.4	14.6	14.7
印度	India	1065.5	1081.2	1103.4	1119.5	1135.6	1186.2
印度尼西亚	Indonesia	219.9	222.6	222.8	225.5	228.1	234.3
伊朗	Iran	68.9	69.8	69.5	70.3	71.2	72.2
伊拉克	Iraq	25.2	25.9	28.8	29.6	30.3	29.5
日本	Japan	127.7	127.8	128.1	128.2	128.3	127.9
约旦	Jordan	5.5	5.6	5.7	5.8	6.0	6.1
朝鲜	Korea D.P.Rep.	22.7	22.8	22.5	22.6	22.7	23.9
韩国	Korea Rep.	47.7	48.0	47.8	48.0	48.1	48.4
科威特	Kuweit	2.5	2.6	2.7	2.8	2.8	2.9
老挝	Laos	5.7	5.8	5.9	6.1	6.2	6.0
黎巴嫩	Lebanon	3.7	3.7	3.6	3.6	3.7	4.1
马来西亚	Malaysia	24.4	24.9	25.3	25.8	26.2	27.0
蒙古	Mongolia	2.6	2.6	2.6	2.7	2.7	2.7
尼泊尔	Nepal	25.2	25.7	27.1	27.7	28.2	28.8
巴基斯坦	Pakistan	153.6	157.3	157.9	161.2	164.6	167.0
菲律宾	Philippines	80.0	81.4	83.1	84.5	85.9	89.7
沙特阿拉伯	Saudi Arabia	24.2	24.9	24.6	25.2	25.8	25.3
新加坡	Singapore	4.3	4.3	4.3	4.4	4.4	4.5
斯里兰卡	Sri Lanka	19.1	19.2	20.7	20.9	21.1	19.4
叙利亚	Syrian Arab Rep.	17.8	18.2	19.0	19.5	20.0	20.4
泰国	Thailand	62.8	63.5	64.2	64.8	65.3	64.3
土耳其	Turkey	71.3	72.3	73.2	74.2	75.2	75.8
越南	Viet Nam	81.4	82.5	84.2	85.3	86.4	88.5
也门	Yemen	20.0	20.7	21.0	21.6	22.3	23.1
欧洲	**Europe**						
阿尔巴尼亚	Albania	3.2	3.2	3.1	3.1	3.2	3.2
奥地利	Austria	8.1	8.1	8.2	8.2	8.2	8.4
保加利亚	Bulgaria	7.9	7.8	7.7	7.7	7.6	7.6
捷克共和国	Czech Rep.	10.2	10.2	10.2	10.2	10.2	10.2
丹麦	Denmark	5.4	5.4	5.4	5.4	5.5	5.5
芬兰	Finland	5.2	5.2	5.2	5.3	5.3	5.3
法国	France	60.1	60.4	60.5	60.7	60.9	61.9
德国	Germany	82.5	82.5	82.7	82.7	82.7	82.5
希腊	Greece	11.0	11.0	11.1	11.1	11.2	11.2
匈牙利	Hungary	9.9	9.8	10.1	10.1	10.0	10.0
意大利	Italy	60.1	57.3	58.1	68.1	58.2	58.9
荷兰	Netherlands	16.1	16.2	16.3	16.4		16.5
挪威	Norway	4.5	4.6	4.6	4.6	4.7	4.7
波兰	Poland	38.6	38.6	38.5	38.5	38.5	38.0
葡萄牙	Portugal	10.1	10.1	10.5	10.5	10.6	10.7
罗马尼亚	Romania	22.3	22.3	21.7	21.6	21.5	21.3
西班牙	Spain	41.1	41.1	43.1	43.3	43.6	44.6
瑞士	Switzerland	7.2	7.2	7.3	7.3	7.3	7.5
英国	United Kingdom	59.3	59.4	59.7	59.8	60.0	61.0
俄罗斯	Russia	143.2	142.4	143.2	142.5	141.9	141.8

资料来源：《世界人口状况》联合国人口基金编。
Sources: UNFPA, State of World Population 2003-2008.

7-1 续表 continued

单位：百万人 (millions)

国家	Country	2003	2004	2005	2006	2007	2008
非洲	**Africa**						
阿尔及利亚	Algeria	31.8	32.3	32.9	33.4	33.9	34.4
安哥拉	Angola	13.6	14.1	15.9	16.4	16.9	17.5
布隆迪	Burundi	6.8	7.1	7.5	7.8	8.1	8.9
中非共和国	Central African Rep.	3.9	3.9	4.0	4.1	4.2	4.4
刚果共和国	Congo. Republic of	3.7	3.8	4.0	4.1	4.2	3.8
埃及	Egypt	71.9	73.4	74.0	75.4	76.9	76.8
埃塞俄比亚	Ethiopia	70.7	72.4	77.4	79.3	81.2	85.2
加蓬	Gabon	1.3	1.4	1.4	1.4	1.4	1.4
加纳	Ghana	20.9	21.4	22.1	22.6	23.0	23.9
几内亚	Guinea	8.5	8.6	9.4	9.6	9.8	9.6
肯尼亚	Kenya	32.0	32.4	34.3	35.1	36.0	38.6
利比亚	Libyan Arab Jamahiriya	5.6	5.7	5.9	6.0	6.1	6.3
利比里亚	Liberia	3.4	3.5	3.3	3.4	3.5	3.9
马达加斯加	Madagascar	17.4	17.9	18.6	19.1	19.6	20.2
马里	Mali	13.0	13.4	13.5	13.9	14.3	12.7
毛里塔尼亚	Mauritania	2.9	3.0	3.1	3.2	3.2	3.2
摩洛哥	Morocco	30.6	31.1	31.5	31.9	32.4	31.6
莫桑比克	Mozambique	18.9	19.2	19.8	20.2	20.5	21.8
尼日利亚	Nigeria	124.0	127.1	131.5	134.4	137.2	151.5
卢旺达	Rwanda	8.4	8.5	9.0	9.2	9.4	10.0
索马里	Somalia	9.9	10.3	8.2	8.5	8.8	9.0
南非	South Africa	45.0	45.2	47.4	47.6	47.7	48.8
苏丹	Sudan	33.6	34.3	36.2	37.0	37.8	39.4
突尼斯	Tunisia	9.8	9.9	10.1	10.2	10.3	10.4
乌干达	Uganda	25.8	26.7	28.8	29.9	30.9	31.9
喀麦隆	Cameroon	16.0	16.3	16.3	16.6	16.9	18.9
坦桑尼亚	Tanzania	37.0	37.7	38.3	39.0	39.7	41.5
赞比亚	Zambia	10.8	10.9	13.0	11.9	12.1	12.2
大洋洲	**Oceania**						
澳大利亚	Australia	19.7	19.9	20.2	20.4	20.6	21.0
新西兰	New Zealand	3.9	3.9	4.0	4.1	4.1	4.2
北美洲	**North America**						
加拿大	Canada	31.5	31.7	32.3	32.6	32.9	33.2
美国	United States	294.0	297.0	298.2	301.0	303.9	308.8
拉丁美洲	**Latin America**						
阿根廷	Argentina	38.4	38.9	38.7	39.1	39.5	39.9
玻利维亚	Bolivia	8.8	9.0	9.2	9.4	9.5	9.7
巴西	Brazil	178.5	180.7	186.4	188.9	191.3	194.2
智利	Chile	15.8	16.0	16.3	16.5	16.6	16.8
哥伦比亚	Colombia	44.2	44.9	45.6	46.3	47.0	46.7
古巴	Cuba	11.3	11.3	11.3	11.3	11.3	11.3
多米尼加共和国	Dominican Republic	8.7	8.9	8.9	9.0	9.1	9.9
厄瓜多尔	Ecuador	13.0	13.2	13.2	13.4	13.6	13.5
危地马拉	Guatemala	12.3	12.7	12.6	12.9	13.2	13.7
墨西哥	Mexico	103.5	104.9	107.0	108.3	109.6	107.8
巴拿马	Panama	3.1	3.2	3.2	3.3	3.3	3.4
巴拉圭	Paraguay	5.9	6.0	6.2	6.3	6.4	6.2
秘鲁	Peru	27.2	27.6	28.0	28.4	28.8	28.2
波多黎各	Puerto Rico	3.9	3.9	4.0	4.0	4.0	4.0
乌拉圭	Uruguay	3.4	3.4	3.5	3.5	3.5	3.4
委内瑞拉	Venezuela	25.7	26.2	26.7	27.2	27.7	28.1

7-2 人口出生率、死亡率、自然增长率

Crude Birth Rate，Crude Death Rate and Rate of Natural Increase

国　　家	Country	出生率 Crude Birth Rate(‰)	死亡率 Crude Death Rate(‰)	自然增长率 Rate of Natural Increase(%)
美国	United States	14	8	0.6
日本	Japan	9	9	-0.0
德国	Germany	8	10	-0.2
英国	United Kingdom	13	9	0.3
法国	France	13	8	0.4
意大利	Italy	9	10	-0.0
加拿大	Canada	11	7	0.3
澳大利亚	Australia	14	7	0.7
波兰	Poland	10	10	0.0
匈牙利	Hungary	10	13	-0.4
罗马尼亚	Romania	10	12	-0.2
保加利亚	Bulgaria	10	15	-0.5
印度	India	24	8	1.6
印度尼西亚	Indonesia	21	6	1.5
巴基斯坦	Pakistan	31	8	2.2
孟加拉国	Bangladesh	24	7	1.7
泰国	Thailand	13	8	0.5
菲律宾	Philippines	26	5	2.1
马来西亚	Malaysia	21	5	1.6
韩国	KoreaRep.	10	5	0.5
新加坡	Singapore	11	5	0.6
伊朗	Iran	20	5	1.4
土耳其	Turkey	19	6	1.2
尼日利亚	Nigeria	43	18	2.5
埃及	Egypt	27	6	2.0
埃塞俄比亚	Ethiopia	40	15	2.5
坦桑尼亚	Tanzania	38	15	2.3
肯尼亚	Kenya	40	12	2.8
巴西	Brazil	20	6	1.3
墨西哥	Mexico	20	5	1.6
阿根廷	Argentina	19	8	1.1
哥伦比亚	Colombia	20	6	1.4

资料来源：《2008年世界人口数据表》美国人口咨询局编。
Sources:Population Reference Bureau of United States, 2008 World Population Data Sheet.

7-3 人口年龄构成

Population by Age

单位：% (%)

国家	Country	0-14岁 Aged 0-14	15-64岁 Aged 15-64	65岁及以上 Aged 65 and Over
美国	United States	20	67	13
日本	Japan	13	65	22
德国	Germany	14	67	19
英国	United Kingdom	18	66	16
法国	France	18	65	17
意大利	Italy	14	66	20
加拿大	Canada	17	69	14
澳大利亚	Australia	19	68	13
波兰	Poland	16	70	14
匈牙利	Hungary	15	69	16
罗马尼亚	Romania	15	70	15
保加利亚	Bulgaria	13	70	17
印度	India	32	63	5
印度尼西亚	Indonesia	29	65	6
巴基斯坦	Pakistan	39	57	4
孟加拉国	Bangladesh	34	62	4
泰国	Thailand	22	71	7
菲律宾	Philippines	35	61	4
马来西亚	Malaysia	32	64	4
韩国	KoreaRep.	18	72	10
新加坡	Singapore	19	72	9
伊朗	Iran	26	69	5
土耳其	Turkey	28	66	6
尼日利亚	Nigeria	45	52	3
埃及	Egypt	33	62	5
埃塞俄比亚	Ethiopia	43	54	3
坦桑尼亚	Tanzania	44	53	3
肯尼亚	Kenya	42	56	2
巴西	Brazil	28	66	6
墨西哥	Mexico	32	62	6
阿根廷	Argentina	26	64	10
哥伦比亚	Colombia	30	65	5

资料来源：《2008年世界人口数据表》美国人口咨询局编。
Sources:Population Reference Bureau of United States, 2008 World Population Data Sheet.

7-4 人口、社会和经济指标

国家	Country	婴儿死亡率 Infant Mortality (‰)	预期寿命(岁) Life Expectancy(years) 男 Male	女 Female	五岁以下儿童死亡率 (‰) Under 5 Mortality estimates for 2008 男 Male	女 Female	总和生育率 Total Fertility Rate (2008)
美国	United States	6	75.7	80.9	8	8	2.05
日本	Japan	3	79.1	86.2	5	4	1.27
德国	Germany	4	76.6	82.2	5	5	1.36
英国	United Kingdom	5	77.2	81.7	6	6	1.82
法国	France	4	77.2	84.2	6	5	1.89
意大利	Italy	5	77.6	83.5	6	6	1.38
加拿大	Canada	5	78.4	83.0	6	6	1.52
澳大利亚	Australia	4	79.0	83.7	6	5	1.79
波兰	Poland	7	71.5	79.8	8	7	1.22
匈牙利	Hungary	7	69.4	77.5	9	8	1.28
罗马尼亚	Romania	15	69.1	76.2	20	15	1.30
印度	India	54	63.3	66.6	73	83	2.78
印度尼西亚	Indonesia	26	68.8	72.8	36	26	2.16
巴基斯坦	Pakistan	67	65.4	65.9	89	99	3.46
孟加拉国	Bangladesh	51	63.4	65.3	68	67	2.81
泰国	Thailand	10	66.5	75.0	17	13	1.85
菲律宾	Philippines	23	69.6	74.1	32	21	3.20
马来西亚	Malaysia	9	72.1	76.8	12	10	2.57
韩国	Korea Rep.	4	75.1	82.3	5	5	1.20
新加坡	Singapore	3	78.1	82.0	4	4	1.26
土耳其	Turkey	27	69.5	74.4	35	26	2.13
尼日利亚	Nigeria	109	46.5	47.4	190	182	5.27
埃及	Egypt	29	69.3	73.8	37	29	2.87
埃塞俄比亚	Ethiopia	86	51.8	54.4	151	136	5.24
坦桑尼亚	Tanzania	71	51.5	53.7	123	110	5.11
肯尼亚	Kenya	64	53.1	55.3	111	95	4.92
巴西	Brazil	23	68.9	76.2	32	24	2.23
墨西哥	Mexico	16	73.9	78.7	22	17	2.19
阿根廷	Argentina	13	71.7	79.2	17	13	2.24
哥伦比亚	Colombia	19	69.4	76.7	29	22	2.21

资料来源：《世界人口状况-2008》联合国人口基金编。
Sources: UNFPA, State of World Population 2008.

Demographic, Social and Economic Indicators

文盲率(15岁以上) % Illiterate (.>15 years)		平均人口增长率 Avg. Pop. Growth Rate (%) (2005-2010)	城市人口增长率 Urban Growth Rate (2005-2010)	城市人口比重 (%) % Urban (2008)	人口/每公顷耕地 Pop./Ha. Arable and Perm. Crop Land	人均国民生产总值 GNI per capita ppp$ (2006)
男 Male	女 Female					
		1.0	1.3	82	0.0	44070
		0.0	0.2	66	0.8	32840
		-0.1	0.1	74	0.1	32680
		0.4	0.5	90	0.2	33650
		0.5	0.8	77	0.1	32240
1	2	0.1	0.4	68	0.2	28970
		0.9	1.0	80	0.0	36280
		1.0	1.2	89	0.0	33940
7	7	-0.2	-0.3	61	0.5	14250
1	1	-0.3	0.3	68	0.2	16970
2	4	-0.5	-0.1	54	0.2	10150
27	52	1.5	2.4	29	3.4	2460
6	13	1.2	3.3	52	2.5	3310
45	71	1.8	3.0	36	3.5	2410
46	59	1.7	3.5	27	9.3	1230
5	9	0.7	1.7	33	1.6	7440
8	6	1.9	3.0	65	2.9	3430
8	15	1.7	3.0	70	0.5	12160
		0.3	0.6	81	1.7	22990
3	11	1.2	1.2	100	5.0	43300
5	20	1.3	2.0	69	0.8	8410
22	40	2.3	3.8	48	1.2	1410
33	56	1.8	1.8	43	6.9	4940
50	77	2.5	4.3	17	4.6	630
22	38	2.5	4.2	25	2.8	980
22	30	2.7	4.0	22	4.6	1470
12	11	1.3	1.8	86	0.4	8700
8	10	1.1	1.5	77	0.8	11990
3	3	1.0	1.2	92	0.1	11670
7	7	1.3	1.7	74	2.3	6130

7-5 全部就业人数

Employed Persons

单位：千人 (1000 persons)

国 家	Country	2001	2002	2003	2004	2005	2006	2007
阿根廷	Argentina	8143.4	8016.1	8956.2	9415.0	9638.7	10040.5	
澳大利亚	Australia	9059.2	9238.8	9460.0	9629.4	9945.6	10150.4	10444.1
巴西	Brazil	76098.3	78958.9	80163.5	84596.3	87189.4	89318.0	
加拿大	Canada	14946.2	15310.4	15672.3	15947.0	16169.7	16484.3	16866.4
埃及	Egypt	17556.7	17856.2	18118.6	18717.4	19341.7	20444.0	
法国	France	23759.0	23942.0	24738.2 2	24829.2	25013.7	25174.3	25628.0
德国	Germany	36816.0	36536.0	36172.0	35659.0	36566.0	37322.0	38163.0
匈牙利	Hungary	3859.5	3870.6	3921.9	3900.4	3901.5	3930.1	3926.2
印度尼西亚	Indonesia	90807.4	91647.2	92811.0	93722.0	93958.0	95457.0	99930.0
意大利	Italy	21634.0	21922.0	22133.0	22404.0	22563.0	22988.0	23222.0
日本	Japan	64120.0	63300.0	63160.0	63290.0	63560.0	63820.0	64120.0
韩国	Korea Rep.	21572.0	22169.0	22139.0	22557.0	22856.0	23151.0	23433.0
马来西亚	Malaysia	9357.0	9542.6	9869.7	9979.5	10045.4	10275.4	10538.1
墨西哥	Mexico	38065.8	38939.7	39221.5	40561.0	40791.8	42197.8	42906.7
荷兰	Netherlands	7953.0	8033.0	8025.0	7928.0	7959.0	8061.0	8310.0
新西兰	New Zealand	1823.4	1876.8	1921.0	2017.1	2072.9	2117.2	2155.5
挪威	Norway	2278.0	2286.0	2269.0	2276.0	2289.0	2362.0	2443.0
巴基斯坦	Pakistan	37481.0	38882.0	39852.0	42009.0	42916.0	46952.0	47651.0
菲律宾	Philippines	30085.0	30251.0	31553.0	31741.0	32875.0	32886.0	33672.0
葡萄牙	Portugal	5121.7	5145.6	5127.7	5127.5	5122.6	5159.5	5169.7
罗马尼亚	Romania	10696.9	9234.2	9222.5	9157.6	9146.6	9313.3	9353.3
俄罗斯	Russia	65123.0	66659.0	66432.0	67275.0	68169.0	68855.0	70570.0
新加坡	Singapore	1582.5	1573.7	1605.4	1632.1		1796.7	1842.1
瑞典	Sweden	4239.0	4244.0	4234.0	4213.0	4263.0	4341.0	4541.0
泰国	Thailand	33483.7	34262.9	34677.1	35711.6	36302.4	36344.5	37122.0
英国	United Kingdom	28225.4	28414.5	27820.8	28008.4	28665.4	28926.3	29099.9
美国	United States	135073.0	136485.0	137736.0	139252.0	141730.0	144427.0	146047.0

资料来源：《2008年国际劳工统计年鉴》（下表同）。

Sources:ILO 2008 Yearbook of Labour Statistics. The same applies to the tables following.

7-6 全部女性就业人数

Female Employed Persons

单位:千人 (1000 persons)

国 家	Country	2001	2002	2003	2004	2005	2006	2007
阿根廷	Argentina	3310.9	3362.5	3805.3	3968.0	4081.4	4253.8	
澳大利亚	Australia	4027.4	4108.1	4233.9	4293.1	4461.4	4567.7	4693.3
巴西	Brazil	30971.6	32624.6	33228.4	35354.3	36695.7	37918.0	
加拿大	Canada	6910.3	7126.0	7324.2	7466.4	7575.0	7757.2	7977.5
埃及	Egypt	3195.6	3305.5	3466.9	3781.0	3749.0	3884.2	
法国	France	10654.0	10839.0	11362.8	11444.9	11583.1	11707.0	12015.1
德国	Germany	16187.0	16200.0	16176.0	15978.0	16432.0	16860.0	17272.0
匈牙利	Hungary	1728.9	1758.1	1795.4	1783.1	1785.4	1792.7	1783.2
印度尼西亚	Indonesia	33676.0	33064.0	33311.0	33141.0	32519.0	33480.0	36782.0
意大利	Italy	8060.0	8236.0	8365.0	8783.0	8825.0	9049.0	9165.0
日本	Japan	26290.0	25940.0	25970.0	26160.0	26330.0	26520.0	26590.0
韩国	Korea Rep.	8991.0	9225.0	9108.0	9364.0	9526.0	9706.0	9826.0
马来西亚	Malaysia	3301.1	3400.8	3546.1	3589.1	3574.8	3656.8	3791.0
墨西哥	Mexico	13010.6	13516.8	13508.0	14423.0	14938.7	15599.9	16066.0
荷兰	Netherlands	3431.0	3502.0	3532.0	3495.0	3537.0	3618.0	3762.0
新西兰	New Zealand	829.5	851.7	875.9	922.3	954.5	974.4	994.5
挪威	Norway	1064.0	1076.0	1071.0	1074.0	1078.0	1111.0	1154.0
巴基斯坦	Pakistan	5248.0	5693.0	5835.0	7106.0	7243.0	9144.0	9533.0
菲律宾	Philippines	11751.0	11811.0	12055.0	11905.0	12670.0	12596.0	12918.0
葡萄牙	Portugal	2302.0	2320.9	2330.9	2338.6	2357.2	2369.8	2380.4
罗马尼亚	Romania	4977.6	4202.6	4165.8	4177.6	4135.4	4239.3	4237.0
俄罗斯	Russia	31619.0	32645.0	32605.0	33094.0	33620.0	34160.0	34920.0
新加坡	Singapore	644.0	636.0	656.6	671.3		760.2	782.5
瑞典	Sweden	2036.0	2047.0	2043.0	2027.0	2038.0	2067.0	2150.0
泰国	Thailand	15012.7	15390.8	15595.6	16012.8	16832.1	16706.3	17145.3
英国	United Kingdom	12662.9	12810.1	12847.4	12970.7	13197.8	13348.3	13352.6
美国	United States	62992.0	63582.0	64404.0	64728.0	65757.0	66925.0	67792.0

7-7 第一产业就业人数

Employed Persons in Primary Industry

单位:千人 (1000 persons)

国 家	Country	2001	2002	2003	2004	2005	2006	2007
阿根廷	Argentina	67.6	78.3	124.2	108.9	107.2	81.9	
澳大利亚	Australia	436.9	410.6	370.4	361.2	359.9	354.4	356.8
巴西	Brazil	15534.0	15953.0	16225.0	17734.0	17831.0	17264.0	
加拿大	Canada	422.9	425.5	435.9	425.0	439.6	435.9	421.9
埃及	Egypt	5010.6	4913.8	5411.3	5958.2	5974.0	6370.7	
法国	France			1038.2	953.8	901.5	933.0	879.1
德国	Germany	942.0	923.0	895.0	832.0	868.0	843.0	859.0
匈牙利	Hungary	239.4	240.9	215.2	204.9	194.0	190.8	182.9
印度尼西亚	Indonesia	39744.0	40634.0	43042.0	40608.0	41310.0	40136.0	41207.0
意大利	Italy	1126.0	1096.0	1075.0	990.0	947.0	982.0	923.0
日本	Japan	3130.0	2960.0	2930.0	2860.0	2820.0	2720.0	2720.0
韩国	Korea Rep.	2148.0	2069.0	1950.0	1825.0	1815.0	1785.0	1726.0
马来西亚	Malaysia	1415.9	1424.5	1408.2	1452.6	1470.4	1503.5	1558.2
墨西哥	Mexico	6694.4	6798.9	6383.5	6452.8	6059.9	6033.0	5772.4
荷兰	Netherlands	246.0	254.0	258.0	258.0	273.0	262.0	260.0
新西兰	New Zealand	165.4	164.9	156.7	151.6	148.0	150.9	154.4
挪威	Norway	89.0	86.0	83.0	79.0	75.0	77.0	69.0
巴基斯坦	Pakistan	18148.0	16366.0	16774.0	18084.0	18431.0	20364.0	20780.0
菲律宾	Philippines	11253.0	11311.0	11741.0	11785.0	12171.0	12042.0	12161.0
葡萄牙	Portugal	652.6	636.9	642.1	618.1	606.2	603.9	601.4
罗马尼亚	Romania	4526.8	3361.4	3292.4	2896.2	2939.3	2840.3	2756.7
俄罗斯	Russia	7844.0	7557.0	7230.0	6832.0	6935.0	6867.0	6347.0
新加坡	Singapore	14.1	13.3	13.8	13.7		22.5	21.0
瑞典	Sweden	96.0	91.0	89.0	90.0	86.0	86.0	102.0
泰国	Thailand	15409.0	15799.3	15561.5	15115.4	15448.6	15315.3	15491.8
英国	United Kingdom	391.3	392.6	348.2	356.2	386.2	374.8	398.3
美国	United States	3277.0	3479.0	2275.0	2232.0	2197.0	2206.0	2095.0

注：新加坡以上数据为农林牧渔业、采矿业、电力煤气及水的供应业以及其他行业的总和。

Note: Data from Singapore are the total of agriculture, hunting and forestry, mining and quarrying, electricity, gas and water supply and not classifiable by economic activity.

7-8 第二产业就业人数

Employed Persons in Secondary Industry

单位:千人 (1000 persons)

国家	Country	2001	2002	2003	2004	2005	2006	2007
阿根廷	Argentina	1786.9	1616.4	1939.3	2169.3	2262.5	2379.2	
澳大利亚	Australia	1893.8	1942.4	1989.3	2044.9	2099.8	2155.3	2209.6
巴西	Brazil	15066.0	16862.0	16742.0	17757.0	18655.0	19073.0	
加拿大	Canada	3434.4	3527.1	3573.1	3642.8	3644.5	3625.4	3642.2
埃及	Egypt	3733.1	3672.1	3578.6	3735.1	4153.8	4507.4	
法国	France			6035.8	5966.6	5939.3	5998.3	5955.7
德国	Germany	11934.0	11656.0	11265.0	10986.0	10870.0	11035.0	11363.0
匈牙利	Hungary	1321.0	1319.9	1305.9	1280.5	1264.0	1269.4	1281.3
印度尼西亚	Indonesia	17015.0	17194.0	16436.0	16873.0	17617.0	17739.0	18792.0
意大利	Italy	6840.0	6932.0	7019.0	6869.0	6941.0	6927.0	7003.0
日本	Japan	19550.0	18790.0	18480.0	17960.0	17750.0	17890.0	17870.0
韩国	Korea Rep.	5928.0	6057.0	6114.0	6198.0	6136.0	6096.0	6073.0
马来西亚	Malaysia	3097.9	3052.1	3160.6	3006.4	2986.4	3109.1	3000.0
墨西哥	Mexico	9881.0	9704.3	9793.8	10076.9	10471.3	10881.6	11121.7
荷兰	Netherlands	1620.0	1588.0	1558.0	1554.0	1571.0	1569.0	1589.0
新西兰	New Zealand	414.8	425.0	429.1	457.8	456.2	472.9	471.4
挪威	Norway	492.0	495.0	486.0	473.0	475.0	490.0	513.0
巴基斯坦	Pakistan	6758.0	8072.0	8274.0	8529.0	8693.0	9730.0	9993.0
菲律宾	Philippines	4682.0	4669.0	4948.0	4880.0	4883.0	4892.0	5076.0
葡萄牙	Portugal	1728.8	1727.7	1652.8	1595.9	1566.7	1577.2	1577.8
罗马尼亚	Romania	2803.7	2723.5	2750.3	2856.1	2775.8	2853.3	2937.5
俄罗斯	Russia	19147.0	19688.0	20189.0	20014.0	20304.0	20195.0	20598.0
新加坡	Singapore	407.8	395.5	401.3	390.9		396.7	416.8
瑞典	Sweden	1008.0	981.0	962.0	954.0	939.0	956.0	982.0
泰国	Thailand	6300.2	6791.6	6845.2	7325.3	7350.0	7499.4	7690.5
英国	United Kingdom	6993.6	6834.0	6467.0	6208.0	6351.0	6369.4	6478.2
美国	United States	30526.0	29800.0	28758.0	28959.0	29250.0	29999.0	30087.0

注：新加坡以上数据为制造业和建筑业的总和。

Note: Data from Singapore are the total of manufacture and construction.

7-9 第三产业就业人数
Employed Persons in Tertiary Industry

单位:千人 (1000 persons)

国家	Country	2001	2002	2003	2004	2005	2006	2007
阿根廷	Argentina	6288.9	6321.4	6892.7	7136.7	7269.0	7579.4	
澳大利亚	Australia	6728.5	6885.9	7100.3	7223.3	7485.9	7640.8	7877.9
巴西	Brazil	44858.0	45820.1	46852.7	49105.4			
加拿大	Canada	11088.7	11358.0	11663.3	11877.8	12085.6	12423.1	12802.4
埃及	Egypt	8813.0	9270.3	9128.7	9024.1	9215.4	9565.7	
法国	France			17664.3	17908.7	18172.9	18243.1	18793.1
德国	Germany	23940.0	23957.0	24014.0	23840.0	24825.0	25443.0	25940.0
匈牙利	Hungary	2299.1	2306.8	2400.8	2415.0	2443.5	2469.9	2462.0
印度尼西亚	Indonesia	34049.0	33821.0	33334.0	36241.0	35032.0	37581.0	39933.0
意大利	Italy	13665.0	13894.0	14039.0	14544.0	14674.0	15079.0	15295.0
日本	Japan	41440.0	41550.0	41730.0	42430.0	42970.0	43200.0	43530.0
韩国	Korea Rep.	13497.0	14044.0	14075.0	14534.0	14904.0	15270.0	15633.0
马来西亚	Malaysia	4843.4	5066.2	5301.0	5520.5	5588.6	5662.5	5979.9
墨西哥	Mexico	21490.6	22436.5	23044.3	24031.4	24260.5	25283.2	26012.3
荷兰	Netherlands	6086.0	6192.0	6207.0	6114.0	6115.0	6231.0	6460.0
新西兰	New Zealand	1243.5	1286.9	1335.3	1407.7	1468.8	1493.5	1529.8
挪威	Norway	1696.0	1704.0	1699.0	1722.0	1739.0	1793.0	1861.0
巴基斯坦	Pakistan	12575.0	14444.0	14804.0	15396.0	15692.0	16858.0	16878.0
菲律宾	Philippines	14151.0	14271.0	14865.0	15076.0	15820.0	15951.0	16437.0
葡萄牙	Portugal	2738.7	2779.7	2830.9	2913.3	2949.8	2978.4	2990.4
罗马尼亚	Romania	3366.4	3149.3	3180.0	3405.3	3427.4	3616.6	3653.8
俄罗斯	Russia	38133.0	39412.0	39012.0	40430.0	40927.0	41793.0	43627.0
新加坡	Singapore	1160.6	1164.9	1190.3	1226.8		1377.4	1404.3
瑞典	Sweden	3135.0	3170.0	3183.0	3168.0	3239.0	3297.0	3457.0
泰国	Thailand	11774.5	11672.0	12270.4	13270.9	13503.5	13529.9	13939.9
英国	United Kingdom	20840.5	21188.1	21006.1	21444.2	21928.0	22181.9	22223.4
美国	United States	101270.0	103206.0	106704.0	108061.0	110281.0	112224.0	113863.0

7-10 失业人数

Unemployed Persons

单位:千人 (1000 persons)

国 家	Country	2001	2002	2003	2004	2005	2006	2007
阿根廷	Argentina	1709.8	1955.8	1633.0	1361.6	1141.5	1049.2	
澳大利亚	Australia	663.5	630.0	595.9	556.5	528.9	514.3	483.6
巴西	Brazil	7853.4	7958.5	8640.0	8263.8	8953.0	8210.0	
加拿大	Canada	1163.6	1268.9	1286.2	1235.3	1172.8	1108.4	1079.4
埃及	Egypt	1783.0	2020.6	2240.7	2153.9	2450.0	2434.5	
法国	France	2305.0	2341.0	2299.0	2412.0	2429.0	2432.0	2215.0
德国	Germany	3150.0	3486.0	4023.0	4388.0	4583.0	4279.0	3608.0
匈牙利	Hungary	232.9	238.8	244.5	252.9	303.9	316.8	311.9
印度	India	41996.0	41171.0	41389.0	40458.0	39348.0	41466.0	39974.0
印度尼西亚	Indonesia	8005.0	9132.0	9939.0	10251.0	11899.0	10932.0	10011.0
意大利	Italy	2267.0	2163.0	2096.0	1960.0	1889.0	1673.0	1506.0
日本	Japan	3400.0	3590.0	3500.0	3130.0	2940.0	2750.0	2570.0
韩国	Korea Rep.	899.0	752.0	818.0	860.0	887.0	827.0	783.0
马来西亚	Malaysia	342.4	343.6	369.8	366.6	368.1	353.6	351.4
墨西哥	Mexico	996.1	1145.6	1195.6	1539.8	1482.5	1377.7	1505.2
荷兰	Netherlands	204.0	252.0	332.0	411.0	425.0	354.0	300.0
新西兰	New Zealand	102.3	102.5	93.9	82.0	79.3	82.6	79.8
挪威	Norway	84.0	92.0	107.0	106.0	111.0	84.0	63.0
巴基斯坦	Pakistan	3181.0	3506.0	3594.0	3499.0	3566.0	3103.0	2680.0
菲律宾	Philippines	3269.0	3423.0	3567.0	3888.0	2619.0	2625.0	2246.0
葡萄牙	Portugal	213.5	270.5	342.3	365.0	422.3	427.8	448.6
罗马尼亚	Romania	750.0	845.3	691.8	799.5	704.5	728.4	641.0
俄罗斯	Russia	6424.0	5698.0	5959.0	5675.0	5263.0	5312.0	4588.0
新加坡	Singapore	61.9	94.2	101.0	101.3		84.2	76.1
瑞典	Sweden	175.0	176.0	217.0	246.0	270.0	246.0	298.0
泰国	Thailand	896.3	616.3	543.7	548.9	495.8	449.9	442.2
英国	United Kingdom	1412.9	1519.4	1414.0	1361.0	1397.0	1648.7	1620.8
美国	United States	6742.0	8378.0	8774.0	8149.0	7591.0	7001.0	7078.0

7-11 制造业平均工资

Average Wage in Manufacturing

国家	Country		单位	unit	2001	2002	2003	2004	2005	2006	2007
阿根廷	Argentina	(A)[1]	比索/小时	P./h.	4.33	4.46	5.06	6.30	7.63	9.72	
澳大利亚	Australia	(B)	澳元/小时	$A/h.		20.45		22.77		25.36	
巴西	Brazil	(B)	里亚尔/月	R./m.	844.61	901.85					
加拿大	Canada	(A)	元/小时	C$/h.	18.62	19.17	19.76	20.28	20.65	20.76	21.58
		(B)	元/周	C$/w.	808.25	832.39	844.16	860.24	884.61	904.4	936.04
埃及	Egypt	(A)	镑/周	P/w.	136	147	150	162	179	203	
法国	France	(A)	欧元/小时	Euros/h.	10.6	11.5	12	12.3	12.56		
		(B)	欧元/小时	Euros/h.	14.7	15.3	15.9	16.4	16.77		
德国	Germany	(A)	欧元/小时	Euros/h.	14.42	14.72	15.09	15.4	15.6	15.74	
匈牙利	Hungary	(B)	福林/月	F./m.	101700	114297	124770	136992	147234	152934	172942
印度	India	(A)	卢比/月	R./m.	1893.2	1158.6	1078.9	1731.8	1234.4		
意大利	Italy	(A)	小时工资率[2]	R.T./h.	101.4	104.2	106.9	110.0	113.0	116.7	
		(C)		R.T./h.	101.6	104.5	107.2	110.7	113.5	117.3	
日本	Japan	(B)	日元/月	Yen/m.	297500	296400	296500	293100	292100	299600	296800
韩国	Korea Rep.	(B)	1000元/月	Won/m.	1702.4	1907	2074	2279.7	2458	2594.8	2772
墨西哥	Mexico	(B)	比索/小时	Mex$/h.	3399.8	3554.8	3757.3	3887.9	4140.3	4422.6	4689.2
荷兰	Netherlands	(B)	欧元/小时	Euros/h.	16.52	17.14	17.78	18.24	18.5		
新西兰	New Zealand	(B)	新元/小时	NZ$/h.	17.5	18.1	18.5	19.29	19.58	20.51	
挪威	Norway	(A)	克郎/月	NKr/m.	24426	25991	26944	27920	28908	30162	31983
巴基斯坦	Pakistan	(B)	卢比/月	PRs/m.	3002.23	4113.74					
菲律宾	Philippines	(B)	比索/日	P./d.	230.74	234.33	237.72	236.65	252.77	274.81	276.52
葡萄牙	Portugal	(B)	欧元/月	Euros/m.		705	775	806	837	868	893
罗马尼亚	Romania	(B)	列伊/月	Lei/m.	3734701	4632583	5804147	7196971	829[3]	950	
新加坡	Singapore	(B)	元/月	S$/m.	3117	3154	3265	3350	3495	3618	3764
瑞典	Sweden	(A)	克朗/小时	SKr/h.	114.9	118.2	122.0	126.1	129.9	133.8	139.5
泰国	Thailand	(B)	铢/月	B/m.	6064.6	6795.3	6432.2				
英国	United Kingdom	(B)	英镑/小时	£/h.	10.66	11.12	11.65	12.03	12.51	12.96	13.19
美国	United States	(A)	美元/小时	USD/h.	14.76	15.29	15.74	16.15	16.56	16.81	17.26

注：1)(A) 工人工资。
(B) 全部雇员工资。
(C) 管理人员工资。
2) 小时工资率指数，2000=100
3) 2005年开始，1新列伊=10000旧列伊

Note:a)(A) Wage earners.
(B) All employees.
(C) Salaried employees.
b)Index of hourly wage rates (Dec.2000=100).
c)2005 New denomination: 1 leu = 10 000 old lei

7-12 消费价格指数

Consumer Price Indices

(2000年=100)　　(Year of 2000=100)

国　家	Country	2001	2002	2003	2004	2005	2006	2007
阿根廷	Argentina	98.9	124.5	141.3	147.5	161.7	179.4	195.2
澳大利亚	Australia	104.4	107.6	110.5	113.1	116.1	120.2	123.1
巴西	Brazil	106.8	115.9	132.9	141.7	151.4	157.8	163.5
加拿大	Canada	102.6	104.8	107.8	109.8	112.2	114.4	116.9
埃及	Egypt	102.2	105.0	109.5	127.4	133.7	143.9	157.6
法国	France	101.7	103.6	105.8	108.0	109.9	111.8	113.4
德国	Germany	102.0	103.4	104.5	106.2	108.3	110.1	112.5
匈牙利	Hungary	109.2	115.0	120.3	128.5	133.1	138.3	149.3
印度	India	100.0	102.6	106.8	109.8	113.4	121.2	130.9
印度尼西亚	Indonesia	111.5	124.7	133.0	141.3	156.0	176.5	187.8
意大利	Italy	102.8	105.4	108.2	110.5	112.4	114.7	116.9
日本	Japan	99.3	98.4	98.1	98.1	97.8	98.1	98.1
韩国	Korea Rep.	104.1	106.9	110.7	114.7	117.8	120.4	123.5
马来西亚	Malaysia	101.4	103.2	104.4	105.9	109.1	113.0	115.3
墨西哥	Mexico	106.4	111.7	116.8	122.3	127.2	131.8	137.0
荷兰	Netherlands	104.2	107.6	109.9	111.2	113.1	114.4	116.2
新西兰	New Zealand	102.6	105.4	107.2	109.7	113.0	116.8	119.6
挪威	Norway	103.0	104.4	106.9	107.4	109.1	111.6	112.4
巴基斯坦	Pakistan	103.2	107.4	110.5	118.7	129.5	139.7	150.3
菲律宾	Philippines	106.8	110.1	113.9	120.6	129.8	137.9	141.8
葡萄牙	Portugal	104.3	108.0	111.6	114.2	116.7	120.4	123.3
罗马尼亚	Romania	134.5	164.8	189.9	212.5	231.7	246.9	258.8
俄罗斯	Russia	121.5	140.6	159.9	177.3	199.7	219.1	238.8
新加坡	Singapore	101.0	100.6	101.1	102.8	103.2	104.2	106.4
瑞典	Sweden	102.4	104.6	106.6	107.0	107.5	109.0	111.4
泰国	Thailand	101.6	102.3	104.1	107.0	111.8	117.0	119.6
英国	United Kingdom	101.8	103.5	106.5	109.6	112.7	116.3	121.3
美国	United States	102.8	104.5	106.9	109.7	113.4	117.1	120.4

二、香港特别行政区人口和就业统计数据

II.Population and Employment Data of Hong Kong Special Administrative Region

7-13 人口主要指标
Main Indicators of Population

项 目	Item	2003	2004	2005	2006	2007
年中人口 (万人)	Mid-year Population(10 000 persons)	673.1	678.3	681.3	685.7	692.6
粗出生率 (‰)	Crude Birth Rate (‰)	7.0	7.3	8.4	9.6	10.2
粗死亡率 (‰)	Crude Death Rate (‰)	5.5	5.4	5.7	5.5	5.6@
婴儿死亡率 (‰)	Infant Mortality Rate (‰)	2.3	2.7	2.3	1.8	1.7@
自然增长率 (‰)	Rate of Natural Increase (‰)	1.5	1.9	2.7	4.1	4.4@
总和生育率①	Total Fertility Rate①	901	922	959	984	1024
登记结婚数 (对)	Registered Marriages (couple)	35439	41376	43018	50328	47453
登记离婚数 (对)	Divorce Decrees (couple)	13829	15604	14873	17424	18403
出生时平均预期寿命(年)	Expectation of Life at Birth (years)					
男	Male	78.5	79.0	78.8	79.4	79.3@
女	Female	84.4	84.8	84.6	85.5	85.4@

注:①各年总和生育率均是用没有包括女性外籍家庭佣工的人口作分母编制。

Notes :①Total fertility rate of each individual year has been compiled using a population denominator which has excluded female foreign domestic helpers.

7-14　分行业全部就业人数

Employed Persons by Sector

单位:千人　　(1000 persons)

行　业	Sector	2001	2002	2003	2004	2005	2006	2007
总　计	**Total**	**3251.3**	**3220.3**	**3197.4**	**3276.5**	**3340.8**	**3410.2**	**3495.0**
农林牧渔业	Agriculture,Hunting, Forestry and Fishing	6.9	9.4	7.1	8.4	8.8	8.2	6.4
制造业	Manufacturing	324.1	287.0	268.3	231.2	223.5	216.5	204.1
电力、天然气及水	Electricity,Gas and Water	15.6	16.0	16.1	14.6	15.0	14.7	15.4
建筑业	Construction	288.8	283.1	260.1	262.0	262.9	269.1	277.6
批发零售和餐饮、旅馆业	Wholesale and Retail Trade and Restaurants and Hotels	981.4	978.1	985.0	1063.5	1094.0	1108.0	1147.3
交通运输和仓储业	Transport,Storage and Communication	352.2	342.4	342.7	354.6	356.4	368.4	373.4
金融保险、房地产和商业服务	Financing,Insurance,Real Estate and Business Services	482.7	477.8	471.7	482.2	505.6	529.0	547.5
团体、社会和个人服务	Community,Social and Personal Services	799.2	826.1	845.9	859.7	874.0	896.4	923.2
男	**Male**	**1846.7**	**1794.8**	**1767.0**	**1801.8**	**1823.6**	**1843.4**	**1875.3**
农林牧渔业	Agriculture,Hunting, Forestry and Fishing	4.9	6.3	4.7	5.8	6.0	5.2	4.0
制造业	Manufacturing	208.6	180.7	175.0	146.8	146.6	139.6	131.8
电力、天然气及水	Electricity,Gas and Water	13.4	13.1	13.6	12.4	12.6	12.3	12.8
建筑业	Construction	268.2	261.5	239.9	242.2	243.9	250.0	257.3
批发零售和餐饮、旅馆业	Wholesale and Retail Trade and Restaurants and Hotels	500.7	492.5	499.7	536.3	547.2	547.4	563.8
交通运输和仓储业	Transport,Storage and Communication	279.1	269.9	267.0	279.3	277.6	285.0	288.0
金融保险、房地产和商业服务	Financing,Insurance,Real Estate and Business Services	284.4	285.4	280.1	285.2	299.7	309.5	318.7
团体、社会和个人服务	Community,Social and Personal Services	287.2	285.1	286.8	293.5	289.6	294.2	298.8
女	**Female**	**1404.6**	**1425.4**	**1430.4**	**1474.7**	**1517.2**	**1566.8**	**1619.7**
农林牧渔业	Agriculture,Hunting, Forestry and Fishing	2.0	3.1	2.5	2.6	2.8	2.9	2.4
制造业	Manufacturing	115.6	106.3	93.4	84.4	77.0	76.9	72.3
电力、天然气及水	Electricity,Gas and Water	2.3	2.9	2.5	2.2	2.4	2.3	2.6
建筑业	Construction	20.6	21.6	20.2	19.8	19.0	19.1	20.4
批发零售和餐饮、旅馆业	Wholesale and Retail Trade and Restaurants and Hotels	480.7	485.6	485.3	527.2	546.8	560.6	583.5
交通运输和仓储业	Transport,Storage and Communication	73.1	72.5	75.7	75.2	78.8	83.4	85.4
金融保险、房地产和商业服务	Financing,Insurance,Real Estate and Business Services	198.3	192.4	191.6	197.0	205.9	219.4	228.8
团体、社会和个人服务	Community,Social and Personal Services	512.0	541.0	559.1	566.3	584.4	602.2	624.3

7-15 分职业全部就业人数

Employed Persons by Occupation

单位:千人 (1000 persons)

职业	Occupation	2001	2002	2003	2004	2005	2006	2007
总计	**Total**	**3251.3**	**3220.3**	**3197.4**	**3276.5**	**3340.8**	**3410.2**	**3495.0**
立法者高级官员和和管理人员	Legislators,Senior Officials and Managers	278.4	302.6	273.3	282.4	314.8	344.3	350.8
专业人员	Professionals	198.1	198.0	204.5	212.4	230.2	235.0	238.8
技术和辅助专业人员	Technicians and Associate Professionals	573.7	574.3	586.0	611.9	617.0	657.7	670.2
职员	Clerks	558.4	535.1	527.3	542.3	544.0	532.0	547.5
服务人员和商店与市场销售人员	Service Workers and Shop and and Market Sales Workers	474.3	468.7	481.1	513.6	524.9	514.3	537.4
农渔业技术人员	Skilled Agricultural and Fishery Workers	6.5	9.0	7.1	7.9	7.8	7.0	5.3
手艺人和有关行业工人	Craft and Related Trade Workers	306.4	286.4	269.3	265.8	265.4	259.2	265.6
设备和机械操作工、装配工	Plant and Machine Operators and Assemblers	248.8	236.0	232.8	232.9	224.3	222.1	218.7
简单劳动职业人员	Elementary Occupations	606.7	610.1	616.0	607.2	612.4	638.4	660.7
男	**Male**	**1846.7**	**1794.8**	**1767.0**	**1801.8**	**1823.6**	**1843.4**	**1875.3**
立法者高级官员和和管理人员	Legislators,Senior Officials and Managers	207.1	225.1	201.9	206.4	230.6	243.1	247.0
专业人员	Professionals	133.5	129.5	134.0	137.2	152.5	149.9	151.5
技术和辅助专业人员	Technicians and Associate Professionals	341.5	335.8	345.6	355.4	354.6	365.5	378.6
职员	Clerks	152.1	138.2	132.8	144.9	144.2	142.3	148.4
服务人员和商店与市场销售人员	Service Workers and Shop and and Market Sales Workers	254.2	243.8	250.3	256.7	255.2	251.2	254.3
农渔业技术人员	Skilled Agricultural and Fishery Workers	4.7	6.2	4.7	5.7	5.3	4.6	3.6
手艺人和有关行业工人	Craft and Related Trade Workers	296.6	274.8	258.9	254.0	255.4	250.1	255.3
设备和机械操作工、装配工	Plant and Machine Operators and Assemblers	214.4	206.0	204.2	206.6	201.1	200.7	198.0
简单劳动职业人员	Elementary Occupations	242.6	235.4	234.5	234.8	224.8	236.0	238.5
女	**Female**	**1404.6**	**1425.4**	**1430.4**	**1474.7**	**1517.2**	**1566.8**	**1619.7**
立法者高级官员和和管理人员	Legislators,Senior Officials and Managers	71.4	77.4	71.4	76.0	84.3	101.2	103.8
专业人员	Professionals	64.6	68.6	70.5	75.2	77.7	85.1	87.3
技术和辅助专业人员	Technicians and Associate Professionals	232.2	238.5	240.4	256.4	262.5	292.2	291.6
职员	Clerks	406.3	397.0	394.5	397.4	399.8	389.8	399.1
服务人员和商店与市场销售人员	Service Workers and Shop and and Market Sales Workers	220.1	224.9	230.8	256.9	269.7	263.1	283.1
农渔业技术人员	Skilled Agricultural and Fishery Workers	1.8	2.8	2.4	2.2	2.5	2.4	1.7
手艺人和有关行业工人	Craft and Related Trade Workers	9.8	11.6	10.4	11.8	10.0	9.1	10.3
设备和机械操作工、装配工	Plant and Machine Operators and Assemblers	34.3	29.9	28.6	26.3	23.2	21.5	20.7
简单劳动职业人员	Elementary Occupations	364.1	374.7	381.5	372.4	387.6	402.5	422.2

7-16 按年龄分组的失业人数
Unemployed Persons by Age Group

单位:千人 (1000 persons)

年龄组 Age Group	2001	2002	2003	2004	2005	2006	2007
总 计 Total	**174.6**	**253.8**	**275.1**	**239.4**	**197.3**	**171.2**	**145.6**
15-19	16.7	22.6	20.9	17.7	13.7	13.0	12.4
20-24	29.1	36.7	37.5	30.4	28.5	27.3	22.2
25-29	20.9	27.7	29.6	22.4	19.2	16.8	14.5
30-34	17.6	26.2	28.8	22.3	17.5	15.4	15.2
35-39	19.0	29.6	31.6	25.5	19.0	17.0	12.3
40-44	23.0	34.1	37.5	32.2	25.8	19.3	17
45-49	20.8	31.3	36.8	35.3	29.3	25.3	19.2
50-54	16.2	25.5	29.8	28.6	24.1	19.9	17.7
55-59	7.9	14.1	17.6	18.4	15.8	13.9	11.8
60-64	2.6	4.4	4.1	5.3	3.8	2.8	2.8
65+	0.6	1.5	0.9	1.3	0.6		
男 Male	**118.2**	**163.7**	**179.9**	**151.6**	**127.1**	**110.3**	**88.8**
15-19	9.8	13.8	12.3	10.5	8.4	7.8	6.9
20-24	17.1	22.0	23.8	19.2	17.6	16.0	13.1
25-29	13.5	17.7	19.3	14.4	12.1	10.7	9
30-34	11.1	15.5	17.3	12.9	10.7	9.7	8.4
35-39	12.7	18.6	18.7	14.8	11.0	10.1	7.1
40-44	16.1	21.6	23.8	18.4	14.7	11.5	9.9
45-49	15.6	20.3	24.2	22.5	19.9	16.5	11.6
50-54	12.7	17.9	21.7	18.9	17.0	14.5	11.8
55-59	6.9	11.4	14.4	14.2	11.9	10.4	8.2
60-64	2.4	3.6	3.6	4.7	3.3	2.6	2.4
65+		1.3	0.9	1.2	0.6		
女 Female	**56.4**	**90.0**	**95.2**	**87.8**	**70.2**	**61.0**	**56.7**
15-19	7.1	9.0	8.6	7.1	5.3	5.2	5.5
20-24	11.9	14.7	13.7	11.2	10.8	11.3	9.2
25-29	7.4	10.0	10.3	8.1	7.1	6.0	5.4
30-34	6.5	10.7	11.4	9.5	6.8	5.8	6.8
35-39	6.4	11.1	12.8	10.7	8.0	7.0	5.2
40-44	6.9	12.6	13.7	13.9	11.2	7.8	7.1
45-49	5.2	11.0	12.7	12.8	9.3	8.8	7.7
50-54	3.5	7.6	8.1	9.8	7.1	5.4	5.9
55-59	1.1	2.7	3.3	4.2	4.0	3.5	3.6
60-64		0.5	0.5	0.6	0.5	0.2	0.4

7-17 按失业前行业分的失业人数

Unemployed Persons by Sector (Prior to Unemployment)

单位：千人

行业	Sector	2000	2001	2002	2003	2004	2005	2006	2007
总计	**Total**	**166.9**	**174.6**	**253.8**	**275.1**	**239.4**	**197.3**	**171.2**	**145.6**
农林牧渔业	Agriculture,Hunting, Forestry and Fishing	0.3		0.5					
制造业	Manufacturing	19.0	18.1	22.6	22.3	17.5	15.0	11.5	9.7
电力、天然气及水	Electricity,Gas and Water	0.2							
建筑业	Construction	34.3	35.0	53.2	61.0	49.9	39.0	33.8	25.1
批发零售和餐饮、旅馆业	Wholesale and Retail Trade and Restaurants and Hotels	54.5	57.0	83.0	88.1	75.6	63.3	55.8	49.1
交通运输和仓储业	Transport,Storage and Communication	14.8	16.0	19.6	24.0	19.6	17.9	15.1	12.9
金融保险、房地产和商业服务	Financing,Insurance,Real Estate and Business Services	12.1	15.1	23.2	25.7	22.8	18.3	16.8	13.7
团体、社会和个人服务	Community,Social and Personal Services	14.0	16.8	26.9	30.2	29.7	23.2	19.0	17.5
初次失业	Unemployed for the First Time	17.6	16.1	24.6	23.2	23.5	20.0	18.7	17.1
男	**Male**	**109.6**	**118.2**	**163.7**	**179.9**	**151.6**	**127.1**	**110.3**	**88.8**
农林牧渔业	Agriculture,Hunting, Forestry and Fishing	0.3							
制造业	Manufacturing	12.8	12.3	14.0	14.5	10.9	9.4	7.0	6.0
电力、天然气及水	Electricity,Gas and Water	0.1							
建筑业	Construction	33.3	34.0	51.7	58.6	47.4	37.7	32.5	24.2
批发零售和餐饮、旅馆业	Wholesale and Retail Trade and Restaurants and Hotels	28.4	30.9	43.4	45.4	37.6	33.5	28.6	24.1
交通运输和仓储业	Transport,Storage and Communication	12.5	13.9	16.2	20.4	16.9	15.2	13.2	10.6
金融保险、房地产和商业服务	Financing,Insurance,Real Estate and Business Services	7.4	10.0	15.3	16.9	15.6	12.6	11.4	8.5
团体、社会和个人服务	Community,Social and Personal Services	6.7	8.6	12.3	13.6	13.2	9.3	8.3	7.4
初次失业	Unemployed for the First Time	8.2	8.3	10.4	10.0	9.6	9.1	8.9	7.8
女	**Female**	**57.3**	**56.4**	**90.0**	**95.2**	**87.8**	**70.2**	**61.0**	**56.7**
农林牧渔业	Agriculture,Hunting, Forestry and Fishing								
制造业	Manufacturing	6.3	5.9	8.6	7.8	6.6	5.5	4.5	3.7
建筑业	Construction	1.0	1.1	1.6	2.5	2.5	1.3	1.2	0.9
批发零售和餐饮、旅馆业	Wholesale and Retail Trade and Restaurants and Hotels	26.2	26.1	39.5	42.7	38.0	29.9	27.2	25.0
交通运输和仓储业	Transport,Storage and Communication	2.3	2.1	3.4	3.6	2.7	2.7	2.0	2.3
金融保险、房地产和商业服务	Financing,Insurance,Real Estate and Business Services	4.7	5.1	7.9	8.7	7.3	5.7	5.4	5.2
团体、社会和个人服务	Community,Social and Personal Services	7.3	8.2	14.6	16.6	16.5	14.0	10.7	10.0
初次失业	Unemployed for the First Time	9.4	7.8	14.3	13.2	13.9	11.0	9.8	9.4

7-18 按失业前职业分的失业人数

Unemployed Persons by Occupation (Prior to Unemployment)

单位:千人 (1000 persons)

职业	Occupation	2001	2002	2003	2004	2005	2006	2007
总计	**Total**	**174.6**	**253.8**	**275.1**	**239.4**	**197.3**	**171.2**	**145.6**
立法者高级官员和和管理人员	Legislators,Senior Officials and Managers	5.2	8.3	6.7	5.3	6.1	4.6	4.3
专业人员	Professionals	3.8	4.8	5.0	4.6	4.1	3.2	3.4
技术和辅助专业人员	Technicians and Associate Professionals	17.1	25.7	26.6	22.3	18.0	17.2	15.8
职员	Clerks	21.4	30.0	30.0	25.5	22.5	19.6	18.0
服务人员和商店与市场销售人员	Service Workers and Shop and and Market Sales Workers	33.3	47.3	55.5	47.0	38.9	33.3	28.0
手艺人和有关行业工人	Craft and Related Trade Workers	31.7	46.8	51.6	41.0	31.7	27.2	19.5
设备和机械操作工、装配工	Plant and Machine Operators and Assemblers	12.1	14.9	17.6	15.2	11.7	9.9	7.1
简单劳动职业人员	Elementary Occupations	33.7	51.0	58.6	54.7	43.8	37.3	32.1
初次失业	Unemployed for the First Time	16.1	24.6	23.2	23.5	20.0	18.7	17.1
男	**Male**	**118.2**	**163.7**	**179.9**	**151.6**	**127.1**	**110.3**	**88.8**
立法者高级官员和和管理人员	Legislators,Senior Officials and Managers	4.3	6.7	5.0	4.2	4.9	3.4	2.9
专业人员	Professionals	2.7	3.5	3.6	3.1	2.9	2.4	2.5
技术和辅助专业人员	Technicians and Associate Professionals	11.4	18.0	18.5	15.2	12.0	11.2	10.1
职员	Clerks	7.1	9.0	8.7	8.4	7.2	6.5	6.5
服务人员和商店与市场销售人员	Service Workers and Shop and and Market Sales Workers	16.9	22.8	28.2	22.4	20.1	17.0	12.6
手艺人和有关行业工人	Craft and Related Trade Workers	31.2	45.8	50.7	39.9	31.1	26.8	19.0
设备和机械操作工、装配工	Plant and Machine Operators and Assemblers	9.6	11.3	14.1	12.2	9.3	7.9	5.7
简单劳动职业人员	Elementary Occupations	26.6	35.9	40.9	36.5	30.3	26.0	21.7
初次失业	Unemployed for the First Time	8.3	10.4	10.0	9.6	9.1	8.9	7.8
女	**Female**	**56.4**	**90.0**	**95.2**	**87.8**	**70.2**	**61.0**	**56.7**
立法者高级官员和和管理人员	Legislators,Senior Officials and Managers	0.9	1.6	1.8	1.2	1.3	1.3	1.3
专业人员	Professionals	1.0	1.3	1.4	1.5	1.2	0.8	0.9
技术和辅助专业人员	Technicians and Associate Professionals	5.7	7.7	8.1	7.0	6.0	6.0	5.7
职员	Clerks	14.3	21.0	21.4	17.1	15.2	13.1	11.6
服务人员和商店与市场销售人员	Service Workers and Shop and and Market Sales Workers	16.4	24.5	27.3	24.7	18.8	16.2	15.4
手艺人和有关行业工人	Craft and Related Trade Workers	0.6	1.0	0.9	1.1	0.6	0.4	0.5
设备和机械操作工、装配工	Plant and Machine Operators and Assemblers	2.5	3.6	3.5	3.0	2.4	2.0	1.5
简单劳动职业人员	Elementary Occupations	7.1	15.1	17.6	18.2	13.4	11.2	10.4
初次失业	Unemployed for the First Time	7.8	14.3	13.2	13.9	11.0	9.8	9.4

7-19 非农行业工人日工资率

Daily Wages of Workers in Non-agricultural Sectors

单位：港元/日 (HKD/per day)

分组	Group	2001	2002	2003	2004	2005	2006	2007
总计	**Total**	**412.5**	**401.3**	**408.5**	**398.6**	**370.0**	**419.6**	**440.8**
制造业	Manufacturing	342.6	326.1	322.2	324.3	279.0	321.7	342.8
交通运输和仓储业	Transport,Storage and Communication	507.7	508.6	496.5	491.3	503.7	507.0	511.2
金融保险、房地产和商业服务	Financing,Insurance,Real Estate and Business Services	455.1	432.8	426.0	417.6	417.1	432.0	447.4
团体、社会和个人服务	Community,Social and Personal Services	549.9	524.6	518.4	525.8	500.4	518.9	548.0
男	**Male**	**480.8**	**476.0**	**469.2**	**451.4**	**397.3**	**482.4**	**491.7**
制造业	Manufacturing	428.5	419.2	406.1	380.4	282.4	420.8	436.4
交通运输和仓储业	Transport,Storage and Communication	511.1	510.5	497.4	491.9	504.4	507.6	510.9
金融保险、房地产和商业服务	Financing,Insurance,Real Estate and Business Services	462.7	432.8	426.1	417.7	417.1	432.0	447.4
团体、社会和个人服务	Community,Social and Personal Services	549.9	524.6	518.4	525.8	500.4	518.9	548.0
女	**Female**	**291.0**	**277.8**	**274.4**	**289.8**	**287.0**	**269.9**	**283.0**
制造业	Manufacturing	280.6	268.2	262.7	280.0	273.8	256.9	259.6

7-20 非农行业管理人员月工资率

Monthly Wages of Managers in Non-agricultural Sectors

单位：港元/月 (HKD/per month)

分组	Group	2001	2002	2003	2004	2005	2006	2007
总计	**Total**	**11449.0**	**11069.8**	**10854.3**	**10534.6**	**10671.1**	**10985.1**	**11378.5**
制造业	Manufacturing	12133.1	11950.7	11508.8	11498.1	11622.0	11972.4	11878.0
批发零售和餐饮、旅馆业	Wholesale and Retail Trade and Restaurants and Hotels	12046.4	11745.0	11580.8	11385.1	11704.9	11912.6	11916.3
交通运输和仓储业	Transport,Storage and Communication	13191.6	13381.7	13037.2	12711.3	13303.6	12772.8	13061.1
金融保险、房地产和商业服务	Financing,Insurance,Real Estate and Business Services	11311.8	10571.8	10645.4	9830.9	9815.3	10239.3	11195.0
团体、社会和个人服务	Community,Social and Personal Services	6405.7	6179.2	5972.9	6053.4	5934.3	6000.3	6570.1
男	**Male**	**11905**	**11619**	**11269.8**	**11025**	**11016**	**11391.9**	**11759.3**
制造业	Manufacturing	12929.7	12810.2	12082.7	11880.7	12248.6	12483.3	12596.7
批发零售和餐饮、旅馆业	Wholesale and Retail Trade and Restaurants and Hotels	13076.3	12867.8	12526.3	12299.3	12599.4	12856.4	12797.2
交通运输和仓储业	Transport,Storage and Communication	13768.4	14296.0	14056.1	13586.5	14032.0	13524.7	13962.0
金融保险、房地产和商业服务	Financing,Insurance,Real Estate and Business Services	10438.2	9606.4	9703.1	9110.3	8988.4	9422.4	10094.0
团体、社会和个人服务	Community,Social and Personal Services	7162.9	6993	6479.7	6536.4	6444.1	6493.3	6820.6
女	**Female**	**10969.3**	**10518.2**	**10445.8**	**10052.4**	**10319.5**	**10596.5**	**11015.2**
制造业	Manufacturing	11395	11123.2	11021.1	11139.3	11015	11552.3	11282.4
批发零售和餐饮、旅馆业	Wholesale and Retail Trade and Restaurants and Hotels	11204.5	10852.0	10836.7	10640.6	10998.1	11192.9	11217.6
交通运输和仓储业	Transport,Storage and Communication	12274.2	12059.8	11657.0	11538.6	12212.3	11721.8	11800.8
金融保险、房地产和商业服务	Financing,Insurance,Real Estate and Business Services	13054.8	12554.1	12319.7	11320.0	11579.2	11803.6	13113.1
团体、社会和个人服务	Community,Social and Personal Services	5886.2	5688.7	5617.7	5791.8	5576.3	5686.5	6429.5

7-21 非农行业周工作小时

Weekly Working Hours in Non-agricultural Sectors

单位:小时/周 (hours/per week)

行业	Sector	2001	2002	2003	2004	2005	2006	2007
总计	**Total**	**46.5**	**46.9**	**46.7**	**47.1**	**46.9**	**46.3**	**46.6**
制造业	Manufacturing	45.4	45.6	45.4	46.5	46.4	45.5	45.9
电力、天然气及水	Electricity,Gas and Water	42.5	42.6	42.4	42.7	42.5	42.4	42.5
建筑业	Construction	41.9	41.5	41.3	42.7	42.6	42.1	43.1
批发零售和餐饮、旅馆业	Wholesale and Retail Trade and Restaurants and Hotels	48.0	48.6	48.4	48.7	48.3	47.3	47.7
交通运输和仓储业	Transport,Storage and Communication	46.9	47.4	47	47	47.5	47.2	47.5
金融保险、房地产和商业服务	Financing,Insurance,Real Estate and Business Services	46.0	46.8	46.7	47.0	47.1	46.3	46.3
团体、社会和个人服务	Community,Social and Personal Services	47.2	47.1	46.5	46.3	46.4	46.2	46.5
男	**Male**	**47.1**	**47.5**	**47.3**	**47.9**	**47.8**	**47.1**	**47.5**
制造业	Manufacturing	47.1	47.4	47	48.2	48.1	47.2	47.8
电力、天然气及水	Electricity,Gas and Water	42.7	42.8	42.9	43.0	42.8	42.6	43.0
建筑业	Construction	41.8	41.4	41.3	42.7	42.6	42.1	43.2
批发零售和餐饮、旅馆业	Wholesale and Retail Trade and Restaurants and Hotels	50.0	50.8	50.7	50.9	50.5	49.3	49.9
交通运输和仓储业	Transport,Storage and Communication	48.1	48.8	48.4	49.4	49.1	48.9	49.2
金融保险、房地产和商业服务	Financing,Insurance,Real Estate and Business Services	48.1	49.1	48.9	49.1	49.1	48.3	48.1
团体、社会和个人服务	Community,Social and Personal Services	45.0	44.6	44.3	44.5	44.3	44.3	44.3
女	**Female**	**45.8**	**46.1**	**45.8**	**46**	**45.9**	**45.4**	**45.7**
制造业	Manufacturing	42.3	42.6	42.2	43.5	43.1	42.4	42.5
电力、天然气及水	Electricity,Gas and Water	41.1	41.6	39.7	41	41.3	41.4	40.4
建筑业	Construction	42.3	42.2	41.7	42.1	42.3	41.9	42.6
批发零售和餐饮、旅馆业	Wholesale and Retail Trade and Restaurants and Hotels	45.9	46.3	46.1	46.4	46.1	45.4	45.6
交通运输和仓储业	Transport,Storage and Communication	41.7	42.1	41.9	42.6	42.1	41.7	41.7
金融保险、房地产和商业服务	Financing,Insurance,Real Estate and Business Services	42.8	43.4	43.5	43.9	44.2	43.6	43.6
团体、社会和个人服务	Community,Social and Personal Services	48.3	48.4	47.6	47.3	47.4	47.1	47.6

7-22 分行业职业伤害情况
Occupational Injuries by Sector

项 目	Item	2000	2001	2002	2003	2004	2005	2006
一、伤亡人数(人)	**Total (fatal and non fatal,person)**	**58092**	**53719**	**47023**	**42022**	**44025**	**44267**	**46937**
农林牧渔业	Agriculture,Hunting, Forestry and Fishing	90	145	158	155	166	148	162
采掘业	Mining and Quarrying	8	11	7	1	2	2	
制造业	Manufacturing	6985	5979	5104	4004	4258	4110	4228
电力、天然气及水	Electricity,Gas and Water	70	70	43	59	54	65	50
建筑业	Construction	12038	9324	6369	4546	3918	3667	3499
批发零售和餐饮、旅馆业	Wholesale and Retail Trade and Restaurants and Hotels	17642	16934	14762	13059	14224	13926	14665
交通运输和仓储业	Transport,Storage and Communication	5620	5114	4712	4119	4640	4924	5491
金融保险、房地产和商业服务	Financing,Insurance,Real Estate and Business Services	4339	4522	4353	4494	5129	5276	5911
团体、社会和个人服务	Community,Social and Personal Services	11247	11596	11489	11565	11604	12136	12921
其 他	Activities not Adepuately Defined	53	24	26	20	30	13	10
1、受伤人数	**Non fatal**	**57893**	**53543**	**46813**	**41851**	**43838**	**44080**	**46750**
农林牧渔业	Agriculture,Hunting, Forestry and Fishing	90	145	157	155	164	147	162
采掘业	Mining and Quarrying	7	11	7	1	2	2	
制造业	Manufacturing	6950	5953	5088	3985	4229	4096	4207
电力、天然气及水	Electricity,Gas and Water	70	68	43	58	53	65	50
建筑业	Construction	11991	9282	6322	4513	3896	3626	3479
批发零售和餐饮、旅馆业	Wholesale and Retail Trade and Restaurants and Hotels	17626	16922	14743	13049	14205	13911	14639
交通运输和仓储业	Transport,Storage and Communication	5595	5077	4675	4093	4613	4891	5462
金融保险、房地产和商业服务	Financing,Insurance,Real Estate and Business Services	4296	4484	4298	4454	5080	5224	5856
团体、社会和个人服务	Community,Social and Personal Services	11215	11577	11454	11523	11566	12105	12885
其 他	Activities not Adepuately Defined	53	24	26	20	30	13	10
2、死亡人数	**Fatal**	**199**	**176**	**210**	**171**	**187**	**187**	**187**
农林牧渔业	Agriculture,Hunting, Forestry and Fishing			1		2	1	
采掘业	Mining and Quarrying	1						
制造业	Manufacturing	35	26	16	19	29	14	21
电力、天然气及水	Electricity,Gas and Water		2		1	1		
建筑业	Construction	47	42	47	33	22	41	20
批发零售和餐饮、旅馆业	Wholesale and Retail Trade and Restaurants and Hotels	16	12	19	10	19	15	26
交通运输和仓储业	Transport,Storage and Communication	25	37	37	26	27	33	29
金融保险、房地产和商业服务	Financing,Insurance,Real Estate and Business Services	43	38	55	40	49	52	55
团体、社会和个人服务	Community,Social and Personal Services	32	19	35	42	38	31	36

7-22 续表 continued

项　目	Item	2000	2001	2002	2003	2004	2005	2006
二、每10万人死亡率	**Rates of Fatal Injuries per 100,000 employees**	**8**	**7.1**	**8.6**	**7.2**	**7.7**	**7.5**	**7.3**
采掘业	Mining and Quarrying	429.2						
制造业	Manufacturing	15.1	12.7	8.3	11	17.3	8.5	13.1
电力、天然气及水	Electricity,Gas and Water		24.3		12	12.2		
建筑业	Construction	59	52.3	64.2	51.5	34.6	69.2	37.8
批发零售和餐饮、旅馆业	Wholesale and Retail Trade and Restaurants and Hotels	1.6	1.2	1.9	1	1.9	1.5	2.5
交通运输和仓储业	Transport,Storage and Communication	14	20.2	20.5	15.1	15.1	18	15.7
金融保险、房地产和商业服务	Financing,Insurance,Real Estate and Business Services	10	8.7	12.8	9.5	11.2	11.4	11.5
团体、社会和个人服　务	Community,Social and Personal Services	6	3.4	6.2	7.3	6.5	5.2	5.7
三、损失工日数(日)	**Days Lost**	**530250**	**535225**	**490849**	**411677**	**420929**	**408423**	**424529**
农林牧渔业	Agriculture,Hunting, Forestry and Fishing	1032	1166	2087	2218	2339	1316	1503
采掘业	Mining and Quarrying	97	69	91	13	5		
制造业	Manufacturing	64853	66794	62070	45889	45841	45061	43568
电力、天然气及水	Electricity,Gas and Water	580	281	628	548	423	503	386
建筑业	Construction	152240	137632	105439	72946	58987	50364	45758
批发零售和餐饮、旅馆业	Wholesale and Retail Trade and Restaurants and Hotels	135024	141612	131085	110248	122486	118944	124159
交通运输和仓储业	Transport,Storage and Communication	56710	56851	55822	49546	50574	52181	57898
金融保险、房地产和商业服务	Financing,Insurance,Real Estate and Business Services	38666	42077	41633	42942	47872	48674	50597
团体、社会和个人服　务	Community,Social and Personal Services	81050	88745	91995	87329	92405	91368	100662
其　他	Activities not Adepuately Defined						13	

7-23 消费价格指数

Consumer Prices Indices

2000年=100　　(year of 2000=100)

项　目	Item	2000	2001	2002	2003	2004	2005	2006	2007
总指数	General Indices	100.0	98.4	95.4	93.0	92.6	93.6	95.5	97.4
总指数(不含住房)	General Indices (excl. shelter)	100.0	99.0	97.1	95.5	96.8	98.0	98.8	100.9
食品指数	Food Indices	100.0	99.2	97.1	95.7	96.7	98.4	100.1	104.4
用电及燃料指数	Fuel and Light Indices	100.0	98.0	91.3	92.5	103.1	107.3	109.6	108.8
服装指数	Clothing Indices	100.0	95.4	96.1	93.6	99.6	101.5	102.5	106.8
租金指数	Rent Indices	100.0	97.0	91.4	87.0	82.5	82.5	86.4	88.1

三、澳门特别行政区人口和就业统计数据

III.Population and Employment Data of Macao Special Administrative Region

7-24 人口主要指标
Main Demographic Indicators

项　　目	Item	2003	2004	2005	2006	2007
年中人口估计（万人）	Mid-year Estimates of Population (10 000 persons)	44.4	45.5	47.3	49.9	52.6
出生率（‰）	Crude Birth Rate (‰)	7.2	7.3	7.8	8.1	8.6
死亡率（‰）	Crude Death Rate (‰)	3.3	3.4	3.4	3.1	2.9
婴儿死亡率（‰）	Infant Mortality Rate (‰)	0.6	3.0	3.3	2.7	2.4
自然增长率（‰）	Natural Growth Rate (‰)	3.9	3.9	4.3	5.0	5.7
总和生育率	Total Fertility Rate	0.8	0.9	0.9	1.0	1.0
登记结婚数（宗）	Number of Registered Marriages (case)	1309	1737	1734	2100	2047
离婚数目（宗）	Number of Registered Divorces (case)	440	475	573	592	684
		2000-2003r	2001-2004r	2002-2005r	2003-2006	
出生时平均预期寿命(岁)	Life Expectancy at Birth (years)	81.0	81.2	81.1	81.5	
男	Male	78.8	78.8	78.7	79.0	
女	Female	83.2	83.4	83.4	83.8	

注：1)根据2006中期人口统计资料，2003至2005年之出生率、死亡率等人口指标相继调整。
　　2)"r"表示更正资料。

Notes: a)According to the results of by-census 2006, demographic indicators of birth, mortality, etc. for years 2003 to 2005 are revised accordingly.
　　b)"r"indicates rectified data.

7-25 分行业全部就业人数
Employed Persons by Sector

单位:千人 (1000 persons)

行业	Sector	2004	2005	2006	2007
总计	**Total**	**219.1**	**237.5**	**265.1**	**300.4**
农林牧渔业	Agriculture,Huntung,Forestry and Fishing	0.7	0.3	0.5	0.2
制造业	Manufacturing	36.1	35.3	29.5	24.0
电力、煤气及水的供应业	Electricity, Gas, and Water Supply	1.1	1.2	0.9	1.2
建筑业	Construction	18.1	22.9	31.1	38.6
批发零售及修理业	Wholesale and Retail Trade; Repair of Motor Vehicles, Motorcycles and Personal and Household Goods	35.2	35.3	36.4	38.4
旅馆及餐饮业	Hotels and Restaurants	24.1	24.9	30.0	34.7
运输、仓储及通信业	Transport,Storageand Communications	15.0	14.8	16.8	16.4
金融保险业	Financial Intermediation	6.2	6.6	6.9	7.9
房地产业	Real Estate, Renting and Business Activities	12.6	14.3	16.3	20.1
公共管理与防务、义务社会保障业	Public Administration and Defence; Compulsory Social Security	18.1	18.8	20.3	22.0
教育	Education	10.6	10.3	11.3	11.9
卫生与社会工作	Health and Social Work	5.0	5.3	5.4	6.0
其他社区、社会和个人服务工作	Other Community, Social and Personal Service Activities	31.3	40.8	52.5	69.1
家庭服务业	Private Households with Employed Persons	5.0	6.2	6.9	9.6
享有治外法权的组织机构	Extra-territorial Organizations and Bodies	0.1	0.2	0.1	0.1
其他	Other	0.1	0.1	0.1	
男	**Male**	**115.2**	**124.3**	**141.6**	**160.5**
农林牧渔业	Agriculture,Huntung,Forestry and Fishing	0.4	0.2	0.3	0.1
制造业	Manufacturing	11.4	11.8	10.5	8.7
电力、煤气及水的供应业	Electricity, Gas, and Water Supply	0.9	1.0	0.8	1.0
建筑业	Construction	16.1	20.5	27.8	33.9
批发零售及修理业	Wholesale and Retail Trade; Repair of Motor Vehicles, Motorcycles and Personal and Household Goods	18.6	18.5	17.8	19.3
旅馆及餐饮业	Hotels and Restaurants	11.9	11.5	14.6	16.7
运输、仓储及通信业	Transport,Storageand Communications	11.2	11.0	12.0	11.8
金融保险业	Financial Intermediation	2.6	2.8	2.9	3.1
房地产业	Real Estate, Renting and Business Activities	8.1	9.0	9.9	11.7
公共管理与防务、义务社会保障业	Public Administration and Defence; Compulsory Social Security	12.6	12.6	14.0	14.2
教育	Education	3.3	3.0	3.7	3.8
卫生与社会工作	Health and Social Work	1.5	1.4	1.4	1.7
其他社区、社会和个人服务工作	Other Community, Social and Personal Service Activities	16.3	20.5	25.6	33.9
家庭服务业	Private Households with Employed Persons	0.4	0.3	0.3	0.5
享有治外法权的组织机构	Extra-territorial Organizations and Bodies		0.1		
其他	Other		0.1		
女	**Female**	**103.9**	**113.2**	**123.5**	**139.8**
农林牧渔业	Agriculture,Huntung,Forestry and Fishing	0.2	0.2	0.3	0.1
制造业	Manufacturing	24.7	23.5	19.1	15.4
电力、煤气及水的供应业	Electricity, Gas, and Water Supply	0.2	0.2	0.1	0.2
建筑业	Construction	2.0	2.5	3.2	4.7
批发零售及修理业	Wholesale and Retail Trade; Repair of Motor Vehicles, Motorcycles and Personal and Household Goods	16.7	16.8	18.6	19.1
旅馆及餐饮业	Hotels and Restaurants	12.2	13.4	15.4	18.1
运输、仓储及通信业	Transport,Storageand Communications	3.8	3.8	4.8	4.5
金融保险业	Financial Intermediation	3.6	3.8	4.0	4.8
房地产业	Real Estate, Renting and Business Activities	4.5	5.3	6.4	8.5
公共管理与防务、义务社会保障业	Public Administration and Defence; Compulsory Social Security	5.5	6.2	6.4	7.8
教育	Education	7.2	7.4	7.7	8.1
卫生与社会工作	Health and Social Work	3.6	3.9	4.1	4.3
其他社区、社会和个人服务工作	Other Community, Social and Personal Service Activities	15.0	20.2	26.9	35.2
家庭服务业	Private Households with Employed Persons	4.6	5.9	6.6	9.1
享有治外法权的组织机构	Extra-territorial Organizations and Bodies		0.1	0.1	0.1
其他	Other	0.1			

7-26 分职业全部就业人数

Employed Persons by Occupation

单位:千人 (1000 persons)

职　　业	Occupation	2001	2002	2003	2004	2005	2006	2007
总 计	**Total**	**205.0**	**204.9**	**205.4**	**219.1**	**237.5**	**265.1**	**300.4**
立法者高级官员和和管理人员	Legislators,Senior Officials and Managers	10.7	12.2	12.2	13.5	15.8	17.0	14.6
专业人员	Professionals	6.2	6.9	7.8	7.8	7.5	9.4	10.3
技术和辅助专业人员	Technicians and Associate Professionals	17.4	18.9	19.3	20.4	21.4	23.5	28.2
职　　员	Clerks	37.3	36.2	39.0	44.7	51.1	60.8	79.4
服务人员和商店与市场销售人员	Service Workers and Shop and and Market Sales Workers	40.7	43.4	40.8	45.3	48.5	54.8	60.7
农渔业技术人员	Skilled Agricultural and Fishery Workers	1.3	1.3	1.9	1.9	1.2	1.4	0.9
手艺人和有关行业工人	Craft and Related Trade Workers	25.1	23.0	22.7	23.0	24.8	27.9	31.8
设备和机械操作工、装配工	Plant and Machine Operators and Assemblers	30.0	27.7	25.3	25.8	26.7	25.3	21.9
简单劳动职业人员	Elementary Occupations	36.3	35.3	36.4	36.8	40.4	44.9	52.5
男	**Male**	**108.0**	**106.4**	**108.3**	**115.2**	**124.3**	**141.6**	**160.5**
立法者高级官员和和管理人员	Legislators,Senior Officials and Managers	8.5	9.4	9.5	10.6	11.8	12.8	10.9
专业人员	Professionals	3.6	4.0	4.5	4.4	4.2	5.4	6.0
技术和辅助专业人员	Technicians and Associate Professionals	9.3	10.1	10.1	10.3	10.6	12.0	15.1
职　　员	Clerks	14.1	12.6	13.3	15.2	19.1	23.3	30.5
服务人员和商店与市场销售人员	Service Workers and Shop and and Market Sales Workers	22.6	24.4	22.5	25.0	25.8	28.2	32.6
农渔业技术人员	Skilled Agricultural and Fishery Workers	1.1	1.0	1.6	1.5	1.0	1.1	0.7
手艺人和有关行业工人	Craft and Related Trade Workers	20.5	18.5	18.8	19.8	21.4	25.9	30.4
设备和机械操作工、装配工	Plant and Machine Operators and Assemblers	11.2	10.3	10.6	11.5	12.6	14.1	13.8
简单劳动职业人员	Elementary Occupations	17.4	16.0	17.5	16.9	17.8	18.8	20.6
女	**Female**	**96.9**	**98.5**	**97.1**	**103.9**	**113.2**	**123.5**	**139.8**
立法者高级官员和和管理人员	Legislators,Senior Officials and Managers	2.2	2.8	2.7	2.9	4.2	4.2	3.8
专业人员	Professionals	2.6	2.9	3.2	3.4	3.3	4.0	4.3
技术和辅助专业人员	Technicians and Associate Professionals	8.2	8.8	9.2	10.2	10.8	11.5	13.1
职　　员	Clerks	23.3	23.5	25.8	29.6	32.0	37.5	49.0
服务人员和商店与市场销售人员	Service Workers and Shop and and Market Sales Workers	18.1	19.0	18.4	20.3	22.7	26.6	28.1
农渔业技术人员	Skilled Agricultural and Fishery Workers	0.2	0.3	0.3	0.4	0.2	0.4	0.2
手艺人和有关行业工人	Craft and Related Trade Workers	4.7	4.5	3.8	3.2	3.4	2.0	1.4
设备和机械操作工、装配工	Plant and Machine Operators and Assemblers	18.9	17.5	14.8	14.2	14.1	11.2	8.1
简单劳动职业人员	Elementary Occupations	18.9	19.3	18.9	19.9	22.6	26.2	31.9

7-27 按年龄分组的失业人数

Unemployed Persons by Age Group

单位:千人 (1000 persons)

年龄分组 Age Group	2000	2001	2002	2003	2004	2005	2006	2007
总 计 Total	**14.2**	**14.0**	**13.7**	**13.1**	**11.2**	**10.3**	**10.4**	**9.5**
14-19	1.1	1.1	1.2	1.1	1.0	1.1	0.9	1.0
20-24	1.7	1.6	1.6	1.9	1.8	1.5	1.7	1.7
25-29	1.3	1.4	1.2	1.2	1.1	1.0	1.0	0.7
30-34	1.6	1.3	1.2	1.1	1.0	0.7	0.7	0.9
35-39	2.4	2.1	1.9	1.4	1.2	1.1	1.1	0.8
40-44	2.9	2.9	2.6	2.2	1.6	1.4	1.5	1.0
45-49	1.8	2.1	2.1	2.3	1.7	1.7	1.5	1.2
50-54	1.1	1.0	1.0	1.3	1.1	1.1	1.1	1.2
55-59	0.3	0.4	0.6	0.6	0.6	0.6	0.6	0.7
60-64	0.1	0.1	0.2	0.1	0.1	0.2	0.2	0.2
65+	0.1							
男 Male	**9.8**	**9.5**	**9.1**	**8.3**	**6.8**	**5.8**	**5.6**	**5.6**
14-19	0.7	0.7	0.8	0.7	0.7	0.6	0.6	0.7
20-24	1.0	1.0	0.9	1.2	1.0	0.9	0.9	1.2
25-29	0.8	0.9	0.8	0.8	0.7	0.5	0.6	0.4
30-34	0.9	0.8	0.7	0.6	0.6	0.5	0.4	0.4
35-39	1.6	1.2	1.1	0.6	0.6	0.4	0.4	0.3
40-44	2.2	1.9	1.9	1.4	1.1	0.6	0.6	0.5
45-49	1.3	1.7	1.5	1.5	1.0	0.9	0.8	0.7
50-54	0.9	0.9	0.7	0.9	0.7	0.7	0.7	0.8
55-59	0.2	0.3	0.4	0.5	0.4	0.4	0.4	0.5
60-64	0.1	0.1	0.2	0.1	0.1	0.1	0.1	0.2
65+	0.1							
女 Female	**4.4**	**4.5**	**4.6**	**4.8**	**4.4**	**4.5**	**4.8**	**3.9**
14-19	0.4	0.4	0.4	0.4	0.3	0.4	0.3	0.3
20-24	0.7	0.6	0.7	0.7	0.8	0.6	0.8	0.6
25-29	0.5	0.5	0.4	0.5	0.5	0.4	0.4	0.4
30-34	0.7	0.5	0.5	0.5	0.4	0.2	0.3	0.4
35-39	0.8	1.0	0.8	0.7	0.6	0.6	0.7	0.5
40-44	0.7	0.9	0.8	0.8	0.5	0.9	0.9	0.5
45-49	0.5	0.4	0.6	0.8	0.7	0.8	0.7	0.5
50-54	0.2	0.1	0.3	0.3	0.4	0.4	0.5	0.4
55-59	0.1	0.1	0.1	0.1	0.2	0.1	0.2	0.3
60-64						0.1	0.1	

7-28 按失业前行业分的失业人数

Unemployed Persons by Sector (Prior to Unemployment)

单位: 千人 (1000 persons)

行 业	Sector	2003	2004	2005	2006	2007
总 计	**Total**	**13.1**	**11.2**	**10.3**	**10.4**	**9.5**
农林牧渔业	Agriculture,Huntung,Forestry and Fishing			0.1		0.1
制 造 业	Manufacturing	2.4	2.0	1.9	1.6	1.1
建 筑 业	Construction	2.2	1.3	1.2	1.4	1.7
批发零售及修理业	Wholesale and Retail Trade; Repair of Motor Vehicles, Motorcycles and Personal and Household Goods	2.0	1.9	1.5	1.5	1.5
旅馆及餐饮业	Hotels and Restaurants	2.4	2.1	1.4	1.7	1.4
运输、仓储及通信业	Transport,Storageand Communications	0.6	0.5	0.5	0.5	0.3
金融保险业	Financial Intermediation	0.1	0.1		0.1	0.1
房地产业	Real Estate, Renting and Business Activities	0.7	0.4	0.5	0.6	0.5
公共管理与防务、义务社会保障业	Public Administration and Defence; Compulsory Social Security	0.2		0.1		
教 育	Education	0.2	0.2	0.2	0.2	0.1
卫生与社会工作	Health and Social Work	0.1	0.1	0.2	0.1	0.1
其他社区、社会和个人服务工作	Other Community, Social and Personal Service Activities	1.0	1.1	1.2	1.4	1.1
家庭服务业	Private Households with Employed Persons	0.2	0.1	0.2	0.1	0.1
初次失业	Uemployed Persons without Previous Work Experience	1.1	1.2	1.3	1.1	1.3
男	**Male**	**8.3**	**6.8**	**5.8**	**5.6**	**5.6**
制 造 业	Manufacturing	1.0	0.9	0.6	0.6	0.4
建 筑 业	Construction	2.1	1.3	1.1	1.2	1.5
批发零售及修理业	Wholesale and Retail Trade; Repair of Motor Vehicles, Motorcycles and Personal and Household Goods	1.0	0.9	0.8	0.6	0.7
旅馆及餐饮业	Hotels and Restaurants	1.7	1.4	0.8	0.9	0.7
运输、仓储及通信业	Transport,Storageand Communications	0.5	0.4	0.4	0.3	0.2
金融保险业	Financial Intermediation		0.1		0.1	
房地产业	Real Estate, Renting and Business Activities	0.5	0.4	0.4	0.4	0.4
公共管理与防务、义务社会保障业	Public Administration and Defence; Compulsory Social Security	0.1				
教 育	Education	0.1		0.1	0.1	
家庭服务业	Private Households with Employed Persons	0.5	0.6	0.8	0.8	0.6
初次失业	Uemployed Persons without Previous Work Experience	0.7	0.8	0.7	0.6	0.8
女	**Female**	**4.8**	**4.4**	**4.5**	**4.8**	**3.9**
制 造 业	Manufacturing	1.4	1.1	1.3	1.1	0.7
建 筑 业	Construction	0.1		0.1	0.2	0.2
批发零售及修理业	Wholesale and Retail Trade; Repair of Motor Vehicles, Motorcycles and Personal and Household Goods	0.9	1.0	0.7	0.9	0.8
旅馆及餐饮业	Hotels and Restaurants	0.7	0.7	0.7	0.8	0.6
运输、仓储及通信业	Transport,Storageand Communications	0.1	0.1	0.1	0.1	0.1
金融保险业	Financial Intermediation	0.1				0.1
房地产业	Real Estate, Renting and Business Activities	0.2	0.1	0.1	0.1	0.2
教 育	Education	0.1	0.1	0.1	0.2	0.1
卫生与社会工作	Health and Social Work	0.1	0.1	0.2	0.1	0.1
其他社区、社会和个人服务工作	Other Community, Social and Personal Service Activities	0.5	0.5	0.5	0.6	0.5
家庭服务业	Private Households with Employed Persons	0.2	0.1	0.1	0.1	0.1
初次失业	Uemployed Persons without Previous Work Experience	0.4	0.5	0.6	0.5	0.5

7–29 按失业前职业分的失业人数

Unemployed Persons by Occupation (Prior to Unemployment)

单位:千人 (1000 persons)

职　业	Occupation	2001	2002	2003	2004	2005	2006	2007
总 计	**Total**	**14.0**	**13.7**	**13.1**	**11.2**	**10.3**	**10.4**	**9.5**
立法者高级官员和和管理人员	Legislators,Senior Officials and Managers	0.3	0.4	0.4	0.3	0.4	0.2	0.1
专业人员	Professionals	0.1			0.1	0.1	0.2	0.1
技术和辅助专业人员	Technicians and Associate Professionals	0.4	0.5	0.3	0.5	0.2	0.4	0.3
职　员	Clerks	1.8	1.5	1.7	1.4	1.3	1.5	1.3
服务人员和商店与市场销售人员	Service Workers and Shop and and Market Sales Workers	3.0	3.0	3.0	3.2	2.4	2.9	2.4
农渔业技术人员	Skilled Agricultural and Fishery Workers			0.1		0.1	0.1	0.1
手艺人和有关行业工人	Craft and Related Trade Workers	3.3	3.0	2.2	1.3	1.2	1.3	1.3
设备和机械操作工、装配工	Plant and Machine Operators and Assemblers	1.4	1.6	1.2	1.1	1.2	0.9	0.8
简单劳动职业人员	Elementary Occupations	2.8	2.5	3.0	2.1	2.1	1.8	1.6
初次失业	Unemployed for the First Time	1.0	1.1	1.1	1.2	1.3	1.1	1.3
男	**Male**	**9.5**	**9.1**	**8.3**	**6.8**	**5.8**	**5.6**	**5.6**
立法者高级官员和和管理人员	Legislators,Senior Officials and Managers	0.2	0.4	0.3	0.2	0.3	0.1	0.1
专业人员	Professionals	0.1					0.1	
技术和辅助专业人员	Technicians and Associate Professionals	0.3	0.3	0.2	0.3	0.2	0.2	0.2
职　员	Clerks	0.7	0.6	0.7	0.5	0.5	0.6	0.5
服务人员和商店与市场销售人员	Service Workers and Shop and and Market Sales Workers	1.7	1.5	1.7	1.9	1.3	1.5	1.1
农渔业技术人员	Skilled Agricultural and Fishery Workers					0.1		0.1
手艺人和有关行业工人	Craft and Related Trade Workers	3.1	2.8	2.0	1.0	0.9	1.0	1.3
设备和机械操作工、装配工	Plant and Machine Operators and Assemblers	0.8	0.9	0.5	0.6	0.5	0.4	0.4
简单劳动职业人员	Elementary Occupations	1.9	1.7	2.1	1.5	1.2	0.9	1
初次失业	Unemployed for the First Time	0.6	0.8	0.7	0.8	0.7	0.6	0.8
女	**Female**	**4.5**	**4.6**	**4.8**	**4.4**	**4.5**	**4.8**	**3.9**
立法者高级官员和和管理人员	Legislators,Senior Officials and Managers			0.1		0.1	0.1	
专业人员	Professionals				0.1		0.1	0.1
技术和辅助专业人员	Technicians and Associate Professionals	0.1	0.1	0.1	0.2	0.1	0.1	0.1
职　员	Clerks	1.1	0.9	1.0	0.8	0.8	0.9	0.8
服务人员和商店与市场销售人员	Service Workers and Shop and and Market Sales Workers	1.3	1.4	1.3	1.3	1.1	1.4	1.3
手艺人和有关行业工人	Craft and Related Trade Workers	0.2	0.2	0.2	0.3	0.2	0.2	0.1
设备和机械操作工、装配工	Plant and Machine Operators and Assemblers	0.6	0.7	0.7	0.6	0.7	0.5	0.4
简单劳动职业人员	Elementary Occupations	0.8	0.8	0.9	0.6	0.9	0.9	0.6
初次失业	Unemployed for the First Time	0.3	0.4	0.4	0.5	0.6	0.5	0.5

7-30 非农行业平均工资

Average Wages by Non-agricultural Sectors

单位:澳门元/月 (MOP/month)

行业	Sector	2004	2005	2006	2007
总计	**Total**	**5167**	**5773**	**6701**	**7800**
采矿业	Mining and Quarrying	11751	6251	7642	7500
制造业	Manufacturing	2983	3101	3140	4000
电力、煤气及水的供应业	Electricity, Gas, and Water Supply	11546	12969	13417	14100
建筑业	Construction	4967	5922	7521	8500
批发零售及修理业	Wholesale and Retail Trade; Repair of Motor Vehicles, Motorcycles and Personal and Household Goods	4550	4888	5576	6000
旅馆及餐饮业	Hotels and Restaurants	4272	4468	4885	5500
运输、仓储及通信业	Transport,Storageand Communications	5958	6455	6924	7800
金融保险业	Financial Intermediation	8159	8691	8825	9800
房地产业	Real Estate, Renting and Business Activities	3712	4198	4675	5500
公共管理与防务、义务社会保障业	Public Administration and Defence; Compulsory Social Security	13895	14521	14793	14900
教育	Education	8975	9503	9636	9900
卫生与社会工作	Health and Social Work	9669	9705	8029	9900
其他社区、社会和个人服务工作	Other Community, Social and Personal Service Activities	7080	7837	9537	11600
家庭服务业	Private Households with Employed Persons	2674	2609	2543	2500
男	**Male**	**5979**	**6820**	**7713**	**8700**
采矿业	Mining and Quarrying	11751	6251	7642	7500
制造业	Manufacturing	4829	4765	5462	6500
电力、煤气及水的供应业	Electricity, Gas, and Water Supply	11492	14278	14116	14200
建筑业	Construction	4970	5994	7646	8800
批发零售及修理业	Wholesale and Retail Trade; Repair of Motor Vehicles, Motorcycles and Personal and Household Goods	4904	5724	5964	7100
旅馆及餐饮业	Hotels and Restaurants	5079	5630	6311	6800
运输、仓储及通信业	Transport,Storageand Communications	5903	6559	7097	7800
金融保险业	Financial Intermediation	8800	9670	9548	10100
房地产业	Real Estate, Renting and Business Activities	3736	4285	4610	5400
公共管理与防务、义务社会保障业	Public Administration and Defence; Compulsory Social Security	13666	13921	14599	14800
教育	Education	9758	9956	9977	12900
卫生与社会工作	Health and Social Work	11836	11295	9329	13000
其他社区、社会和个人服务工作	Other Community, Social and Personal Service Activities	7241	7924	9654	11600
家庭服务业	Private Households with Employed Persons	3615	4801	5568	6700
女	**Female**	**4210**	**4559**	**5194**	**6100**
制造业	Manufacturing	2652	2795	2698	3100
电力、煤气及水的供应业	Electricity, Gas, and Water Supply	11848	8267	12167	14000
建筑业	Construction	4945	5414	5750	6600
批发零售及修理业	Wholesale and Retail Trade; Repair of Motor Vehicles, Motorcycles and Personal and Household Goods	3926	4324	4821	5200
旅馆及餐饮业	Hotels and Restaurants	3732	3915	4313	4900
运输、仓储及通信业	Transport,Storageand Communications	6391	5905	6578	7700
金融保险业	Financial Intermediation	7768	8006	8624	9700
房地产业	Real Estate, Renting and Business Activities	3656	4024	4743	5700
公共管理与防务、义务社会保障业	Public Administration and Defence; Compulsory Social Security	14791	15898	15902	16100
教育	Education	8597	8771	8995	9700
卫生与社会工作	Health and Social Work	8485	8910	7853	8700
其他社区、社会和个人服务工作	Other Community, Social and Personal Service Activities	6880	7739	8708	11500
家庭服务业	Private Households with Employed Persons	2646	2582	2500	2500

7-31 非农行业周工作小时
Weekly Working Hours in Non-agricultural Sectors

单位:小时/周 (hours/per week)

行业	Sector	2004	2005	2006	2007
总计	**Total**	**48.0**	**47.5**	**47.1**	**46.9**
采矿业	Mining and Quarrying	56.5	52.0	54.4	52.8
制造业	Manufacturing	47.4	47.5	47.2	47.3
电力、煤气及水的供应业	Electricity, Gas, and Water Supply	41.9	42.4	42.7	41.8
建筑业	Construction	46.2	46.6	47.1	47.1
批发零售及修理业	Wholesale and Retail Trade; Repair of Motor Vehicles, Motorcycles and Personal and Household Goods	54.2	49.4	48.9	48.8
旅馆及餐饮业	Hotels and Restaurants	54.1	51.5	49.8	48.7
运输、仓储及通信业	Transport,Storageand Communications	47.6	47.3	47.0	47.1
金融保险业	Financial Intermediation	44.2	43.3	43.2	43.2
房地产业	Real Estate, Renting and Business Activities	52.7	48.8	48.4	48.0
公共管理与防务、义务社会保障业	Public Administration and Defence; Compulsory Social Security	39.6	39.2	39.1	38.9
教育	Education	41.3	42.2	41.7	41.9
卫生与社会工作	Health and Social Work	44.5	43.3	44.3	43.3
其他社区、社会和个人服务工作	Other Community, Social and Personal Service Activities	53.4	49.1	47.4	47.0
家庭服务业	Private Households with Employed Persons	58.5	48.9	51.5	48.7
男	**Male**	**48.3**	**47.7**	**47.3**	**47.1**
采矿业	Mining and Quarrying	56.5	52.0	54.4	52.8
制造业	Manufacturing	47.8	48.0	47.7	47.5
电力、煤气及水的供应业	Electricity, Gas, and Water Supply	42.1	42.5	42.8	42.1
建筑业	Construction	46.3	46.6	47.2	47.4
批发零售及修理业	Wholesale and Retail Trade; Repair of Motor Vehicles, Motorcycles and Personal and Household Goods	55.1	50.2	49.2	49.3
旅馆及餐饮业	Hotels and Restaurants	54.5	51.8	49.6	48.9
运输、仓储及通信业	Transport,Storageand Communications	48.3	48.1	47.8	48.5
金融保险业	Financial Intermediation	44.2	43.6	43.2	43.6
房地产业	Real Estate, Renting and Business Activities	60.6	54.1	52.8	50.6
公共管理与防务、义务社会保障业	Public Administration and Defence; Compulsory Social Security	40.4	40.2	40.0	39.4
教育	Education	41.0	41.8	41.6	41.2
卫生与社会工作	Health and Social Work	45.3	42.8	42.8	42.7
其他社区、社会和个人服务工作	Other Community, Social and Personal Service Activities	54.5	49.2	47.5	47.0
家庭服务业	Private Households with Employed Persons	64.6	56.0	55.1	48.4
女	**Female**	**47.7**	**47.3**	**46.9**	**46.6**
制造业	Manufacturing	47.3	47.2	46.9	47.2
电力、煤气及水的供应业	Electricity, Gas, and Water Supply	40.8	42.2	35.5	40.6
建筑业	Construction	45.3	46.4	46.3	45.4
批发零售及修理业	Wholesale and Retail Trade; Repair of Motor Vehicles, Motorcycles and Personal and Household Goods	52.9	48.9	48.7	48.2
旅馆及餐饮业	Hotels and Restaurants	53.7	51.3	50.0	48.6
运输、仓储及通信业	Transport,Storageand Communications	45.9	45.6	45.1	44.3
金融保险业	Financial Intermediation	44.3	43.1	43.2	42.9
房地产业	Real Estate, Renting and Business Activities	47.0	46.9	46.8	46.1
公共管理与防务、义务社会保障业	Public Administration and Defence; Compulsory Social Security	38.2	38.0	38.0	38.2
教育	Education	41.4	42.4	41.7	42.2
卫生与社会工作	Health and Social Work	44.1	43.5	44.8	43.6
其他社区、社会和个人服务工作	Other Community, Social and Personal Service Activities	52.0	49.0	47.3	46.9
家庭服务业	Private Households with Employed Persons	56.9	48.8	51.3	48.7

7-32 分行业职业伤害情况

Occupational Injuries by Sector

项　　目	Item	2003	2004	2005	2006	2007
一、伤亡人数(人)	**Total（fatal and non fatal, person)**	**4102**	**4605**	**4956**	**2779**	**2288**
农林牧渔业	Agriculture,Huntung,Forestry and Fishing	7	2	4		2
制 造 业	Manufacturing	793	753	650	333	238
电力、煤气及水的供应业	Electricity, Gas, and Water Supply	15	26	8	1	5
建 筑 业	Construction	518	741	861	672	315
批发零售及修理业	Wholesale and Retail Trade; Repair of Motor Vehicles, Motorcycles and Personal and Household Goods	488	539	594	321	289
旅馆及餐饮业	Hotels and Restaurants	872	900	1005	787	560
运输、仓储及通信业	Transport,Storageand Communications	253	307	343	141	141
金融保险业	Financial Intermediation	34	34	34	12	9
房地产业	Real Estate, Renting and Business Activities	189	234	273	131	136
公共管理与防务、义务社会保障业	Public Administration and Defence; Compulsory Social Security	84	88	105	34	25
教 育	Education	135	168	159	39	35
卫生与社会工作	Health and Social Work	28	43	62	42	39
其他社区、社会和个人服务工作	Other Community, Social and Personal Service Activities	658	749	811	241	481
家庭服务业	Private Households with Employed Persons	28	21	47	25	13
1、受伤人数	**Non fatal**	**4093**	**4603**	**4941**	**2773**	**2274**
农林牧渔业	Agriculture,Huntung,Forestry and Fishing	7	2	4		2
制 造 业	Manufacturing	792	753	649	333	238
电力、煤气及水的供应业	Electricity, Gas, and Water Supply	15	26	8	1	5
建 筑 业	Construction	512	739	849	667	308
批发零售及修理业	Wholesale and Retail Trade; Repair of Motor Vehicles, Motorcycles and Personal and Household Goods	488	539	594	321	289
旅馆及餐饮业	Hotels and Restaurants	872	900	1005	787	560
运输、仓储及通信业	Transport,Storageand Communications	251	307	343	141	140
金融保险业	Financial Intermediation	34	34	34	12	9
房地产业	Real Estate, Renting and Business Activities	189	234	273	131	136
公共管理与防务、义务社会保障业	Public Administration and Defence; Compulsory Social Security	84	88	105	34	25
教 育	Education	135	168	159	39	35
卫生与社会工作	Health and Social Work	28	43	62	42	39
其他社区、社会和个人服务工作	Other Community, Social and Personal Service Activities	658	749	809	240	475
家庭服务业	Private Households with Employed Persons	28	21	47	25	13

7-32 续表 continued

项 目	Item	2003	2004	2005	2006	2007
2、死亡人数	**Fatal**	**9**	**2**	**15**	**6**	**14**
制 造 业	Manufacturing	1		1		
建 筑 业	Construction	6	2	12	5	7
运输、仓储及通信业	Transport,Storageand Communications	2				1
其他社区、社会和个人服务工作	Other Community, Social and Personal Service Activities			2	1	6
二、损失工日数(日)	**Days lost**	**24686**	**26477**	**27384**	**35886**	**34262**
农林牧渔业	Agriculture,Huntung,Forestry and Fishing	64		4		13
制 造 业	Manufacturing	4055	3941	2711	3980	2624
电力、煤气及水的供应业	Electricity, Gas, and Water Supply	12	20	5	16	60
建 筑 业	Construction	6886	6703	9553	12602	9236
批发零售及修理业	Wholesale and Retail Trade; Repair of Motor Vehicles, Motorcycles and Personal and Household Goods	2604	3067	2926	3297	3327
旅馆及餐饮业	Hotels and Restaurants	4349	5015	5126	7564	5471
运输、仓储及通信业	Transport,Storageand Communications	1219	1510	1546	2401	3315
金融保险业	Financial Intermediation	66	43	179	45	55
房地产业	Real Estate, Renting and Business Activities	1553	1078	1416	1753	1993
公共管理与防务、义务社会保障业	Public Administration and Defence; Compulsory Social Security	85	113	270	263	211
教 育	Education	346	631	513	472	433
卫生与社会工作	Health and Social Work	252	164	569	743	384
其他社区、社会和个人服务工作	Other Community, Social and Personal Service Activities	3063	4182	2486	2637	6962
家庭服务业	Private Households with Employed Persons	132	10	80	113	178

7-33 消费价格指数

Consumer Price Indices

(2000年=100) (year of 2000=100)

项 目	Item	2000	2001	2002	2003	2004	2005	2006	2007
总指数	General Indices	100.0	98.0	95.4	93.9	94.9	99.0	104.1	109.9
总指数(不含住房)	General Indices(excl. shelter)	100.0	98.1	95.6	94.2	95.5	99.2	102.7	106.8
食品指数	Food Indices	100.0	98.6	96.5	95.2	97.4	101.3	105.0	113.6
用电及燃料指数	Fuel and Light Indices	100.0	100.6	95.0	98.5	99.9	110.9	119.9	114.6
服装指数	Clothing Indices	100.0	95.3	85.5	74.9	77.4	76.7	73.1	74.0
租金指数	Rent Indices	100.0	97.4	94.8	92.7	92.1	98.1	112.0	128.3

四、台湾省人口和就业统计数据

IV.Population and Employment Data of Taiwan Province

7-34 台湾省面积及人口主要指标
Main Indicators of Area and Population

项目	Item	2003	2004	2005	2006	2007
土地面积（万平方公里）	Area (10 000 sq.km)	3.6	3.6	3.6	3.6	3.6
户籍登记人口数（万人）	Year-end Population (10 000 persons)	2260.5	2268.9	2277.0	2287.7	2295.8
男	Male	1151.5	1154.2	1156.2	1159.2	1160.8
女	Female	1108.9	1114.8	1120.8	1128.5	1135
粗出生率 （‰）	Crude Birth Rate (‰)	10.06	9.56	9.06	8.96	8.92
粗死亡率 （‰）	Crude Death Rate (‰)	5.8	6.0	6.1	6.0	6.2
婴儿死亡率 （‰）	Infant Mortality Rate (‰)	6.41	6.20	5.99	5.78	
一般生育率 （‰）	Fertility Rate (‰)	36	34	33	33	32
人口自然增加率 （‰）	Natural Population Growth Rate (‰)	4.27	3.59	2.92	3.01	2.76
结婚率 （对/千人）	Marriage Rate (couple/1000 persons)	7.60	5.80	6.21	6.25	5.89
离婚率 （对/千人）	Divorce Rate (couple/1000 persons)	2.87	2.77	2.75	2.83	2.55
期望寿命 （岁）	Life Expectancy at Birth (years)					
男	Male	74.77	74.68	74.50	74.57	
女	Female	80.33	80.75	80.80	80.81	
人口的年龄分配 （%）	Age-specific Distribution (%)					
0-14岁	0-14	19.83	19.34	18.70	18.12	17.56
15-64岁	15-64	70.94	71.19	71.56	71.88	72.24
65岁及以上	65 and Over	9.24	9.48	9.74	10.00	10.21
性别比 （女=100）	Sex Ratio (female=100)	103.84	103.53	103.16	102.72	102.28
人口密度(人/平方公里)	Population Density (persons/sq.km)	624.6	627.0	629.2	632.2	634.4

资源来源：台湾省《主计月报》。
Source: Monthly Statistics Bulletin, Taiwan Province.

7-35 分行业全部就业人数

Employed Persons by Sector

单位：千人 (1000 persons)

行业	Sector	2002	2003	2004	2006	2007
总 计	**Total**	**9573**	**9786**	**9942**	**10111**	**10294**
农林牧渔业	Agriculture,Huntung,Forestry and Fishing	696	642	591	554	543
采矿业	Mining anf Quarrying	8	7	7	7	6
制造业	Manufacturing	2590	2671	2726	2777	2842
电力、煤气及水的供应业	Electricity, Gas, and Water Supply	35	35	34	88	93
建筑业	Construction	702	732	791	829	846
批发零售及修理业	Wholesale and Retail Trade; Repair of Motor Vehicles, Motorcycles and Personal and Household Goods	1698	1727	1727	1759	1782
旅馆及餐饮业	Hotels and Restaurants	585	602	629	665	681
运输、仓储及通信业	Transport,Storageand Communications	484	489	480	626	621
金融保险业	Financial Intermediation	376	386	404	407	404
房地产业	Real Estate, Renting and Business Activities	66	74	80	535	589
公共管理与防务、义务社会保障业	Public Administration and Defence; Compulsory Social Security	369	373	351	334	332
教育	Education	512	533	551	563	588
卫生与社会工作	Health and Social Work	289	305	322	334	340
其他社区、社会和个人服务工作	Other Community, Social and Personal Service Activities	879	908	923	524	523
其他	Other	284	302	326	111	101

7-36 失业人数和失业率

Unemployed Persons and Unemployment Rate

单位：千人，% (1000 persons,%)

项目	Item	2000	2001	2002	2003	2004	2005	2006	2007
总 计	**Total**	**293**	**450**	**515**	**503**	**454**	**428**	**411**	**419**
男	Men	197	302	348	326	288	259	245	248
女	Women	96	148	167	177	166	169	166	171
失业率	**Rates, total**	**3**	**4.6**	**5.2**	**5**	**4.4**	**4.1**	**5.1**	**5.1**
男	Men	3.4	5.2	5.9	5.5				
女	Women	2.4	3.7	4.1	4.3				

7-37 非农行业雇员月平均工资

Wages of Employees by Economic Activity

单位: 新台币元/月 (NT$/per month)

行 业	Sector	2004	2005	2006	2007
采矿业	Mining and Quarrying	45297	45983	49574	47317
制造业	Manufacturing	40611	41751	42293	43026
电力、煤气及水的供应业	Electricity, Gas, and Water Supply	90711	89264	95664	95867
建筑业	Construction	37921	38455	39175	40325
批发零售及修理业	Wholesale and Retail Trade; Repair of Motor Vehicles, Motorcycles and Personal and Household Goods	40129	40033	40028	40142
旅馆及餐饮业	Hotels and Restaurants	25141	25578	25482	25950
运输、仓储及通信业	Transport,Storageand Communications	51704	53793	53313	54856
金融保险业	Financial Intermediation	66743	65097	69132	76036
房地产业	Real Estate, Renting and Business Activities	40006	39129	38213	38082
卫生与社会工作	Health and Social Work	55638	55918	55735	56864
男	**Male**				
采矿业	Mining and Quarrying	48942	50122	54571	52334
制造业	Manufacturing	46891	48022	48567	49425
电力、煤气及水的供应业	Electricity, Gas, and Water Supply	93735	91898	98326	98695
建筑业	Construction	39834	40340	41030	42177
批发零售及修理业	Wholesale and Retail Trade; Repair of Motor Vehicles, Motorcycles and Personal and Household Goods	44401	43744	43412	43875
旅馆及餐饮业	Hotels and Restaurants	27762	28420	28011	28719
运输、仓储及通信业	Transport,Storageand Communications	54553	57184	56717	57967
金融保险业	Financial Intermediation	73704	72091	75306	82906
房地产业	Real Estate, Renting and Business Activities	43856	42205	40784	40457
卫生与社会工作	Health and Social Work	94619	92979	93066	94672
女	**Female**				
采矿业	Mining and Quarrying	29692	29678	32063	30883
制造业	Manufacturing	31711	32784	33386	33969
电力、煤气及水的供应业	Electricity, Gas, and Water Supply	73631	74507	80821	80147
建筑业	Construction	28975	29893	30643	31466
批发零售及修理业	Wholesale and Retail Trade; Repair of Motor Vehicles,	36120	36497	36813	36583
	Motorcycles and Personal and Household Goods	23297	23610	23723	24034
旅馆及餐饮业	Hotels and Restaurants				
运输、仓储及通信业	Transport,Storageand Communications	45353	46499	46017	47968
金融保险业	Financial Intermediation	62294	72097	65342	71826
房地产业	Real Estate, Renting and Business Activities	34503	34786	34659	34952
卫生与社会工作	Health and Social Work	44829	45843	45854	46912

7–38 非农行业月工作小时

Monthly Working Hours in Non-agricultural Sectors

单位:小时/月 (hours/per month)

行业	Sector	2004	2005	2006	2007
采矿业	Mining and Quarrying	185.3	182.2	184.1	185.8
制造业	Manufacturing	190.7	188.8	187.3	187.5
电力、煤气及水的供应业	Electricity, Gas, and Water Supply	171.7	170.3	170.5	170.4
建筑业	Construction	177.2	177.7	178.0	177.0
批发零售及修理业	Wholesale and Retail Trade; Repair of Motor Vehicles, Motorcycles and Personal and Household Goods	180.1	177.6	175.3	174.6
旅馆及餐饮业	Hotels and Restaurants	169.7	174.6	174.4	173.1
运输、仓储及通信业	Transport,Storageand Communications	180.2	178.6	177.9	177.3
金融保险业	Financial Intermediation	169.1	168.0	168.6	167.1
房地产业	Real Estate, Renting and Business Activities	183.8	184.1	181.9	178.0
卫生与社会工作	Health and Social Work	176.2	175.9	175.3	175.1
男	**Male**				
采矿业	Mining and Quarrying	186.1	183.1	184.7	186.4
制造业	Manufacturing	193.0	190.6	189.3	187.5
电力、煤气及水的供应业	Electricity, Gas, and Water Supply	172.0	170.7	170.9	170.4
建筑业	Construction	178.1	178.2	179.0	178.0
批发零售及修理业	Wholesale and Retail Trade; Repair of Motor Vehicles, Motorcycles and Personal and Household Goods	180.4	177.6	175.1	174.5
旅馆及餐饮业	Hotels and Restaurants	169.5	173.6	174.4	173.5
运输、仓储及通信业	Transport,Storageand Communications	183.8	182.0	181.3	180.6
金融保险业	Financial Intermediation	171.4	169.8	169.8	167.9
房地产业	Real Estate, Renting and Business Activities	185.8	187.4	186.0	181.0
卫生与社会工作	Health and Social Work	176.0	176.5	175.7	174.5
女	**Female**				
采矿业	Mining and Quarrying	182.4	179.1	182.2	183.7
制造业	Manufacturing	187.4	186.2	184.6	184.5
电力、煤气及水的供应业	Electricity, Gas, and Water Supply	169.5	167.8	168.0	168.0
建筑业	Construction	173.2	174.6	173.6	171.7
批发零售及修理业	Wholesale and Retail Trade; Repair of Motor Vehicles, Motorcycles and Personal and Household Goods	179.8	177.7	175.4	174.8
旅馆及餐饮业	Hotels and Restaurants	169.8	175.4	174.3	172.8
运输、仓储及通信业	Transport,Storageand Communications	172.2	171.1	170.2	170.1
金融保险业	Financial Intermediation	167.7	166.9	167.8	166.6
房地产业	Real Estate, Renting and Business Activities	181.1	179.5	176.4	174.2
卫生与社会工作	Health and Social Work	176.2	175.9	175.1	175.2

7-39 分行业职业伤害情况

Occupational Injuries by Sector

项　　目	Item	2002	2003	2004	2005
一、伤亡人数(人)	**Total (fatal and non fatal,person)**	**36326**	**36488**	**38155**	**37348**
农林牧渔业	Agriculture,Hunting, Forestry and Fishing	508	501	500	400
采掘业	Mining and Quarrying	51	37	34	39
制造业	Manufacturing	17866	17779	18324	17580
电力、天然气及水	Electricity,Gas and Water	37	20	32	25
建筑业	Construction	8826	8857	9148	8900
批发零售和餐饮、旅馆业	Wholesale and Retail Trade and Restaurants and Hotels	4625	4868	5284	5519
交通运输和仓储业	Transport,Storage and Communication	1760	1713	1812	1806
金融保险、房地产和商业服务	Financing,Insurance,Real Estate and Business Services	496	546	603	621
团体、社会和个人服务	Community,Social and Personal Services	2157	2167	2418	2458
1.受伤人数	**Non fatal**	**35819**	**36087**	**37789**	**36966**
农林牧渔业	Agriculture,Hunting, Forestry and Fishing	432	437	443	361
采掘业	Mining and Quarrying	48	34	32	38
制造业	Manufacturing	17707	17669	18240	17474
电力、天然气及水	Electricity,Gas and Water	34	16	27	21
建筑业	Construction	8698	8739	9059	8782
批发零售和餐饮、旅馆业	Wholesale and Retail Trade and Restaurants and Hotels	4576	4836	5245	5482
交通运输和仓储业	Transport,Storage and Communication	1715	1677	1778	1765
金融保险、房地产和商业服务	Financing,Insurance,Real Estate and Business Services	477	535	588	606
团体、社会和个人服务	Community,Social and Personal Services	2132	2144	2377	2437
2.死亡人数	**Fatal**	**507**	**401**	**366**	**382**
农林牧渔业	Agriculture,Hunting, Forestry and Fishing	76	64	57	39
采掘业	Mining and Quarrying	3	3	2	1
制造业	Manufacturing	159	110	84	106
电力、天然气及水	Electricity,Gas and Water	3	4	5	4
建筑业	Construction	128	118	89	118
批发零售和餐饮、旅馆业	Wholesale and Retail Trade and Restaurants and Hotels	49	32	39	37
交通运输和仓储业	Transport,Storage and Communication	45	36	34	41
金融保险、房地产和商业服务	Financing,Insurance,Real Estate and Business Services	19	11	15	15
团体、社会和个人服务	Community,Social and Personal Services	25	23	41	21

7-39 续表 continued

项 目	Item	2002	2003	2004	2005
二、每10万人死亡率	**Rates of Fatal Injuries per 100,000 employees**	**6.5**	**5.0**	**4.4**	**4.5**
农林牧渔业	Agriculture,Hunting, Forestry and Fishing	21.7	17.8	15.7	10.7
采掘业	Mining and Quarrying	48.9	52.4	35.6	19.0
制造业	Manufacturing	5.9	4.1	3.0	3.8
电力、天然气及水	Electricity,Gas and Water	10.4	13.9	17.7	14.2
建筑业	Construction	18.8	17.5	13.1	17.2
批发零售和餐饮、旅馆业	Wholesale and Retail Trade and Restaurants and Hotels	3.2	2.0	2.3	2.1
交通运输和仓储业	Transport,Storage and Communication	8.9	7.2	6.7	7.9
金融保险、房地产和商业服务	Financing,Insurance,Real Estate and Business Services	**6.4**	**4.8**	**4.3**	**4.9**
团体、社会和个人服务	Community,Social and Personal Services	1.7	1.5	2.6	1.3
三、每10万人受伤率	**Rates of Non Fatal Injuries per 100,000 employees**	**455.8**	**445.3**	**453.0**	**432.8**
农林牧渔业	Agriculture,Hunting, Forestry and Fishing	121.5	120.7	122.3	99.4
采掘业	Mining and Quarrying	819.6	611.9	580.6	739.1
制造业	Manufacturing	655.7	643.6	648.9	625.1
电力、天然气及水	Electricity,Gas and Water	118.7	55.8	96.3	14.2
建筑业	Construction	1281.3	1295.5	1327.4	1262.2
批发零售和餐饮、旅馆业	Wholesale and Retail Trade and Restaurants and Hotels	306.2	309.5	317.0	314.7
交通运输和仓储业	Transport,Storage and Communication	339.6	337.9	354.3	343.3
金融保险、房地产和商业服务	Financing,Insurance,Real Estate and Business Services	68.1	72.5	75.6	73.7
团体、社会和个人服务	Community,Social and Personal Services	153.3	143.7	156.3	154.6

7-40 消费价格指数
Consumer Prices Indices

2000年=100 (year of 2000=100)

项 目	Item	2000	2001	2002	2003	2004	2005	2006	2007
总指数	General Indices	100.0	100.0	99.8	99.5	101.1	103.5	104.1	105.9
食品指数	Food Indices	100.0	99.0	98.8	98.7	103.1	110.7	110.0	113.1
用电及燃料指数	Fuel and Light Indices	100.0	100.3	99.3	100.2	101.5	103.3	107.3	111.0
服装指数	Clothing Indices	100.0	98.3	98.9	100.3	103.4	103.3	100.8	103.9
租金指数	Rent Indices	100.0	99.9	99.0	98.0	97.3	97.3	97.5	97.7

第八部分

Chapter Eight

2008 年人口变动和劳动力调查制度说明及主要统计指标解释

Explanatory Notes on Main Statistical Indicators

一、总 说 明

(一)调查目的

为了准确、及时地掌握全国和各省（自治区、直辖市）人口变动以及人口计划执行情况，准确地反映城乡劳动力资源、就业和失业人口的总量和结构情况，为国家和省级人民政府制定国民经济和社会发展计划，掌握人口增长情况提供可靠的人口数据，及时为政府准确判断就业形势，制定和调整就业政策，改进宏观调控提供依据，根据国办发[1992]57号文件和国办发[2004]72号文件的要求，特进行2008年人口变动情况调查，并同时进行2008年第4季度劳动力调查。

(二)调查对象和登记原则

本次调查对象为抽中调查小区内具有中华人民共和国国籍的人。调查以户为单位进行，既调查家庭户，也调查集体户。应在抽中调查小区内各户登记的人包括：①2008年10月31日晚居住在本户的人；②户口在本户，2008年10月31日晚未居住在本户的人。

应在本户登记的人分成以下几种类型：

● 本户常住人口

1．住本户,户口在本乡、镇、街道的人（含户口在本户，外出不满半年的人）；

2．住本户半年以上，户口在外乡、镇、街道的人；

3．住本户不满半年，户口在外乡、镇、街道，离开户口登记地半年以上的人；

4．住本户，户口待定的人。

● 本户户籍外出人口

户口在本户，离开本乡、镇、街道半年以上的人。

● 本户暂住人口

暂住本户，户口在外乡、镇、街道，离开户口登记地不满半年的人。

不同类型的人，分别在《人口变动和劳动力调查表》中不同的部分进行登记。

抽中调查小区内的2007年11月1日至2008年10月31日死亡的人口要登记《死亡人口调查表》。

(三)调查项目

《人口变动和劳动力调查表》

1．按户填报的项目有：

户编号、户别、应在本户登记的人数、本户常住人口数、本户户籍人口中外出半年以上人数、暂住本户，户口在外乡、镇、街道，离开户口登记地不满半年的人数、本户2007年11月1日至2008年10月31日出生人口、本户2007年11月1日至2008年10月31日死亡人口共8个项目。

2．按人填报的项目有：

本户常住人口情况：姓名、与户主关系、性别、出生年月、民族、户口登记地状况、离开户口登记地原因、户口性质、2007 年 11 月 1 日常住地、是否识字、受教育程度、学业完成情况、婚姻状况、2007 年 11 月 1 日至 2008 年 10 月 31 日生育情况、是否工作、工作单位类型、就业身份、签订劳动合同情况、未工作原因、是否寻找工作、当前能否工作、未找工作或不能工作的原因、行业、职业、参加社会保险情况、目前的主要生活来源共 26 个项目；

本户户籍外出人口情况：姓名、性别、出生年月、户口性质、受教育程度、外出地状况、外出原因、外出时间；

本户暂住人口情况：姓名、性别、出生年月、户口登记地；

《死亡人口调查表》

填报的项目有户编号、姓名、性别、出生年月、死亡月份。

（四）调查标准时间

本次调查的标准时间为 2008 年 11 月 1 日 0 时。

（五）抽样方法

以全国为总体，各省（自治区、直辖市）为子总体，按照多阶段、分层、整群、概率比例的方法进行抽样设计，在 2006 年建立的样本轮换框中，按照人口变动和劳动力调查样本按比例轮换的要求选取本次调查的样本，调查小区为最终样本单位。全国约调查 12000 个调查小区，约 120 万人，其中城镇 50 万人左右、乡村 70 万人左右，每省为 3-4 万人；第 4 季度劳动力调查样本点与人口变动调查的样本点相同。

此次调查的调查小区样本由国家统一抽取下发。

（六）调查的组织实施

1．组织方式。2008 年第 4 季度劳动力调查与 2008 年人口变动调查结合进行，采用《人口变动和劳动力调查表》同时收集人口变动和劳动力调查的信息。

2．组织领导。本次调查在当地政府的领导下，以统计部门为主组织实施，并在基层组织的协助下，派人到抽中的调查小区，进行入户登记。各级统计部门要积极争取有关部门的支持和配合，确保调查数据质量。

3．调查指导员、调查员的选聘、培训与管理。调查指导员、调查员的选调工作由县级统计机构负责。调查员主要从政府统计系统和基层组织人员中选调，也可从社会招聘，应尽可能保持调查员队伍的稳定。各级统计机构要加强对调查员的培训，应尽可能减少培训层次，以提高培训效果。各级统计机构要加强对调查员工作的监督检查。

4．调查的宣传工作。为使调查工作顺利进行，各级统计部门和调查工作人员要向调查样本点所在地政府领导做好宣传工作，讲明抽样调查的意义，特别要讲清抽样调查数据对本地、县、乡、村没有代表性，不作为考核本地、县、乡、村人口、就业计划完成情况和政绩的依据，以取得他们的理解和支持。同时还要做好群众的宣传工作，使他们解除思想顾虑，如实反映情况。

5．调查摸底、入户登记与复查工作。在充分做好调查摸底工作的基础上，进行入户登记工作。入户登记完毕后，要采取议查和个别访问的方法认真进行复查。

6．调查表编码。调查表编码分专项编码和非专项编码两部分，非专项编码由调查员在登记、复查、逻辑审核无误后进行，专项编码由县级统计机构组织经过培训的专项编码员集中进行。

7．调查表的报送。调查员在完成登记、复查、编码工作后，要将调查表以调查小区为单位收集，将填写好的调查小区封面放在本小区《人口变动和劳动力调查表》前面，《死亡人口调查表》放在最后,一起装入包装袋后，统一报县级统计机构。县级统计机构报送调查表方式由各省（自治区、直辖市）统计局根据需要确定。

（七）事后质量抽查

为了准确地掌握全国人口变动调查和劳动力调查的调查误差，各省（自治区、直辖市）在基层调查登记工作结束后，要按照调查制度的规定，立即进行事后质量抽查工作。事后质量抽查结果只用于评估全国调查的质量。

（八）数据处理与资料管理

1．国家统计局人口和就业统计司负责数据录入程序和汇总程序的编制和下发。

2．调查数据的录入工作由各省（自治区、直辖市）统计局人口（社科）处按照规定的格式和要求，组织实施。

3．各省（自治区、直辖市）统计局人口（社科）处要在规定的时间内，做好有关资料的报送工作：

(1)摸底数据。2008年11月2日前，将调查摸底数据（常住人口、出生人口、死亡人口、妇女待产人数）报国家统计局人口和就业统计司专项调查处。

(2)快速汇总数据。2008年11月13日前，将调查登记的11月1日的常住人口、出生人口、死亡人口以电子邮件或传真方式报国家统计局人口和就业统计司专项调查处。

(3)调查原始数据。2008年12月8日前，以电子邮件方式报国家统计局人口和就业统计司专项调查处。

(4)事后质量抽查表。2008年11月25日前，将审核无误的事后质量抽查表寄送到国家统计局人口和就业统计司专项调查处。

4．全国数据由国家统计局人口和就业统计司负责汇总，各省（自治区、直辖市）的数据要按照国家统一的部署和安排进行汇总。调查数据需经国家统计局审定后方可使用。

5．报送推算的主要数据。各省（自治区、直辖市）对2008年年底本地常住人口总量；出生率、死亡率；城镇人口比重；0-14岁、15-64岁、65岁及以上三个年龄段的常住人口数做初步推算，于2008年12月20日前将初步测算结果及测算方法的简要说明通过电子邮件或传真的方式报送国家统计局人口和就业统计司专项调查处。

6．数据处理完成后，调查表和原始数据由各省（自治区、直辖市）统计局人口（社科）处负责管理。

（九）调查工作要求

1．为了保证调查工作的顺利进行，各级统计机构要切实加强对调查工作的管理。要建立调查工作的质量责任制，明确各项工作要求，对整个调查工作的全过程进行质量监督。

2. 为了保证全国调查数据的范围、分类和计算方法的统一性，各地区必须严格执行调查制度的规定。遇到特殊情况要向上级有关部门请示，不得按照个人的理解擅自处理。

3. 调查员要对其所负责的调查小区的数据质量负责，如果发现调查数据有不实的情况，必须返工重做。

4. 调查员、调查指导员以及各级统计机构及其工作人员都要按照《统计法》的规定，对调查结果、特别是被调查户的情况保守秘密，不得向调查机构以外的任何单位和个人泄漏。

5. 各省（自治区、直辖市）统计局人口（社科）处要在 2009 年 3 月 1 日前，将本次调查的工作总结报国家统计局人口和就业统计司。

二、调查表式

人口变动和劳动力调查表

（2008年）

根据《中华人民共和国统计法》的规定，公民有义务提供国家统计调查所需的情况；我们对您提供的信息负有保密义务。

表　　号：R 1 0 1 表
制表机关：国　家　统　计　局
文　　号：国统字[2008] 119号
有效期至：2 0 0 9 年　6 月

应在本户登记的人：

（一）2008年10月31日晚居住在本户的人；

（二）户口在本户，2008年10月31日晚未居住在本户的人。

包括：

● 本户常住人口

1.住本户，户口在本乡、镇、街道的人；

2.住本户半年以上，户口在外乡、镇、街道的人；

3.住本户不满半年，户口在外乡、镇、街道，离开户口登记地半年以上的人；

4.住本户，户口待定的人。

● 本户户籍外出人口

户口在本户，离开本乡、镇、街道半年以上的人。

● 本户暂住人口

暂住本户，户口在外乡、镇、街道，离开户口登记地不满半年的人。

本户地址：________县（市、区）________乡（镇、街道）________ 村（居）委会________调查小区

本户基本情况

H1. 户编号	H2. 户别	H3. 应在本户登记的人数	H4. 本户常住人口数
□□□	1.家庭户 2.集体户 □	______人 □□	______人 □□
H5. 本户户籍人口中外出半年以上人数	H6. 暂住本户，户口在外乡镇街道，离开户口登记地不满半年的人数	H7. 本户2007年11月1日至2008年10月31日出生人口	H8. 本户2007年11月1日至2008年10月31日死亡人口
____人 □□	____人 □□	男____人 女____人 □ □	男____人 女____人 □ □

申报人（签字）：　　**调查员（签字）：**　　**填报日期：2008年11月　　日**

本户常住人口情况

本户第____人

每个人都填报					
R1. 姓名	R2. 与户主关系	R3. 性别	R4. 出生年月	R5. 民族	R6. 户口登记地状况
	0. 户主 1. 配偶 2. 子女 3. 父母 4. 岳父母或公婆 5. 祖父母 6. 媳婿 7. 孙子女 8. 兄弟姐妹 9. 其他	1. 男 2. 女	________年 ________月	______族	1. 住本户，户口在本乡镇街道→R8 2. 住本户半年以上，户口在外乡镇街道 3. 住本户不满半年，户口在外乡镇街道，离开户口登记地半年以上 （2、3→）1.本县（市）其他乡 2.本县（市）其他镇 3.本县（市）其他街道 4.本市区其他乡 5.本市区其他镇 6.本市区其他街道 7.本地（市）其他县（市、区） 8.本省其他地（市）________地（市） 9. 外省：________省 4. 住本户，户口待定→R9

每个人都填报		2007年11月前出生者填报	2002年11月前出生者填报	
R7. 离开户口登记地原因	R8. 户口性质	R9. 一年前常住地	R10. 是否识字	R11. 受教育程度
1. 务工经商 2. 工作调动 3. 分配录用 4. 学习培训 5. 拆迁搬家 6. 婚姻嫁娶 7. 随迁家属 8. 投亲靠友 9. 其他	1. 农业户口 2. 非农业户口	1. 本乡镇街道 2. 本县（市、区）其他乡镇街道 3. 本地（市）其他县（市、区） 4. 本省其他地（市） ________地（市） 5. 省外： ________省	1. 是 2. 否	1. 未上过学→R13 2. 小学 3. 初中 4. 高中 5. 大学专科 6. 大学本科 7. 研究生

2002年11月前出生者填报	1993年11月前出生者填报	1957年11月至1993年11月前出生的妇女填报	
R12. 学业完成情况	R13. 婚姻状况	R14. 2007年11月1日至2008年10月31日生育情况	
1. 在校 2. 毕业 3. 肄业 4. 辍学 5. 其他	1. 未婚 →R15 2. 初婚有配偶 3. 再婚有配偶 4. 离婚 5. 丧偶	1. 未生育 →R15 2. 有生育 生育月份：_____月 婴儿性别：1. 男 2. 女 属于第_____胎	（12个月内生育两个以上孩子的第二个孩子的状况） 生育月份：_____月 婴儿性别：1. 男 2. 女

1992年11月前出生者填报			
R15. 您10月25日至10月31日是否为取得收入而工作了1小时以上？	R16. 您目前的工作单位或经营活动属于以下哪种类型？	R17. 您目前的就业身份属于以下哪一类？	R18. 您是否与用人单位或雇主签订了劳动合同？
1. 是 上周工作时间 ______小时 2. 在职正休假、学习、临时停工或季节性歇业 3. 未做任何工作→**R19**	1. 土地承包者→**R23** 2. 机关团体事业单位 3. 国有及国有控股企业 4. 集体企业 （2～4）→**R18** 5. 个体工商户 6. 私营企业 7. 外商、港澳台投资企业 8. 其他类型单位 9. 其他	1. 雇员 2. 雇主 3. 自营劳动者 4. 家庭帮工 （2～4）→**R23**	1. 是，已签有固定期限合同 期限______个月 2. 是，已签无固定期限（长期）合同 3. 否 （1～3）→**R23**

R19. 您10月25日至10月31日未工作是什么原因？	R20. 近三个月内您采取过哪种方式寻找工作？	R21. 如有适合的工作您能否在两周内去工作？	R22. 您不能在两周内工作或未找工作是什么原因？
1. 在校学习 →**结束** 2. 丧失劳动能力 →**R25** 3. 毕业后未工作 4. 因单位原因失去原工作 5. 因本人原因失去原工作 6. 承包土地被征用 7. 离退休 8. 料理家务 9. 其他	1. 在职业介绍机构登记 2. 委托亲友找工作 3. 应答或刊登广告 4. 参加招聘会 5. 为自己经营做准备 6. 其他 7. 未找过工作→**R22**	1. 能 连续未工作时间 ______月→**R23** 2. 不能	1. 照顾家庭 2. 身体不好 3. 正在参加培训 4. 没有适合的工作 5. 不想工作 6. 刚失去工作还未找 7. 刚毕业还未找 8. 其他 （1～8）→**R25**

R23. 您10月25日至10月31日或失去工作前在什么单位工作？（行业）	R24. 您10月25日至10月31日或失去工作前做什么具体工作？（职业）	R25. 您参加了下列几项社会保险吗？			R26. 您目前主要靠什么生活？
1. 详细单位名称 ______ 单位的主要产品或从事的主要业务 ______ 2. 从未工作	1. 从事的具体工作 ______ 2. 从未工作	基本养老保险 1. 参加 2. 未参加	失业保险 1. 参加 2. 未参加	基本医疗保险 1. 参加 2. 未参加	1. 劳动收入 2. 离退休金、养老金 3. 失业保险金 4. 最低生活保障金 5. 下岗生活费 6. 内退生活费 7. 原有积蓄 8. 出租房屋 9. 家庭其他成员供养 10. 其他

本户户籍外出人口情况

（户口在本户，离开本乡、镇、街道半年以上的人登记）

W1．姓名	W2．性别	W3．出生年月	W4．户口性质	W5．受教育程度	W6．外出地状况	W7．外出原因	W8．外出时间
	1．男 2．女	______年 ______月	1．农业户口 2．非农业户口	1．未上过学 2．小学 3．初中 4．高中 5．大学专科 6．大学本科 7．研究生	1．本县（市、区）其他乡镇街道 2．本地（市）其他县（市、区） 3．本省其他地（市） ______地（市） 4．省外： ______省	1．务工经商 2．工作调动 3．分配录用 4．学习培训 5．拆迁搬家 6．婚姻嫁娶 7．随迁家属 8．投亲靠友 9．其他	1．半年以上不满一年 2．一年以上
	1．男 2．女	______年 ______月	1．农业户口 2．非农业户口	1．未上过学 2．小学 3．初中 4．高中 5．大学专科 6．大学本科 7．研究生	1．本县（市、区）其他乡镇街道 2．本地（市）其他县（市、区） 3．本省其他地（市） ______地（市） 4．省外： ______省	1．务工经商 2．工作调动 3．分配录用 4．学习培训 5．拆迁搬家 6．婚姻嫁娶 7．随迁家属 8．投亲靠友 9．其他	1．半年以上不满一年 2．一年以上
	1．男 2．女	______年 ______月	1．农业户口 2．非农业户口	1．未上过学 2．小学 3．初中 4．高中 5．大学专科 6．大学本科 7．研究生	1．本县（市、区）其他乡镇街道 2．本地（市）其他县（市、区） 3．本省其他地（市） ______地（市） 4．省外： ______省	1．务工经商 2．工作调动 3．分配录用 4．学习培训 5．拆迁搬家 6．婚姻嫁娶 7．随迁家属 8．投亲靠友 9．其他	1．半年以上不满一年 2．一年以上

本户暂住人口情况

（暂住本户，户口在外乡、镇、街道，离开户口登记地不满半年的人登记）

Z1. 姓名	Z2. 性别	Z3. 出生年月	Z4. 户口登记地
	1. 男 2. 女	______年 ______月	1. 本县（市、区）其他乡镇街道 2. 本地（市）其他县（市、区） 3. 本省其他地（市） 4. 外省：______省
	1. 男 2. 女	______年 ______月	1. 本县（市、区）其他乡镇街道 2. 本地（市）其他县（市、区） 3. 本省其他地（市） 4. 外省：______省
	1. 男 2. 女	______年 ______月	1. 本县（市、区）其他乡镇街道 2. 本地（市）其他县（市、区） 3. 本省其他地（市） 4. 外省：______省
	1. 男 2. 女	______年 ______月	1. 本县（市、区）其他乡镇街道 2. 本地（市）其他县（市、区） 3. 本省其他地（市） 4. 外省：______省
	1. 男 2. 女	______年 ______月	1. 本县（市、区）其他乡镇街道 2. 本地（市）其他县（市、区） 3. 本省其他地（市） 4. 外省：______省
	1. 男 2. 女	______年 ______月	1. 本县（市、区）其他乡镇街道 2. 本地（市）其他县（市、区） 3. 本省其他地（市） 4. 外省：______省

死亡人口调查表

（2007 年 11 月 1 日至 2008 年 10 月 31 日死亡的人登记）

表　　号：R　1　0　2　表
制表机关：国　家　统　计　局
文　　号：国统字[2008] 119 号
有效期至：2 0 0 9　年　6　月

地址：________县（市、区）________乡（镇、街道）________村（居）委会________调查小区

S1. 户编号	S2. 姓名	S3. 性别	S4. 出生年月	S5. 死亡月份
□□□	□□	1. 男 2. 女 □	______年 ______月 □□□□ □□	______月 □□
□□□	□□	1. 男 2. 女 □	______年 ______月 □□□□ □□	______月 □□
□□□	□□	1. 男 2. 女 □	______年 ______月 □□□□ □□	______月 □□
□□□	□□	1. 男 2. 女 □	______年 ______月 □□□□ □□	______月 □□
□□□	□□	1. 男 2. 女 □	______年 ______月 □□□□ □□	______月 □□
□□□	□□	1. 男 2. 女 □	______年 ______月 □□□□ □□	______月 □□

调查员（签字）：

三、主要统计指标解释

人口数 指一定时点、一定地区范围内有生命的个人总和。年度统计的年末人口数指每年12月31日24时的人口数。年度统计的全国人口总数内未包括香港、澳门特别行政区和台湾省以及海外华侨人数。

城镇人口和乡村人口 城镇人口是指居住在城镇范围内的全部常住人口；乡村人口是除上述人口以外的全部人口。

出生率（又称粗出生率） 指在一定时期内（通常为一年）一定地区的出生人数与同期内平均人数（或期中人数）之比，用千分率表示。本资料中的出生率指年出生率，其计算公式为：

$$出生率=\frac{年出生人数}{年平均人口}\times 1000‰$$

式中：出生人数指活产婴儿，即胎儿脱离母体时（不管怀孕月数），有过呼吸或其他生命现象。年平均人数指年初、年底人口数的平均数，也可用年中人口数代替。

死亡率（又称粗死亡率） 指在一定时期内（通常为一年）一定地区的死亡人数与同期内平均人数（或期中人数）之比，用千分率表示。本资料中的死亡率指年死亡率，其计算公式为：

$$死亡率=\frac{年死亡人数}{年平均人口}\times 1000‰$$

人口自然增长率 指在一定时期内（通常为一年）人口自然增加数（出生人数减死亡人数）与该时期内平均人数（或期中人数）之比，用千分率表示。计算公式为：

$$人口自然增长率=\frac{(本年出生人数-本年死亡人数)}{年平均人数}\times 1000‰$$

$$=人口出生率-人口死亡率$$

总抚养比 也称总负担系数。指人口总体中非劳动年龄人口数与劳动年龄人口数之比。通常用百分比表示。说明每100名劳动年龄人口大致要负担多少名非劳动年龄人口。用于从人口角度反映人口与经济发展的基本关系。计算公式为：

$$GDR=\frac{(P_{0-14}+P_{65+})}{P_{15-64}}\times 100\%$$

其中：GDR为总抚养比；

P_{0-14}为0-14岁少年儿童人口数；

P_{65+} 为65岁及65岁以上的老年人口数；

P_{15-64} 为15-64岁劳动年龄人口数。

老年人口抚养比　也称老年人口抚养系数。指某一人口中老年人口数与劳动年龄人口数之比。通常用百分比表示。用以表明每100名劳动年龄人口要负担多少名老年人。老年人口抚养比是从经济角度反映人口老化社会后果的指标之一。计算公式为：

$$ODR = \frac{P_{65+}}{P_{15-64}} \times 100\%$$

其中：ODR 为老年人口抚养比；

P_{65+} 为65岁及65岁以上的老年人口数；

P_{15-64} 为15-64岁的劳动年龄人口数。

少年儿童抚养比　也称少年儿童抚养系数。指某一人口中少年儿童人口数与劳动年龄人口数之比。通常用百分比表示。以反映每100名劳动年龄人口要负担多少名少年儿童。计算公式为：

$$CDR = \frac{P_{0-14}}{P_{15-64}} \times 100\%$$

其中：CDR 为少年儿童抚养比；

P_{0-14} 为0-14岁少年儿童人口数；

P_{15-64} 为 15-64 岁劳动年龄人口数。

16 岁以上人口　16 岁以上人口相当于劳动年龄人口。我国《劳动法》规定："禁止招用不足 16 周岁的未成年人参加社会劳动"，即规定了我国劳动年龄人口的下限。参照目前市场经济国家的一些做法，没有设置劳动年龄人口的上限，主要因为不管年龄多大，只要有劳动能力，都有可能对劳动力市场构成影响。由于丧失劳动能力的人口不易界定，且占 16 岁以上人口的比重较小，这部分人口没有扣除。因此，劳动年龄人口一般就指 16 岁以上人口，包括经济活动人口和非经济活动人口。

经济活动人口　即通常意义上的劳动力，指 16 周岁及以上，有劳动能力，已经参加或要求参加社会经济活动的人口，包括就业人员和失业人员。

非经济活动人口　指在 16 周岁及以上，未参加且不要求参加社会经济活动的人口。

就业人员　指在 16 周岁及以上，从事一定社会劳动并取得劳动报酬或经营收入的人员。

城镇单位就业人员　指在各级国家机关、政党机关、社会团体及企业、事业单位中工作，取得工资或其他形式劳动报酬的全部人员，包括在岗职工和其他就业人员，不包括离开本单位仍保留劳动关系的人员。

职工　指在国有、城镇集体、联营、股份制、外商和港、澳、台投资、其他单位及其附属机构工作，并由其支付工资的各类人员。不包括下列人员：（1）乡镇企业就业人员；（2）私营企业就业人员；（3）城镇个体劳动者；（4）离休、退休、退职人员；（5）再就业的离、退休人员；（6）民办教师；（7）在城镇单位中工作的外方及港、澳、台人员；（8）其他按有关规定不列入职工统计范围的人员。（1998年以后的数据均为在岗职工数据，其他相关指标如职工工资总额，职工平均工资等指标也从1998年按此口径进行了相应调整）。

在岗职工　指在本单位工作并由单位支付工资的人员，以及有工作岗位，但由于学习、病伤产假等原因暂未工作，仍由单位支付工资的人员。

其他就业人员　各单位其他就业人员是指劳动统计制度规定不作职工统计，但实际参加各单位生产或工作并取得劳动报酬的人员。包括：再就业的离退休人员、民办教师以及在各单位中工作的外方人员和港、澳、台方人员。但不包括在各单位中工作并领取劳动报酬的在校学生。

城镇私营和个体就业人员　城镇私营就业人员指在工商管理部门注册登记，其经营地址设在县城关镇（含县城关镇）以上的私营企业就业人员，包括私营企业投资者和雇工。城镇个体就业人员指在工商管理部门注册登记，并持有城镇户口或在城镇长期居住，经批准从事个体工商经营的就业人员，包括个体经营者和在个体工商户劳动的家庭帮工和雇工。

国有单位　指资产归国家所有的经济组织。包括按《中华人民共和国企业法人登记管理条例》规定登记注册的非公司制的经济组织，以及中央、地方各级国家机关、事业单位和社会团体。

集体单位　指生产资料归集体所有，并按《中华人民共和国企业法人登记管理条例》规定登记注册的经济组织。

其他单位　包括股份合作单位、联营单位、有限责任公司、股份有限公司、港澳台商投资单位以及外商投资单位等其他登记注册类型单位。

三次产业　三产业的划分是世界上较为常用的产业结构分类，但各国的划分不尽一致。我国的三次产业划分是：

第一产业指农、林、牧、渔业。

第二产业指采矿业，制造业，电力、煤气及水的生产和供应业，建筑业。

第三产业指除第一、二产业以外的其他行业。

城镇登记失业人员　是指有非农业户口，在劳动年龄(16 周岁至退休年龄)内，有劳动能力，无业而要求就业，并在当地就业服务机构进行求职登记的人员。不包括：(1)正在就读的学生和等待就学的人员；(2)已经达到国家规定的退休年龄或虽未达到国家规定的退休年龄但已经办理了退休(含离休)、退职手续的人员；(3)其他不符合失业定义的人员。

城镇登记失业率　城镇登记失业人员与城镇单位就业人员（扣除使用的农村劳动力、聘用的离退休人员、港澳台及外方人员）、城镇单位中的不在岗职工、城镇私营业主、个体户主、城镇私营企业和个体就业人员、城镇登记失业人员之和的比。计算公式为：

$$\text{城镇登记失业率}=\frac{\text{城镇登记失业人数}}{\begin{array}{l}\text{（城镇单位就业人员}-\text{使用的农村劳动力}-\text{聘用的离退休}\\\text{人员}-\text{聘用的港澳台及外方人员）}+\text{不在岗职工}+\text{城镇私}\\\text{营业主}+\text{城镇个体户主}+\text{城镇私营企业及个体就业人员}\\+\text{城镇登记失业人数}\end{array}}\times 100\%$$

劳动报酬　指各单位在一定时期内直接支付给本单位全部就业人员的劳动报酬总额。包括职工工资总额和其他就业人员劳动报酬总额。

工资总额 指各单位在一定时期内直接支付给本单位全部职工的劳动报酬总额。工资总额的计算原则应以直接支付给职工的全部劳动报酬为根据。各单位支付给职工的劳动报酬以及其他根据有关规定支付的工资，不论是计入成本的还是不计入成本的，不论是以货币形式支付的还是以实物形式支付的，均应列入工资总额的计算范围。工资总额包括计时工资、计件工资、奖金、津贴和补贴工资、加班加点工资、特别情况下支付的工资等。

平均工资 指企业、事业、机关单位的职工在一定时期内平均每人所得的货币工资额。它表明一定时期职工工资收入的高低程度，是反映职工工资水平的主要指标。计算公式为：

$$\text{平均工资}=\frac{\text{报告期实际支付的全部职工工资总额}}{\text{报告期全部职工平均人数}}$$

平均工资指数 指报告期职工平均工资与基期职工平均工资的比率，是反映不同时期职工货币工资水平变动情况的相对数，它表明报告期平均工资比基期平均工资提高或降低的程度。计算公式为：

$$\text{平均工资指数}=\frac{\text{报告期职工平均工资}}{\text{基期职工平均工资}}\times 100\%$$

平均实际工资指数 职工平均实际工资指扣除物价变动因素后的职工平均工资。职工平均实际工资指数是反映实际工资变动情况的相对数，表明职工实际工资水平提高或降低的程度。计算公式为：

$$\text{平均实际工资指数}=\frac{\text{报告期职工平均工资指数}}{\text{报告期城镇居民消费价格指数}}\times 100\%$$

Explanatory Notes on Main Statistical Indicators

Total Population refer to the total number of people alive at a certain point of time within a given area. The annual statistics on total population is taken at midnight, the 31st of December, not including residents in Hong Kong SAR, Macao SAR, Taiwan Province and overseas Chinese national residing abroad.

Urban Population and Rural Population Urban population refer to all people residing in cities and towns, while rural population refer to population other than urban population.

Birth Rate (or Crude Birth Rate) refers to the ratio of the number of births to the average population (or mid-period population) during a certain period of time (usually a year), expressed in per thousand. Birth rate in the yearbook refers to annual birth rate. The following formula is used:

$$\text{Birth Rate} = \frac{\text{Number of Births in the Year}}{\text{Annual Average Number of Population}} \times 1000‰$$

Where: Number of births refers to live births, i.e. when a baby has breathed or showed any vital phenomena regardless of the length of pregnancy.

Annual average number of population is the average of the number of population at the beginning of the year and that at the end of the year. Sometimes it is substituted by the mid-year population.

Death Rate (or Crude Death Rate) refers to the ratio of the number of deaths to the average population (or mid-period population) during a certain period of time (usually a year), expressed in per thousand. Death rate in the yearbook refers to annual death rate. The following formula is used:

$$\text{Death Rate} = \frac{\text{Number of Deaths in the Year}}{\text{Annual Average Number of Population}} \times 1000‰$$

Natural Growth Rate of Population refers to the ratio of natural increase in population (number of births minus number of deaths) in a certain period of time (usually a year) to the average population (or mid-period population) of the same period, expressed in ‰. The following formula is applied:

$$\text{Natural Growth Rate of Population} = \frac{(\text{Number of Births} - \text{Number of Deaths})}{\text{Annual Average Number of Population}} \times 1000‰$$
$$= \text{Birth Rate} - \text{Death Rate}$$

Gross Dependency Ratio also called gross dependency coefficient, refers to the ratio of non-working-age population to the working-age population, express in percent. Describing in general the number of non-working-age population that every 100 people at working ages will take care of, this indicator reflects the basic relation between population and economic development from the demographic perspective. The gross dependency ratio is calculated with the following formula:

$$GDR = \frac{P_{0\text{-}14} + P_{65}}{P_{15-64}} \times 100\%$$

Where: GDR is the gross dependency ratio,

P_{0-14} is the population of children aged 0-14,

P_{65+} is the elderly population aged 65 and over,

P_{15-64} is the working-age population aged 15-64.

Old Dependency Ratio also called old dependency coefficient, refers to the ratio of the elderly population to the working-age population, express in percent. It describes the number of the elderly population that every 100 people at working ages will take care of. Old dependency ratio is one of the indicators reflecting the social implication of population aging from the economic perspective. The old dependency ratio is calculated with the following formula:

$$ODR = \frac{P_{65+}}{P_{15-64}} \times 100\%$$

Where: ODR is the old dependency ratio,

P_{65+} is the elderly population aged 65 and over,

P_{15-64} is the working-age population aged 15-64.

Children Dependency Ratio also called children dependency coefficient, refers to the ratio of the children population to the working-age population, express in percent. It describes the number of children population that every 100 people at working ages will take care of. The children dependency ratio is calculated with the following formula:

$$CDR = \frac{P_{0-14}}{P_{15-64}} \times 100\%$$

Where: CDR is the children dependency ratio,

P_{0-14} is the children population aged 0-14,

P_{15-64} is the working-age population aged 15-64.

Population Aged 16 and Over is equal to labor age population. *China Labor Act* prescribes that 'no employer shall be allowed to recruit juveniles under the age of 16', which regulated the lower limit of labor age. Taking into consideration of the experiences in some market economy countries, the Labor Act does not set the upper limit of labor age because a person who has ability to work may affect the labor market no matter how old he/she is. Persons who lost labor ability are not deducted from labor age population because they are not easy to be identified and their proportion to population aged 16 and over is small. So labor age population commonly refers to the population aged 16 and over, including *Economically Active Population* and *Economically Inactive Population.*

Economically Active Population (also know as the labor force) refers to the population aged 16 and over who are capable to work, are participating in or willing to participate in economic activities, including *Employed Persons* and *Unemployed Persons.*

Economically Inactive Population refers to the population aged 16 and over who are not participating in and not willing to participant in economic activities.

Employed Persons refer to persons aged 16 and over who are engaged in gainful employment and thus receive remuneration payment or earn business income.

Urban Unit Employed Persons refer to all persons working in government agencies of various levels, political and party organizations, social organizations, enterprises and institutions, and receiving wages or other forms of payment. They include Fully Employed Staff and Workers and Other Employed Persons, but exclude staff and workers who have left their working units while keeping their labour contracts (employment relation) unchanged.

Staff and Workers refer to persons working in, and receive payment from units of state ownership, collective ownership, joint ownership, share holding ownership, foreign ownership, and ownership by entrepreneurs from Hong Kong, Macao, and Taiwan, and other types of ownership and their affiliated units. They do not include 1) persons employed in township enterprises, 2) persons employed in private enterprises, 3) urban self-employed persons, 4) retirees, 5) re-employed retirees, 6) Non-state-paid teachers, 7) foreigners and persons from Hong Kong, Macao and Taiwan who work in urban units, and 8) other persons not to be included by relevant regulations. (Data since 1998 refer to fully employed staff and workers. Other related statistics indicators, such as total wage bill and average wage are adjusted since 1998 accordingly).

Fully Employed Staff and Workers refer to persons who work in, and receive wages from their working units, including persons who have their work posts but are temporarily absent from work for reasons of study or on sick, injury or maternal leave and still receive wages from their working units.

Other Employed Persons refer to persons who are not counted as Staff and Workers in statistics according to the labor statistical regulation, but actually work in and receive earnings from their working units. They include re-employed retirees, non-state-paid teachers, foreigners and Chinese compatriots from Hong Kong, Macao, and Taiwan working in various units, but exclude enrolled students who work in and receive earnings from various units.

Persons Employed in Private Enterprises and Self-Employed Individuals in Urban Areas Persons employed in private enterprises refer to the persons employed (including investors and employees) in private enterprises which have been registered at the departments of industrial and commercial administration for which the business operation are situated at a county town (i.e. a town where the county government is located), or at urban areas with administrative hierarchy higher than a county town. The self-employed individuals in urban areas refer to persons who hold the certificates of residence in urban areas or have resided in the urban areas for a long time and have been registered at the departments of industrial and commercial administration and approved to be engaged in individual industrial or commercial business, including self-employed persons as well as helpers and hired laborers who work in individual households.

State-owned Units refer to economic units whose assets are owned by the state, including non-corporation units registered according to *Regulation of the People's Republic of China on the Registration of Enterprises and Corporations*, state organs, institutions and social organizations at the central and local levels.

Collective-Owned Units refer to economic units registered according to *Regulation of the People's Republic of China on the Registration of Enterprises and Corporations* where the means of production are collectively owned.

Units of Other Types of Ownership refer to units registered with other types of ownership, including cooperative units, joint ownership units, limited liability companies, share holding corporations, units invested by entrepreneurs from Hong Kong, Macao, and Taiwan, and foreign-invested units.

Three Industries Classification of economic activities into three branches of industries is a common practice in the world, although the grouping varies to some extent from country to country. In China economic activities are categorized into following industries:

Primary Industry refers to agriculture, forestry, animal husbandry and fishery.

Secondary Industry refers to mining and quarrying, manufacturing, production and supply of electricity, water and gas, and construction.

Tertiary Industry refers to all other economic activities not included in primary or secondary industry.

Registered Unemployed Persons in Urban Areas refer to the persons with non-agricultural household registration at working ages (16 years old to retirement age), who are capable of work, unemployed and willing to work, and have been registered at the local employment service agencies to apply for a job. Excluded from this category are: 1) enrolled students and persons waiting for school enrollment, 2) persons at or above state retirement age or persons under state retirement age who have completed retirement procedures, 3) other persons not qualified foe the definition of unemployment.

Registered Unemployment Rate in Urban Areas refers to the ratio of the number of the registered unemployed persons to the sum of the number of persons employed in various urban units (minus the employed rural labour force, re-employed retirees, and Hong Kong, Macao, Taiwan or foreign employees), laid-off staff and workers in urban units, owners of private enterprises in urban areas, self-employed individuals in urban areas, employees of private enterprises in urban areas, employees of self-employed individuals in urban areas, and the registered unemployed persons in urban areas. The formula is as follows:

$$\text{Registered Unemployment Rate in Urban Area} = \frac{\text{Number of Registered Urban Unemployed Persons}}{\begin{array}{l}\text{(Number of Persons Employed in Urban Units} - \text{Employed Rural}\\ \text{Labor Force} - \text{Re-employed Retirees} - \text{Hong Kong, Macao, Taiwan}\\ \text{or Foreign Employees)} + \text{Laid-off Staff and Workers} + \text{Owners of}\\ \text{Urban Private Enterprises} + \text{Urban Self-employed Individuals} +\\ \text{Employees of Urban Private Enterprises} + \text{Employees}\\ \text{of Urban Self-Employed Individuals} + \text{Registerd Unemployed}\\ \text{Persons in Urban Areas}\end{array}} \times 100\%$$

Earnings refer to total remuneration payment to all employees in various units in urban area during a certain period of time, including total wage bill of staff and workers and earnings of other employed persons.

Total Wage Bill refers to the total remuneration payment to staff and workers in various units during a certain period of time. The calculation of total wage bill is based on the total remuneration payment to the staff and workers. Therefore, all the wages and salaries and other payments to staff and workers are included in the total wage bill regardless of sources, reckoning the cost of production or not, category, listing as items of premium taxation or not, and forms, paying in cash or in kind.

Average Wage refers to the average wage in money terms per person during a certain period of time for staff and workers in enterprises, institutions, and government agencies, which reflects the general level of wage income during a certain period of time and is calculated as follows:

$$\text{Average Wage} = \frac{\text{Total Wage Bill of Staff and Workers at Reference Time}}{\text{Average Number of Staff and Workers at Reference Time}}$$

Average Wage Indices refer to the ratio of average wage of staff and workers in the reporting period to that in the base period, which reflects the change of wage of staff and workers at the different period. It is calculated as follows:

$$\text{Average Wage Indices} = \frac{\text{Average Wage of Staff and Workers at Reference Time}}{\text{Average Wage of Staff and Workers at Base Period}} \times 100\%$$

Average Real Wage Indices Average real wage of staff and workers refers to the average wage of staff and workers after removing the effects of the price changes, and average real wage indices of staff and workers refer to the change of real wage, which reflects the relative increasing or decreasing level of real wage of staff and workers, and is calculated as follows:

$$\text{Average Real Wage Indices} = \frac{\text{Average Wage Indices of Staff and Workers at the Referece Time}}{\text{Urban Consumer Price Indices at Reference Time}} \times 100\%$$